HET WEB VAN DE

HET WEB

VAN DE

MOSSAD

Onthullingen van een Israëlisch geheim agent

CLAIRE HOY
VICTOR OSTROVSKY

UITGEVERIJ M & P – WEERT

Oorspronkelijke titel: By Way of Deception
© MCMXC Oorspronkelijke uitgave:
Stoddart Publishing Co. Ltd., Canada
© MCMXCI Nederlandstalige uitgave:
M & P Uitgeverij bv, Weert/Standaard Uitgeverij n.v., Antwerpen

Tekstverzorging: *de Redactie*, Amsterdam
Vertaling: René Huigen en Maartje de Kort
Eindredactie: Paul Krijnen
Omslagontwerp: Teo van Gerwen

ISBN 90 6590 479 4
CIP
NUGI 648

Inhoud

Voorwoord van de auteurs

Het was echt niet gemakkelijk voor me om de feiten die ik heb leren kennen tijdens mijn dienstverband van vier jaar bij de Mossad, openbaar te maken.

Ik kom namelijk uit een milieu van vurige zionisten, waar me werd geleerd dat de staat Israël zich niet kon misdragen, dat ons land moest worden vergeleken met David, in een eindeloze strijd gewikkeld tegen een steeds machtiger Goliath. Dat niemand ons daarbij zou helpen en dat we het dus zelf moesten opknappen. Dit gevoel dat we geheel op onszelf waren aangewezen, werd nog versterkt door de overlevenden van de holocaust in ons midden.

Aan ons jonge Israëli's, een generatie van het volk, dat na meer dan tweeduizend jaar verbanning was teruggekeerd naar het eigen land, werd het lot van de gehele natie toevertrouwd. De bevelhebbers van het leger waren in onze ogen niet gewoon generaals, maar helden. Onze politieke leiders beschouwden we als kapiteins aan het roer van het schip van staat.

Ik was opgetogen toen ik werd uitverkoren toe te treden tot de Mossad-elite. Maar het verziekte idealisme, de door egoïsme ingegeven pragmatiek, de zogenaamde eerzucht van die eliteclub, de machtswellust en het totale gebrek aan respect voor mensenlevens, waarmee ik binnen de Mossad werd geconfronteerd, motiveerden me dit verhaal te vertellen.

Ik leg hiermee mijn leven in de waagschaal uit liefde voor een vrij en rechtvaardig Israël en ik kan degenen, die het hebben bestaan de zionistische droom te laten verworden tot de nachtmerrie die hij tegenwoordig is, recht in de ogen kijken.

De Mossad, de inlichtingendienst, aan wie de verantwoordelijkheid is toevertrouwd om de koers uit te stippelen voor de kapiteins aan het roer, heeft dat vertrouwen geschonden. Uit vaak zelfzuchtige en kleingeestige redenen hebben ze de natie eigenmachtig op een koers gebracht die regelrecht tot oorlog leidt.

Ik kan niet langer zwijgen, noch kan ik in dit boek mijn geloofwaardigheid op het spel zetten door de werkelijkheid achter valse namen schuil te laten gaan of de gelijkenissen met bepaalde personen te verdoezelen (hoewel ik initialen heb gebruikt voor de achternamen van degenen die nog steeds in actieve dienst zijn, zodat hun levens geen gevaar lopen). *Jacta alea est*: De teerling is geworpen.

VICTOR OSTROVSKY, *juli 1990*

In mijn ruim 25-jarige ervaring als journalist heb ik geleerd nooit nee te zeggen tegen iemand die een verhaal aanbiedt, hoe bizar het ook is. Nu had Victor Ostrovsky me een verhaal te vertellen dat aanvankelijk nog vreemder was dan dat van de meeste anderen.

Veel journalisten, onder wie ook ik, hebben genoeg mensen moeten aanhoren die buiten adem raakten van het uitleggen dat de publikatie van hun levensgeschiedenis werd tegengehouden door een samenzwering van marsmannetjes. Aan de andere kant hebben alle journalisten wel eens de euforie ervaren dat het ingaan op een tip tot een eerste klas artikel leidde.

Op een aprilmiddag in 1988 – ik zat op mijn vaste plaats op de perstribune van het parlement in Ottowa – werd ik gebeld door Victor Ostrovsky, die zei dat hij een interessant verhaal voor me had van internationale betekenis. Niet lang daarvoor had ik de controversiële bestseller *Friends in High Places* gepubliceerd over de problemen van de toenmalige minister-president van Canada en zijn regering. Victor zei me dat mijn aanpak van de bureaucratische problemen in Canada hem beviel en dat hij daarom had besloten mij het verhaal aan te bieden. Hij ging niet verder op de zaak in, maar stelde voor dat we elkaar een kwartier later in een nabijgelegen koffieshop zouden ontmoeten. Drie uur later wist Victor me nog steeds te boeien: het was inderdaad interessant wat hij te vertellen had.

Mijn onvermijdelijke eerste probleem was: hoe kom ik er achter of deze man inderdaad degene is die hij zegt dat hij is? Enig onderzoek, gekoppeld aan zijn eerlijkheid en bereidheid om namen te noemen, leidden na enige tijd tot de conclusie dat hij inderdaad een voormalige *katsa* van de Mossad was.

Veel mensen zullen niet blij zijn met dit boek. Het is een verontrustend verhaal, niet bepaald een kroniek van het beste dat de mens heeft te bieden. Velen zullen in Victor een verrader van Israël zien. Het zij zo. Ik beschouw hem evenwel als een man die er van overtuigd is dat de Mossad, een in aanleg goede organisatie, van het rechte pad is afgeweken, een man wiens idealen aan gruzelementen zijn geslagen door een mee-dogenloze en ziekmakende werkelijkheid, een man die gelooft dat de Mossad – of welke andere overheidsinstantie dan ook – onderworpen zou moeten zijn aan parlementaire controle. Zelfs de CIA moet zich tegenover de Amerikaanse volksvertegenwoordiging verantwoorden. De Mossad hoeft dat niet.

Op 1 september 1951 gaf de toenmalige Israëlische minister-president David Ben-Goerion opdracht tot oprichting van de Mossad, als een onafhankelijk van het ministerie van Buitenlandse Zaken opererende inlichtingendienst. Sindsdien is de Mossad in ieder opzicht een schim-mige organisatie gebleven, hoewel iedereen van zijn bestaan afweet (Is-raëlische politici scheppen soms op over zijn successen). In de Israëli-sche staatsbegroting zijn bijvoorbeeld nergens uitgaven ten behoeve van de Mossad te vinden. En de naam van het hoofd van de organisatie wordt nooit bekend gemaakt.

Een van de belangrijkste thema's van dit boek is het geloof van Victor dat de Mossad onbeheersbaar is geworden, dat zelfs de premier de lei-ding niet meer echt in handen heeft en vaak wordt gemanipuleerd, waarna hij zijn fiat geeft aan bepaalde acties die misschien wel in het belang van de Mossadleiding zijn, maar niet noodzakelijkerwijs in het belang van Israël.

Ofschoon spionageactiviteiten per definitie een hoge mate van ge-heimhouding vereisen, zijn in andere democratische landen bepaalde gegevens openbaar. In de Verenigde Staten bijvoorbeeld worden het hoofd van de CIA en zijn plaatsvervanger door de president voorge-dragen en onderworpen aan een openbare hoorzitting door een Se-naatscommissie, waarna ten slotte een meerderheid van de Senaat met de benoeming moet instemmen.

Zo kwam bijvoorbeeld op 28 februari 1989 een commissie onder lei-ding van David L. Boren bijeen in het Senaatsgebouw in Washington, om de ervaren CIA-ambtenaar Richard Kerr aan de tand te voelen in verband met zijn benoeming tot vice-president van de CIA. Voordat hij deze publieke hoorzitting onderging, had hij ook nog een vragen-lijst van 45 kantjes moeten invullen over zijn levensloop, zijn academi-sche en ambtelijke loopbaan en zijn financiële situatie. Hij werd onder-vraagd over de grootte van zijn vermogen, zijn salaris van de afgelopen vijf jaar en de hoogte van zijn hypotheek, over de verenigingen waar-van hij lid was, zijn levensfilosofie en over wat hij van de inlichtingen-dienst vond.

Aan het begin van de hoorzitting gaf Senater Boren te kennen dat het niet gebruikelijk was dat de commissie zijn werkzaamheden in het openbaar uitoefende. 'Ofschoon de wet ook in sommige andere landen voorziet in controle op de activiteiten van geheime diensten, is de wijze waarop dit in ons land plaatsvindt uniek.'

Ieder kwartaal geeft de commissie onder andere een overzicht van de door de president goedgekeurde geheime operaties en worden er speciale hoorzittingen gehouden als de president bepaalde nieuwe geheime activiteiten wil ondernemen.

'Hoewel we voorgestelde activiteiten niet kunnen wegstemmen,' vervolgde hij, 'hebben presidenten in het verleden wel rekening gehouden met onze adviezen door operaties aan te passen of geheel te annuleren, als we van mening waren dat het beleid verkeerd was of als we geloofden dat er onnodige risico's op het gebied van de veiligheid werden genomen.'

In Israël weet zelfs de minister-president niets van dergelijke geheime acties, tot het moment waarop ze plaatsvinden. En het publiek weet er helemaal niets van. Daarbij komt dat er bij de bevolking in het geheel geen kritische houding bestaat tegenover de activiteiten van de Mossad.

Het belang van een doeltreffende politieke supervisie over de inlichtingendienst werd door Sir William Stephenson samengevat in zijn voorwoord bij *A Man Called Intrepid*. Hierin zegt hij dat voor democratieën spionage onontbeerlijk is om rampen en mogelijkerwijs totale vernietiging te voorkomen. 'Onder het steeds geavanceerder wordende wapenarsenaal in de wereld is spionage een essentieel wapen, misschien wel het belangrijkste,' schreef hij. 'Maar het wapen van de spionage is, omdat het geheim is, ook het gevaarlijkste wapen. Tegen misbruik moeten voorzorgsmaatregelen worden genomen, die zo nodig moeten worden herzien maar in ieder geval punctueel uitgevoerd. In iedere onderneming is het van het grootste belang dat degenen aan wie de uitvoering van dergelijke maatregelen is toevertrouwd, over karakter en wijsheid beschikken. In de integriteit van de controlerende instanties ligt de hoop van vrije mensen op de uiteindelijke overwinning.'

Een andere legitieme vraag over het boek van Victor is hoe een relatief onbelangrijke medewerker van het 'Instituut', zoals de Mossad wordt genoemd, er zoveel over kan weten. Dat is een goede vraag, waarop het antwoord verrassend simpel is.

In de eerste plaats is de Mossad een kleine organisatie. In zijn boek *Games of Intelligence* schrijft Nigel West (pseudoniem voor het Britse conservatieve parlementslid Rupert Allason) dat het CIA-hoofdkwartier in Langley, Virginia, 'dat – werkelijk waar – op de George Washingtonparkeerplaats net buiten Washington DC staat bewegwijzerd,' ongeveer 25.000 personeelsleden telt, 'van wie de overgrote meerderheid geen enkele poging doet de aard van zijn werkzaamheden te verbergen.' De hele Mossad heeft daarentegen nauwelijks 1200 mensen in dienst, inclusief het secretariaats- en schoonmaakpersoneel. Zij allen zijn geïnstrueerd om te zeggen dat ze voor het ministerie van Defensie werken, wanneer iemand vraagt wat ze doen voor de kost.

West schrijft ook dat 'uit berichten van Russische overlopers duidelijk bleek dat voor de KGB in de hele wereld 15.000 inlichtingenofficieren werken, van wie er 3000 zijn gestationeerd in het hoofdkwartier in Teplyystan, net buiten de ringweg rond Moskou, ten zuidwesten van de hoofdstad. Dat gold voor de jaren vijftig. Recentere cijfers laten zien dat de KGB in de hele wereld meer dan 250.000 mensen in dienst heeft. Zelfs de Cubaanse DGI heeft ongeveer 2000 getrainde mensen op ambassades in de hele wereld gestationeerd.

Bij de Mossad – geloof het of niet – werken maar 30 tot 35 officieren van de inlichtingendienst of *katsa's*, die op ieder moment overal ter wereld kunnen worden ingezet. De belangrijkste reden van dit buitengewoon lage aantal is, zoals u in dit boek kunt lezen, dat een land als Israël kan rekenen op steun van de joodse gemeenschappen overal ter wereld. Dit is georganiseerd via het unieke systeem van *sayanim*, joodse vrijwilligers.

Victor hield een dagboek bij van zijn ervaringen en van veel verhalen die hem door anderen werden verteld. Schrijven kan hij niet goed, maar hij heeft wel een fotografisch geheugen voor kaarten, plattegronden en dergelijke, hetgeen cruciaal is voor het welslagen van een operatie. Omdat de Mossad zo'n kleine, hechte organisatie is, had hij toegang tot geheime computerbestanden, wat voor een nieuweling bij de KGB of CIA ondenkbaar is. Zelfs tijdens zijn opleiding hadden hij en zijn klasgenoten toegang tot de hoofdcomputer van de Mossad. Er werden dan vele uren besteed aan het bestuderen van de kleinste details, steeds maar weer, van de ene na de andere Mossad-operatie – want het was de bedoeling om nieuwkomers te leren hoe een actie moest worden opgezet en hoe gemaakte fouten in de toekomst konden worden vermeden.

Daarbij komen nog de unieke historische banden binnen de joodse gemeenschap en de overtuiging dat joden ongeacht hun politieke voor-
keuren de handen ineen moeten slaan om zichzelf te verdedigen tegen
hun vijanden, wat leidt tot een onderlinge openheid die men niet bij
personeel van de CIA of KGB zal aantreffen. Kortom: onder elkaar
voelen leden van de Mossad zich vrij om over de kleinste details te praten. En dat doen ze dan ook.

Op de eerste plaats wil ik Victor natuurlijk bedanken, omdat hij me de
kans heeft gegeven dit unieke verhaal te vertellen. Daarnaast bedank ik
ook mijn vrouw Lydia voor haar constante steun tijdens het schrijven
van dit boek, dat door zijn aard meer stress met zich meebracht dan
mijn normale werkzaamheden als politiek journalist.

Tenslotte dank ik de *Parliamentary Library* in Ottawa, waar men mij,
zoals gewoonlijk, weer zeer behulpzaam was.

CLAIRE HOY, *juli 1990*

Proloog: Operatie Sfinx

Butrus Eben Halim kon het niet helpen dat de vrouw hem opviel. Ze was per slot van rekening een blonde stoot, die ervoor was geschapen om nauwsluitende broeken en laag uitgesneden bloesjes te dragen en net genoeg van zichzelf bloot te geven om een man naar meer te laten verlangen.

Nu al een week lang verscheen ze bij zijn bushalte in Villejuif, ten zuiden van Parijs. Omdat daar maar twee bussen stopten – een RATP-bus richting Parijs en een plaatselijke bus – en er altijd maar een paar passagiers stonden te wachten, kon hij haar onmogelijk over het hoofd zien. Het punt was dat Halim dit niet doorhad.

Het was augustus 1978. Ze leek er dezelfde vaste gewoonten op na te houden als hij. Als Halim kwam aanlopen om zijn bus te halen, stond zij er al. Een paar ogenblikken later kwam dan een blauwogige, chic geklede man in een rode Ferrari BB512 two-seater aanscheuren om de vrouw op te pikken. God mocht weten waar ze heengingen.

Halim, een Irakees, wiens vrouw Samira noch hem, noch hun saaie leven in Parijs nog langer kon verdragen, fantaseerde tijdens de reis naar zijn werk over de blondine. Hij had alle tijd. Het was niet de bedoeling dat hij onderweg met iemand zou praten en bovendien had de Iraakse veiligheidsdienst hem geïnstrueerd om met een omweg naar zijn werk te gaan en de route steeds te veranderen. De enige vaste punten waren de bushalte bij zijn huis en het station Saint-Lazare. Daar nam Halim dan de trein naar Sarcelles, iets ten noorden van de stad, waar hij aan een zeer geheim project werkte: de bouw van een kernreactor voor Irak.

Op een dag arriveerde de plaatselijke bus vóór de Ferrari. Eerst keek de vrouw de straat af om de auto te zoeken, maar toen haalde ze haar schouders op en stapte in. Halims bus naar Parijs was vertraagd door een kleine 'aanrijding' met een Peugeot, twee hoeken verderop.

Iets later arriveerde de Ferrari. De bestuurder zocht naar de vrouw en Halim, die zich opeens realiseerde wat er gebeurd was, riep tegen hem in het Frans dat ze de bus had genomen. De man, die van zijn stuk gebracht leek, gaf een antwoord in het Engels. Halim herhaalde zijn woorden daarop in het Engels.

Dankbaar vroeg de man waar Halim heen moest. Halim zei dat zijn bestemming het metrostation Madeleine was, op loopafstand van Saint-Lazare. De bestuurder, Ran S. – Halim zou hem leren kennen als een Engelsman die Jack Donovan heette – zei dat hij daar ook in de buurt moest zijn en bood hem een lift aan.

Waarom niet, dacht Halim, terwijl hij in de auto stapte.

De vis had gebeten. Hij zou voor de Mossad een goede vangst blijken te zijn.

Operatie Sfinx eindigde spectaculair op 7 juni 1981, toen Israëlische jachtbommenwerpers van Amerikaanse makelij tijdens een gedurfde aanval boven Iraaks grondgebied de kerncentrale Tamuze 17 (of Osirak) in Tuwaitha, even buiten Bagdad, verwoestten. Dit bombardement vond plaats nadat jaren van intriges en diplomatie en door de Mossad gepleegde sabotagedaden en moorden, de bouw van de centrale weliswaar hadden vertraagd, maar niet hadden kunnen verhinderen.

Van het begin af bestond er in Israël grote bezorgdheid over het project. Frankrijk had na de oliecrisis van 1973 met Irak, zijn toen op een na grootste olieleverancier, een overeenkomst gesloten voor de levering van een nucleair onderzoekscentrum. De oliecrisis had de vraag naar kernenergie als alternatieve energiebron sterk doen toenemen en landen die kernreactoren bouwden, vergrootten hun internationale verkoopinspanningen drastisch. Frankrijk slaagde er in Irak een kernreactor te verkopen met een capaciteit van 700 megawatt.

Irak had er altijd de nadruk op gelegd dat het nucleaire onderzoekscentrum vreedzame doeleinden zou dienen, hoofdzakelijk om Bagdad van energie te voorzien. Om begrijpelijke redenen was de Israëlische regering bang dat er atoombommen gemaakt zouden worden, die tegen Israël konden worden ingezet.

De Fransen waren bereid om tot 93 procent verrijkt uranium te leveren, afkomstig van hun militaire verrijkingsfabriek in Pierrelatte. Het ging om een totaal van 78 kilo uranium, genoeg om vier atoombommen te maken. In die tijd had Jimmy Carter, de president van de Verenigde Staten, verzet tegen de proliferatie van kernwapens tot een van de hoofdpunten van zijn buitenlandse politiek gemaakt, zodat Amerikaanse diplomaten zowel de Fransen als de Irakezen onder druk begonnen te zetten hun plannen te herzien.

Toen de Iraakse regering daarop kortweg het Franse aanbod afsloeg om in plaats van verrijkt uranium zogenaamde 'karamel' af te nemen, een kernbrandstof waarmee energie kan worden opgewekt, maar die niet geschikt is voor het maken van atoombommen, begon het ook de Fransen te dagen welke bedoelingen de Irakezen hadden.

De Iraakse regering was niet te vermurwen. Afspraak was afspraak. Op een persconferentie in juli 1980 in Bagdad, maakte Iraks sterke man Saddam Hussein de Israëlische bezorgdheid belachelijk door te verklaren dat een paar jaar geleden zionistische kringen in Europa de Arabieren nog hadden bespot door te zeggen dat ze ongeciviliseerd en achterlijk waren, alleen goed in kameelrijden in de woestijn. 'Nu beweren diezelfde mensen, zonder ook maar met hun ogen te knipperen, dat Irak op het op het punt staat een atoombom te produceren.'

Omdat Irak dit punt tegen het einde van de jaren zeventig snel naderde, stuurde de militaire inlichtingendienst van Israël, de AMAN, een memo (voorzien van de aanduiding 'zwart' voor topgeheim) naar Tsvy Zamir, de lange, slanke, kalende ex-generaal, die toen aan het hoofd stond van de Mossad. De AMAN wilde nauwkeuriger informatie over de stand van zaken en de voortgang van het Iraakse project. David Biran, hoofd van de *Tsomet*, de wervingsafdeling van de Mossad, werd bij Zamir ontboden. Biran, een gezette, goed-geklede, succesvolle Mossad-officier, riep vervolgens zijn afdelingshoofden bij zich en droeg hen op om onmiddellijk een Iraakse informant in de fabriek van Sarcelles te 'werven'.

Twee afmattende dagen zoeken in lijsten van medewerkers leverden niets op. Toen telefoneerde Biran naar David Arbel, een grijsharige, veeltalige Mossad-officier, die hoofd was van het Mossad-bureau in Parijs, en gaf hem de noodzakelijke aanwijzingen voor het uitvoeren van de opdracht. Zoals alle buitenlandse bureaus, is ook het Parijse ondergebracht in de zwaar beveiligde Israëlische ambassade daar. Als hoofd van het Mossad-bureau was Arbel hoger in rang dan zelfs de ambassadeur. Het personeel van het Mossad-bureau controleert alle diplomatieke post (de 'dip'), de gewone in- en uitgaande post en is ook belast met het beheer van de *safe houses* of 'operationele appartementen', zoals ze door de Mossad ook wel worden genoemd. Alleen al het Londense bureau heeft zeker honderd van dergelijke appartementen aangekocht en huurt er nog eens vijftig.

Parijs kent ook zijn *sayanim*, joodse vrijwilligers uit alle geledingen van de samenleving en een van hen, die de schuilnaam Jacques Marcel droeg, werkte bij de reactorfabriek in Sarcelles. Als de operatie minder urgent was geweest, zou hem niet zijn gevraagd om een document te stelen. Normaal gaf hij informatie mondeling door of kopieerde hij stukken. Een document wegnemen houdt namelijk het gevaar in gesnapt te worden en dat brengt het leven van de *sayan* in gevaar. In dit geval werd echter besloten dat men het echte document te pakken moest zien te krijgen, vooral omdat Arabieren in verschillende situaties vaak verschillende namen gebruiken. Dus om het zekere voor het onzekere te nemen, werd Marcel opgedragen om een lijst met alle daar werkende Irakezen te ontvreemden.

Omdat Marcel de volgende week toch voor een vergadering van het bedrijf in Parijs moest zijn, werd hem gevraagd om de personeelslijst samen met de mappen die hij voor die vergadering nodig had, in de kofferbak van zijn auto te leggen. De avond tevoren had hij een afspraak met een Mossad*katsa* (officier van de inlichtingendienst). Die maakte een duplicaat van de sleutel van de kofferbak en gaf hem verdere instructies. Marcel moest op de afgesproken tijd met zijn auto een zijstraat nabij de Ecole Militaire inrijden: daar zou hij een rode Peugeot zien staan met een speciale sticker op zijn zwarte achterruit. Het was een huurauto die de hele avond voor een café geparkeerd zou staan om een parkeerplaats bezet te houden, wat in Parijs geen overbodige luxe is. Er werd Marcel gezegd dat hij een blokje om moest rijden en wanneer hij weer in de straat terugkwam zou de Peugeot wegrijden, zodat hij kon parkeren. Vervolgens hoefde hij alleen maar naar zijn afspraak te gaan en de personeelslijst in de kofferbak laten liggen.

Omdat medewerkers aan geheime projecten willekeurig kunnen worden onderworpen aan veiligheidscontroles, werd Marcel zonder het zelf te weten op weg naar zijn rendez-vous door de Mossad geschaduwd. Toen hij niet bleek te worden gevolgd, nam een eenheid van twee Mossad-agenten het document uit de kofferbak, waarna de mannen het café binnengingen. Terwijl de ene man iets bestelde, liep de ander naar het toilet. Daar haalde hij een camera met vier uitschuifbare aluminium pootjes tevoorschijn, een *clamper* genaamd. Dit toestel bespaart tijd, omdat de lens al is scherpgesteld en omdat het werkt met een door de afdeling fototechniek van de Mossad ontwikkelde cassette, waarmee meer dan vijfhonderd opnamen kunnen worden gemaakt. Als de pootjes zijn uitgeschoven, kan de fotograaf de papieren snel met behulp van een schuifraam onder het apparaat schuiven, terwijl hij tussen zijn tanden de rubberen ontspanner houdt om af te drukken. Na de drie pagina's op deze manier te hebben gefotografeerd, legden de mannen het document weer in de kofferbak terug en vertrokken.

De namen werden onmiddellijk per computer van Parijs naar Tel Aviv verzonden, waarbij men gebruik maakte van het gangbare dubbele codeersysteem. Iedere lettergreep wordt daarbij vervangen door een getal. Als een naam bijvoorbeeld Abdul luidt, kan 'Ab' worden voorgesteld door het getal 7 en 'dul' door 21. En om het nog ingewikkelder te maken heeft ieder getal weer een code – een lettercombinatie, of een ander getal – en deze codering wordt elke week veranderd. Bovendien wordt elk bericht in tweeën gesplitst en gescheiden verzonden, zodanig dat de ene helft van het bericht de code van de code van 'Ab' bevat en de andere helft de code van de code van 'dul.' Zelfs als een van beide berichten zou worden onderschept, zou het nog niets betekenen voor degene die erin zou slagen het te decoderen. Op deze manier werd de personeelslijst naar het hoofdkwartier van de Mossad verstuurd.

Zodra de namen met de bijbehorende functies in Tel Aviv waren gedecodeerd, werden ze naar de researchafdeling van de Mossad en naar de AMAN gestuurd, maar omdat het Iraakse personeel op Sarcelles uit geleerden bestond en zij niet wat je noemt als bedreigend werden beschouwd, stonden er weinig gegevens over hen in de Mossad-computer.

Het hoofd van de *Tsomet* stuurde een bericht naar Parijs: 'handel naar goeddunken'. Dit betekende zoveel als: zoek het gemakkelijkste doelwit en doe het snel. Zo kwamen ze op Butrus Eben Halim. Hij zou een goede vangst blijken te zijn, hoewel hij slechts werd gekozen omdat hij de enige Iraakse wetenschapper was die een huisadres had opgegeven. Dat betekende dat de anderen zich meer met veiligheidszaken bezighielden of dat ze op de militaire basis bij de fabriek woonden. Halim was ook getrouwd – ongeveer de helft van de Irakezen was dat – maar hij had geen kinderen. Voor een 42-jarige Irakees was het ongebruikelijk om geen kinderen te hebben. Dit wees niet op een normaal, gelukkig huwelijk.

Nu hadden ze een doel. Het volgende probleem was hoe ze hem moesten werven, temeer omdat men in Tel Aviv de woorden *ain efes* hadden laten vallen, wat betekende dat de actie in één keer moest slagen. Deze uitdrukking had een zware lading.

17

Om de actie uit te voeren werden twee teams ingeschakeld.

Een *yarid*-team, belast met veiligheidsoperaties, moest achter de dage-lijkse gewoonten zien te komen van Halim en zijn vrouw Samira en moest uitvinden of de Irakees onder Iraakse dan wel Franse bewaking stond. Ook was het de taak van dit team om via een *sayan*, in dit geval een makelaar, een nabijgelegen appartement te regelen. Een van de vertrouwde Parijse *sayanim* kreeg de opdracht, iemand die verder geen vragen stelde.

Verder moest een zogenaamd *neviot*-team zich gaan bezighouden met het plegen van de noodzakelijke inbraken om afluisterapparatuur te plaatsen in het appartement van het slachtoffer – 'houten' apparatuur als die in een tafel moest worden aangebracht of 'glazen' apparatuur als het om een telefoon ging.

De *yarid*-afdeling van de veiligheidsdienst van de Mossad is onderver-deeld in drie teams die ieder bestaan uit zeven of negen mensen. Twee teams opereren in het buitenland en één in Israël. Het inschakelen van een van de teams voor een opdracht veroorzaakt vaak nogal wat ge-kibbel omdat elk team zijn eigen werkzaamheden als essentieel be-schouwt.

De *neviot*-afdeling is ook onderverdeeld in drie teams van experts, die erop getraind zijn informatie te verzamelen uit zogenaamde niet-le-vende objecten. Dit betekent: inbreken, het fotograferen van docu-menten en het ongemerkt – zonder ook maar een spoor achter te laten – in- en uitgaan van gebouwen voor het plaatsen van afluisterappara-tuur. Tot het gereedschap waarmee deze teams werken behoren de moedersleutels van de belangrijkste hotels in Europa. Ze zijn boven-dien constant bezig nieuwe methoden te vinden om deuren te openen met sloten die werken op pasjes, cijfercodes, en dergelijke. Zo hebben sommige hotels bijvoorbeeld sloten die reageren op de duimafdrukken van hun gasten.

Als de afluisterapparatuur eenmaal in de flat van Halim zou zijn ge-plaatst, zou een lid van de *Shiklut* (de afluisterafdeling) de gesprekken opnemen. De tape van de eerste dag zou naar Tel Aviv worden ge-stuurd, waar zou worden vastgesteld om welk Arabisch dialect het ging, waarna een *marats* of afluisteraar die dat dialect het beste beheer-ste, zo snel mogelijk van Israël naar Parijs zou vliegen om het afluiste-ren over te nemen en voor een vertaling ten behoeve van het Parijse bureau te zorgen.

In dit stadium van de operatie hadden ze alleen nog maar een naam en een adres. Ze hadden niet eens een foto van de Irakees en ze waren er ook niet zeker van of hij te gebruiken zou zijn. Het *yarid*-team begon vanuit een nabijgelegen flat Halims appartement te observeren, om te zien hoe hij en zijn vrouw eruit zagen.

Het eerste echte contact werd twee dagen later gelegd, toen een jonge, mooie vrouw met kort krullend haar bij Halims flat aanbelde en zich voorstelde als Jacqueline. Ze was Dina van de *yarid*, wier taak het was om kennis te maken met de vrouw van Halim, waarna het werk pas goed kon beginnen. Dina verkocht zogenaamd parfum aan de deur. Voorzien van een koffertje met monsters en gedrukte bestelformulieren was ze, om geen enkele verdenking op zich te laden, alle huizen in de flat afgegaan. Ze zorgde er voor dat ze bij Halim aanbelde voordat hij van zijn werk was thuisgekomen.

Evenals de meeste andere vrouwen in de flat, was ook Samira zeer geïnteresseerd in het aanbod. Dat was ook geen wonder, want de parfum van 'Jacqueline' was veel goedkoper dan die in de winkel. De klanten werd gevraagd de helft gelijk vooruit te betalen en bij levering de andere helft, met de belofte dat er dan een extra 'cadeautje' voor ze in het verschiet lag.

Samira nodigde Jacqueline uit om binnen te komen, waarna ze uitgebreid begon te vertellen hoe ongelukkig ze was en hoe weinig ambitieus haar man was. Dat ze uit een welgestelde familie kwam, dat ze het zat was om haar eigen geld op te maken aan dagelijkse uitgaven en – bingo – dat ze terugging naar Irak omdat haar moeder een zware operatie moest ondergaan. Ze zou hem dus alleen achterlaten en dat maakte hem nog kwetsbaarder.

Jacqueline, die zich voordeed als een studente van goede familie uit het zuiden van Frankrijk die parfum aan de deur verkocht om wat bij te verdienen, toonde zich zeer begaan met Samira's lot. Ofschoon Jacquelines taak aanvankelijk alleen bestond uit het vaststellen van de identiteit van Samira, was het ontegenzeggelijk een groot succes dat de vrouw haar hart bij haar uitstortte.

Iedere actie wordt gewoonlijk tot in de kleinste details besproken door het team in het *safe house*. Het team bereidt zich daarna op de volgende stap voor. Dit betekent doorgaans een urenlange ondervraging van het teamlid dat 'in het veld' heeft geopereerd en het daarbij uitpluizen van elk detail. Hierdoor raken de gemoederen soms danig verhit, omdat verschillende details door steeds weer andere mensen belangrijk worden gevonden. De spanning in een *safe house* stijgt met het uur en de leden van het team steken de ene na de andere sigaret op en drinken onafgebroken koffie.

Omdat Dina (Jacqueline) bij Samira een gevoelige snaar had geraakt, werd besloten om de zaak te bespoedigen door deze gelukkige samenloop van omstandigheden uit te buiten. Haar volgende taak zou eruit bestaan de vrouw tot twee keer toe uit haar appartement te lokken – de eerste keer om uit te zoeken waar de afluisterapparatuur het best kon worden geïnstalleerd en de tweede keer om de apparatuur daadwerkelijk te plaatsen. Dat betekende foto's nemen, meten van objecten, wegnemen van stukjes verf, kortom alles wat noodzakelijk was om exacte replica's te kunnen maken van bepaalde gebruiksvoorwerpen, maar dan voorzien van een afluisterapparaat. Bij alles wat de Mossad doet, is het criterium altijd het minimaliseren van risico's.

Tijdens het eerste bezoek van Jacqueline had Samira geklaagd over haar problemen met het vinden van een goede kapper die iets kon doen aan de kleur van haar haar. Toen Jacqueline twee dagen later het parfum kwam brengen (deze keer nadat Halim was thuisgekomen, zodat ze hem eens goed kon bekijken) vertelde ze Samira over haar eigen modieuze kapper op de *rive gauche*.

'Ik heb André over u verteld en hij staat te trappelen om iets aan uw haar te doen,' zei Jacqueline. 'U zult er wel een paar keer naar toe moeten. Hij is een heel bijzonder iemand. Ik zou het heel leuk vinden om u mee te nemen.'

Samira greep deze kans met beide handen aan. Zij en haar man kregen weinig bezoek en hadden geen echte vrienden in Parijs, zodat iedere gelegenheid om een paar middagen in de stad door te brengen, even weg van de verveling in haar flat, welkom was.

Als presentje bij het door Samira gekochte parfum had Jacqueline een luxe sleutelhanger meegebracht, voorzien van lipjes voor de verschillende sleutels. 'Hier,' zei ze, 'geef me de sleutel van uw flat eens, dan zal ik laten zien hoe het werkt.'

Wat Samira niet zag, nadat ze haar sleutel had overhandigd, was dat Jacqueline hem snel in een klein doosje met een scharnierend deksel deed, dat er uitzag als een van de andere nog onuitgepakte presentjes en was gevuld met boetseerklei, die was bestrooid met talkpoeder om te voorkomen dat er klei aan de sleutel zou blijven plakken. Toen de sleutel in het doosje zat drukte zij het deksel stevig dicht, zodat er in de klei een perfecte afdruk achterbleef, waarmee een duplicaatsleutel kon worden gemaakt.

De *neviot*-mensen konden de flat natuurlijk ook wel zonder sleutel binnenkomen, maar waarom zouden ze het risico nemen te worden betrapt bij een inbraak, als ze gewoon via de voordeur naar binnen konden gaan, alsof ze er woonden? Eenmaal binnen, deden ze de deur altijd op het nachtslot en klemden ze een stok tussen de deurklink en de muur of de vloer. Als het iemand lukte om ongemerkt langs degene te komen, die buiten op de uitkijk stond, en dan de deur wilde openen, dan zou die persoon waarschijnlijk denken dat het slot kapot was en hulp gaan halen, zodat de mensen binnen tijd kregen om ongemerkt weg te komen.

Toen ze eenmaal wisten wie Halim was, pasten de *yarid*-agenten op hem het zogenaamde 'bewegingloos volgen' toe, een methode om vast te stellen welke vaste gewoonten iemand er op nahoudt en waarbij de kans op ontdekking minimaal is. Dit betekent: iemand niet constant achternalopen, maar door verschillende mensen laten observeren. Op een bepaalde dag observeert iemand hem in de straat waar hij woont en op een andere dag iemand anders in de volgende straat, enzovoort. In het geval van Halim was dit bijzonder eenvoudig, omdat hij steeds naar dezelfde bushalte liep.

Vanwege de afluisterapparatuur wisten de mensen van het team precies wanneer Samira naar Irak zou vertrekken. Ze hoorden Halim ook tegen haar zeggen dat hij naar de Iraakse ambassade moest voor een veiligheidscontrole, wat ze tot nog grotere voorzichtigheid aanzette. Ze hadden echter nog steeds niet bedacht hoe ze Halim zouden werven en door de grote haast die met deze zaak was gemoeid, hadden ze ook niet veel tijd om erachter te komen of Halim wilde meewerken of niet. Het gebruik van een *oter*, een uit een Arabisch land afkomstige medewerker die tegen betaling contact legt met een Arabisch sprekend doelwit, werd in deze zaak door het veiligheidsteam als te riskant beschouwd. De operatie moest in één keer lukken en ze mochten niet het risico lopen dat hij werd versjteerd. De aanvankelijke hoop dat Jacqueline via Samira met Halim in contact kon komen, bleek al gauw ijdel te zijn. Na de tweede afspraak bij de kapper wilde Samira niets meer met Jacqueline te maken hebben. 'Ik zag heus wel hoe je naar haar keek,' zei Samira tijdens een van haar mopperpartijen tegen Halim. 'Denk

21

niet dat je je van alles in je hoofd kunt halen, als ik er toevallig niet ben. Ik ken je maar al te goed.'

Zo kwamen ze op het idee van het meisje bij de bushalte, met *katsa* Ran S. in de rol van de charmante Engelsman Jack Donovan. De gehuurde Ferrari en Donovans andere blijken van welstand zouden de rest doen.

Tijdens de eerste rit in de Ferrari gaf Halim niets prijs over zijn werk. Hij zei dat hij een student was. Een nogal oude student, dacht Ran bij zichzelf. Wel wilde Halim kwijt dat zijn vrouw op reis ging en dat hij van lekker eten hield, maar als moslim niet dronk.

Donovan, die zo vaag mogelijk deed over zijn bezigheden, om nog alle kanten uit te kunnen, zei dat hij in de internationale handel zat en stelde Halim voor hem een keer te komen opzoeken in zijn landhuis of samen een keer uit eten te gaan als zijn vrouw op reis was, maar Halim verplichtte zich tot niets.

De volgende morgen stond de blonde vrouw weer bij de bushalte en pikte Donovan haar op. De dag daarna kwam Donovan wel opdagen, maar het meisje niet, waarop hij Halim opnieuw een lift naar de stad aanbood, dit keer met het voorstel om ergens koffie te gaan drinken. Over zijn mooie partner zei Donovan: 'O, dat is een of andere slet die ik ergens ben tegengekomen. Ze begon teveel eisen te stellen, dus heb ik 'r geloosd. Ergens wel jammer, ze was heel goed, als u begrijpt wat ik bedoel. Ach, vrouwen zat, man.'

Halim vertelde Samira niets over zijn nieuwe vriend. Dit was iets dat hij voor zichzelf wilde houden.

Toen Samira naar Irak was vertrokken, haalde Donovan Halim regelmatig op en omdat hij vrij kameraadschappelijk met hem begon om te gaan, zei hij dat hij de komende tien dagen op zakenreis moest naar Nederland. Hij gaf Halim zijn visitekaartje – een dekmantel natuurlijk, maar niettemin van een bestaand bedrijf, compleet met een logo en een secretaresse voor het geval dat Halim zou bellen of kwam kijken. Het bedrijf was gevestigd in een imposant gerenoveerd gebouw aan de Champs-Elysées.

Al die tijd woonde Ran (Donovan) in het *safe house*. Na iedere ontmoeting met Halim bereidde hij daar met het hoofd van het team of diens plaatsvervanger de volgende stappen voor en besprak hij alle voors en tegens van ieder denkbaar scenario met ze. Hij schreef er ook zijn rapporten en las er de verslagen van de afluisteraars.

22

Ran reed altijd eerst een rondje om te kijken of hij niet werd gevolgd. Als hij eenmaal in het *safe house* was aangekomen, wisselde hij weer van identiteit en gaf hij zijn Engelse paspoort af. Van de twee rapporten die hij iedere keer schreef, bevatte het eerste informatie over wat er tijdens de ontmoeting met Halim was gezegd. In het tweede, zogenaamde operationele rapport, behandelde hij de vijf w's: wie, wat, wanneer, waar en waarom. Hierin stond alles wat er tijdens de ontmoeting was gebeurd. Dit tweede rapport werd dan meegegeven aan een *bodel*, een koerier, die rapporten van de *safe houses* naar de ambassade brengt.

Operationele en informatieve rapporten worden gescheiden naar Israël gestuurd, ofwel via de computer of via de diplomatieke post. Een operationeel rapport wordt bovendien nog gesplitst om ontdekking ervan te voorkomen. In het ene deel kan staan: 'Ik heb subject ontmoet in (zie elders)' en een andere bericht bevat dan de lokatie, enzovoort. Ieder individu heeft twee codenamen en kent zijn eigen codes niet: een informatiecode en een operationele code.

Goede communicatie is door de Mossad-leiders altijd van het grootste belang geacht. Omdat ze er vanuit gaan dat wat zij kunnen, ook door anderen kan worden gedaan.

Nadat Samira vertrokken was, liet Halim al zijn vaste gewoontes varen en ging na zijn werk vaak naar de stad om in zijn eentje in een restaurant te gaan eten of naar de bioscoop te gaan. Op een dag belde hij naar het kantoor van zijn vriend Donovan die echter niet aanwezig was. Drie dagen later belde Donovan terug. Halim wilde uitgaan, waarop Donovan hem meenam naar een duur *dîner-spectacle*. Donovan stond erop alles te betalen.

Halim nam nu wel degelijk een glaasje en naarmate de avond vorderde vertelde Donovan steeds meer over zijn plan om oude containers als woningen in Afrika te verkopen.

'Ze zijn zo verdomde arm in sommige landen. Ze hoeven alleen maar gaten in die dingen te maken voor de ramen en de deuren en ze kunnen erin wonen,' zei Donovan. 'Ik weet er een paar in Toulon te staan. Ik kan ze kopen, voor bijna niks. Dit weekend ga ik er heen. Ga je mee?'

'Ik loop je waarschijnlijk alleen maar in de weg,' zei Halim. 'Ik weet helemaal niets van zaken doen.'

'Onzin. Het is een lange rit heen en terug. Ik hou wel van wat aanspraak. We blijven daar een nacht en we zijn zondag weer terug. Wat ga je dit weekend anders doen?'

Het plan mislukte bijna toen een plaatselijke *sayan* op het laatste moment terugkrabbelde. Diens plaats werd echter ingenomen door een *katsa* die vermomd als zakenman de containers aan Donovan moest verkopen.

Terwijl de twee over de prijs onderhandelden, zag Halim dat er aan de onderkant van een van de omhooggetakelde containers roestplekken zaten (alle containers leden aan dat euvel – de mannen hoopten dat Halim het zou zien). Halim nam Donovan apart om hem dat te zeggen en stelde zijn vriend zo in de gelegenheid om de prijs voor de 1200 containers omlaag te krijgen.

Toen ze die avond in een restaurant zaten gaf Donovan aan Halim $1000 in contanten. 'Hier, is voor jou,' zei hij. 'Door me op die roest te wijzen heb je me veel meer bespaard. Niet dat het wat uitmaakt dat die containers verroest zijn natuurlijk, maar die vent die me ze verkocht, wist dat niet.'

Voor het eerst begon Halim zich te realiseren dat zijn nieuwe vriendschap, naast het aangename gezelschap dat het bood, ook nog winstgevend was. Voor de Mossad, die wel weet dat voor geld en/of sex, gecombineerd met bepaalde psychologische prikkels, vrijwel alles te koop is, was het duidelijk dat hun man nu werkelijk had toegehapt. Het werd tijd om met Halim ècht zaken, *tachless*, te doen.

Nu hij wist dat Halim geen enkele argwaan meer koesterde, nodigde Donovan hem uit in zijn luxueuze hotelsuite van het Sofitel-Bourbon aan de Rue Saint-Dominique 32. Hij had ook een jong hoertje uitgenodigd, Marie-Claude Magal. Nadat ze een maaltijd hadden besteld, deelde Donovan zijn gast mee dat hij onverwacht naar een zakenafspraak moest. Hij liet een telexbericht op tafel achter, zodat Halim het kon verifiëren.

'Ik moet weg, het spijt me heel erg' zei hij. 'Vermaak je. Ik laat nog van me horen.'

Halim en het hoertje vermaakten zich inderdaad. Alles werd gefilmd, niet speciaal met de bedoeling hem te chanteren, maar gewoon om te zien wat er gebeurde en wat Halim zei en deed. Een Israëlische psychiater had zich al verdiept in de rapporten over Halim om erachter te komen wat de meest effectieve manier was om hem te benaderen. Daarnaast was er een Israëlische kernfysicus beschikbaar voor het geval er

24

van zijn diensten gebruik moest worden gemaakt. Binnen niet al te lange tijd was dat het geval.

Donovan keerde twee dagen later weer terug en belde Halim op. Tijdens de koffie kon Halim zien dat zijn vriend zich zichtbaar zorgen over iets maakte.

'Ik heb de kans om een geweldige deal met een Duits bedrijf af te sluiten, die speciale pneumatische buizen maakt voor transport van radioactief materiaal voor medische doeleinden,' zei Donovan. 'Het is allemaal nogal technisch. Er is veel geld mee gemoeid, maar ik weet er niets van af. Ze hebben me in contact gebracht met een Engelse geleerde die de buizen wil keuren. Het probleem is alleen dat hij teveel geld vraagt. Bovendien weet ik niet of ik hem kan vertrouwen. Ik denk dat hij met de Duitsers onder een hoedje speelt.'

'Misschien kan ik je helpen,' zei Halim.

'Dank je, maar ik heb een deskundige nodig om de buizen te inspecteren.'

'Ik ben een deskundige,' zei Halim.

Donovan keek verbaasd en zei: 'Hoe bedoel je? Ik dacht dat je student was.'

'Dat moest ik je wel vertellen. Ik ben een wetenschapper die door Irak hierheen is gestuurd voor een speciale opdracht. Ik zal je zeker kunnen helpen.'

Later placht Ran te vertellen dat, toen Halim ten slotte toegaf wat zijn werkelijke bezigheden waren, hij het gevoel had of zijn bloed eerst bevroor en daarna begon te koken. Ze hadden hem te pakken! Ran kon echter niets van zijn opwinding laten blijken. Hij moest kalm blijven.

'Moet je horen, het is de bedoeling dat ik ze dit weekend in Amsterdam ontmoet. Ik moet er een dag of twee eerder zijn, maar wat dacht je ervan als ik mijn privé-vliegtuig stuur om je op zaterdagochtend op te halen?'

Halim stemde toe.

'Je zult er geen spijt van krijgen,' zei Donovan. 'Er is een hoop geld met die dingen te verdienen, als ze in orde zijn.'

Het vliegtuig, een Learjet die voor de gelegenheid speciaal uit Israël was overgevlogen, was beschilderd met het logo van Donovans bedrijf. Het kantoor in Amsterdam was eigendom van een rijke joodse aannemer. Ran wilde niet samen met Halim door de douane, omdat hij liever zijn eigen papieren gebruikte in plaats van zijn valse Engelse paspoort, om mogelijke moeilijkheden aan de grens te voorkomen.

Toen Halim op het Amsterdamse kantoor arriveerde met de limousine die hem van het vliegveld had afgehaald, waren de anderen al aanwezig. De twee zakenlieden waren Itsik E., een *katsa* van de Mossad en Benjamin Goldstein, een Israëlische kernfysicus met een Duits paspoort. Goldstein had een van de pneumatische buizen meegebracht, zodat Halim hem kon bekijken.

Na wat oriënterende gesprekken verlieten Ran en Itsik de kamer, zogenaamd om de financiële details te bespreken, terwijl de twee wetenschappers achterbleven om met elkaar over technische zaken te praten. Gezien hun gemeenschappelijke opleiding en ervaring, merkten de twee mannen dat ze op dezelfde golflengte zaten en Goldstein vroeg Halim hoe het kwam dat hij zoveel over de nucleaire industrie wist. Het was een slag in de lucht, maar Halim liet zijn verdediging volkomen zakken en vertelde hem over zijn baan.

Later, toen Goldstein aan Itsik doorgaf wat Halim hem allemaal had verteld, besloten ze de nietsvermoedende Irakees mee uit eten te nemen. Ran moest zich verontschuldigen.

Tijdens het eten legden de twee mannen Halim een plan voor waarmee ze al een tijd rondliepen: het verkopen van kerncentrales aan ontwikkelingslanden – voor vredelievende doeleinden natuurlijk.

'Het project waaraan u werkt zou als model erg goed voldoen om aan deze mensen te verkopen,' zei Itsik. 'Als u ons alleen maar wat details zou kunnen geven, de plannen, van dat soort dingen, we zouden er dan allemaal een slaatje uit kunnen slaan. Maar het moet tussen ons blijven. Donovan mag er niet van weten, want anders wil hij ook meedoen. Wij hebben de contacten en u heeft de expertise. We hebben hem niet echt nodig.'

'Tsja, ik weet het niet,' zei Halim. 'Donovan is een goede vriend van me. En is het niet, eh, ik bedoel, is het niet een beetje gevaarlijk?'

'Nee, het is niet gevaarlijk,' zei Itsik. 'Het is alleen nodig om regelmatig toegang tot de informatie te hebben. We willen het project trouwens alleen als model gebruiken, dat is alles. We betalen u goed en niemand zal het ooit te weten komen. Hoe zouden ze ook? Zulke dingen gebeuren overal.'

'Dat zal dan wel,' zei Halim die nog steeds aarzelde maar wel geïntrigeerd was geraakt door het vooruitzicht veel geld te gaan verdienen. 'Maar hoe zit het met Donovan? Ik hou er niet van om dingen achter zijn rug om te doen.'

'Denkt u dat hij u in al zijn zaken betrekt? Welnee. Hij zal er nooit iets van te weten komen. U kunt toch met Donovan bevriend blijven en met ons zaken doen. Wij zullen hem in ieder geval niets zeggen, want dan wil hij meedoen.'

Nu hadden ze hem werkelijk te pakken. Het beloofde grote geld had hem over de streep getrokken. In ieder geval dacht hij positief over Goldstein en hij hielp ze toch niet aan het ontwerp van een bom? Bovendien zou Donovan het nooit te weten komen. Dus waarom niet? dacht hij.

Halim werkte nu officieel voor de Mossad en evenals vele andere geworvenen wist hij dat zelf niet.

Donovan betaalde Halim $8.000 voor zijn hulp met de buizen en de volgende dag, na de viering van zijn succes met een dure brunch en een callgirl in zijn kamer, werd de gelukkige Irakees in het privé-vliegtuig teruggevlogen naar Parijs.

Op dit punt aangekomen was het de bedoeling dat Donovan geheel van het toneel zou verdwijnen, om Halim te verlossen van zijn gênante positie, waarin hij dingen voor hem verborgen moest houden. Donovan verdween voor een tijdje uit het gezicht, maar hij liet voor Halim een telefoonnummer in Londen achter voor het geval hij hem wilde spreken. Hij zei dat hij voor zaken naar Engeland moest en niet wist hoe lang hij zou wegblijven.

Twee dagen later had Halim in Parijs een afspraak met zijn nieuwe zakenvriend. Itsik, die een stuk veeleisender was dan Donovan, verlangde een bouwplan van de Iraakse centrale en gegevens over zijn lokatie, capaciteit en het exacte tijdschema van de bouw.

Aanvankelijk leverde Halim het gevraagde materiaal zonder problemen. De Israëli's leerden hem hoe hij kon fotokopiëren met gebruikmaking van het zogenaamde 'paper paper', een speciaal soort papier dat een paar uur op een document of tussen de bladzijden van een boek moet worden gelegd en waarop de informatie dan automatisch wordt gekopieerd, terwijl er aan het papier niets te zien is. Pas na ontwikkeling wordt de informatie zichtbaar.

Toen Itsik aan Halim om nog meer gegevens vroeg en hem daarvoor iedere keer contant betaalde, begon de Irakees tekenen te vertonen van wat de 'spionreactie' wordt genoemd: warme en koude opvliegers, verhoogde temperatuur, niet kunnen slapen of stil kunnen zitten – duidelijk symptomen die werden veroorzaakt door de vrees betrapt te worden. Hoe meer iemand hierin verzeild raakt, hoe banger hij voor de gevolgen van zijn daden wordt.

Wat te doen? Het enige dat Halim kon bedenken, was zijn vriend Donovan bellen. Hij zou wel raad weten. Hij kende mensen op hoge posten.

'Je moet me helpen,' smeekte Halim, toen Donovan hem terugbelde. 'Ik zit met een probleem, maar ik kan er niet per telefoon over praten. Ik zit in de puree. Je moet me helpen.'

'Daar zijn vrienden voor,' verzekerde Donovan hem en zei dat hij over twee dagen uit Londen zou terugvliegen en hem in het Sofitel ontmoeten.

'Ik ben er ingeluisd,' riep Halim en hij bekende de hele 'geheime' deal die hij met de Duitsers in Amsterdam had gesloten. 'Het spijt me. Je bent zo'n goeie vriend voor me geweest. Maar ik werd door het geld in de verleiding gebracht. Mijn vrouw wil altijd maar dat ik promotie maak, dat ik meer geld verdien. Ik zag mijn kans schoon. Ik ben zo egoïstisch en stom geweest. Vergeef het me alsjeblieft. Ik heb je hulp nodig.'

Donovan deed zich heel edelmoedig voor en zei tegen Halim: 'Zo gaat dat in zaken.' Hij suggereerde verder dat de Duitsers in werkelijkheid wel eens Amerikaanse CIA-agenten zouden kunnen zijn. Halim stond perplex.

'Ik heb ze alles gegeven wat ik weet,' zei hij tot grote vreugde van Ran. 'Toch zitten ze steeds naar meer te vissen.'

'Laat me even denken,' zei Donovan. 'Ik ken wel een paar mensen. Trouwens, je zult niet de eerste zijn die zich door geld heeft laten verleiden. Laten we ons wat ontspannen en het ervan nemen. De dingen zijn bijna nooit zo erg als ze lijken, wanneer je er wat dieper op ingaat.'

Die avond gingen Donovan en Halim dineren en daarna wat drinken. Later op de avond huurde Donovan een nieuwe hoer voor hem. 'Om tot rust te komen,' lachte hij.

Er waren sinds het begin van de operatie nog pas vijf maanden verstreken. Dat was snel voor dit soort zaken. Maar omdat er zoveel op het spel stond, werd snelheid als essentieel beschouwd. Toch was in dit stadium nog steeds voorzichtigheid geboden. Bovendien moest Halim vriendelijk worden behandeld, omdat hij zo nerveus en angstig was.

Na de zoveelste verhitte discussie in het *safe house* besloot men dat

Ran naar Halim zou teruggaan en hem zou vertellen dat het inderdaad een CIA-operatie was.

'Ze hangen me op,' schreeuwde Halim. 'Ze hangen me.'

'Welnee,' zei Donovan. 'Je werkt toch niet voor de Israëli's. Zo erg is het niet. Trouwens, hoe komen ze er achter? Ik heb een deal met ze gesloten. Ze willen nog één ding van je weten en dan laten ze je met rust.'

'Wat? Wat kan ik ze nog meer geven?'

'Nou, voor mij betekent het niets, maar jij zult het wel begrijpen,' zei Donovan terwijl hij een papiertje uit zijn zak haalde. 'O ja, hier is het. Ze vragen zich af hoe Irak zou reageren als Frankrijk in plaats van het verrijkte uranium dat spul, hoe heet het ook al weer, karamel zou leveren? Zeg ze dat en ze zullen je niet meer lastig vallen. Ze zijn helemaal niet van plan om je kwaad te doen. Ze willen alleen maar wat informatie.'

Halim zei hem dat Irak in principe het verrijkte uranium wilde. Over een paar dagen zou Yahia El Meshad, een Egyptische kernfysicus, naar Frankrijk komen om het project te inspecteren en namens Irak over dit vraagstuk een beslissing te nemen.

'Spreek je hem dan?' vroeg Donovan.

'Ja, ja. Hij wil iedereen zien die met het project te maken heeft.

'Goed. Dan moet je de gevraagde informatie zien te krijgen en daarna ben je van alles af.'

Halim, die enigszins opgelucht leek te zijn, kreeg plotseling haast om te vertrekken. Nu hij over veel geld beschikte, had hij zelf een callgirl gehuurd, een vriendin van Marie-Claude Magal, een vrouw die dacht dat ze informatie doorgaf aan de politie, maar die in feite op deze gemakkelijke manier geld van de Mossad kreeg voor haar tips.

Toen Halim tegen Magal had gezegd dat hij een regelmatige klant wilde worden, had ze hem op instigatie van Donovan het adres van haar vriendin gegeven.

Donovan stond er nu op dat Halim een etentje met Meshad in een bistro zou regelen; hij zou dan 'toevallig' langskomen.

Op de afgesproken avond speelde Halim dat hij verrast was toen Donovan binnenkwam en stelde hij zijn vriend aan Meshad voor. De voorzichtige Meshad begroette Donovan vriendelijk, maar vroeg Halim weer aan tafel te gaan, als hij was uitgesproken met zijn vriend. Halim was veel te zenuwachtig om de karamel-kwestie ter sprake te brengen en bovendien toonde Meshad geen enkele interesse voor de bewering van Halim dat zijn vriend Donovan in de handel zat en dat hij hen daarom nog wel eens van nut kon zijn. Later die avond belde Halim Donovan op met de mededeling dat hij er niet in geslaagd was iets uit Meshad los te krijgen. De daarop volgende avond ontmoetten ze elkaar in de hotelsuite, waar Donovan probeerde Halim ervan te overtuigen dat als hij het tijdschema kon bemachtigen van het transport van de onderdelen van de kerncentrale van Sarcelles naar Irak, hij dan niets meer van de CIA hoefde te vrezen.

Tegen die tijd had de Mossad al van een 'witte' agent, die financiële transacties regelde voor de Franse overheid, gehoord dat Irak niet ontvankelijk was voor het plan om karamel in plaats van verrijkt uranium geleverd te krijgen. Toch kon Meshad, die de leiding had over het hele project, van onschatbare waarde zijn als hij kon worden geworven. Als er maar een manier was om hem te benaderen.

Toen Samira terugkeerde uit Irak, trof ze een volkomen veranderde Halim aan. Terwijl hij beweerde dat hij promotie had gemaakt en daardoor meer was gaan verdienen, was hij zich plotseling ook romantischer gaan gedragen en hij begon haar mee uit te nemen naar restaurants. Ze besloten zelfs een auto te kopen.

Ondanks dat Halim een briljante geleerde was, was hij in een praktisch opzicht niet echt slim. Vlak nadat zijn vrouw was teruggekomen, begon hij haar te vertellen over zijn vriend Donovan en zijn problemen met de CIA. Ze was woedend. Tot twee keer toe riep ze tegen hem dat het waarschijnlijk niet om de CIA ging, maar om de Israëlische geheime dienst.

'Wat kan het de Amerikanen schelen? Wie anders dan de Israëli's en de stomme dochter van mijn moeder nemen de moeite om met jou te praten?'

Achteraf bleek ze toch niet zo stom te zijn.

De bestuurders van de andere vrachtwagens die motoren voor Mirage-gevechtsvliegtuigen van de Dassault Brequet-fabriek naar een hangar in La Seyne-sur-Mer aan de Franse Rivièra nabij Toulon vervoerden, vermoedden niets toen een derde vrachtwagen zich bij hen voegde. Het was 5 april 1979.

Als in een moderne versie van de geschiedenis van het paard van Troje, hadden de Israëli's een team van vijf *neviot*-saboteurs en een atoomgeleerde, gekleed in normale kleren, verborgen in een grote container op de vrachtwagen. Op basis van Halims informatie probeerden ze hiermee langs de bewaking van het beveiligde fabrieksterrein te komen. Ze wisten dat de bewakers altijd voorzichtiger waren met uitgaande transporten dan met binnenkomende. Ze zouden het konvooi waarschijnlijk beduiden door te rijden. Tenminste, dat hoopten de Israëli's. De kernfysicus was uit Israël overgevlogen om te adviseren waar de springladingen het beste konden worden geplaatst om zo groot mogelijke schade toe te brengen aan de opgeslagen kernen – het had drie jaar gekost om ze te bouwen.

Een van de dienstdoende bewakers was nog maar vijf dagen in dienst. Hij had een dermate onberispelijk getuigschrift overlegd, dat niemand op het idee kwam hem ervan te verdenken de sleutel van de loods te hebben weggenomen, waar de onderdelen lagen die over een paar dagen naar Irak zouden worden verscheept.

Op aanwijzing van de kernfysicus bracht het Israëlische team vijf kneedbommen aan op de reactorkernen.

Plotseling werd de aandacht van de bewakers van het complex afgeleid door een oploop op de weg buiten het hek. Een voetgangster, een aantrekkelijke jonge vrouw, leek door een auto te zijn geschampt. Het zag er niet naar uit dat ze ernstig gewond was. Er was in ieder geval niets met haar stembanden aan de hand, want ze schreeuwde obscene taal tegen de beschaamde automobilist.

Ondertussen had zich een groepje omstanders gevormd, onder wie zich ook de saboteurs bevonden, die over een hek aan de achterkant waren geklommen en naar de voorkant waren gelopen. Eerst vergewisten ze zich ervan dat de Franse bewakers geen gevaar liepen, waarna een van hen heel kalm en ongezien de springladingen, die waren voorzien van een geavanceerd ontstekingsmechanisme, op afstand tot ontploffing bracht. De explosies vernielden 60 procent van de reactoronderdelen, met een totale schade van $23 miljoen, waardoor de plannen van Irak maandenlang zouden worden vertraagd. Er werd wonderwel geen schade aangericht aan de rest van de in de hangar opgeslagen goederen.

Nadat de bewakers de doffe klap achter zich hadden gehoord, renden ze meteen naar de getroffen hangar. Terwijl dat gebeurde, reed de auto die bij de 'aanrijding' betrokken was, weg en verdwenen de saboteurs en de gewonde voetgangster, een in dergelijke zaken zeer ervaren medewerkster, in diverse richtingen.

De opdracht was volledig geslaagd. De plannen van Irak liepen ernstige vertraging op en de Iraakse leider Saddam Hussein was in verlegenheid gebracht.

Een milieu-organisatie met de naam *Groupe des écologistes français* – niemand had ooit eerder van deze groep gehoord – eiste de verantwoordelijk voor de aanslag op, maar de politie verwierp deze aanspraak. Het verdere zwijgen van de politie over de voortgang van het onderzoek naar de plegers van de sabotage, leidde ertoe dat bepaalde kranten indianenverhalen over de mogelijke daders begonnen af te drukken. *France Soir* schreef bijvoorbeeld dat de politie dacht dat 'extreem links' de aanslag had gepleegd, terwijl *Le Matin* verklaarde dat de aanslag was gepleegd door Palestijnen, in opdracht van Libië. Het weekblad *Le Point* wees beschuldigend naar de FBI.

Anderen beschuldigden de Mossad, maar de Israëlische regering verwierp deze beschuldiging officieel als 'antisemitisch'.

Nadat ze aangenaam hadden gedineerd in een restaurant op de linkeroever van de Seine, kwamen Halim en Samira even na middernacht thuis. Halim zette de radio aan om zich voor het slapen gaan nog wat te ontspannen met muziek. Maar hij kreeg de nieuwsberichten, waarin melding werd gemaakt van de aanslag. Hij raakte in paniek.

Halim begon door zijn appartement te rennen, terwijl hij kreten slaakte en in het wilde weg met dingen begon te smijten.

'Wat is er met jou aan de hand?' schreeuwde Samira, die probeerde boven het lawaai uit te komen. 'Idioot!'

'Ze hebben de reactor opgeblazen!' schreeuwde hij. 'Ze hebben hem opgeblazen! Mij gaan ze ook opblazen!'

Hij belde Donovan.

Binnen een uur belde zijn vriend terug. 'Doe geen gekke dingen,' zei Donovan. 'Blijf rustig. Niemand zal je hiermee in verband brengen. Kom morgenavond naar m'n hotel.'

Halim trilde nog steeds toen hij de volgende dag voor de afspraak kwam. Hij had niet geslapen en had zich niet geschoren. Hij zag er verschrikkelijk uit.

'Nu hangen de Irakezen me op,' kreunde hij. 'Of ze geven me aan bij de Fransen en die leggen me onder de guillotine.'

'Jij hebt hier niets mee te maken,' zei Donovan. 'Denk nu eens na. Niemand heeft een reden om je ergens van te beschuldigen.'

'Het is afschuwelijk. Afschuwelijk. Denk je dat de Israëli's hier achterzitten? Samira denkt van wel. Zou het waar zijn?'
'Kom zeg, doe niet zo raar. Waar heb je het nu weer over? De mensen met wie ik zaken doe, zijn niet zo. Het zal wel iets met bedrijfsspionage te maken hebben. In deze bussiness is de concurrentie groot. Dat heb je me zelf gezegd.'
Halim verklaarde dat hij terugging naar Irak. Zijn vrouw wilde toch al weg en hij was ook lang genoeg in Parijs geweest. Hij was die mensen zat. Naar Bagdad zouden ze hem niet volgen.
Donovan, die hoopte dat hij de vermeende Israëlische betrokkenheid uit zijn hoofd kon praten, borduurde verder op het verhaal over bedrijfsspionage en zei Halim dat als hij ècht een nieuw leven wilde beginnen, het wel een goed idee was om de Israëli's te benaderen. Donovan probeerde Halim rechtstreeks te werven.
'Ze betalen je. Ze geven je een nieuwe identiteit en beschermen je. Ze willen natuurlijk graag horen wat jij van de kerncentrale weet.'
'Nee, dat kan ik niet doen,' zei Halim. 'Niet met die mensen. Ik ga naar huis.'
Hij ging inderdaad naar huis.

Meshad vormde nog steeds een probleem. Vanwege zijn status als een van de meest vooraanstaande kerngeleerden uit het Midden-Oosten en zijn contacten met hooggeplaatse Iraakse militairen en burgelijke autoriteiten, hoopte de Mossad nog steeds dat ze hem konden werven. Want er waren toch nog verschillende belangrijke vragen onbeantwoord gebleven, ondanks de ongewilde medewerking van Halim.
Op 7 juni 1980 maakte Meshad een van zijn vele reizen naar Parijs. Dit keer kondigde hij een paar definitieve beslissingen aan inzake het project. Bij zijn bezoek aan de fabriek in Sarcelles deelde hij de Franse geleerden mee: 'Wij gaan de loop der Arabische geschiedenis veranderen.' Dit was nu precies waarover Israël zich zorgen maakte. De Israëli's hadden Franse telexberichten over Meshads reisschema en verblijfplaats (kamer 9041 in het Meridien-hotel) onderschept, wat het gemakkelijker maakte om voor zijn aankomst afluisterapparatuur in zijn kamer aan te brengen.
Meshad was op 11 januari 1932 in Banham (Egypte) geboren. Hij was een belangrijke, briljante geleerde wiens dikke zwarte haar zichtbaar dunner begon te worden. In zijn paspoort stond dat hij op de universiteit van Alexandrië kernfysica doceerde.

33

Later vertelde zijn vrouw Zamuba aan een interviewer van een Egyptische krant dat haar man, zijzelf en hun drie kinderen (twee meisjes en een jongen) op het punt stonden om op vakantie naar Caïro te gaan. Ze zei dat Meshad de vliegtickets al had besteld, toen hij door een functionaris van de fabriek in Sarcelles werd gebeld. Ze hoorde hem zeggen: 'Waarom ik? Ik stuur wel een deskundige.' Ze zei dat hij van dat moment af erg nerveus en boos was en dat ze geloofde dat er binnen de Franse regering een Israëlische spion een val voor hem had gezet. 'Natuurlijk wist ik dat hij gevaar liep. Hij zei me wel eens dat hij zou doorgaan met de opdracht om de bom te maken, zelfs als hij er met zijn leven voor moest betalen.'

Het officiële bericht dat door de Franse autoriteiten aan de media werd doorgegeven, luidde dat Meshad op 13 juni 1980, om 19.00 uur, terwijl hij naar zijn kamer op de tiende etage terugkeerde, in de lift door een prostituee werd aangesproken. De Mossad wist toen al dat hij een liefhebber was van sadomasochistische sex en dat een hoer met de bijnaam Marie Express hem al regelmatig had verwend. Het was de bedoeling dat ze om 19.30 uur bij hem zou komen. Haar werkelijke naam was Marie-Claude Magal. Ze was dezelfde vrouw die door Ran aanvankelijk naar Halim was gestuurd. Ofschoon ze heel wat klussen voor de Mossad opknapte, was haar nooit verteld wie haar opdrachtgevers waren. En zolang ze betaald werd, kon haar dat ook niets schelen.

Ze wisten ook dat Meshad een taaie rakker was en lang niet zo onnozel als Halim. Aangezien hij maar een paar dagen zou blijven, werd besloten om hem direct te benaderen. 'Als hij toehapt, is hij geworven,' verklaarde Arbel. 'Zo niet, dan is hij er geweest.'

Hij deed het niet.

Yehuda Gil, een Arabisch sprekende *katsa*, werd vlak voor de komst van Magal naar Mcshad gestuurd. Terwijl Meshad de deur aan een ketting op een kier hield, vroeg hij: 'Wie ben je? Wat wil je?'

'Ik word gestuurd door een mogendheid die veel geld voor informatie wil betalen,' zei Gil.

'Donder op, schoft, of ik bel de politie.' antwoordde Meshad.

Dus verliet Gil het hotel en vloog onmiddellijk terug naar Israël, zodat hij nooit in verband kon worden gebracht met het lot dat Meshad wachtte.

Meshads lot was inderdaad bezegeld.

34

De Mossad liquideert niet zomaar mensen, tenzij er bloed aan hun handen kleeft. Aan de handen van deze man zou het bloed van de kinderen Israëls hebben gekleefd als hij was doorgegaan met zijn project. Waarom dan nog gewacht?

De Israëlische inlichtingendienst wachtte in ieder geval nog tot Magal door Meshad aangenaam was bezig gehouden en zij een paar uur later was vertrokken. Als iemand toch dood moet, kan hij beter gelukkig doodgaan, was het idee.

Toen Meshad sliep, openden twee mannen met een moedersleutel zijn deur, liepen zonder geluid te maken naar zijn bed en sneden zijn keel door. De volgende ochtend werd zijn met bloed besmeurde lichaam door een kamermeisje gevonden. Ze was al een paar keer eerder aan de deur geweest, maar door het bordje 'niet storen' had ze ervan afgezien naar binnen te gaan. Ten slotte klopte ze op de deur en toen er geen antwoord kwam, liep ze naar binnen.

De Franse politie verklaarde dat het om een professionele klus ging. Er was niets weggenomen. Geen geld. Geen documenten. Wel vond men op de badkamervloer een handdoek vol met lippenstift.

Magal schrok vreselijk toen ze over de moord hoorde. Tenslotte was Meshad nog in leven toen zij hem verliet. Deels om zichzelf te beschermen, deels uit nieuwsgierigheid, ging ze naar de politie en vertelde ze dat Meshad boos was geweest en stond te tieren dat een of andere kerel hem had benaderd om informatie van hem te kopen.

Magal nam een vriendin in vertrouwen en vertelde haar wat er was gebeurd. Deze vriendin, bij wie Halim vaste klant was, briefde de informatie door aan iemand van wie ze niet wist dat hij in contact stond met de Mossad.

Op 12 juli 1980 tippelde Magal 's avonds laat op de Boulevard St-Germain, toen een zwarte Mercedes vlak bij haar stopte en de bestuurder haar wenkte naast hem plaats te nemen.

Dit was op zich niets bijzonders. Maar op hetzelfde moment dat ze tegen haar potentiële klant begon te praten, trok een andere zwarte Mercedes achter de eerste auto zeer snel op. Precies op het juiste moment gaf de bestuurder van de stilstaande auto Magal zo'n harde duw dat ze naar buiten viel en in de baan van de aanstormende auto terechtkwam. Ze was op slag dood. Beide auto's verdwenen in het nachtelijke Parijs.

Zowel Magal als Meshad werden dus door de Mossad vermoord, maar de besluitvorming die tot hun executie leidde, verliep zeer verschillend. Eerst Magal. Toen duidelijk was geworden dat ze naar de politie was gestapt en ze dus voor serieuze problemen kon gaan zorgen, werd haar zaak, na ontvangst, decodering en analyse van de rapporten, op het hoofdkantoor in Tel Aviv als heel ernstig beschouwd.

De rapporten waren door de handen van verschillende lagere ambtenaren gegaan voordat ze uiteindelijk op het bureau van het hoofd van de Mossad belandden, die de beslissing nam om haar te 'verwijderen'.

Haar executie behoorde tot de categorie van de spoedeisende gevallen, die zich kunnen voordoen als operaties nog aan de gang zijn. Er moet dan een relatief snelle beslissing worden genomen op basis van de omstandigheden van dat moment.

De beslissing om Meshad te doden vloeide echter voort uit de plaatsing van zijn naam op een zogenaamde (zeer geheime) 'executielijst', hetgeen formeel door de minister-president van Israël moet worden goedgekeurd.

Het aantal namen op die lijst kan nogal wisselen, van één of twee personen tot wel honderd, afhankelijk van de omvang van anti-Israëlische terroristische activiteiten.

Het verzoek om iemand op de executielijst te plaatsen, wordt door het hoofd van de Mossad aan de minister-president gedaan. Laten we bijvoorbeeld aannemen dat er een terroristische aanval op een Israëlisch doel plaatsvindt – dit hoeft overigens niet per se een joods doel te zijn.

Het kan bijvoorbeeld een bomaanslag op het El Al-kantoor in Rome betreffen, waarbij Italiaanse burgers om het leven komen.

Dan nog houdt de aanslag tegelijkertijd een aanval op Israël in, omdat hij was bedoeld om mensen te ontmoedigen met de El Al, een Israëlische luchtvaartmaatschappij, te vliegen.

Laten we aannemen dat de Mossad zeker wist dat Ahmed Gibril de boosdoener was die de aanslag beval en/of organiseerde. In dat geval wordt zijn naam voor plaatsing op de lijst voorgedragen en moet de minister-president op zijn beurt het verzoek aan een speciale juridische commissie voorleggen, die zo geheim is dat zelfs het Israëlische Hooggerechtshof van zijn bestaan niet afweet.

Deze commissie, te beschouwen als een soort krijgsraad die beschuldigde terroristen bij verstek berecht, bestaat uit personen van de inlichtingendienst, militairen en ambtenaren van het ministerie van Justitie.

De zittingen worden op verschillende lokaties gehouden, dikwijls bij iemand thuis. Zowel de leden van de commissie als de lokatie wisselen per zitting.

Er zijn twee juristen aan de commissie verbonden. De een vertegenwoordigt de staat en is de aanklager, de ander neemt de verdediging van de beklaagde op zich, ook al weet de beklaagde niets van het proces af. De commissie beslist dan op basis van de feiten of de beschuldigde – in dit geval Gibril – schuldig wordt bevonden aan de ten laste gelegde feiten. Als dat het geval is en op dit niveau is dit meestal zo, kunnen twee dingen door de 'rechtbank' worden bevolen: of hij wordt naar Israël gebracht om door een normale rechtbank te worden berecht, of, als het te gevaarlijk of gewoonweg onmogelijk is, hij wordt bij de eerste de beste gelegenheid geëxecuteerd.

Voordat de executie dan wordt uitgevoerd, moet de minister-president het besluit (vonnis) ondertekenen. In de praktijk pakt dat verschillend uit. Het hangt ervan af wie de minister-president is. Sommige premiers tekenen het document zonder zich in het geval te verdiepen. Andere staan er op om te onderzoeken of de uitvoering van het vonnis politieke problemen tot gevolg kan hebben.

In ieder geval behoort het altijd tot een van de eerste taken van een nieuwe Israëlische minister-president om de executielijst te lezen en iedere naam erop ter goedkeuring te paraferen.

Op 7 juni 1981 om 16.00 uur – het was een stralende zondag – stegen 24 F15's en F-16's van Amerikaanse makelij op van het vliegveld van Beersheba (niet van Elat, zoals wel is beweerd, omdat dit vliegveld binnen het bereik van de Jordaanse radar ligt). De vliegtuigen begonnen aan een gewaagde, 90 minuten durende en 1100 km lange tocht over vijandelijk gebied naar Tuwaitha, net buiten Bagdad, met de bedoeling de Iraakse kerncentrale van de kaart te vegen.

Ze werden vergezeld door wat leek op een lijntoestel van Aer Lingus (de Ieren verhuren hun vliegtuigen aan Arabische landen, dus leek er niets aan de hand te zijn) dat in werkelijkheid een Israëlische Boeing-747 was die dienst deed als vliegend pompstation. De gevechtsvliegtuigen bleven in hechte formatie vliegen en omdat de Boeing direct onder ze vloog, leek het alsof het ging om een lijntoestel op een normale vlucht. De piloten vlogen 'stil', wat betekende dat ze geen berichten verzonden. Wel kregen ze informatie van een ondersteunend 'Electronic Warfare & Communications'-vliegtuig, dat tevens de signalen van de vijandelijke radar stoorde.

Ongeveer halverwege de vlucht, boven Iraaks grondgebied, voorzag de Boeing de gevechtsvliegtuigen van brandstof. (De afstand Beersheba-Bagdad was te groot om zonder bijtanken te kunnen volbrengen en tanken na de aanval was te riskant omdat de Israëli's achtervolgd zouden kunnen worden; daarom deden ze het schaamteloos boven Irak.) Nadat er was bijgetankt, verliet de Boeing, begeleid door twee gevechtsvliegtuigen, de formatie en vloog over Syrië naar Cyprus, alsof het om een gewone lijnvlucht ging. De twee gevechtsvliegtuigen begeleidden de Boeing tot aan de Middellandse Zee en vlogen toen naar hun basis bij Beersheba terug.

Ondertussen vervolgden de andere gevechtsvliegtuigen hun missie. Ze waren bewapend met Sidewinder-raketten en doelzoekende bommen van elk 2000 pond.

Dank zij de informatie die Halim ze had gegeven, wisten de Israëli's precies waar ze moesten toeslaan om de meeste schade te veroorzaken. Het was van cruciaal belang dat de koepel in het centrum van de kerncentrale zou worden geraakt. Een Israëlische strijdmakker bevond zich in de buurt van de centrale met een zender, waarmee krachtige korte signalen werden uitgezonden op een van tevoren afgesproken frequentie om de straaljagers naar hun doel te loodsen.

Er zijn in het algemeen twee manieren om een doel te vinden. Ten eerste op het gezicht. Vliegend met een snelheid van meer dan 1400 km per uur moet de piloot het gebied dan echter bijzonder goed kennen, vooral als het doel relatief klein is. Hij oriënteert zich dan op het landschap en moet speciale punten in het terrein kunnen herkennen, maar daarin hadden de piloten boven Bagdad niet kunnen oefenen. Ze hadden geoefend boven hun eigen grondgebied op een model van de centrale.

Een andere methode om een doel te vinden is met behulp van een zender, een aanvliegbaken, als gids. Deze stond buiten de centrale, maar het zekere voor het onzekere nemend, had de Mossad ook nog aan Damien Chassepied, een Franse technicus, die voor Israël werkte, gevraagd om een koffer waarin een zender verborgen zat, in de kerncentrale achter te laten. Om onbekende redenen was Chassepied tijdens het bombardement in de centrale aanwezig en werd hij het enige slachtoffer van deze actie.

Om de radar te ontwijken kwamen de piloten op een hoogte van 70 m op hun doel aanvliegen. Ze konden de boeren op de land zien werken. Om 18.30 uur klommen ze zo snel omhoog dat de bemanning van de Iraakse radar verrast was en bovendien verblindde de zon, die achter de aanvallers aan het ondergaan was, de manschappen van het afweergeschut. Daarna doken de straaljagers een voor een zo snel op hun doel af, dat de Irakezen alleen maar in staat waren om in het wilde weg in de lucht te schieten. Er werd geen enkele SAM-raket afgevuurd en geen enkel Iraaks toestel zette de achtervolging in toen de aanvallers wegzwenkten en koers zetten naar Israël, waarbij ze op grotere hoogte vlogen en de kortere route over Jordanië namen, de droom van Saddam Hussein om van Irak een nucleaire mogendheid te maken in gruzelementen achterlatend.

De kernreactor zelf was volkomen verwoest. De reusachtige koepel van de reactor was van zijn fundamenten geslagen en de extra dikke muren van gewapende beton waren omvergeblazen. Twee andere gebouwen, beiden van vitaal belang voor de kerncentrale, waren zwaar beschadigd. Op foto's die door de piloten waren gemaakt en die later in het Israëlische parlement werden getoond, was de uit elkaar spattende en in het koelwater vallende reactorkern te zien.

Begin had de aanval aanvankelijk eind april gepland, omdat de Mossad had gezegd dat de centrale op 1 juli operationeel zou zijn. Hij annuleerde die datum nadat er in de krant een aantal berichten verschenen waarin werd beweerd dat ex-minister van Defensie Ezer Weizman aan een aantal vrienden had gezegd dat Begin met een 'avontuurlijke verkiezingscampagne' bezig was.

Een andere datum voor de aanval, 10 mei, zeven weken voor de verkiezingen op 30 juni, werd ook geschrapt toen Simon Peres, de leider van de socialistische partij, Begin een 'persoonlijke' en 'zeer geheime' boodschap stuurde, waarin stond dat hij moest 'afzien' van de aanval omdat de informatie van de Mossad 'niet realistisch' was. Peres voorspelde dat de aanval Israël zou isoleren 'als een boom in de woestijn.'

Precies drie uur nadat ze waren opgestegen, landden de vliegtuigen weer veilig in Israël. Minister-president Menachem Begin en zijn gehele kabinet hadden twee uur in zijn huis aan Smolenskinstraat op nieuws zitten wachten.

Kort voor 19.00 uur belde de opperbevelhebber van het Israëlische leger, generaal Rafael Eitan, Begin op met de mededeling dat de missie, die operatie-Babylon werd genoemd, geslaagd was en dat iedereen veilig was teruggekeerd.

Begin scheen gezegd te hebben: *Baruch hashem*, wat in het Ivriet zoveel betekent als: 'God zij geloofd.'

De reactie van Saddam Hussein is nooit bekend gemaakt.

DEEL I

Cadet 16

Rekrutering

Eind april 1979 was ik, na twee dagen dienst op een onderzeeboot, net terug in Tel Aviv, toen mijn commandant me een order overhandigde, waarin stond dat ik me moest melden op de militaire basis Shalishut aan de rand van de voorstad Ramt Gan.

Ik was toen luitenant-ter-zee 2de klasse en hoofd van een afdeling op het hoofdkwartier van de Israëlische marine in Tel Aviv, waar wapensystemen werden getest.

Ik ben op 28 november 1949 geboren te Edmonton in de Canadese provincie Alberta. Mijn ouders gingen scheiden toen ik nog klein was. Mijn vader diende tijdens de Tweede Wereldoorlog in de RCAF en had in zijn Lancasterbommenwerper ontelbare vluchten naar Duitsland gemaakt. Na de oorlog gaf hij zich als vrijwilliger op bij het Israëlische leger om mee te vechten in de Onafhankelijkheidsoorlog. Hij voerde het commando over Sede Dov, een luchtmachtbasis ten noorden van Tel Aviv.

Ook mijn Israëlische moeder, een lerares, had haar land tijdens de oorlog gediend door voor de Engelsen vrachtwagens met voorraden van Tel Aviv naar Caïro te rijden. Later werd ze actief lid van het Israëlische verzet, de *Hagona*. Ze verhuisde met mij naar London in de Canadese provincie Ontario, daarna woonden we korte tijd in Montreal en uiteindelijk kwamen we terecht in Holon, een stad bij Tel Aviv. Ik was toen zes. Mijn vader was van Canada naar de Verenigde Staten geëmigreerd.

Mijn moeder vertrok enige tijd later weer naar Canada en op mijn dertiende keerden we wederom terug naar Holon. Mijn moeder zou uiteindelijk voor de laatste keer teruggaan naar Canada, maar ik bleef toen wonen bij mijn grootouders van moederszijde, Haim en Ester Margolin, die samen met hun zoon Rafa de Russische pogroms in 1912 waren ontvlucht. Een andere zoon was tijdens een pogrom om het leven gekomen. In Israël kregen ze nog twee andere kinderen, een zoon Maza en een dochter Mira, mijn moeder. Ze leidden in Israël het leven van echte pioniers. Mijn grootvader was accountant, maar totdat zijn papieren uit Rusland waren aangekomen om dat te bewijzen, voorzag hij in zijn levensonderhoud met het schrobben van vloeren bij

de UJA (*United Jewish Agency*). Hij werkte zich daar op tot een zeer gerespecteerd financieel directeur.
Ik werd zionistsch opgevoed. Mijn oom Maza diende bij de elitetroepen van het Israëlische leger, de 'Wolven van Samson' en vocht in de Onafhankelijkheidsoorlog.
Mijn grootouders waren zeer idealistisch. Toen ik wat ouder was beschouwde ik Israël als het land van melk en honing en ik vond geen enkel offer te groot om het voortbestaan van het land te verzekeren. Ik dacht dat het een land was dat geen kwaad kon doen, dat kwaad niet met kwaad zou vergelden en dat het een voorbeeld aan alle andere landen zou stellen. Als er in politiek of financieel opzicht iets niet deugde, wijtte ik dat altijd aan lager geplaatste politici of ambtenaren. Eigenlijk geloofde ik dat er mensen waren die onze rechten verdedigden, grote mensen als Ben-Goerion, die ik werkelijk bewonderde. De agressieve Begin kon ik niet uitstaan. In het milieu waarin ik opgroeide was politieke tolerantie nu eenmaal een van de basisnormen. Arabieren beschouwden we als menselijke wezens. We hadden al eerder met ze in vrede geleefd en zouden dat waarschijnlijk ooit weer doen. Dat was mijn idee over Israël.
Net voordat ik achtien werd, werd ik opgeroepen voor de verplichte drie jaar durende diensttijd in het leger en ik bracht het negen maanden later tot tweede luitenant van de militaire politie – toen de jongste officier in het Israëlische leger.
Tijdens mijn diensttijd was ik gelegerd bij het Suezkanaal, op de Hoogvlakte van Golan en bij de Jordaan. Ik was daar toen Jordanië de PLO uit het land joeg en we toestonden dat Jordaanse tanks op ons grondgebied kwamen om de Palestijnen te omsingelen. Dat was vreemd, want de Jordaniërs waren onze vijanden, maar de PLO was een nog grotere vijand.
Toen ik in november 1971 afzwaaide, vertrok ik naar Edmonton en bleef daar vijf jaar. Ik had er verscheidene baantjes; ik werkte bijvoorbeeld in de reclame en als afdelingschef van een tapijtwinkel in het *Londonderry Shopping Centre*, zodat ik de Yom Kippoer-oorlog van 1973 niet meemaakte. Ik wist echter dat voor mij de oorlog nooit afgelopen zou zijn, tot ik iets voor mijn land zou doen. In mei 1977 keerde ik terug naar Israël en meldde me aan bij de marine.

Toen ik op Shalishut aankwam, moest ik me melden in een klein kantoortje waar een mij onbekende persoon achter een bureau zat. Voor hem lagen wat papieren.

'We hebben uw naam uit de computer gehaald,' zei de man. 'U bent iemand die aan onze criteria voldoet. We weten dat u uw land al dient, maar er is een manier om het nog beter te dienen. Bent u geïnteresseerd?'

'Ja, ik ben geïnteresseerd. Maar waar gaat het over?'

'Eerst moet u worden getest, om te zien of u geschikt bent. U hoort van ons.'

Twee dagen later werd me opgedragen dat ik me op 20.00 uur moest melden bij de bewoners van een appartement in Herzlia. Ik was verbaasd toen de deur werd opengedaan door de psychiater van de marinebasis. Daarmee maakten ze een fout. De psychiater zei dat hij dit werk voor de veiligheidsdienst deed en dat ik er op de basis niet over mocht praten. Ik zei hem dat ik dat niet zou doen.

Daarna werd ik vier uur lang onderworpen aan verschillende psychologische tests: van de test met de inktvlekken tot en met vragenlijsten over van alles en nog wat.

Een week later werd ik opgeroepen voor een andere afspraak in het noordelijke gedeelte van Tel Aviv, vlakbij Bait Hahayal. Ik had mijn vrouw al ingelicht. We hadden een voorgevoel dat het om de Mossad ging. Als je in Israël woont, weet je zulke dingen. Trouwens, wat kon het anders zijn?

Dit was de eerste van een serie ontmoetingen met een man die zichzelf Ygal noemde, waarna lange sessies volgden in het Scala Café in Tel Aviv. Hij zei me steeds maar hoe belangrijk het was. Hij zat me constant op te peppen. Ik moest honderden formulieren invullen met vragen als: 'Beschouwt u het doden van een mens ten behoeve van uw vaderland als negatief? Beschouwt u vrijheid als een belangrijk goed? Bestaat er iets belangrijkers dan vrijheid?' Dat soort dingen. Omdat ik zeker wist dat het om de Mossad ging, wist ik welke antwoorden ze van me verlangden. Bovendien wilde ik heel graag voor het examen slagen.

Deze sessies vonden vier maanden lang om de drie dagen plaats. Op een gegeven ogenblik moest ik op de militaire basis een uitgebreid medisch onderzoek ondergaan. In dienst worden er soms wel 150 soldaten tegelijk gekeurd. Dat is lopende-bandwerk. Maar in dit geval waren er tien onderzoekskamers, elk met een dokter en een verpleegster, die op mij wachtten. Ik was de enige. Terwijl ik van kamer naar kamer ging, was elk team wel een half uur met me bezig. Ze onderwierpen me aan allerlei soorten onderzoek. Er was zelfs een tandarts. Op de een of andere manier gaf dit me het gevoel dat ik erg belangrijk was.

Na dit alles wist ik nog steeds niet welke baan ze me zo graag wilden geven. Hoe het ook zij, ik was bereid alles te accepteren, wat het ook was. Uiteindelijk vertelde Ygal me dat de training voor de baan me meestentijds in Israël zou houden, maar niet thuis. Ik zou mijn gezin eens in de twee of drie weken kunnen opzoeken. Ik zou eventueel ook naar het buitenland gestuurd kunnen worden en dan kon ik ze maar om de maand zien. Ik zei nee tegen Ygal. Zo lang wilde ik niet van huis zijn. Dit was niets voor mij. Toen belden ze mijn vrouw Bella. De volgende acht maanden bestookten ze ons voortdurend met telefoontjes. Omdat ik al in het leger zat, had ik niet het gevoel dat ik niets voor mijn land deed. Ik was in die tijd nogal rechts georiënteerd – in politiek, niet in sociaal opzicht. Ik geloofde dat je die twee dingen van elkaar kon scheiden, zeker in Israël. In ieder geval *wilde* ik die baan graag hebben, maar ik kon het niet opbrengen om regelmatig zo lang niet bij m'n gezin te kunnen zijn.

Ze hadden me nog steeds niet precies verteld naar welke baan ik eigenlijk aan het solliciteren was, maar later toen ik toch bij de Mossad kwam, begreep ik dat ze me een plaats hadden toebedacht in de *kidon*, het moordcommando van de *Metsada* (de zeer geheime *Metsada* wordt tegenwoordig *Komemiut* genoemd en is de afdeling van de Mossad waaronder de 'echte' spionnen vallen, dat wil zeggen Israëli's die in Arabische landen werken). Ondertussen wist ik nog steeds niet wat ik met mijn leven aanmoest.

In 1981 nam ik ontslag bij de marine. Ik had het begin van de oorlog in Libanon meegemaakt. Als ervaren grafisch kunstenaar besloot ik een eigen zaak te beginnen in gebrandschilderd glas. Ik maakte een paar werkstukken, maar al gauw merkte ik dat ze in Israël niet erg populair waren, waarschijnlijk omdat ze de mensen deden denken aan kerken. Niemand wilde de ramen kopen. Wel waren er een paar mensen geïnteresseerd in hoe je ze moest maken, dus veranderde ik mijn winkel in een school.

In oktober 1982 ontving ik een telegram met een telefoonnummer erop en het bericht dat ik dat nummer op donderdag tussen negen uur 's ochtends en zeven uur 's avonds moest bellen. Ik moest vragen naar Deborah. Ik belde meteen. Ze gaf me een adres op de eerste verdieping van het Hadar Dafna-gebouw, een kantorencomplex aan de King Saulboulevard in Tel Aviv, – later begreep ik dat daar het hoofdkwartier van de Mossad was gevestigd – een van die vele grijze, kale betonnen gebouwen die zo populair zijn in Israël.

Ik kwam de hal binnen. Rechts stond een bank en aan de muur links van de ingang hing een onopvallend bordje: Rekrutering voor de Veiligheidsdienst. Ik moest denken aan wat ik al had meegemaakt met die lui. Ik voelde me alsof ik iets belangrijks was vergeten.

Omdat ik zo graag wilde weten wat ze van me wilden, kwam ik een uur te vroeg aan en ging naar het cafetaria op de tweede verdieping, dat toegankelijk is voor het publiek. In dat gedeelte van het gebouw waren verscheidene bedrijfjes gevestigd die het geheel een normaal aanzicht verleenden. Het hoofdkwartier van de Mossad is echter geconstrueerd als een apart gebouw in dit gebouw. Ik had een tosti kaas besteld – ik zal het nooit vergeten. En terwijl ik at, keek ik het vertrek rond en vroeg me af of er mensen waren die net zoals ik waren opgeroepen.

Toen het tijd was, liep ik de trap af naar de mij aangewezen deur, waarachter ik naar een kantoortje werd geleid waarin een groot, lichtgekleurd houten bureau stond. Het vertrek was spaarzaam gemeubileerd. Er stond een bakje voor in- en uitgaande stukken op het bureau en een telefoon; aan de muur hingen een spiegel en een foto van een man die me bekend voorkwam, maar die ik niet kon thuisbrengen.

De vriendelijk uitziende man achter het bureau opende een kleine map, keek er vluchtig in, en zei: 'We hebben mensen nodig. Ons voornaamste doel is om zoveel mogelijk joden in de hele wereld te redden. We vormen één grote familie. We geloven dat u erbij hoort. Het is zwaar werk en het kan gevaarlijk zijn. Maar eerst moet u nog wat getest worden voordat ik u meer vertel.' De man zei verder dat ze me na iedere serie proeven zouden bellen. Als ze niet zouden bellen, was ik gezakt. Als ze wel belden, gaven ze instructies voor het afleggen van de volgende proeven. 'Als u zakt of afvalt, moet u ons niet bellen. U kunt geen klachten indienen. Wij nemen de beslissing en daarmee uit. Begrepen?'
'Ja.'
'Goed. Over precies twee weken verwacht ik u hier om negen uur 's morgens en dan beginnen we.'
'Betekent dit dat ik regelmatig niet bij m'n gezin ben?'

47

'Nee, dat betekent het niet.'

'Goed, dan ben ik hier over twee weken.'

Toen het zover was, werd ik ontboden in een grote kamer. Er waren nog negen andere mensen die in schoolbanken zaten. We kregen een dertig pagina's tellende vragenlijst met allerlei persoonlijke vragen en allerlei tests, die bedacht waren om ze inzicht te geven in wie je was en wat je dacht. Nadat de vragenlijsten waren ingeleverd, werd ons meegedeeld: 'Wij bellen u.'

Een week later werd ik gebeld voor een afspraak met een man die mijn Engels wilde testen, dat ik accentloos moest spreken. Hij vroeg me naar de betekenis van typische slang-uitdrukkingen, maar hij liep nogal achter, met vragen als: 'Wat betekent "heavy".' Hij vroeg me ook veel over steden in Canada en de Verenigde Staten en wie de president van de Verenigde Staten was en zo.

Dit soort ondervragingen gingen ongeveer drie maanden door, maar in tegenstelling tot mijn eerdere ervaringen werden ze nu overdag in een kantoor in het centrum van de stad afgenomen. Ik werd weer medisch onderzocht, maar deze keer was ik niet alleen. Ook moest ik twee tests aan de leugendetector afleggen. De rekruten werden er constant op gewezen om niets over zichzelf aan de anderen te vertellen.

Zo volgde de ene sessie op de andere en werd ik steeds nieuwsgieriger. De man die me ondervroeg heette Uzi. Later zou ik hem beter leren kennen als Uzi Nakdimon, hoofd van de wervingsafdeling. Uiteindelijk vertelde hij me dat ik tot nu toe voor alles geslaagd was. Alleen de laatste proef nog. Maar voordat het zover was, wilden ze eerst Bella spreken.

Uzi ondervroeg haar zes uur lang. Hij vroeg haar naar alles wat je je maar kunt voorstellen, niet alleen naar mijn, maar ook naar haar politieke achtergrond, naar haar ouders en naar haar sterke en zwakke punten, en ze onderzochten uitvoerig hoe ze over de staat Israël dacht en over de plaats van Israël in de wereld. Ook was er een psychiater aanwezig die haar zwijgend observeerde.

Daarna belde Uzi me weer op met de mededeling dat ik maandagochtend om zeven uur moest komen. Ik moest twee koffers met verschillende soorten kleding meenemen, van een driedelig pak tot en met vrijetijdskleding. Dit zou mijn laatste drie tot vier dagen durende proef worden. Hij legde me uit dat ik daarna een training van twee jaar zou ondergaan en dat mijn salaris gelijk zou zijn aan dat van de militaire rang die een stap hoger was dan mijn huidige. Niet slecht, dacht ik. Ik was toen kapitein-luitenant-ter-zee en ik zou kolonel worden. Ik was echt heel opgewonden. Eindelijk gebeurde het, eindelijk had ik het gevoel dat ik belangrijk was, maar later kwam ik erachter dat er nog duizenden andere mensen werden getest. Ongeveer om de drie jaar doen ze dat. Soms halen maar vijftien mensen de eindstreep en soms helemaal niemand. Ze zeggen dat van de 5000 ondervraagden er gemiddeld zo'n 15 overblijven.

Ze kiezen de *goede* mensen, niet speciaal de *beste*. Dat maakt veel verschil. De meesten van degenen die selecteren zijn mensen uit de praktijk, die op zoek zijn naar specifieke talenten. Maar dat laten ze niet blijken. Ze laten je gewoon denken dat je bijzonder bent, alleen al omdat je bent uitverkoren voor het doen van de proeven.

Kort voor de afgesproken dag werd er bij mij thuis een brief bezorgd, waarin werd bevestigd hoe laat en waar ik moest verschijnen en waarin ik werd herinnerd aan de verscheidene soorten kleding die ik moest meenemen. In de brief stond ook dat ik mijn eigen naam niet moest gebruiken. Ik moest een aangenomen naam samen met de vermeende achtergronden van die nieuwe identiteit op een meegezonden kaartje schrijven. Ik koos voor de naam Simon Lahav. Mijn vaders naam is Simon, en mij was verteld dat de naam Ostrovsky in het Pools of Russisch een scherp lemmet betekent. *Lahav* betekent lemmet in het Ivriet. Ik liet mezelf als een freelance grafisch ontwerper registreren. Op die manier gebruikte ik mijn ervaring in dat vak zonder mezelf al te veel vast te leggen op iets specifieks. Ik gaf een adres op in Holon waarvan ik wist dat het een open plek was tussen de bebouwing.

Toen ik op een regenachtige dag in januari 1983 volgens afspraak vlak voor zeven uur 's ochtends op de bewuste plaats aankwam, bleken er nog twee vrouwen en acht mannen in de groep te zitten, plus drie of vier mensen die waarschijnlijk de instructeurs waren. Nadat we de enveloppen met onze nieuwe namen en identiteiten hadden overhandigd, werden we per bus meegenomen naar een bekend hotel annex ontspanningsoord, de Country Club genaamd. Het was net iets buiten Tel Aviv gelegen, langs de weg naar Haifa. Dit hotel beroemde zich erop de meest uitgebreide recreatieve voorzieningen van heel Israël te hebben. Per twee personen kregen we één kamer, we moesten onze koffers uitpakken en ons daarna verzamelen in zaal 1.

Op een heuvel die over de Country Club uitkijkt, ligt het zogenaamde zomerverblijf van de minister-president. Maar in feite is het de *Midrasha*, het opleidingscentrum van de Mossad. Die eerste dag bekeek ik die heuvel. Iedereen in Israël weet dat die plaats iets met de Mossad heeft te maken en ik vroeg me af of ook ik daar later terecht zou komen. Ik dacht toen nog dat iedereen daar klaar stond om me te testen. Dit klinkt misschien paranoïde, maar paranoia is een voordeel in dit vak. Zaal 1 was een reusachtige ontvangsthal met een lange tafel in het midden, die prachtig gedekt was voor het ontbijt. Er stond een enorm buffet met meer gerechten dan ik ooit in mijn leven had gezien. Ook was er een chef-kok aanwezig om te zorgen dat speciale wensen werden uitgevoerd.

Naast de tien rekruten zaten er nog een stuk of tien anderen aan het ontbijt. Om ongeveer half elf ging de groep naar een vergaderzaal ernaast waar voor de rekruten eveneens een lange tafel in het midden stond. Aan tafeltjes langs de muren zaten de anderen. Niemand zei ons dat we moesten opschieten. We hadden heerlijk ontbeten en er werd nu koffie geserveerd – en zoals gewoonlijk rookte iedereen.

Uzi Nakdimon sprak de groep toe: 'Welkom. We zullen hier drie dagen blijven. Doet u hier niets waarvan u denkt dat het van u wordt verwacht. Gebruik uw eigen gezonde verstand, wat er ook gebeurt. We zijn op zoek naar de juiste mensen. U heeft al heel wat stadia doorlopen. Nu willen we zeker weten of u de aangewezen persoon bent.'

'Ieder van u krijgt een instructeur toegewezen,' vervolgde hij. 'Ieder van u heeft een schuilnaam en een andere identiteit gekozen. U moet die zien te behouden, maar tegelijkertijd is het ieders taak om alle anderen aan deze tafel te ontmaskeren.'

Toen wist ik het nog niet, maar ik zat in de eerste groep waarin vrouwen waren opgenomen. Er was wat politieke druk uitgeoefend om ook vrouwen tot *katsa* op te leiden, dus had men besloten er een aantal toe te laten om te zien of ze het zouden redden. Natuurlijk was het niet de bedoeling dat ze het echt werden. Het was alleen maar een gebaar. Er bestaan wel vrouwelijke spionnen, maar ze hebben nog nooit een vrouw katsa laten worden. Allereerst zijn vrouwen kwetsbaar, maar bovendien heeft de Mossad het voornamelijk voorzien op mannen, mannen uit Arabisch-sprekende landen wel te verstaan, die wel door vrouwen kunnen worden verleid, maar het niet in hun hoofd zouden halen om voor een vrouw te werken. Daarom kunnen ze niet door vrouwen worden gerekruteerd.

De tien rekruten begonnen zich aan elkaar voor te stellen en over hun dekmantel te vertellen. En terwijl ieder dat op zijn beurt deed, stelden de anderen vragen. Zo nu en dan stelden ook de instructeurs die achter ons zaten enkele vragen.

Ik was vrij ontspannen toen ik m'n verhaal vertelde. Ik zei niet dat ik bij een bepaald bedrijf werkte, omdat iemand van hen dat bedrijf misschien kende. Ik vertelde dat ik twee kinderen had. Ik had er twee jongens van gemaakt omdat ik ware feiten niet mocht onthullen. Maar ik bleef wel zo dicht mogelijk bij de waarheid. Het was makkelijk. Ik voelde me niet onder druk staan. Het was een spel en ik genoot ervan.

De oefening duurde ongeveer drie uur. Op een gegeven ogenblik toen ik vragen aan iemand stelde, richtte een instructeur met zijn notieboekje in de hand zich tot mij en vroeg: 'Pardon, hoe was uw naam ook weer?' Met dergelijke dingen probeerden ze je concentratievermogen op de proef te stellen. Je moest voortdurend op je hoede zijn.

Toen de zitting was beëindigd, vertelde men ons dat we terug moesten gaan naar onze kamers en vrijetijdskleding aantrekken. 'We gaan naar het centrum.'

We werden verdeeld in groepjes van drie rekruten, die ieder bij twee instructeurs in een auto moesten stappen. Toen we eenmaal in Tel Aviv waren aangekomen, sloten nog eens twee instructeurs op de hoek van de King Saulboulevard en Ibn Gevirol zich bij ons aan. Het was 16.30 uur. Een instructeur zei tegen me: 'Ziet u dat balkon op de tweede verdieping daar? Ik wil dat u hier drie minuten blijft staan nadenken. En daarna wil ik u over zes minuten samen met de eigenaar of de huurder, met een glas water in uw hand, op dat balkon zien staan.'

Nu werd ik toch wel bang. We hadden geen persoonsbewijs bij ons. Het is in Israël verboden om je zonder persoonsbewijs op straat te bevinden. Ons werd verteld dat we in alle omstandigheden alleen onze schuilnaam mochten gebruiken. Zelfs als we problemen met de politie kregen, mochten we onze dekmantel niet prijsgeven.

Wat te doen? Het eerste probleem was dat ik erachter moest zien te komen om welke flat het precies ging. Na wat een eeuwigheid leek te hebben geduurd, zei ik de instructeur dat ik klaar was.

'Wat bent u globaal van plan te gaan doen?' vroeg hij.

'Globaal ben ik van plan een film te maken,' antwoordde ik.

Hoewel ze wilden dat we spontaan handelden, wilden ze ook dat we een plan opstelden in plaats van dat we de Arabische uitdrukking *Ala-*

bab Allah aan de praktijk zouden toetsen, wat zoveel betekent als: 'Alles ligt in Allah's handen.'

Ik repte me naar het huis en liep de trap op, terwijl ik de treden telde zodat ik er zeker van was dat ik bij de goede flat aanbelde. Een ongeveer 65-jarige vrouw deed open.

'Hallo,' zei ik in het Ivriet. 'Mijn naam is Simon. Ik ben van het ministerie van Verkeer. U weet dat er buiten op het kruispunt heel wat ernstige ongelukken zijn gebeurd.' Ik pauzeerde even om haar reactie te peilen.

'Ja, ja, dat weet ik,' zei ze. (De manier waarop Israëli's autorijden in aanmerking genomen – er gebeuren op kruispunten altijd veel ongelukken – kon ik dat rustig zeggen.)

'We zouden uw balkon graag willen huren.'

'Mijn balkon huren?'

'Ja, we willen het verkeer op het kruispunt filmen. Er zullen geen mensen bij aanwezig zijn. We stellen alleen maar een camera op. Zou ik even mogen kijken om te zien of we op uw balkon onder de juiste hoek kunnen filmen? Als dat zo is, is 500 pond per maand dan voldoende?'

'Ja, natuurlijk,' zei ze terwijl ze me voorging naar het balkon.

'O, tussen twee haakjes, sorry dat ik u hiermee lastigval, maar zou ik een glas water kunnen krijgen? Het is zo warm vandaag.'

Even later stonden we beiden op het balkon en keken uit over de straat. Ik voelde me geweldig. Ik zag iedereen naar ons kijken. Toen de vrouw even niet keek, hief ik mijn glas in hun richting. Ik vroeg de vrouw hoe ze heette en zei haar dat we eerst nog wat andere plaatsen moesten uitproberen en haar dan zouden laten weten of we haar balkon zouden nemen.

Toen ik weer goed en wel op straat stond, was een van de andere rekruten bezig met zijn opdracht. Hij ging naar een geldautomaat, waar van hem verwacht werd dat hij een tientje van iemand zou lenen, die van de automaat gebruik maakte. Hij zei tegen de man dat hij per taxi naar het ziekenhuis moest waar zijn vrouw lag te bevallen en dat hij geen geld bij zich had. Hij noteerde naam en adres van de man en beloofde hem dat hij het geld zou terugsturen. De man gaf hem het geld.

De derde rekruut uit de groep was veel minder gelukkig. Ook hij moest op een bepaald balkon zien te komen. Het lukte hem wel eerst om op het dak van het flatgebouw te komen met de smoes dat hij de televisieantenne wilde controleren. Maar toen hij bij de bewuste flat aanbelde en aan de bewoner vroeg of hij van het balkon af de antenne mocht inspecteren, kwam hij er achter dat de man bij een antennebedrijf werkte.

'Waar heb je het over?' vroeg de man. 'Er is niks met die antenne aan de hand.' De rekruut moest snel de aftocht blazen toen de man dreigde de politie te zullen bellen.

Na deze oefening werden we naar de Hayarkonstraat gereden, een brede straat die evenwijdig aan de kustlijn van de Middellandse Zee loopt en waarlangs alle grote hotels staan. Ik werd naar de lobby van het Sheraton gebracht en moest daar gaan zitten.

'Ziet u daar aan de overkant het Basel-hotel?' zei een instructeur. 'Daar moet u heengaan en me de derde naam van boven op hun gastenlijst geven.'

In Israël is het gebruikelijk dat het gastenboek niet op, maar onder de balie ligt, en het wordt, zoals zoveel andere zaken in hotels, als vertrouwelijk beschouwd. Het begon net donker te worden toen ik de straat overstak en ik nog steeds niet wist hoe ik dit moest aanpakken. Ik besefte wel dat het maar een spel was. Maar toch was ik zenuwachtig en opgewonden. Ik wilde slagen, ofschoon de opdracht, wanneer je er even over nadenkt, nogal stompzinnig was.

Ik besloot Engels te spreken, want dan word je meteen al beter behandeld omdat ze denken dat je een toerist bent. Terwijl ik op de balie toeliep om te vragen of er nog berichten voor me waren binnengekomen, dacht ik aan de oude grap om een willekeurig iemand op te bellen en te vragen of Joop er al was. Je belt dan verschillende keren achter elkaar op, waarbij je steeds dezelfde vraag stelt en degene aan de andere kant van de lijn bozer en bozer wordt omdat je steeds opnieuw het verkeerde nummer draait. Vervolgens bel je, en zegt: 'Hallo, met Joop. Heeft iemand nog een boodschap achtergelaten?'

De receptionist keek me aan. 'Bent u een gast?'

'Nee, dat ben ik niet,' zei ik. 'Maar ik heb hier met iemand afgesproken.'

De receptionist zei dat hij daarover geen bericht had binnengekregen. Ik wachtte ongeveer een half uur in de lobby. Na op mijn horloge te hebben gekeken liep ik terug naar de balie.

'Misschien is hij er al en heb ik hem gemist,' zei ik.

'Hoe is zijn naam?' vroeg de receptionist. Ik mompelde een naam die leek op 'Kamalunke.' De receptionist pakte het gastenboek en begon erin te kijken. 'Hoe wordt dat gespeld?'

'Weet ik niet zeker. Met een c of een k,' zei ik, terwijl ik over de balie leunde, ogenschijnlijk met de bedoeling om de receptionist te helpen, maar in werkelijkheid om te proberen de derde naam op de lijst te lezen.

Alsof ik plotseling mijn fout inzag, zei ik: 'O, dit is het Basel-hotel. Ik dacht dat dit het City-hotel was. Het spijt me, stom van me.'

Ik voelde me opnieuw geweldig. Toen vroeg ik me af hoe mijn instructeur in godsnaam kon weten of de naam die ik gelezen had de juiste was. Maar in Israël hebben ze inzage in alles.

Nu begonnen de lobby's van de hotels zich met mensen te vullen, dus liepen de twee instructeurs en ik naar buiten. Terwijl ze zeiden dat dit de laatste proef van die dag was, gaven ze me een microfoontje van een telefoon, waaraan twee draadjes hingen. Op de achterkant van het apparaatje stond een letter ter identificatie. Er werd me gezegd naar de openbare telefoon in de lobby van het Tal-hotel te gaan en de microfoon daarvan te vervangen door de microfoon die ze me hadden gegeven, waarbij de telefoon moest blijven functioneren.

Er stond een lange rij wachtenden voor de telefoon, maar ik bleef mezelf voorhouden dat ik het moest redden. Toen ik aan de beurt was, deed ik het muntje in het apparaat, draaide een willekeurig nummer en hield de hoorn tegen m'n oor. Mijn knieën begonnen te trillen. Er vormde zich een rij wachtenden achter me. Ik draaide de microfoon los, haalde m'n agenda uit mijn zak en maakte gebaren alsof ik aan het schrijven was. Ik hield de hoorn tussen mijn kin en mijn schouder geklemd en sprak er een paar Engelse woorden in.

Op dat moment kwam er een kerel erg dicht achter mij staan. Hij ademde bijna in m'n nek. Ik liet mijn agenda zakken, draaide me om en zei: 'Pardon,' waarop hij een stapje terug deed en ik de nieuwe microfoon in de hoorn aansloot. Iemand beantwoordde nu mijn willekeurig gedraaide nummer en vroeg: 'Met wie spreek ik?' Maar toen ik het plastic dekseltje weer op het mondgedeelte van de hoorn had geschroefd, hing ik op.

Ik trilde toen ik de microfoon in m'n zak stopte. Zoiets had ik nog nooit eerder gedaan – nog nooit had ik iets gestolen, niets. Ik voelde me een beetje slap toen ik de instructeur het onderdeel van de telefoon overhandigde.

Zwijgend reden we terug naar de Country Club. Na het avondeten werd ons gezegd dat we de volgende dag een rapport af moesten hebben over alles wat er die dag was gebeurd. Er mocht niets worden overgeslagen – hoe onbelangrijk sommige dingen ook leken.

Tegen middernacht hadden mijn kamergenoot en ik zojuist de tv aangezet – we waren heel moe – toen er een instructeur op onze deur klopte. Hij vertelde me dat ik mijn spijkerkleding moest aantrekken en met hem meekomen. Hij reed me naar een boomgaard en vertelde me dat er in de buurt een geheime bijeenkomst zou plaatsvinden. Je kon de jakhalzen in de verte horen huilen, de krekels tsjirpten onophoudelijk.

'Ik zal u laten zien waar het is,' zei hij me. 'Ik wil weten hoeveel mensen er komen en wat ze zeggen. Ik haal u over twee tot vier uur weer op.'

'Komt in orde,' zei ik.

Hij nam me mee naar een grindweg tot aan een *wadi*, een stroompje dat doorgaans droog staat, behalve in de regentijd. Er stroomde maar een beetje water in. Onder de weg liep een betonnen buis van ongeveer 60 cm in doorsnee.

'Daar,' zei hij, terwijl hij naar de buis wees. 'Dat is een goede plek om u te verstoppen. Er liggen wat oude kranten die u voor de opening kunt proppen.'

Dit zou een ware beproeving voor me worden. Ze wisten uit het psychotechnisch onderzoek dat ik last had van claustrofobie. Bovendien haatte ik ongedierte: kakkerlakken, wormen, ratten. Ik houd er zelfs niet van om in een meer te zwemmen met al die drab op de bodem. Toen ik door de buis keek, kon ik het andere eind niet zien. Het werden de drie langste uren van mijn leven. Natuurlijk kwam er niemand opdagen, er was helemaal geen bijeenkomst. Ik probeerde niet in slaap te vallen. Ik bleef mezelf eraan herinneren waar ik was en dat hield me wakker.

Ten slotte kwam de instructeur terug. 'Ik wil een uitgebreid rapport over wat er gebeurd is,' zei hij.

'Er was helemaal niemand,' antwoordde ik.

'Weet u het zeker?'

'Ja.'

'Misschien bent u in slaap gevallen.'

'Nee, dat ben ik niet.'

'Nou, ik ben hier anders nog geweest,' zei de instructeur.

'Dan moet u zich in de plaats hebben vergist. Hier is niemand geweest.'

Op de terugweg werd me op het hart gedrukt vooral met niemand over het gebeurde te praten.

De volgende avond zeiden ze dat de hele groep gemakkelijke kleren moest aantrekken. We zouden naar Tel Aviv worden gereden, waar ieder van ons een bepaald gebouw in de gaten moest houden. Tijdens deze surveillance moesten we alles wat we zagen opschrijven en ook moesten we een verhaal verzinnen om onze aanwezigheid daar te kunnen verklaren.

Om acht uur 's avonds werd ik door twee mannen in een kleine auto naar de stad gereden. Een van hen was Shai Kauly, een ervaren katsa met een lange staat van dienst.* Ik werd niet ver van de hoofdstraat van Tel Aviv, de Dizingoffstraat, afgezet. Ik moest een gebouw van vijf verdiepingen in de gaten houden en noteren wie er allemaal naar binnen gingen, hoe laat ze arriveerden, hoe laat ze weggingen, hoe ze er uit zagen, welke lichten brandden en welke uit waren en de tijdstippen waarop dat allemaal gebeurde.

Ze zeiden dat ze me later zouden ophalen en daarbij met hun koplampen zouden knipperen.

Mijn eerste gedachte was dat ik me ergens moest verstoppen. Maar waar? Ze hadden me gezegd dat ik zichtbaar moest zijn. Ik wist niet wat ik moest doen. Toen kwam ik op het idee om een tekening van het gebouw te maken en in die tekening de gegevens te noteren in geheimschrift, door Engels te gebruiken en de woorden achterstevoren te schrijven. Mijn excuus voor het feit dat ik een gebouw tekende terwijl het al avond was, zou zijn dat ik dan minder werd afgeleid en dat ik, omdat ik toch niet in kleur tekende, niet veel licht nodig had.

Na rustig een half uurtje aan het werk te zijn geweest, werd ik opgeschrikt door een auto die met gierende banden de stoep op kwam rijden. Er sprong een man uit die snel zijn politiepenning liet zien.

'Hoe heet je?' vroeg hij.

'Simon Lahav.'

'Wat doe je hier?'

'Ik ben aan het tekenen.'

'Een van de omwonenden heeft geklaagd. Hij zei dat je die bank in de gaten hield. (Op de begane grond van het gebouw was een bank gevestigd.)

'Nee, ik ben aan het tekenen, kijk maar.' Ik liet mijn tekening aan de politieagent zien.

* Zie hoofdstuk 9: STRELLA

56

'Hou die rotzooi bij je! Mee.'
In de Ford Escort zonder kenteken zaten nog twee mannen, een achter
het stuur en een naast hem. Via de politieradio meldden ze dat ze iemand meenamen, terwijl degene die me had bevolen in te stappen,
achterin naast me ging zitten. De man naast de bestuurder vroeg tot
twee keer toe hoe ik heette en tweemaal herhaalde ik: 'Simon.'
Hij vroeg het opnieuw en ik antwoordde hem nogmaals. De man die
naast me zat, gaf me een klap op m'n gezicht en zei: 'Hou je kop.' 'Hij
vroeg me iets,' zei ik. 'Hij vroeg je helemaal niets,' werd me vervolgens
meegedeeld.
Ik voelde me rot. Waar waren de jongens gebleven die me zouden ophalen? Toen vroeg de agent naast me waar ik vandaan kwam. Toen ik
'Holon' antwoordde, gaf degenen die voor in de auto zat me een dreun
op m'n voorhoofd en riep: 'Ik vroeg je naar je naam.'
Toen ik zei dat ik Simon uit Holon was, zei de smeris achterin: 'Jij
denkt zeker dat je slim bent.' Hij duwde mijn hoofd tussen mijn knieën,
draaide m'n armen op mijn rug en deed me handboeien om, terwijl hij
een stroom van vloeken uitbraakte en me een vuile drugdealer noemde.
Toen ik volhield dat ik alleen maar aan het tekenen was, vroeg hij me
naar mijn beroep. Ik antwoordde dat ik een kunstenaar was.
Op dat moment reden we weg. De smeris naast de bestuurder zei: 'We
brengen je nu naar het centrum. We zullen je eens een poepie laten
ruiken. Hij pakte me mijn tekeningen af, verfrommelde ze en gooide ze
op de vloer van de auto. Toen bevalen ze me mijn schoenen uit te trekken, wat nogal moeilijk was met die handboeien om.
'Waar zijn de drugs?' vroeg een van hen.
'Wat bedoelt u? Ik heb geen drugs. Ik ben een kunstenaar.'
'We krijgen je heus wel aan het praten, als het niet nu is, dan wel later,'
zei hij. Ondertussen bleven ze me slaan. Een van die kerels sloeg me zo
hard op mijn kaak, dat ik dacht dat ik een tand had verloren.
De smeris naast de bestuurder trok me naar zich toe en schreeuwde
keihard in mijn gezicht. Hij bedreigde me en eiste dat ik vertelde waar
ik de drugs verstopt had, terwijl de bestuurder doelloos door de stad
reed.
Dit was je reinste intimidatie. Ze hadden iemand van de straat opgepikt die ze te pakken gingen nemen. Ik had wel eerder over dergelijke
dingen gehoord en ik vroeg of ze me naar het bureau wilden rijden,

zodat ik mijn advocaat kon bellen. Na ongeveer een uur vroeg een van hen naar de naam van de kunstgalerie waar mijn werk geëxposeerd werd. Ik kende alle galeries in Tel Aviv en ik wist ook dat ze op dit uur allemaal gesloten waren, dus gaf ik ze een naam. Toen we daar aankwamen was ik nog steeds geboeid. Ik gebaarde wat in de richting van de gallerie en zei: 'Daar hangen mijn schilderijen.'

Mijn volgende probleem was dat ik geen persoonsbewijs bij me had. Ik zei ze dat ik die thuis had laten liggen. Toen trokken ze m'n broek uit om te controleren of ik geen drugs bij me had. Ik voelde me erg onzeker, maar uiteindelijk werden ze wat rustiger en leken ze me te geloven. Ik zei dat ik terug wilde naar de plek waar ze me hadden gearresteerd, maar ze wisten die plaats niet meer te vinden. Ik vertelde ze dat ik geen geld bij me had en dat ik later door een vriend zou worden opgehaald. Ze reden me terug naar de buurt waar ze me hadden opgepikt en zetten me af bij een bushalte. Een agent raapte mijn tekeningen op en gooide ze uit het raam. Ze deden mijn handboeien af en een van de agenten schreef een rapport. Er stopte een bus. Ten slotte werd ik door de figuur naast me naar buiten geduwd, waar ik op de grond viel. Mijn broek en schoenen werden me nagegooid en ze waarschuwden me dat ze me niet meer wilden zien als ze opnieuw langskwamen en reden weg. Daar lag ik dan zonder broek midden op straat, terwijl er mensen uit de bus stapten. Ik raapte de proppen papier op en had daarbij het gevoel of ik de Mount Everest had beklommen. Wat een voldaan gevoel!

Na een half uur, toen ik me weer had aangekleed en was doorgegaan met m'n surveillance, zag ik de knipperende koplampen. Ik liep naar de auto toe en werd teruggereden naar de Country Club om mijn rapport te schrijven. Een tijd later kwam ik die 'politieagenten' weer tegen.

Ze waren helemaal niet van de politie. Iedereen had die avond met 'politieagenten' te maken gehad. Het hoorde bij de proef.

Een van de rekruten was door de politie aangehouden, terwijl hij onder een boom stond. Ze vroegen hem wat hij daar deed en hij vertelde dat hij uilen aan het bekijken was. Toen de agent zei dat hij helemaal geen uilen zag, antwoordde de rekruut hem: 'U heeft ze weggejaagd.' Ook hij werd meegenomen voor een ritje.

Een van de anderen werd op het bekende Kiker Hamdinaplein 'gearresteerd'. We zeiden altijd dat dit plein net de staat Israël was. 's Zomers staat daar een circus en 's winters ligt er alleen maar modder. Precies Israël. De helft van het jaar modder, de andere helft circus. Die jongen was een idioot. Hij vertelde ze dat hij een speciale opdracht moest uitvoeren voor de Mossad en dat het een proef was. Hij zakte natuurlijk.

Van de tien personen die samen met mij werden getest, was de enige die ik ooit heb teruggezien een vrouw. Ze werd aangesteld als lijfwacht bij het zwembad van de Mossad wanneer daar in de weekeinden de gezinsleden van het personeel gingen zwemmen.

Na het ontbijt op de derde dag, werden we weer naar Tel Aviv gebracht. Mijn eerste opdracht was een restaurant binnen te gaan, een gesprek aan te knopen met een man die me was aangewezen en een afspraak met hem te maken voor een gesprek op nog diezelfde avond. Toen ik een tijdje had bestudeerd hoe het in het restaurant toeging, merkte ik dat een ober de man zeer voorkomend behandelde. Ik dacht dat hij wel eens de eigenaar van het restaurant zou kunnen zijn. Ik zat aan een tafeltje naast hem en zag dat hij een filmblad las.

De truc over het filmen was me al eerder van dienst geweest en zou dus ook nu kunnen werken. Ik vroeg de ober of ik de eigenaar mocht spreken, want ik was bezig met het maken van een film en dit zou wel eens een goede lokatie kunnen zijn. Voordat ik mijn zin kon afmaken, zat hij al naast me. Ik zei hem dat ik nog een paar andere plaatsen moest bekijken en dat ik nu geen tijd had om spijkers met koppen te slaan. We maakten een afspraak voor die avond, we gaven elkaar de hand en ik vertrok.

Later werden alle rekruten naar een park vlak bij de Rothschildboulevard gebracht, waar een grote man, gekleed in een rood-zwart geblokt shirt, langs zou komen. We moesten hem zo onopvallend mogelijk schaduwen. Het was moeilijk om hem met z'n tienen te volgen, terwijl wijzelf nog eens werden gevolgd door twintig anderen. Dit ging twee uur zo door. Overal letten ze op ons, vanaf balkons en vanachter bomen. Ze wilden onze reacties peilen.

Nadat deze oefening was afgelopen en we ons rapport af hadden, werden we opnieuw in groepen verdeeld. Ze reden me naar de Ibn Gevirolstraat, waar de auto deze keer voor de Hapoalim-bank stopte. Er werd me gezegd naar binnen te gaan en in ieder geval de naam, het adres en verder zoveel mogelijk van de bankdirecteur te weten te komen.

Men moet niet vergeten dat Israël een land is waar iedereen voortdurend wantrouwend is tegenover alles en iedereen. Ik had een net pak aan, ging naar binnen en vroeg aan een bediende naar de naam van de directeur en of ik hem kon spreken. Hij gaf me die en verwees me op mijn verzoek naar de eerste verdieping. Ik liep naar boven, vroeg naar hem en zei daarbij dat ik lange tijd in de Verenigde Staten had gewoond maar naar Israël was teruggekeerd en een grote som geld op een nieuwe rekening wilde storten. Ik vroeg of ik de directeur persoonlijk kon spreken.

Toen ik zijn kantoor binnenliep, viel me op dat er een plaquette van de *B'Nai Brith* op zijn bureau stond. We spraken daar een poosje over en voor ik het wist nodigde hij me uit om bij hem thuis langs te komen. Hij zou gauw naar New York worden overgeplaatst in de rang van onderdirecteur. We wisselden onze adressen uit en ik zei dat ik hem zou bezoeken. Ik vertelde dat ik nog aan het verhuizen was en dat ik dus nog geen telefoon had, maar dat ik hem zeker zou bellen als hij mij zijn telefoonnummer gaf. Hij liet zelfs koffie komen.

Ik had het over een bedrag van $150.000 om me in Israël te vestigen. Als mocht blijken dat het allemaal meer tijd zou kosten, zou hij extra geld voor me moeten overmaken. Het financiële gedeelte hadden we binnen een kwartier afgerond, waarna we over koetjes en kalfjes begonnen te praten. Binnen een uur wist ik alles van hem.

Na deze test werden twee andere rekruten en ik opnieuw naar het Tal-hotel gebracht, waar we moesten wachten tot de anderen terug waren. We zaten er nog geen tien minuten toen zes mannen naar binnen liepen. Op mij wijzend zei een van hen: 'Dat is hem.'

'Kom maar met ons mee,' zei een ander. 'We willen niet dat u hier voor problemen gaat zorgen.'

'Hoe bedoelt u?' vroeg ik. 'Ik heb helemaal niets gedaan.'

'Kom mee,' zei een, die zijn politiepenning tevoorschijn haalde.

Ze stopten ons alle drie in een bestelwagen, blinddoekten ons en begonnen zo maar wat door de stad te rijden. Ten slotte werden we, nog steeds geblinddoekt, een gebouw binnengeleid, waar we van elkaar werden gescheiden. Ze brachten me in een klein kamertje ter grote van een toilet, waar ik moest gaan zitten. Ik kon het geluid van op- en neerlopende mensen horen.

Na twee of drie uur werd ik uit het kamertje gehaald. Ik bleek al die tijd op een toilet in een badkamer te hebben gezeten op de eerste verdieping van de Academie (het opleidingscentrum van de Mossad), ofschoon ik dat toen nog niet wist. Ik werd door een gang naar een ander klein kamertje gebracht. De ramen waren geblindeerd en er zat een robuuste kerel die een klein zwart vlekje in een van zijn ogen had: het was alsof er in dat oog twee pupillen zaten. Hij begon me vriendelijk vragen te stellen. Hoe heette ik? Waarom had ik de vorige dag in het hotel de telefoon uit elkaar gehaald. Bereidde ik een terroristische actie voor? Waar woonde ik?

Op een gegeven ogenblik vertelde hij me dat ze mij naar huis zouden brengen. Omdat mijn opgegeven adres een open plek tussen de bebouwing was, begon ik te lachen. Hij vroeg me waarom ik lachte en ik antwoordde dat ik het een komische situatie vond. Ik dacht echt dat ze me naar dat adres zouden brengen en ik zei: 'Mijn huis! Waar is mijn huis?' Ik kon niet ophouden met lachen.

'Dit is een grap,' zei ik. 'Wat wilt u van me?'

Hij zei dat hij mijn colbertje wilde. Het was een blazer van Pierre Balmain. Hij nam hem aan en daarna ook al mijn andere kleren. Ik was naakt toen ze maar de badkamer terugbrachten en vlak voordat ze de deur achter me sloten, gooiden ze een emmer water over me heen.

Naakt en huiverend van de kou lieten ze me daar twintig minuten achter. Toen brachten ze me terug naar de potige man in het kantoortje.

'Moet je nog steeds lachen?' zei hij.

Tot vier of vijf keer toe werd ik van de badkamer naar het kantoortje gebracht. Als iemand op de deur van het kantoor klopte, moest ik me onder de tafel verbergen. Dat gebeurde wel drie keer. Ten slotte zei de man tegen mij: 'Ik hoop dat u het ons niet kwalijk neemt. Er is sprake van een misverstand.'

Hij gaf me mijn kleren terug en zei dat ze me zouden terugbrengen naar de plaats waar ze me hadden meegenomen. Ze blinddoekten me opnieuw en stopten me in de wagen, maar juist toen de bestuurder de auto wilde starten, schreeuwde iemand: 'Wacht! Breng hem terug! We hebben zijn adres nagetrokken en daar is niets.'

'Ik begrijp niet waar jullie het over hebben,' zei ik, maar ze stopten me opnieuw in de badkamer.

Er verliepen nog eens twintig minuten, waarna ze me weer naar het kantoortje brachten en zeiden: 'Het spijt ons. We hebben ons vergist!' Ik werd bij de Country Club afgezet. Ze verontschuldigden zich opnieuw en reden weg.

Op de ochtend van de vierde dag werden we één voor één in een kamer geroepen voor een persoonlijk gesprek.

Ze vroegen: 'Wat denk je? Ben je geslaagd?'
Ik zei: 'Ik weet het niet. Ik weet niet wat jullie van me willen. Jullie hebben gezegd dat ik m'n best moest doen en dat heb ik gedaan.' Sommigen waren wel twintig minuten binnen. Bij mij duurde het niet langer dan vijf minuten. Aan het eind van het gesprek zeiden ze: 'Bedankt. We bellen je nog.'
Twee weken later belden ze me op. De ochtend daarop moest ik me melden.
Ik was aangenomen, maar de echte proeven moesten nog beginnen.

In de schoolbanken

In Israël geloven verscheidene groeperingen dat het land permanent in gevaar is. Een sterk leger waarborgt de veiligheid echter niet. Vroeger geloofde ik daar wel in.

Je weet dat er een immense behoefte bestaat aan veiligheid en dat er een organisatie als de Mossad bestaat. Officieel bestaat hij niet in Israël, toch weet iedereen ervan. Het is de crème de la crème, de elite die zich van de massa onderscheidt. Je beseft dat het een uiterst geheime organisatie is en als je er eenmaal bijhoort, doe je wat je gezegd wordt, omdat je gelooft dat er een soort magie achterschuilt waarvan je pas na verloop van tijd het fijne te weten komt.

Iedereen die in Israël opgroeit, wordt dat met de paplepel ingegoten. Het begint ermee dat kinderen naar de jeugdbrigade gaan. Ik werd daar getraind in schieten en op mijn veertiende was ik nummer twee van Israël. Met een Shtutser-geweer haalde ik een score van 192 uit 200 en eindigde op vier punten achter de winnaar.

Ik had ook heel wat jaren in het leger doorgebracht. Dus ik wist – of dacht te weten – wat me te wachten stond.

Natuurlijk is het niet zo dat iedere Israëli als een blind paard doordraaft, maar de mensen die op zoek zijn naar rekruten voor de Mossad – degenen die al die psychologische tests afnemen – hebben slechts oog voor personen die volgzaam zijn en die, als ze er eenmaal bijhoren, precies doen wat er wordt gezegd. Het stellen van vragen kan een hele operatie doen vastlopen.

In die tijd was ik een vrij actief lid van de socialistische partij in Herzlia. Ik hield er relatief progressieve denkbeelden op na, zodat ik van het moment af dat ik bij de Mossad kwam, voortdurend in gewetensconflict raakte door de discrepantie tussen datgene waarin ik geloofde en datgene waarmee ik rekening moest houden. Het systeem eist dat wordt begonnen met het kiezen van de juiste kandidaten, waarna ze met behulp van een uitgekiende hersenspoeling in de gewenste vorm worden gekneed. Er wordt weleens gezegd: als je sinaasappels gaat uitpersen, neem dan geen groene, maar rijpe sinaasappels.

Mijn eerste zes weken verliepen rustig. Ik werkte op het kantoor in het centrum, waar ik wat administratief werk deed. Maar op een koude dag in februari 1984 werd ik met 14 anderen in een kleine bus geladen. Geen van allen had ik eerder gezien, maar we werden enthousiaster en enthousiaster toen de bus uiteindelijk een steile heuvel opreed en, na een bewaakt hek te zijn gepasseerd, stopte voor de grote, twee verdiepingen tellende Academie.

Wij, cadetten, vijftien in getal, liepen het gebouw binnen. In de ruime hal stond in het midden een tafeltennistafel. Er hingen luchtfoto's van Tel Aviv aan de muur, een glazen wand keek uit op een binnenplaats met een tuin, er kwamen nog twee grote hallen op uit en verder was er een afgesloten betonnen trap die kennelijk naar de eerste verdieping leidde. De buitenkant van het gebouw bestond uit witgepleisterde baksteen. Binnen waren de vloeren van lichtgekleurd marmer en de muren van witgesausde baksteen.

Ik wist onmiddellijk dat ik hier al eerder was geweest, toen ik, voordat ik uiteindelijk werd aangenomen, in en uit dat kleine badkamertje was gesleept en vanonder mijn blinddoek precies diezelfde trap had gezien. Binnen niet al te lange tijd kwam er een man binnen met een donkere gelaatskleur en grijs haar en hij leidde ons door de achterdeur naar een van de vier noodlokalen. Hij zei dat de directeur ieder moment kon komen.

Ook hier was het heel ruim. In de beide zijwanden zaten ramen, er hing een schoolbord aan de voorwand en er stond in het midden van het lokaal een lange tafel in de vorm van een T met een diaprojector erop. Deze cursus stond bekend als 'cadet 16', omdat het de zestiende cursus was voor de cadetten van de Mossad.

We hoorden snelle voetstappen over het grindpad naderbij komen, waarna er drie mannen binnenkwamen. De eerste was klein, knap en met een donkere huidskleur, de tweede, wiens gezicht ik herkende, was ouder en zag er verzorgd uit en de derde was een blonde, 50-jarige man van bijna twee meter lang, die nonchalant gekleed was in een hemd en een trui. Hij liep kwiek naar het hoofd van de tafel, terwijl de andere twee achter in het lokaal gingen zitten.

'Mijn naam is Aharon Sherf,' zei hij. 'Ik ben de directeur van de Academie. Welkom bij de Mossad, waarvan de volledige naam luidt: *Ha Mossad, le'Modiyin we'le'Tafkidim Mayuhadim* (Instituut voor Inlichtingen en Speciale Operaties). Ons motto is: "Met arglist moet men oorlog voeren."'

Ik voelde me alsof ik dringend zuurstof nodig had. We wisten dat we nu met de Mossad hadden te maken, maar toen we te horen kregen dat *wij* als enigen gelijk hadden, mijn God, ik kreeg het benauwd. Sherf – beter bekend als Araleh, een bijnaam voor Aharon – stond daar op de tafel geleund, ging toen weer rechtop staan en leunde daarna weer op de tafel. Hij leek zo vastberaden en sterk.

'U vormt een team,' vervolgde hij. 'U bent uit duizenden gekozen. Een oneindig aantal kandidaten is door de zeef gegaan en uiteindelijk is deze groep overgebleven. U hebt het in u om te worden tot degenen die wij willen dat u wordt. U hebt de kans uw land te dienen zoals maar weinigen dat kunnen.

U moet zich realiseren dat u niet slechts nummers bent binnen onze organisatie. We zouden u allemaal graag zien afstuderen, zodat we u op de plaatsen kunnen inzetten waar we u nodig hebben. Aan de andere kant laten we niemand slagen als hij niet voor de volle honderd procent aan onze eisen voldoet. Als dat betekent dat niemand doorgaat, dan is daar niets aan te doen. In het verleden is dat al eerder gebeurd. De Academie is uniek. U kunt het leerproces versnellen door uzelf te veranderen. U bent nu slechts het ruwe materiaal voor de taak die u te wachten staat, maar aan het eind van de rit zult u als de best gekwalificeerde inlichtingenmensen ter wereld tevoorschijnkomen.

Tijdens deze periode zult u geen leraren hebben. We maken gebruik van praktijkmensen die we bereid hebben gevonden enige tijd als instructeur aan de Academie door te brengen. Ze zullen terugkeren naar het 'veld'. Ze zullen u opleiden als toekomstige collega's en niet als studenten.

Niets wat ze zeggen staat ergens geschreven. Alles moet zich tijdens het werk zelf bewijzen en dat varieert van persoon tot persoon. Hun kennis is echter gebaseerd op ervaring en die moet u opdoen. Met andere woorden: ze willen de collectieve ervaring en de geschiedenis van de Mossad op u overdragen, zoals het eens aan hen is overgedragen. Door ervaring en door vallen en opstaan.

U gaat een gevaarlijk spel spelen. U moet heel veel leren. Het is geen eenvoudig spel en een mensenleven is niet altijd de hoogste inzet in dit spel. Denk er altijd aan dat u in deze business *aan* elkaar moet hangen, anders hangt u op een bepaald moment *naast* elkaar.

Ik ben de directeur van deze Academie en van het trainingscentrum. Ik ben hier altijd. Mijn deur staat altijd voor u open. Veel succes. Ik laat u nu alleen met uw instructeurs.'

Hij verliet het lokaal.

Later viel me de ironie op van een gedenkschrift ter nagedachtenis van de ex-president van de Verenigde Staten Warren Harding, dat boven de deur van Sherf hing. Er stond: 'Doe niets immoreels uit een morele reden' – een motto dat precies het tegenovergestelde verwoordde van wat de Mossad ons zou leren.

Terwijl Sherf sprak, was een man het lokaal binnengelopen en gaan zitten. Nadat de directeur was vertrokken, kwam een zwaargebouwde man met een Noordafrikaans accent naar voren en stelde zichzelf voor.

'Mijn naam is Eiten. Ik heb de leiding over de interne veiligheidsdienst. Ik ben hier om jullie een paar dingen te vertellen, maar dat zal niet lang duren. Mochten jullie vragen hebben, val me dan gerust in de rede.' We kregen snel in de gaten dat iedere instructeur zijn les op die wijze begon.

'Wat ik jullie wil zeggen, is dat de muren oren hebben. De techniek ontwikkelt zich continu. Jullie zullen daarover veel leren, maar er zijn dingen waar zelfs wij geen weet van hebben. Wees voorzichtig. We weten dat jullie allemaal een militaire achtergrond hebben, maar de geheimen die jullie in het vervolg bij je zult dragen, zijn veel en veel belangrijker. Denk daar alsjeblieft altijd aan.

Vergeet verder het woord Mossad. Vergeet het. Ik wil het niet meer horen. Nooit meer. Als jullie over de Mossad praten, zeg dan van nu af aan 'kantoor'. Dus voortaan in ieder gesprek: 'kantoor'. Ik wil het woord Mossad nooit meer horen.

'En jullie gaan je vrienden vertellen,' vervolgde Eitan, 'dat jullie bij het ministerie van Defensie werken en dat jullie niet over jullie werk mogen praten. Ze zullen zien dat jullie niet op een bank werken of op een fabriek. Jullie zullen ze dus een antwoord moeten geven want anders kan hun nieuwsgierigheid jullie parten gaan spelen. Dus dat vertellen jullie ze. Wat betreft nieuwe vrienden, jullie maken die niet zonder onze toestemming. Begrepen?

Jullie praten niet per telefoon over jullie werk. Als ik een van jullie erop betrap thuis te praten over het kantoor, worden jullie zwaar gestraft. Vraag niet hoe, maar ik weet waarover jullie thuis over de telefoon praat. Ik heb de leiding over de veiligheidsdienst van het kantoor, ik weet alles.

Als er iets is waarvan ik denk dat ik het moet weten, zal ik daar ten koste van alles en iedereen achterkomen. Verder wil ik dat jullie weten dat het verhaal over mij dat ik in mijn tijd bij de *Shabak* (de binnenlandse veiligheidsdienst) tijdens een ondervraging een vent zijn ballen er zou hebben afgerukt, niet waar is.

Iedere drie maanden ondergaan jullie een leugendetector-test. Ook later, als jullie terugkomen van een buitenlandse reis, wordt jullie een test afgenomen.

Jullie hebben het recht om deze test te weigeren, wat mij weer het recht geeft jullie neer te knallen.

Ik zal jullie in de toekomst nog geregeld zien en dan hebben we het over andere dingen. Binnen enkele dagen krijgen jullie een nieuw persoonsbewijs. Er komt een fotograaf om foto's te nemen. Tegen die tijd wil ik alle buitenlandse papieren hebben die in jullie bezit zijn, of het nu een paspoort of een persoonsbewijs is, van jezelf, je vrouw of je kinderen. Want jullie kunnen in de nabije toekomst toch nergens heen. We bewaren ze zolang voor jullie.'

Voor mij betekende dit dat ik de Canadese paspoorten van mezelf en mijn gezinsleden moest inleveren.

Eiten knikte en verliet het lokaal. Iedereen stond versteld. Hij had iets ruws en vulgairs over zich. Geen prettige man. Gelukkig verliet hij twee maanden later de Mossad en hebben we hem nooit teruggezien.

Op dat moment kwam de man met de donkere huidskleur naar voren en maakte zich bekend als Oren Riff. Hij was hoofd opleiding.

'Jullie kinderen zijn mijn verantwoordelijkheid. Ik zal er alles aan doen om jullie verblijf hier plezierig te laten verlopen. Ik hoop dat jullie zoveel mogelijk leren,' zei hij. Toen stelde hij de kleinste man van de groep voor. Het was Ran S. ('Donovan' uit Operatie Sfinx) – een assistent. De verzorgde, goed geklede man was Shai Kauly, onderdirecteur van de Academie en tevens een van mijn eerste instructeurs.

Voordat hij begon, vertelde Riff het een en ander over zijn achtergrond. Hij had al vele jaren voor de dienst gewerkt. Een van zijn eerste opdrachten was om de Koerden te helpen bij hun onafhankelijkheidsstrijd tegen Irak. Hij had ook als verbindingsman gewerkt voor Golda Meir, als katsa bij het Parijse bureau en als verbindingsman in vele andere delen van de wereld. 'Zoals het er nu voor staat,' zei hij, 'zijn er weinig plaatsen in Europa waar ik veilig ben.'*

* Zie hoofdstuk 10: CARLOS

Toen zei Riff dat we konden beginnen met de twee onderwerpen die ons de komende maanden het meeste in beslag zouden nemen. Het eerste was veiligheidsleer, waarover we les zouden krijgen van Shabakinstructeurs, en het tweede werd NAKA genoemd, een soort uniform systeem van rapportage. 'Dit betekent dat rapporten op een bepaalde manier en alleen op die manier moeten worden geschreven. Als je iets doet en het niet rapporteert, is het alsof je het niet gedaan hebt. Het omgekeerde geldt ook: als je iets niet doet en het toch rapporteert, is het alsof je het wel hebt gedaan,' zei hij lachend.

'Dus,' vervolgde hij, 'laten we met NAKA beginnen.'*

Als het om berichten ging die moesten worden verzonden, was er geen enkele variatie in de rapportagevorm toegestaan. Het papier was wit en vierkant of rechthoekig. Bovenaan schreef je de veiligheidscode, die op een bepaalde manier was onderstreept om aan te geven of het bericht zeer geheim, geheim of niet geheim was. Rechts op de pagina schreef je de naam van de ontvanger en van degene die het bericht moest behandelen. Dat konden een of meer personen zijn, maar altijd moesten hun namen onderstreept worden. Daaronder moesten de namen staan van personen die een kopie moesten krijgen, maar die niet hoefden te reageren op de informatie. De afzender was meestal een afdeling en niet een persoon.

Links stond de datum en de snelheid waarmee het bericht moest worden verzonden – zeer snel, snel, normaal, enzovoort – plus een referentienummer van het bericht.

Hieronder moest, in het midden van de pagina, het onderwerp in één zin worden samengevat, gevolgd door een dubbele punt en dit alles ook onderstreept.

Daaronder schreef je dan bijvoorbeeld: 'In antwoord op uw brief 3J' plus de datum van die brief. Als je op je lijst van ontvangers personen opnam die de brief waaraan je refereerde, niet hadden ontvangen, dan moest je ze kopieën van die brief sturen.

Als er meer dan een onderwerp aan de orde werd gesteld, dan moesten die onderwerpen worden genummerd. Iedere keer wanneer er een getal in je bericht voorkwam, bijvoorbeeld 'Ik kocht 35 rollen toiletpapier,' dan moest je dat getal herhalen: 'Ik kocht 35 x 35 rollen...' Op die manier zou men, in geval van een computerstoring, het getal wel kunnen lezen. Je tekende aan de onderkant met je schuilnaam.

* Zie APPENDIX II

We zouden vele lesuren aan NAKA besteden, omdat het hoofddoel van de organisatie het verzamelen en verstrekken van informatie was. Op de tweede dag viel er een les over veiligheidsleer uit, waarop we stapels kranten kregen uitgedeeld waarin bepaalde berichten al omcirkeld waren. Ieder van ons kreeg een onderwerp en we moesten, de kranten als bron gebruikend, het onderwerp ontleden in partjes informatie en daarover een rapport schrijven. Als alle informatie was verwerkt, moesten we in het rapport schrijven: 'Geen informatie meer,' hetgeen betekende dat het voorlopig was afgerond. We leerden ook de titel van een rapport pas te bedenken als het klaar was.

In dit stadium gingen we nog iedere dag naar de lessen. We ontvingen nu onze kleine, witte persoonsbewijs, waarop alleen onze foto stond, met daaronder een streepjescode.

Tegen het einde van de eerste week kondigde Riff aan dat we les zouden krijgen in persoonlijke beveiliging. Hij was net begonnen met de les toen de deur van het klaslokaal onder veel lawaai werd ingetrapt en twee mannen naar binnen sprongen. Een droeg een groot pistool, een Eagle, de ander een machinegeweer en ze begonnen onmiddellijk te schieten. De cadetten doken naar de vloer, maar zowel Riff als Ran S. vielen achterover tegen de muur en zaten onder het bloed.

Voordat je tot vier had kunnen tellen waren de twee kerels alweer verdwenen en reden weg in hun auto. We waren totaal overstuur. Maar voordat we konden reageren, stond Riff op, wees naar Jerry S., een van de cadetten, en zei: 'Okay, ik ben daarnet gedood. Ik wil dat je ons een beschrijving geeft van degenen die het hebben gedaan en hoeveel schoten er zijn gelost. Het maakt niet uit hoeveel informatie je geeft, als het maar genoeg is om de moordenaars op te sporen.'

Terwijl Jerry zijn beschrijving gaf, noteerde Riff die op het bord. Toen raadpleegde hij ook de andere cadetten en liep daarna naar buiten om de twee 'moordenaars' bij zich te roepen. Ze leken absoluut niet op de personen die wij hadden beschreven. We herkenden ze totaal niet.

In feite waren de twee kerels Mousa M., hoofd van de afdeling scholing van de operationele veiligheidsdienst, ook wel APAM genaamd, en zijn assistent, Dov L. Mousa, die bijzonder veel op Telly Savalas leek. 'We zullen jullie uitleggen waar deze hele vertoning voor nodig was,' zei Mousa. 'We werken het meest in het buitenland. Voor ons is alles een vijand of een doelwit. We doen niets voor de lol. En dan bedoel ik ook: niets.

Toch moeten we niet paranoïde worden. Je kunt niet constant aan het gevaar denken waarin je verkeert of aan de angst dat je gevolgd of in de gaten gehouden wordt, want op die manier kun je je taak niet uitvoeren.

APAM is een instrument. Het is een afkorting van *Avtahat Paylut Modi'enit*. APAM is er om jullie rust en veiligheid te verschaffen, zodat jullie je taak naar behoren kunnen uitvoeren en alles onder controle kunnen houden. Binnen APAM is geen plaats voor vergissingen, want die zijn fataal.

We gaan jullie in verschillende stadia vertrouwd maken met veiligheidsmaatregelen. Het maakt niet uit hoe goed je in andere vakken bent, of hoe geschikt of intelligent je bent, als je APAM niet naar mijn tevredenheid hebt volbracht, dan lig je eruit. Je hoeft niet te beschikken over een speciaal talent, maar je moet in staat zijn om te leren. Je moet weten wat angst is en hoe je daarmee moet omgaan. Ten allen tijde moet je aan je werk blijven denken.

Het systeem dat ik jullie in de komende twee of drie jaar ga leren is onfeilbaar. Dat is bewezen. Het is geperfectioneerd en het zal steeds meer geperfectioneerd worden. Het zit zo goed in elkaar dat zelfs als je vijanden er net zoveel van weten als jij, ze je nog niet te pakken krijgen.'

Mousa deelde mee dat Dov onze instructeur zou zijn, hoewel hij zo nu en dan ook wat lezingen zou geven en ons zou helpen met de oefeningen. Toen pakte hij een kopie van het rooster, wees ernaar en zei: 'Zien jullie de ruimte tussen de laatste les van de dag en de eerste les van de volgende dag? Dan behoren jullie mij toe.

'Geniet van jullie laatste weekeinde als blinden, want vanaf volgende week zullen jullie ogen langzamerhand worden geopend. Mijn deur staat altijd voor jullie open. Hebben jullie problemen, aarzel dan niet om bij me langs te komen. Maar als jullie me om advies vragen, verwacht ik ook dat jullie naar dat advies handelen.'

Mousa, die nog aan het hoofd stond van de afdeling Europa van de veiligheidsdienst toen ik over hem hoorde, was evenals Eiten van de Shabak afkomstig. In die tijd maakte hij deel uit van Unit 504, een eenheid die in het buitenland voor de militaire inlichtingendienst werkt. Hij was hard en taai, maar toch was hij een aardige man. Zeer ethisch en toegewijd en ook nog eens met gevoel voor humor.*

---

* Zie Hoofdstuk 13: HULP VOOR ARAFAT

Vlak voor het weekeinde moesten we bij Ruty Kimchy, de secretaresse van het Instituut, langskomen. Haar man was hoofd van de wervings-afdeling geweest en later had hij als staatssecretaris van Buitenlandse Zaken een belangrijke rol gespeeld in Israëls betrokkenheid bij de rampzalige oorlog in Libanon. Later raakte hij ook betrokken bij het Iran-contra's schandaal.

De dagen werden meestal in vijf blokken verdeeld: 8 tot 10 uur, 10 tot 11 uur, 11 tot 13 uur, 14 tot 15 uur en 15 tot 20 uur. We hadden regel-matig twintig minuten pauze en we lunchten tussen 13 en 14 uur in een ander gebouw dat enigszins lager gelegen was. Op weg daarheen pas-seerden we een kiosk, waar we tegen gereduceerde prijzen sigaretten, snoep en dergelijke konden kopen. In die tijd rookte ik twee tot drie pakjes per dag. Iedereen op de Academie rookte.

Op het lesrooster stonden vier hoofdvakken: NAKA, APAM, krijgs-kunde en *undercover*-werk.

Tijdens de lessen over krijgskunde werd ons alles geleerd over onder-werpen als tanks, de luchtmacht, de structuur van militaire bases, maar ook over de politieke, religieuze en sociale structuur van de buur-landen – deze laatste nogal moeilijke colleges werden gegeven door professoren van de universiteit.

Naarmate de dagen verstreken groeide ons zelfvertrouwen en maak-ten we grapjes onder de lessen. Na drie weken kwam er een nieuweling bij, een 24-jarige man, Yosy C. genaamd. Hij was de vriend van een andere cadet, Heim M., een 35-jarige, lange, kale man met een reus-achtige neus, die Arabisch sprak en altijd geniepig glimlachte. Heim was getrouwd en had twee kinderen.

Yosy, die met Heim in Libanon had gezeten, in Unit 504, kwam uit Jeruzalem, waar hij een halfjaar lang een cursus in het Arabisch had gevolgd. Die taal sprak hij vloeiend, maar zijn Engels was verschrikke-lijk slecht. Hij was getrouwd en zijn vrouw was zwanger. Als orthodo-xe jood droeg Yosy altijd een gebreid keppeltje, maar waardoor hij werkelijk opviel was zijn aantrekkingskracht op vrouwen. Hij had sex-appeal.

Zoals een magneet ijzer aantrekt, zo trok hij vrouwen aan en hij maak-te daar ruimschoots gebruik van.

Iedere dag na de lessen, als er niets meer te doen was, ging ik op weg naar huis vaak langs bij Kapulsky, een café in Ramat Hasaron waar ik koffie met gebak nam. Later hoorde ik bij een hechte groep vrienden, bestaande uit Yosy, Heim, en Michel M., een Franse communicatie-deskundige die vóór de Yom Kippoer-oorlog naar Israël was gekomen en die voor Unit 8200 werkte. Hij had al eerder voor de Mossad in Europa gewerkt, voordat hij bij ons kwam als 'handvat' (*pars pro toto* voor een koffer: de Mossad bracht hem overal heen waar hij nodig was). Omdat Frans zijn moedertaal was, werd hij beschouwd als een goede kandidaat. Vandaar dat hij de opleiding via de achterdeur was binnengekomen.

Tijdens onze sessies in het café besteedden we veel tijd aan het maken van plannen en het bespreken van strategieën. Yosy zei altijd: 'Wacht even,' waarna hij koffie met gebak bestelde en wegging. Een half uur later kwam hij weer terug en vertelde ons dat haar naam zus en zo was en dat hij haar 'een dienst had bewezen'. Hij bewees constant 'diensten'. We antwoordden hem dat hij er nog iets van zou oplopen, maar dan zei hij altijd: 'Ik ben jong en God staat aan mijn zijde.' Het werd zo absurd, dat we er grapjes over maakten en zeiden dat het zijn tweede baan was.

De techniek van het *undercover*-werk werd ons hoofdzakelijk onder-wezen door de katsa's Shai Kauly en Ran S. Ze zeiden: 'Wanneer je bezig bent met het verzamelen van informatie, dan ben je niet Victor of Heim of Yosy, maar een katsa. Meestal gebruik je dan een dekmantel. Je loopt niet naar iemand toe en zegt: "Hallo, ik werk voor de Israëli-sche inlichtingendienst en ik wil dat u me tegen betaling informatie geeft".

Je werkt dus onder een dekmantel. Dat wil zeggen dat je niet degene bent waarvoor je je uitgeeft. Een katsa moet wendbaar zijn. Wend-baarheid is het sleutelwoord. Het kan zijn dat je op een dag drie afspra-ken hebt en dat je op ieder van die afspraken iemand anders moet zijn, wat betekent: *totaal* iemand anders.

Wat is een goede dekmantel? Een goede dekmantel moet met één woord kunnen worden verklaard. Als iemand je bijvoorbeeld vraagt wat je doet en je zegt "Ik ben tandarts", dan is dat een prachtige dek-mantel. Iedereen weet wat een tandarts is. Maar als iemand zijn mond opendoet en vraagt of je hem wil helpen, *dan* zit je in de problemen.'

We besteedden veel tijd aan het oefenen met dekmantels. We bestu-deerden in het archief van de bibliotheek bijvoorbeeld plattegronden en beschrijvingen van bepaalde steden tot we over die steden konden praten of we er waren geboren. We oefenden ook in het opbouwen van een identiteit. Iedere dag namen we een ander beroep. Dit hield ook in dat we sessies hadden met ervaren katsa's die onze dekmantels op de proef stelden door normaal met ons te converseren.

Deze oefeningen werden gehouden in een kamer waar televisiecamera's waren geïnstalleerd, zodat de andere cadetten ze in het klaslokaal konden volgen.

Een van de dingen die van belang waren, was niet te vlug te veel informatie prijsgeven. Dat is namelijk niet de gewoonte. Dit was een les die ons snel geleerd werd door Tsvi G., een 42-jarige psycholoog en de eerste cadet die aan de test werd onderworpen. Tsvi stond oog in oog met een katsa en vertelde twintig minuten non-stop over alles wat hij over zijn dekmantel wist, de stad waar woonde en zijn beroep. De katsa zei niets. Wij in het klaslokaal lachten ons kapot. Toen hij klaar was, kwam hij terug naar de klas en zei: 'Aaahh, dat is voorbij.' Hij was opgelucht.

We hadden allemaal een militaire achtergrond en waren, zoals in het leger gebruikelijk, opgevoed met een gevoel van loyaliteit jegens onze maten. Dus toen Kauly ons vroeg wat we van het gesprek vonden, zei ik dat Tsvi zijn onderwerp goed bestudeerd had en dat hij de stad kende. Iemand anders zei dat hij duidelijk was geweest en dat zijn verhaal begrijpelijk was.

Toen stond Ran op en zei: 'Wacht eens even. Willen jullie zeggen dat jullie het met die onzin eens zijn? Hebben jullie niet gezien welke fout die *lul* maakte? En hij is nog wel *psycholoog*. Denken jullie wel na? Ik wil weten wat jullie *denken*. Werkelijk denken. Laten we beginnen met Tsvi G.'

Tsvi gaf toe dat hij het teveel had overdreven, dat hij te happig was geweest alles te vertellen. Toen lieten we ons echt helemaal gaan. Ran had ons gezegd dat we moesten zeggen wat we dachten, omdat ieder van ons de proef uiteindelijk ook zou moeten afleggen en we op ons donder zouden krijgen als we het verkeerd deden. 'Eens zal het je leven redden,' zei hij.

Binnen anderhalf uur was Tsvi gedevalueerd tot een nul. De eerste de beste hagedis die langs het klaslokaal zou komen, zou als een verstandiger wezen worden beschouwd. Het kwam zelfs zover dat we vroegen of bepaalde gedeelten van de video herhaald konden worden, zodat we nog meer stompzinnigheden konden ontdekken. We genoten er allemaal van.

Dat gebeurt er als competitieve mensen bij elkaar worden gezet en de normen van beschaafd gedrag niet meer gelden. Het was verbazend hoe meedogenloos iedereen was. Achteraf gezien was het schokkend. Eigenlijk was het schandalig. Het eindigde in een wedstrijd waarin de een de ander zo hard mogelijk wilde treffen op zijn zwakste plekken. Iedere keer als de strijdlust een beetje afzakte, gooiden Ran en Kauly olie op het vuur door weer nieuwe uitdagende vragen te stellen. Deze oefeningen werden twee of drie keer per week gehouden. Ze waren meedogenloos, maar we leerden wel hoe we onze dekmantels moesten structureren.

Tegen die tijd hadden we er elf weken van de opleiding opzitten. We kregen zelfs les in wijnkennis: hoe kon je een goede wijn herkennen, hoe moest je erover praten, uit welke streek was hij afkomstig. Ook werd ons op de Academie in de eetzaal van de minister-president geleerd hoe we moesten eten. Er werden recente spijskaarten uit restaurants in de hele wereld gebruikt om ons te leren hoe we het gewenste eten moesten bestellen en hoe we het moesten eten.

In een hoek van de tafeltenniszaal op de Academie stond dag en nacht een televisietoestel aan, waarop Canadese, Engelse, Amerikaanse en Europese programma's werden afgespeeld, met herhalingen van series als: *I love Lucy* en verschillende *soap opera's*, om ons enigszins vertrouwd te maken met de Amerikaanse tv. Als we bijvoorbeeld een *tune* hoorden, wisten we bij welk programma hij hoorde en dan spraken we erover. Het is zoals bij de nieuwe Canadese ééndollarmunten. In Canada worden ze *loonies* genoemd, maar als iemand dat onderwerp aansnijdt en je weet niet waar hij het over heeft, terwijl je je als een Canadees voordoet, is je dekmantel verknald.

Tijdens de APAM-lessen leerden we eerst in groepen en daarna individueel hoe we iemand moesten volgen. Hoe we elkaar onopgemerkt moesten aflossen, hoe we op de uitkijk moesten staan, hoe we moesten verdwijnen. We leerden het verschil tussen het schaduwen van iemand in een 'snelle omgeving' (drukke straten waar je iemand meer op de hielen moet zitten) en een 'langzame omgeving' en we leerden begrip te krijgen van 'ruimte en tijd,' wat nodig is om de afstand te schatten die iemand in een bepaalde tijd aflegt. Stel je voor dat degene die je moet volgen een zijstraat inschiet, en dat hij, tegen de tijd dat jij er bent, verdwenen is. Dan moet je berekenen of hij, in de tijd dat jij hem uit het oog bent verloren, naar de overkant kan zijn gelopen. Is hij daar niet, dan weet je dat hij een gebouw is binnengegaan dat je dan moet wachten.

Toen we hadden geleerd om iemand te schaduwen, werd ons vervolgens een bepaalde methode geleerd om er achter te komen of we *werden* gevolgd.

We werden in het hoofdgebouw naar een ons onbekende ruimte op de eerste verdieping gebracht. Het was een grote kamer met twintig stoelen – vliegtuigstoelen om precies te zijn, met uitklapbare tafeltjes en asbakken in de leuningen. Voor in de kamer stond een verhoging met een tafel en een stoel. Daarachter hing een scherm met een paneel van plexiglas ervoor, waarop delen van de plattegrond van Tel Aviv werden geprojecteerd. Na de oefening moest ieder van ons voor de kaart uitleg geven over de gekozen 'route'. Want een route is de basis van dit werk. Zonder route konden we niet werken.

De cadetten werden op verschillende lokaties afgezet en moesten op een gegeven ogenblik van daaruit een bepaalde route volgen en rapporteren of ze al dan niet werden gevolgd. Als ze werden gevolgd, moesten ze melden wat ze hadden gezien, hoeveel volgers er waren en hoe ze eruit zagen. Cadetten die niet werden geschaduwd, moesten zeggen waar en wanneer ze dat hadden gecontroleerd, hoe ze dat hadden gecontroleerd en waarom ze dachten dat ze niet werden gevolgd. Dit werd allemaal met een viltstift op het plexiglas getekend.

Meestal de volgende dag, nadat iedereen zijn opdracht had voltooid, deden de cadetten verslag van hun bevindingen en dan werd er verteld wie er gevolgd waren en wie niet.

Het was even belangrijk te weten of je niet was gevolgd, dan te weten of je het wel was. Als je denkt dat je wordt geschaduwd, terwijl dat niet zo is, kun je toch niet verder. Bijvoorbeeld, als ergens in Europa een katsa meldt dat hij wordt gevolgd, dan wordt de operatie een aantal maanden gestaakt tot alles is gecontroleerd. Het heeft consequenties om te zeggen dat je wordt gevolgd, want dan rijst de vraag natuurlijk: door wie en waarom.

Er werd ons ook verteld dat de huizen waarin we woonden *safe houses* waren. We moesten er zeker van zijn dat we niet gevolgd werden als we 's ochtends van huis gingen of 's avonds thuiskwamen. Voor dit doel was de Academie onze basis en waren onze woningen de *safe houses*. Een route was in twee helften verdeeld. Meestal stippelde je die uit op een kaart. Je verliet een bepaalde plaats en dan moest je je volkomen natuurlijk gedragen. Vervolgens keek je uit naar een plek waar je je kon opstellen – het moest een plaats zijn waar je reden had om aanwezig te zijn en vanwaar je de route die je had genomen, kon overzien, terwijl je volgers jou niet konden zien. Stel je voor, op de tweede verdieping van een huis is een tandarts gevestigd. En op die verdieping bevindt zich een raam van waaruit je de straat kunt overzien waarover je bent gekomen. Als je wat zigzagbewegingen hebt gemaakt, kun je vanuit dat raam zien of je wordt gevolgd, doordat je je achtervolger ziet rondkijken en uiteindelijk wachten.

Als ik door een heel team werd gevolgd en bijvoorbeeld uit een hotel kwam en ze me insloten, dan liep ik gewoonlijk vijf minuten lang in een stevig tempo en in rechte lijn door, totdat ik uit hun omsingeling was ontsnapt. Dan maakte ik wat zigzagbewegingen en glipte een gebouw in. Van daaruit sloeg ik ze gade en wachtte totdat ze zichzelf weer gereorganiseerd hadden. Mijn volgende stappen waren dan bedoeld om iedere toevalligheid uit te sluiten. Ik nam de bus naar een andere buurt en daarna naar nog weer een andere buurt. Ik moest dat erg langzaam doen om te zorgen dat ze me niet kwijtraakten.

Want als je gevolgd wordt, wil je niet dat ze je kwijtraken. Hoe kun je anders verifiëren of je wordt geschaduwd? Dus zodra ik zeker wist dat ik werd gevolgd, stopte ik alle geplande activiteiten en ging bijvoorbeeld naar de film – maar in de opleiding was dat niet de bedoeling, dan zou ik er uitgelegen hebben.

Ieder van ons droeg een kleine pet in zijn zak en als we er zeker van waren dat we werden gevolgd, moesten we die pet opzetten. Dan moesten we naar een telefoon lopen, een nummer draaien, zeggen wie we waren en rapporteren dat we werden gevolgd – of niet – en naar huis gaan. We hadden vaak bij iemand thuis afgesproken om de situatie met elkaar te bespreken.

In de hele opleiding heb ik maar één fout gemaakt. Ik heb een keer gemeld dat ik werd geschaduwd, maar dat was niet zo. Dat kwam omdat een van de cadetten mijn route had overgenomen en me gedurende ongeveer vijf minuten had gevolgd. Ik zag dat het team hem volgde en ik dacht dat ze mij volgden. Maar *hij* zag niet dat ze hem schaduwden. Tegen deze tijd had de klas zich in verschillende groepjes opgesplitst, waaronder het groepje waar ik bijhoorde. Je voelde je kwetsbaarheid tijdens de opleiding toenemen. Altijd stond je op het punt om in de aanval te gaan en in het leslokaal gold dat voor iedereen. Maar later kwamen we in groepjes van vier of vijf bij elkaar en gaven elkaar dan advies en begonnen zelfs stafpersoneel te vragen om onze groepjes te helpen. We probeerden hetgeen ons geleerd was uit op de mensen die het ons geleerd hadden.

In dit stadium begonnen de instructeurs ons bij te brengen hoe we de stof in de praktijk konden toepassen.

'Nu jullie weten hoe jezelf te beschermen, moeten jullie leren hoe je moet werven,' zeiden ze ons. 'Je gaat naar een bepaalde plaats, nadat je hebt gecontroleerd dat je *clean* bent, dan begin je te werven en daarna schrijf je een rapport zoals je dat in de NAKA-lessen hebt geleerd. Jullie weten hoe je met de constante informatiestroom moeten omgaan.'

Ik herinner me nog dat Mousa zei: 'Vrienden, op dit moment staan jullie op het punt de schaal van het ei te breken.'

Nu moesten de omeletten nog worden gebakken.

Groentjes

In dit stadium van de opleiding hadden de studenten al heel wat theoretische lessen gehad, maar die theorie moest nu nog aan de praktijk worden getoetst. Een van de manieren waarop dit werd gedaan, was met een serie oefeningen die 'winkelen' werd genoemd. Het doel hiervan was om een volgende afspraak te maken met iemand die je de eerste keer met succes had benaderd.

Ook dit keer werden de prestaties van alle cadetten door de anderen vanuit een andere kamer op video bekeken, waarna een harde en dikwijls vijandige analyse van zijn pogingen volgde. Iedere oefening duurde anderhalf uur en ze waren zo afschuwelijk dat je maag ervan omdraaide.

Al onze woorden werden op een goudschaaltje gewogen en bekritiseerd. Iedere beweging, iedere handeling. 'Heb je de situatie voldoende uitgebuit? Wat bedoelde je toen je zei dat hij een mooi pak aan had? Waarom stelde je hem die vraag? En deze vraag?'

Een fout tijdens het 'winkelen', hoe beschamend ook, was nog niet fataal, maar zou dat in de harde wereld van het inlichtingenwerk wel zijn en we wilden het allemaal zover brengen.

We wilden het zo goed mogelijk doen om ons in te dekken tegen eventuele fouten in de toekomst. De angst voor het maken van fouten was enorm groot. Maar op de een of andere manier waren we al verslaafd geraakt aan het Mossad-werk. Je kon je buiten de Mossad geen ander leven meer voorstellen. Wat zou je daar moeten doen? Waarvan zou je adrenaline nog gaan stromen?

De volgende belangrijke cursus werd gegeven door Amy Yaar, hoofd van de Tevel-afdeling Verre Oosten en Afrika (verbindingen). Zijn verhaal was zo adembenemend, dat iedereen na afloop zei: 'Wanneer kunnen we meedoen?'

Onder de afdeling van Yaar vielen mensen die op veel plaatsen in het Verre Oosten waren gestationeerd en zich daar niet zozeer met het echte inlichtingenwerk bezig hielden, als wel met het opzetten van transacties en het voorbereiden van diplomatieke contacten. Er werkte bijvoorbeeld een man met een Brits paspoort voor de afdeling in Djakarta, *undercover*. Dit betekende dat de Indonesische regering wist dat hij voor de Mossad werkte. Hij had een vluchtplan klaar liggen en, naast andere veiligheidsmaatregelen, een riem met gouden munten erin voor het geval hij die nodig mocht hebben. Zijn hoofdtaak bestond uit het soepel laten verlopen van de verkoop van wapens in die regio. De afdeling had ook een man in Japan, een in India en een in Maleisië. De jaarlijkse vergadering van Yaar met zijn staf werd op de Seychellen gehouden. Hij had een leuk baantje, waaraan niet al te veel risico's waren verbonden.

De mensen van Yaar's afdeling in Afrika waren ook betrokken bij miljoenentransacties in de wapenhandel. Het werk van deze verbindingsofficieren omvatte drie opeenvolgende stadia. Eerst probeerden ze erachter te komen wat een bepaald land nodig had, waarvoor dat land bang was, wie het als zijn vijanden beschouwde – allemaal informatie die ze ter plaatse verzamelden. Daarna moest op deze behoeften worden ingespeeld door de relaties te verbeteren en vervolgens bekend te maken dat Israël de regering in kwestie de wapens kon leveren en voor de training van de militairen kon zorgen – wat ze maar wensten. Als een land ten slotte eenmaal besloten had de wapens te kopen, dan moest de man van de Mossad ze meedelen dat ze bijvoorbeeld ook wat landbouwmachines moesten aanschaffen. De leider van dat land werd dan in de positie gebracht waarop hij kon beslissen of hij formele diplomatieke betrekkingen wilde aangaan. Hoewel het via een omweg gebeurde, ging het er in wezen om dat er diplomatieke betrekkingen werden aangegaan, maar in de meeste gevallen was de wapenhandel op zich zo lucratief, dat er vaak geen moeite werd gedaan om die laatste stap te zetten.

In Sri Lanka deden ze dat echter wel. Amy Yaar legde het contact en bond het land in militair opzicht aan Israël door de belangrijke leverantie van onder andere PT-boten voor de kustwacht. Op hetzelfde moment leverde Yaar & Co materiaal aan de Tamils waarmee ze de PT-boten konden aanvallen. De Israëli's trainden ook de elite-troepen van beide kampen, zonder dat de ene partij dat van de andere wist,* en ze hielpen de Srilankezen om het IMF en andere investeerders voor miljoenen dollars te bedonderen, zodat ze de wapenleveranties konden betalen.

Omdat de Srilankese regering zich zorgen maakte over de onrust onder

* Zie Hoofdstuk 6: DE BELGISCHE TAFEL

de boeren – het land heeft een lange geschiedenis van economische problemen – wilde ze een deel van de boerenbevolking verplaatsen van de ene kant van het eiland naar de andere kant. Maar daarvoor was een acceptabele reden nodig en die kon Amy Yaar wel verschaffen. Hij verzon het grootse 'Mahaweli Project', een enorm waterbouwkundig werk, waarbij de Mahaweli-rivier werd omgeleid om de droge zijde van het eiland te kunnen bevloeien. Door de geplande waterkrachtcentrale zou de elektriciteitsproduktie van het land verdubbelen en er zou bovendien 750.000 ha land worden bevloeid. De Wereldbank, Zweden, Canada, Japan, Duitsland, de EG en de Verenigde Staten investeerden $2,5 miljard in het project.

Dit project was veel te ambitieus opgezet, maar de Wereldbank en de andere investeerders begrepen dat niet en wat hen betreft gaat het nog steeds door. Oorspronkelijk was er 30 jaar voor uitgetrokken om de plannen te realiseren, maar deze termijn werd in 1977 plotseling verkort, toen president Junius Jayawardene er achterkwam dat het project met enige hulp van de Mossad aan belang kon winnen.

Om de Wereldbank (die voor $250 miljoen deelnam) ervan te overtuigen dat het project haalbaar was – en ook als een goed excuus zou kunnen dienen om de boeren van hun land te verdrijven – liet de Mossad twee Israëlische academici, een econoom van de universiteit van Jeruzalem en een landbouwdeskundige, rapporten schrijven, waarin werd verklaard hoe belangrijk het project was en hoeveel het zou gaan kosten. Een grote Israëlische aannemer, Solel Bonah, kreeg een grote opdracht voor de uitvoering van een deel van het werk.

Zo nu en dan kwamen er vertegenwoordigers van de Wereldbank in Sri Lanka de situatie in ogenschouw nemen, maar de plaatselijke autoriteiten kenden de trucs om deze inspecteurs om de tuin te leiden. Om veiligheidsredenen – er was een guerillastrijd aan de gang – konden verschillende plaatsen niet worden bezocht, zodat men via een lange omweg weer op dezelfde plaats terugkwam, waar alleen voor dit doel al wat was gebouwd.

Later, toen ik voor de afdeling van Yaar op het hoofdkwartier van de Mossad werkte, kreeg ik de opdracht om de schoondochter van Jayawardene, Penny genaamd, te begeleiden op een geheim bezoek naar Israël. Ze kende me als 'Simon'.

Wat ze wilde zien dat lieten we haar zien. We spraken in algemene termen met elkaar, maar ze stond erop me te vertellen over het project

80

en hoe het geld daarvoor werd gebruikt om wapens te kopen. Ze klaagde dat er niet echt opgeschoten werd. Wat ze niet wist was dat het project juist was 'uitgevonden' om geld los te peuteren van de Wereldbank en daarmee wapens te kopen.

Israël onderhield op dat moment geen diplomatieke betrekkingen met Sri Lanka. We werden zogenaamd geboycot. Ze vertelde me over al die geheime politieke bijeenkomsten die er plaatsvonden. Het aardige van het geval was, dat toen er berichten over die bijeenkomsten verschenen, er geruchten de ronde deden dat in Sri Lanka maar liefst 150 katsa's opereerden. Zoveel zijn er niet eens in de hele wereld. Op dat moment waren alleen Amy en zijn assistent daar voor een kort bezoek.

Er ging een heel nieuwe wereld voor mij en de anderen open tijdens een lezing op het hoofdkwartier over PAHA (*Paylut Hablanit Oyenet* of 'vijandelijke sabotage-activiteiten'. Dit is een afdeling die sabotage door de vijand, voornamelijk de PLO, moet voorkomen. Soms wordt de afdeling ook PAHA-buitenland genoemd. Er werken hoofdzakelijk kantoormensen en het is een van de beste onderzoeksafdelingen van de hele organisatie. Het gaat hier vooral om operationele analyses.

We stonden versteld. Ze brachten ons naar een kamer op de vijfde verdieping, lieten ons plaatsnemen en vertelden ons dat ze hier de dagelijkse informatie verzamelden over de activiteiten van de PLO en andere terroristische organisaties. De instructeur klapte een enorm paneel van wel vijf meter lengte open, waarop een reusachtige wereldkaart was te zien – uitgezonderd de Noordpool en Antarctica – met daaronder verscheidene toetsenborden van computers. De kaart was bezaaid met kleine vierkantjes die konden oplichten. Als je bijvoorbeeld 'Arafat' intikte op het toetsenbord, dan lichtte de plaats op waar hij vermoedelijk op dat moment was. Typte je 'Arafat, drie dagen', dan gaf de kaart een overzicht waar hij de afgelopen drie dagen was geweest. Het vierkantje dat zijn meest recente verblijfplaats aangaf, lichtte het felst op. De lichtjes brandden minder fel naarmate zijn verblijf ergens langer geleden was.

Zo konden op de kaart de verplaatsingen van veel mensen zichtbaar worden gemaakt. Wilde je bijvoorbeeld weten waar de tien sleutelfiguren van de PLO zich bevonden, dan hoefde je hun namen maar te typen en de verblijfplaats van ieder van hen verscheen vervolgens in een verschillende kleur op de kaart. Je kon ook om een uitdraai vragen, wanneer je dat wilde. De kaart was vooral bedoeld om snel te kunnen beslissen. Wanneer bijvoorbeeld die tien PLO-leiders in Parijs waren, zou dat kunnen betekenen dat ze iets van plan waren en dan konden er 'stappen' worden gezet.

In het geheugen van de hoofdcomputer van de Mossad waren meer dan 1,5 miljoen namen opgeslagen. Iedereen van de PLO of een andere vijandige organisatie die door de Mossad in de computer werd gestopt, werd een 'paha' genoemd, naar de afdeling. De afdeling had een eigen computer, maar die was op het geheugen van de hoofdcomputer aangesloten. De computer die de Mossad gebruikte was een Burroughs, terwijl het leger en de andere inlichtingendiensten IBM's gebruikten. De monitoren van de computer die langs de zijwanden waren opgesteld, gaven meer gedetailleerde informatie dan op de wereldkaart mogelijk was – plattegronden van steden bijvoorbeeld. Wanneer er informatie werd doorgegeven met de verwijzing PLO, dan maakte de computer dit direct op een monitor zichtbaar. Een dienstdoend personeelslid neemt dit waar en maakt een uitdraai (de computer registreert dat er een print gemaakt wordt en op welk tijdstip). De PLO kon zich niet verroeren of de Mossad zag het.

Het eerste wat men tijdens het aflossen van de wacht deed, was vragen naar wat er de afgelopen 24 uur was gebeurd, om een goed overzicht te krijgen waar de mensen van de PLO zich het afgelopen etmaal bevonden. Als er bijvoorbeeld een PLO-kamp in het noorden van Libanon is en een agent meldt dat er twee vrachtwagens heenrijden, dan wordt deze informatie direct doorgegeven. Daarna probeert men er achter te komen wat er in die vrachtwagens zit. Dagelijks wordt er contact opgenomen met dergelijke agenten, soms ieder uur, afhankelijk van hun lokatie en van de directe bedreiging voor Israël.

De ervaring heeft geleerd dat ogenschijnlijk oninteressante details belangrijke zaken aan het licht brengen. Op zekere dag, voordat de oorlog in Libanon was begonnen, maakte een agent melding van een lading prima kwaliteit rundvlees die in een PLO-kamp was aangekomen. Dit was iets dat ze normaal niet bestelden. De Mossad vermoedde toen al dat de PLO bezig was met het beramen van een aanval, maar had geen idee wanneer die zou plaatsvinden. De lading vlees bracht hen op een idee. Het was bestemd voor een feestmaal. Met deze informatie kon de Israëlische marine bijtijds toeslaan en elf terroristen van de PLO neermaaien, die net van plan waren in hun rubberboten te stappen.

82

Dit is een voorbeeld van hoe belangrijk kleine beetjes informatie kunnen zijn – en hoe essentieel het is dat alles netjes wordt gerapporteerd.

Aan het begin van de tweede maand, kregen de cadetten ieder hun persoonlijke wapen, een .22 Beretta, het officiële wapen van de Mossadkatsa's, hoewel weinigen het daadwerkelijk droegen omdat dat ernstige problemen kan geven. In Groot-Brittannië is het bijvoorbeeld verboden om een wapen te dragen en het is het niet waard om daarvoor gepakt te worden. Als je je werk goed doet, dan heb je geen wapen nodig. Als je weg kunt rennen of jezelf ergens uit kunt praten of zo, dan is dat altijd nog het beste.
Maar ons werd geleerd, als je hersenen het signaal geven dat je de trekker over moet halen, dan doe je dat om te doden. Je verstand moet je overtuigen dat de persoon tegenover je dood is. Het is hij of jij.
Nogmaals, het gebruik van een vuurwapen vereist oefening. Het was als een ballet – je leerde het stapje voor stapje.
Het pistool wordt op de heup, aan de binnenkant van de broek gedragen. Sommige katsa's gebruiken holsters, andere niet. Een Beretta is een ideaal wapen omdat het zo klein is. Ze lieten ons zien hoe je wat platte loden gewichtjes in de zoom onder aan je jas moest vastnaaien, zodat je hem gemakkelijker met één handbeweging kon openzwaaien en direct je pistool grijpen. Het was de kunst om tegelijkertijd te draaien en te bukken, zodat je je kleiner maakte: alleen al het openmaken van je jas kon je het leven kosten.
Als je uiteindelijk moet schieten, dan vuur je zoveel mogelijk kogels op je doel af. Als hij dan op de grond gevallen is, loop je naar hem toe, je zet de loop van je pistool op zijn slaap en je vuurt nog een keer. Alleen op die manier ben je zeker.
Katsa's gebruiken meestal kogels met een platte punt of dum-dum kogels. Die zijn hol of hebben een zachte punt en zetten na het vuren uit, waardoor er zwaar letsel aan het slachtoffer wordt toegebracht. Onze wapentraining vond plaats op een militaire basis nabij Petah Tikvah, waar het Israëlische leger ook buitenlanders traint. We oefenden uren lang in het schieten op vaste doelen en op de schietbaan schoten we op bewegende poppen van hardboard.
Er was ook een gang in een hotel nagemaakt waar we door heen moesten lopen. We hadden dan een sleutel en een attaché-koffer in onze handen, die we veilig naar onze 'kamer' moesten brengen. Soms ge-

beurde er niets, maar het kon ook zijn dat er plotseling een deur open ging en een kartonnen pop verscheen. We werden erop getraind om alles neer te maaien.

Ook werd ons geleerd hoe we een pistool moesten trekken als we in een restaurant zaten te eten. Dan liet je je òf met stoel en al achterovervallen en schoot je onder de tafel door, òf je liet je achterovervallen, schopte tegelijkertijd de tafel omver (mij is dat nooit gelukt, maar sommigen van ons beheersten dat) en schoot dan. Dit alles in één vloeiende beweging.

Wat onschuldige omstanders betreft werd ons geleerd dat die tijdens een schietpartij niet bestonden. Een omstander is getuige van jouw dood of van die van een ander. Als het jouw dood is, kan het je dan wat schelen dat hij gewond raakt? Natuurlijk niet. Je moet overleven. Je moet alles vergeten wat je ooit over rechtvaardigheid is geleerd. In zulke situaties is het doden of gedood worden. Het is jouw verantwoordelijkheid dat je de belangen van de Mossad verdedigt. Als je dat eenmaal begrijpt, dan schaam je jezelf niet langer om egoïstisch te zijn. Egoïsme is een deugd – maar als je aan het einde van de dag thuis komt is het moeilijk om dat alles te verwerken.

Nadat we een intensieve wapentraining achter de rug hadden en terugliepen naar het leslokaal, vertelde Riff ons: 'Zo, nu weten jullie hoe je een wapen moet gebruiken. Dus vergeet het verder maar. Je hebt het niet nodig.' Daar stonden we, de snelste schutters van het wilde westen en hij kleineerde ons plotseling door te zeggen dat we geen wapens nodig hadden. Toch zeiden we tegen onszelf: 'O, natuurlijk, dat zegt hij maar, maar ik weet dat ik m'n wapen een keer nodig zal hebben.'

Urenlange lezingen werden afgewisseld door praktijkoefeningen in Tel Aviv, waar ons de laatste kneepjes van het vak werden geleerd. Een van de saaiste lezingen werd gegeven door een man die in die tijd de oudste majoor van het Israëlische leger was. Met een lage monotone stem vertelde hij langer dan zes uur over camoufleren en opsporen van wapens en wapentuig. De enige beweging die hij maakte, was het verwisselen van de dia's die we te zien kregen. Dan zei hij: 'Dit is een Egyptische tank.' En even later: 'Dit is een luchtfoto van een gecamoufleerde Egyptische tank.' Er was niet bepaald veel te zien op de dia van een stuk woestijn met verschillende goed gecamoufleerde tanks. Het leek erg veel op een woestijn *zonder* tanks. We kregen ook Syrische jeeps te zien, Amerikaanse jeeps, Egyptische jeeps, al dan niet gecamoufleerd.

Het was de meest langdradige lezing uit mijn nog korte leven. Later hoorden we dat iedereen die lezing te horen en te zien zou krijgen. De volgende lezing was meer ter zake. Hij werd gegeven door Pinhas Aderet en had te maken met documenten: paspoorten, identiteitsbewijzen, creditcards, rijbewijzen, enzovoort. De meest belangrijke Mossad-documenten waren de paspoorten. Ze bestonden in vier verschillende kwaliteitssoorten: eersteklas-kwaliteit, tweedeklas-kwaliteit, veldwerk-kwaliteit en wegwerpkwaliteit.

Wegwerp-paspoorten waren òf gevonden òf gestolen en werden gebruikt om heel snel te tonen. Je gebruikte ze niet om je te identificeren. De foto was doorgaans vervangen en soms ook de naam, maar het idee is dat er zo weinig mogelijk aan veranderd wordt. Zulke papieren zouden een nauwkeurig onderzoek niet doorstaan. *Neviot*-mensen (degenen die inbraken plegen, huizen doorzoeken en wat dies meer zij) gebruikten ze. En ook werden ze gebruikt tijdens trainingen in Israël of voor werving in Israël.

Bij ieder vals paspoort werd een vel papier geleverd met de naam en het adres en met gegevens over de wijk van de stad waar je zogenaamd woonde. Het huis was gemarkeerd op een plattegrond, er was een foto van bijgevoegd en er stond een beschrijving van de omgeving bij. Als je dan toevallig iemand tegen het lijf liep die die omgeving kende, zou je niet door de mand vallen als hij je er een simpele vraag over stelde.

Als je het wegwerp-paspoort gebruikte, stond in een bijgesloten formulier waar het eerder gebruikt was. Zo wist je dat je het niet kon gebruiken in, laten we zeggen, het Hilton, omdat iemand anders zich daar onlangs met dat paspoort had vertoond. Je moest ook voor alle visa-stempels in je paspoort een verhaal klaar hebben.

Een paspoort voor het veldwerk gebruikte je voor een snel bezoek aan het buitenland. Maar het werd niet gebruikt om de grens mee over te gaan. Katsa's gebruiken in feite zelden valse identiteispapieren als ze de grens overgaan, tenzij ze in gezelschap van een andere agent zijn, maar ze zullen proberen dat zoveel mogelijk te voorkomen. Het valse paspoort wordt in een diplomatieke aktenmap vervoerd, die is verzegeld met een zegel van lak en een touwtje erin, zodat het niet onopgemerkt kan worden geopend. Zo worden documenten van de ene naar de andere ambassade gebracht en het wordt in de hele wereld beschouwd als iets dat door de douane niet geopend mag worden. De drager is immers diplomatiek onschendbaar. (Het paspoort kon natuurlijk ook door een *bodel*, een koerier, aan een katsa worden afgeleverd.) De lakzegels waren echter zo gemaakt dat je de enveloppe makkelijk kon openen en weer kon sluiten zonder dat er schade aan het zegel leek te zijn toegebracht. Maar dat moest je weten.

Tweedeklas-paspoorten waren eigenlijk perfecte paspoorten die werden gebruikt om de dekmantel van een katsa extra geloofwaardig te maken. Alleen school er niet een bestaande persoon achter.

Een eersteklas-paspoort had zowel een dekmantel als iemand onder die dekmantel die het verhaal kon bevestigen. Het kon ieder nauwkeurig onderzoek doorstaan, zelfs de controle van de overheid die het paspoort had verstrekt.

Paspoorten worden op verschillende soorten papier gedrukt. Zo bestaat er bijvoorbeeld geen enkele mogelijkheid dat Canada het papier verkoopt waarmee ze hun paspoorten (nog steeds de favorieten van de Mossad) vervaardigen. Maar een vals paspoort kan niet gemaakt worden met het verkeerde papier, dus heeft de Mossad in de kelders van de Academie een laboratorium ingericht, waar de verschillende soorten papier worden gemaakt. Chemici analyseren het papier van een origineel paspoort en achterhalen de exacte chemische formule om het papier te produceren dat ze nodig hebben.

Een grote opslagruimte werd op de juiste temperatuur en vochtigheidsgraad gehouden om het te bewaren. Op de planken ligt het papier dat gebruikt wordt voor de paspoorten uit alle delen van de wereld. In het verlengde hiervan ligt het vervalsen van de Jordaanse dinar. Deze zijn op succesvolle wijze gewisseld tegen dollars, waardoor, behalve het financiële voordeel, ook het Jordaanse inflatie-probleem extra in de hand werd gewerkt.

Toen ik het laboratorium als cadet bezocht, zag ik een ongelooflijke stapel Canadese paspoorten liggen. Ze moesten gestolen zijn. Het leek wel een hele scheepslading. Het waren er meer dan duizend. Ik kan me niet herinneren dat die lading ooit als vermist is opgegeven – niet in de media in ieder geval.

Veel immigranten die naar Israël komen, wordt gevraagd of ze hun paspoort willen afstaan om joden te helpen. Zo zal het iemand, die net uit Argentinië naar Israël is gekomen, niet veel kunnen schelen om zijn Argentijnse paspoort af te staan. Uiteindelijk komt die terecht in een reusachtige, bibliotheek-achtige kamer, waar ze geordend op land, stad, district, leeftijd en al dan niet joods klinkende namen worden opgeslagen – ook werden alle gegevens ingevoerd in de computer.

De Mossad bezat ook een aanzienlijke collectie stempels en handteke-ningen die ze gebruikten om in hun eigen papier te stempelen. Deze werden bewaard in een 'logboek'. Veel ervan was door de politie ver-zameld, die een paspoort een tijdje vast konden houden, zodat ze de verscheidene stempels konden fotograferen, voordat ze het paspoort teruggaven.

Zelfs het afstempelen van een vals paspoort gebeurde methodisch. Als ik bijvoorbeeld op een bepaalde dag in mijn paspoort een stempel van Athene nodig had, dan raadpleegde de afdeling het archief en gaven me er een voor de juiste dag en vertrektijd, zodat, als ik gecontroleerd zou worden, alles correct was. Ze klopten zichzelf daarover op de borst. Soms vulden ze een paspoort met wel twintig stempels. Ze zeiden dat een operatie verknald kon worden door slechte papieren.

Bij mijn paspoort kreeg ik een aanvullend dossier, dat ik uit mijn hoofd moest leren en daarna weggooien. Er stond informatie in over de dag dat ik zogenaamd in Athene was geweest. Over het weer, de krante-koppen, de onderwerpen van gesprek, waar ik verbleef, wat ik daar deed, enzovoort.

Bij iedere nieuwe opdracht ontving iedere katsa een geheugensteuntje over het voorafgaande werk. Bijvoorbeeld: vergeet niet dat je op die en die dag in dat en dat hotel was en dat je zo en zo heette. Er was ook een lijst bijgehouden van alle mensen die we hadden ontmoet en gezien. Ook dat was een van de reden waarom ieder detail, ongeacht hoe klein die was, werd bijgehouden.

Als ik iemand wilde werven, dan maakte de computer een lijst van alle personen met wie ik op een of andere manier in contact had gestaan: alle mensen die ik ooit had ontmoet. Dezelfde controle werd uitge-voerd ten opzichte van de persoon die ik wierf. Voor het geval ik met die persoon naar een feestje wilde gaan en we daar een wederzijdse vriend tegenkwamen, die ik al onder een andere naam had geworven.

Gedurende de volgende zes weken kreeg de klas twee uur per dag colle-ge van professor Arnon over de islam, over de verschillende richtingen binnen de islam, over de geschiedenis, de rituelen en de feestdagen, over wat de leiders mochten doen — en wat ze in werkelijkheid deden — over hun wetten, kortom, over alles wat het beeld van de vijand com-pleet maakte. En uiteindelijk kregen we een dag de tijd om een scriptie te schrijver over het conflict in het Midden-Oosten.

Daarna kregen we les over de *bodlim* (enkelvoud voor *bodel*). Dit zijn mensen die als koerier fungeren tussen de ambassade en de *safe houses* of tussen de verschillende safe houses onderling. Een *bodel* wordt hoofdzakelijk getraind in APAM en in het vermogen om te onderscheiden of hij gevolgd wordt of niet. Alle waardevolle papieren draagt hij bij zich in diplomatieke enveloppen of aktenmappen. Ze zijn diplomatiek onschendbaar. Hun voornaamste functie is het brengen van paspoorten en andere documenten naar de katsa's en het mee terugnemen van rapporten naar de ambassade. Katsa's is het niet altijd toegestaan om een ambassade binnen te gaan. Dat hangt af van de aard van hun opdracht.

Bodlim zijn doorgaans jongemannen van ongeveer 25 jaar oud die het werk een paar jaar doen. Het zijn niet zelden Israëlische cadetten die, nadat ze enige tijd in gevechtseenheden hebben gediend, betrouwbaar zijn gebleken. Ofschoon het essentieel is dat ze er in getraind worden om mensen af te schudden, kunnen ze tijdens hun training en werk blijven studeren. Ze worden beschouwd als lager in status, maar ondanks dat is het voor een cadet geen slechte bijverdienste.

De meeste bureaus hebben twee of drie van zulke *bodlim* in dienst. Een van hun andere taken is het onderhoud aan de safe houses. Een bodlim kan zich over zes of zeven appartementen tegelijk ontfermen, zodat de buren zich niet afvragen waarom de post zich opstapelt en er nooit iemand is. Zo'n bodlim hoeft voor die huizen geen huur te betalen, maar hij dient er zorg voor te dragen dat de koelkast aldoor goed gevuld is, dat de rekeningen worden betaald, enzovoort. Als een van de safe houses gebruikt moet worden, dan verhuist hij naar een andere, of hij gaat naar een hotel totdat de kust weer veilig is. Een bodlim mag geen vrienden of vriendinnen mee naar de appartementen nemen. Hun maandinkomen schommelt tussen de $1000 en $1500. Het hangt ervan af op hoeveel safe houses hij moet letten. Dit plus het feit dat hij geen huur hoeft te betalen en geen onkosten aan eten en drinken en zijn schoolgeld heeft – dat wordt betaald door de Mossad – maakt het geen slechte regeling.

Het volgende onderwerp voor de cadetten was *mishlashim* of, in vakjargon, het 'droppen' van een pakje of brief. Het eerste dat we leerden, was dat het voor de Mossad bij het afleveren van een pakketje altijd om eenrichtingsverkeer ging: van ons naar hen. Nooit kon een agent iets voor jou achterlaten, want het kon immers om een valstrik gaan.

Een groepje mensen van de Mossad die vaak zulke pakketjes hadden afgeleverd, legde de kunst ervan als volgt uit:

Als je eenmaal hebt uitgemaakt wat het is dat je wilt afleveren, moet je met de volgende vier punten rekening houden om het geval tot een succes te maken: je moet zo min mogelijk tijd gebruiken om het pakketje te plaatsen, het moet er onopvallend uitzien als je het naar de plaats brengt waar je het achterlaat, het moet zo makkelijk mogelijk zijn om de plaats waar het ligt aan je contactman duidelijk te maken èn wanneer hij er mee wegloopt, moet het opnieuw zo onopvallend mogelijk zijn.

Ik gebruikte een plastic zeepdoosje, dat ik met een spuitbus grijs had gespoten en waaraan ik vier schroeven en moeren had vastgelijmd. Met rode verf schilderde ik op de voorkant een bliksemschicht en binnenin stopte ik een magneet, zodat ik de doos aan de de binnenkant van mijn motorkap kon bevestigen. Alsof ik motorpech had, stopte ik dan bij een elektriciteitsmast en bevestigde het doosje aan de achterkant van een van de palen. Niemand kon het zien. En als ze het zagen, dan zouden ze het niet aanraken, omdat het onder 'hoogspanning' stond. Als een agent het 'pakketje' ophaalde, kon ook hij het weer aan de binnenzijde van zijn motorkap bevestigen.

Ook werd ons geleerd om een bergplaats in een huis of appartement te maken, op zo'n manier dat het makkelijk was om er iets in op te bergen, maar voor anderen moeilijk om te vinden. Het is zelfs beter dan een kluis. Als je in de positie bent dat je iets snel moet kunnen verstoppen in je huis, is het helemaal niet zo moeilijk om een bergplaats te maken met spullen uit een gewone doe-het-zelf winkel.

Een van de simpelste bergplaatsen is een holle deur die gemaakt is van een houten frame waarop hardboard is getimmerd. In het bovenste gedeelte boor je een gat en je laat dat wat je verstoppen wilt erin glijden. Er zit ook heel wat ruimte in de buis waaraan de kleerhangers hangen. Ze kunnen dan wel je kleren ondersteboven halen, maar er zijn slechts weinigen die ook in de buis kijken.

Een andere gebruikelijke manier om documenten of geld langs de douane te krijgen, is het kopen van twee exemplaren van dezelfde krant. Uit een van de twee knip je dan een stuk, zodat je wat ruimte krijgt die je afplakt met hetzelfde stuk dat je uit de andere krant hebt geknipt. Het is een oude goocheltruc. We lazen veel in boeken over goochelen. Je kunt zo met die krant onder je arm naar de douane lopen

– en hem zelfs even aan een van de beambten overhandigen, terwijl je je overige bagage laat zien.

De volgende serie oefeningen heette 'koffie' en had betrekking op het werken in groepjes van drie. Yosy, Arik F., een zeer godsdienstige reus van twee meter lang, en ik gingen samen met Shai Kauly, onze instructeur, naar de Hayarkonstraat, waar veel hotels staan. We dronken eerst koffie in een café en gingen daarna een voor een een hotellobby binnen. Ieder van ons had een vals paspoort en een dekmantel. Kauly keek om zich heen en vertelde toen dat we contact moesten maken met degene die hij aanwees. Soms was het doorgestoken kaart, maar soms ook niet; in ieder geval was het de bedoeling dat we zoveel mogelijk over die persoon te weten kwamen en een afspraak voor een volgende keer zouden maken.

Ik liep naar een man die als verslaggever werkte voor *Afrique-Asie* en vroeg hem of hij een vuurtje had. Dat leidde tot een gesprek dat me wonderwel goed afging. Uiteindelijk bleek het doorgestoken kaart te zijn. Hij was een katsa die overigens wel zogenaamd als verslaggever een PLO-conventie in Tunis had verslagen. En hij bleek daadwerkelijk enkele artikelen voor die krant geschreven te hebben.

Zoals gebruikelijk moesten we ook nu een rapport schrijven over hoe we het contact hadden gemaakt, over wat er was gezegd en over al het andere dat er was gebeurd. De volgende dag in de klas bekritiseerden we elkaar. Het was raar, soms ging je naar de les en dan zag je je contactman daar zitten.

Zoals alle oefeningen tijdens de opleiding, werd alles uitentreure herhaald. Ons lesrooster, dat al zo vol was, werd overvol. We waren nog steeds in opleiding, maar we begonnen al natuurlijker te handelen en onze kennis in de praktijk te brengen. Het werd zelfs zo erg dat we geen conversatie meer konden beginnen zonder bijbedoelingen. Als je hallo zei, was je al bezig het aas uit te zetten. Als je aan het werven bent, is het 't beste om je voor te doen als een rijk iemand, maar je kunt niet te specifiek zijn. Aan de andere kant kun je ook weer niet te vaag zijn, want dan denken ze dat je een oplichter bent.

De academie was in feite een opleiding voor zwendelaars – een school die mensen leerde om de boel in naam van hun vaderland te belazeren. Een van de problemen na een oefening, waarin ik bijvoorbeeld een rijke ondernemer speelde, was om daarna weer met beide benen op de grond te komen. Ineens was ik niet rijk meer, ik was een ambtenaar, zij het voor een interessant bedrijf, die hoognodig weer een rapport moest schrijven.

Soms werden de zaken tijdens de 'koffie'-lessen een beetje gecompliceerd. Sommige cadetten vertelden niet precies wat er was gebeurd, omdat ze dachten dat ze zichzelf wel in de hoogte konden steken, aangezien de lui met wie ze contact moesten leggen geen insiders bleken te zijn.

Een vent, Yoade Avnets, herinnerde ons aan de 'au-au' of 'roepie-roepie' vogel, een vogel die niet erg slim was maar enorme ballen had die tot onderaan zijn poten hingen. Als hij dan moest landen, riep hij: 'au-au.'

Iedere keer onder een 'koffie-oefening' vertelde Yoade een fantastisch verhaal – tenzij hij een insider tegenover zich had. Hij deed dit steeds weer opnieuw, totdat Shai Kauly een keer binnenkwam en zijn naam riep.

'Ja?' antwoordde hij.

'Pak je spullen en donder op.'

'Wat?!' protesteerde Avnets, terwijl hij een half opgegeten boterham in zijn hand hield. 'Waarom?'

'Herinner je je nog de oefening van de vorige dag? Dat was de druppel die de emmer deed overlopen.'

Waarschijnlijk had Yoade een contact gelegd en gevraagd of hij mocht gaan zitten. De man zei ja, en Yoade had daar maar gezeten en zijn mond niet opengedaan, terwijl hij in zijn rapport van een levendige conversatie melding maakte. Zwijgen was in dit geval geen goud, zodat er aan de carrière van Yoad een abrupt einde kwam.

Het eerste halfuur van de dag werd nu klassikaal besteed aan het houden van een spreekbeurt. Deze oefening droeg de naam *Da* of 'weten'. Het hield in dat je een analyse moest maken van de recente ontwikkelingen in de wereld. Het was de zoveelste verzwaring van het rooster, maar ze wilden dat we ons die ontwikkelingen bewust werden. Tijdens een opleiding als de onze kun je maar al te makkelijk het contact met de realiteit verliezen en dat kan fataal zijn – letterlijk. Het gaf ons ook de nodige ervaring om in het publiek te spreken en het dwong ons iedere dag de krant te lezen. Als iemand met een onderwerp kwam, konden we laten merken dat we er ook iets van af wisten en soms konden we er iets tegen inbrengen.

We kregen ook een zogenaamde 'groen'-oefening te doen – een exercitie in het leggen van verbindingen, bedoeld om je houding ten opzichte van een bepaald probleem te laten bepalen. Stel dat we wisten dat er een PAHA-dreiging bestond tegen een bepaalde installatie in een land. Er achter komen hoe je het probleem moest analyseren en evolueren, vereiste heel wat discussie. Als de dreiging een plaatselijke installatie gold die niets met Israël had te maken en je het geval kon onthullen zonder je bron in gevaar te brengen, dan sluisde je de informatie door naar de relevante partijen door het plegen van een anoniem telefoontje of je deed het op een directere manier, van contactman naar contactman. Je kon in sommige gevallen echter ook – zonder te onthullen wie je bron was – de informatie persoonlijk doorgeven, zodat ze bij je in het krijt stonden en later nog eens iets voor je moesten terugdoen.

Als het een Israëlisch doelwit betrof, moest je alle ter beschikking staande middelen gebruiken om schade te voorkomen, zelfs wanneer dat betekende dat je je bron moest verraden. Als je een agent in een vijandelijk land moest laten vallen om een Israëlische installatie te beschermen in een bevriend land, dan deed je dat. Dat was het offer dat je moest brengen. (Vijandelijke landen zijn Arabische landen en bevriende landen zijn landen waar de Mossad een bureau heeft, zoals de Verenigde Staten, Canada en de landen van West-Europa.)

Als het doelwit niet Israëlisch was en je een bron zou moeten onthullen, dan liet je de zaak rusten. Het was dan geen geval voor de Mossad. Het enige wat je dan kon doen was een vage waarschuwing uit laten gaan, waaruit bleek dat men een beetje moest opletten. Een dergelijke waarschuwing zou natuurlijk temidden van duizenden anderen verdwijnen.*

Deze manier van handelen stond in onze hersenen gegrift. We moesten doen wat goed voor onszelf was; de anderen konden barsten, want zij hielpen ons ook niet. Hoe verder je in Israël naar rechts opschuift, hoe vaker je dat hoort. Als je in Israël in politiek opzicht dezelfde mening blijft aanhouden, schuif je automatisch op naar links, omdat het hele land in een snel tempo rechts wordt. Het is bekend dat Israëli's vaak zeggen: 'Sommigen hielpen ons door ons in de Tweede Wereldoorlog niet te vergassen en degenen die niet hielpen, negeerden dat we werden vergast.' En toch kan ik me in Israël geen demonstratie herinneren waarin mensen hun solidariteit lieten blijken aan de slachtoffers

* Zie Hoofdstuk 17: BEIROET

in Kambodja. Dus waarom zouden andere mensen zich om ons bekommeren? Geeft het feit dat de joden geleden hebben hen het recht om anderen pijn te doen?

Tijdens de *Tsomet*-lessen werd ons geleerd hoe we een agent moesten informeren die naar een vijandelijk land werd gestuurd. De agent met de laagste status – het zijn er vrij veel – wordt een 'waarschuwer' genoemd. Zo'n agent kan een verpleger in een ziekenhuis zijn, die de Mossad moet melden of er extra bedden in gereedheid worden gebracht, of dat er een nieuwe vleugel wordt gebouwd, of er veel medicijnen worden ingeslagen – hij moet letten op alles wat wijst op een oorlogsvoorbereiding. Er werken 'waarschuwers' in de haven om te rapporteren of er extra veel schepen binnenlopen. Ze werken als brandweerman om te zien of er extra voorbereidingen worden getroffen, of in een bibliotheek, voor het geval opeens blijkt dat het gehele personeel voor iets anders dan het eigenlijke werk wordt ingeschakeld.

Als een land zich op oorlog voorbereidt gebeuren er heel veel dingen, dus moet je specifiek zijn als je een agent informeert. Als de Syrische president met oorlog dreigt – zoals hij zo vaak heeft gedaan – en de zaken in dat land lopen verder normaal, dan hoef je je niet al te veel zorgen te maken. Je moet zulke dingen weten, want als er wel veranderingen zijn, dan weet je dat hij het dit keer meent.

We werden ook onderricht door David Diamond, hoofd van de *keshet*-afdeling, die later werd omgedoopt in *neviot*, over hoe we een niet-levend object als een gebouw moesten observeren. Dit was allemaal gepraat, geen oefeneningen. Hij gaf ons voorbeelden. Stel je voor dat jullie man op de vijfde verdieping van een gebouw zit en dat jullie van hem een document willen hebben. Hoe moet je dat aanpakken? Hij nam met ons de verschillende stadia door. Te beginnen met de observatie, waarna de taxatie volgde. Je moest letten op de patronen in het verkeer, op de bewegingen van de politie, op gevaarlijke plaatsen – blijf niet te lang voor een bankgebouw staan – hoe je weg moest komen, wie naar binnen zou gaan, welke signalen afgesproken werden. Daarna volgden lessen in geheime communicatie, onderverdeeld in het verzenden en het ontvangen daarvan. Van de Mossad uit konden berichten worden verzonden per radio, per post, per telefoon, door het droppen van een pakketje of via het maken van een afspraak. Iedere agent met een radio had iedere dag een bepaalde tijd tot zijn beschikking om via een non-stop, nu gecomputeriseerd, station zijn berichten te ontvangen. Bijvoorbeeld: 'Dit is voor Charlie,' dan volgde een letter-code in groepjes van vijf letters. Het bericht veranderde maar eens per week om de agent de kans te geven het te ontvangen. De agenten hadden een radio met antenne, meestal thuis of op hun werk.

Een andere speciale manier van communiceren verliep via een zogenaamde 'drijver', een microfilmpje bevestigd aan de binnenkant van een envelop. De agent maakt de brief dan open en doet de microfilm even in een glas water. Daarna kleeft hij het filmpje aan de buitenkant van het glas vast, waarna hij het bericht met een vergrootglas kan lezen.

Andersom konden agenten contact met een katsa opnemen door gebruik te maken van telefoon, telex, brieven, brieven geschreven met speciale inkt, via ontmoetingen of door een communicatiesysteem, dat is gebaseerd op verzending van radiopulsen met een speciale frequentie. Iedere keer als de agent van dit zendsysteem gebruik maakt, doet hij dat op een andere frequentie. De frequentiewisselingen zijn vooraf vastgesteld.

Het was de bedoeling de communicatie zo eenvoudig mogelijk te maken. Maar hoe langer een agent in een vijandelijk land zit, hoe meer informatie hij verzamelt en hoe geavanceerder de apparatuur moet zijn die hij nodig heeft. Dat kan een probleem zijn, omdat met dergelijke apparatuur de mogelijkheid van ontdekking toeneemt. De agent moet bovendien worden geleerd met de apparatuur om te gaan en hij wordt in het algemeen steeds zenuwachtiger naarmate hij meer weet.

Om onze geestdrift voor het zionisme nog te vergroten, bracht de klas een hele dag door in het Huis van de Diaspora aan de universiteit van Tel Aviv, een museum met modellen van synagogen uit de hele wereld, dat de geschiedenis van het joodse volk toont.

Toen kwam er een interessant college over koning Hussein en het Palestijnse probleem, dat gegeven werd door een vrouw die Ganit heette. Zij was hoofd van het bureau Jordaanse aangelegenheden. Dit werd gevolgd door een lezing over de operaties van het Egyptische leger, waarvan de herbewapening en versterking na tien jaar nu bijna waren voltooid. Twee dagen lang werd ons verteld over de methoden en activiteiten van de PAHA in Israël, hetgeen werd afgerond door een twee uur durend college van de Mossad-historicus Lipean, wat het einde markeerde van het eerste gedeelte van ons lesprogramma. Dat was in juni 1984.

Veel van onze training was gebaseerd op het leggen van contacten met onschuldige mensen. Je zag iemand die wel eens geworven zou kunnen worden en je zei tegen jezelf: 'Ik moet eens met hem praten en een afspraak zien te regelen. Hij kan ons van dienst zijn.' Dit gaf een vreemd gevoel van zelfvertrouwen. Opeens werd iedereen op straat een instrument. Je dacht: hé, die kan ik manipuleren. Opeens werd duidelijk dat het alleen maar om leugens ging, de waarheid was onbelangrijk. Het enige wat gold was: dit is een mooi instrument. Hoe krijg ik het aan de praat? Hoe kan ik het voor me laten werken – ik bedoel, voor mijn vaderland.

Ik heb altijd al geweten wat er boven op de heuvel aan de hand was. Iedereen wist het. Soms doet het gebouw dienst als zomerverblijf van de ministerpresident of het wordt gebruikt om hoogwaardigheidsbekleders onder te brengen. Golda Meir gebruikte het veel met dat oogmerk. Maar we wisten ook wat het nog meer was, namelijk het hoofdkwartier van de Mossad. Dat hoor je gewoon als je in Israël opgroeit. Israël is een natie van krijgers, wat betekent dat een directe confrontatie met de vijand als de meest eerzame aanpak geldt. Dat maakt de Mossad tot het ultieme statussymbool van Israël. Nu maakte ik hiervan deel uit. Het gaf me een moeilijk te beschrijven gevoel van macht. Dit was *ieder* offer waard. Ik weet dat er maar weinig mensen in Israël rondlopen die toen niet me hadden wilden ruilen.

Tweedejaars

Er werd constant tegen de cadetten gezegd dat ze flexibel en veelzijdig moesten zijn, dat ze voortdurend aan zichzelf moesten sleutelen. Alles wat we ooit gedaan hadden, kon ons later tot voordeel strekken, dus werden we aangemoedigd om zoveel mogelijk over zoveel mogelijk dingen te leren. Michel M. en Heim M., beiden behorende tot mijn kleine, hechte groepje, waren natuurlijk door de achterdeur binnengekomen. Ze waren beiden goed van de tongriem gesneden. Ze kenden degenen die de lezingen gaven en ze vertelden over hoe ze generaals en andere hoge officieren zouden werven. Op Jerry S. na was ik de beste van mijn klas in het vak Engels. Ook was ik de beste in wat ze het 'operationele denken' noemen. Het komt erop neer dat je kunt voorzien wat er gaat gebeuren, zodat je de problemen kunt zien aankomen.

Omdat Heim en Michel leken te weten hoe de wereld in elkaar stak, keek ik tegen ze op, in ruil waarvoor ze mij onder hun hoede namen. We woonden allemaal in dezelfde omgeving en reden samen naar en van de academie – meestal voor een bijeenkomst in Kapulsky waar we koffie dronken en gebak aten en praatten. Ze serveerden er de lekkerste *Black Forest*-cake die ik ooit heb geproefd.

We hingen erg aan elkaar en dachten samen over veel dingen na. Gezamenlijk probeerden we ons door bepaalde oefeningen te slaan, omdat we wisten dat we op elkaar konden rekenen – dat dachten we althans. Oren Riff, onze hoofdinstructeur die voor de *Tevel* had gewerkt, benadrukte het belang van verbindingen. Tussen de 60 en 65 procent van alle verzamelde informatie kwam van de gewone media – radio, kranten, televisie, ongeveer 25 procent via satelieten, telex, telefoon, en radiocommunicatie, 5 tot 10 procent van verbindingsmensen en tussen de 2 en 4 procent via *humant* – agenten, die voor de *Tsomet* werkten (later is die naam in *Melucha* veranderd). Dit laatste kleine percentage is van alle categorieën de belangrijkste.

Onder de colleges in het tweede jaar van onze opleiding, bevond zich een twee uur durende lezing van Zave Alan, de belangrijkste verbindingsman tussen de Mossad en de CIA. Hij sprak over de Verenigde Staten en Latijns Amerika. Alan legde uit dat als je te maken hebt met een verbindingsman van een andere organisatie, hij je beschouwt als een schakel, maar jij beschouwt hem ook als een schakel en een bron. Je geeft hem de informatie die je superieuren willen dat je geeft en vice versa. Je bent iemand die organisaties verbindt, maar aangezien het om twee personen gaat, is het belangrijk dat je met elkaar kunt opschieten. Om die reden worden verbindingsmensen wel vervangen. Als de relatie echter goed is, kun je een persoonlijke band opbouwen met degene van de andere partij. Naarmate de relatie groeit, begint je contactman sympathie voor je te voelen. Hij onderkent de gevaren waaraan je land blootstaat. Het is de bedoeling dat je je inlichtingenwerk op het persoonlijke vlak uitvoert, zodat je met een vriend te maken krijgt. Maar je moet blijven bedenken dat hij deel is van een groter geheel. Hij weet veel meer dan hij je mag vertellen.

Soms kom je echter in een situatie terecht waarin je informatie nodig hebt, die hij je vrijwillig en uit vriendschap geeft, wetende dat het hem geen schade zal berokkenen en dat jij het niet zult laten uitlekken. Die informatie is erg waardevol en als je een rapport moet schrijven klassificeer je die als 'Jumbo'. Alan gluurde naar ons door zijn John Lennonbrilletje en schepte op dat hij meer dan wie ook in de Mossad dergelijke informatie had verzameld.

Wij als Mossad-officieren gaven echter geen 'Jumbo'-informatie. We verzonnen die, want als we werkelijk 'Jumbo' zouden doorgeven, werd dat als een regelrecht verraad beschouwd.

Alan vertelde dat hij veel vrienden had binnen de inlichtingendienst van de Verenigde Staten. 'Maar onthou dit,' zei hij, terwijl hij voor het effect een korte pauze inlaste. 'Hij beschouwt mij als zijn vriend, maar hij is dat niet voor mij.'

Na die opmerking verliet hij de zaal.

De lezing van Alan werd gevolgd door een college over de technische samenwerking tussen verschillende instanties, waarin ons werd uitgelegd dat de Mossad over de beste mogelijkheden beschikte om sloten te openen. De door verschillende slotenmakers in Groot-Brittannië vervaardigde sloten werden bijvoorbeeld naar de Britse geheime dienst gestuurd, die deze weer naar de Mossad zond voor een onderzoek. Nadat de Mossad er was achtergekomen hoe ze geopend konden worden, werden ze weer teruggestuurd met een rapport waarin stond 'niet te openen'.

Die dag nam Dov L. na de lunch de klas mee naar een parkeergarage waar zeven witte Ford Escorts stonden geparkeerd. (In Israël zijn de meeste auto's van de Mossad, Shaback en de politie wit, hoewel het hoofd van de Mossad toentertijd in een rode Lincoln reed.) Het was de bedoeling om erachter te komen wanneer je door een auto gevolgd werd. Dit is iets dat je steeds maar weer moet oefenen. Het is niet zoals in de film of zoals je in boeken leest, waar de recht overeind staande haartjes in de nek iemand vertellen dat hij wordt gevolgd. Je leert het alleen door praktijkervaring.

Iedere avond als we naar huis gingen en iedere morgen dat we weer naar school vertrokken, was het onze verantwoordelijkheid er zeker van te zijn dat we niet gevolgd werden.

De volgende dag verzorgde Ran S. een college over de *sayanim*, een unieke en belangrijke tak van de Mossad. Sayanim-assistenten moesten voor honderd procent jood zijn. Ze woonden in het buitenland en ofschoon er maar weinig Israëlisch staatsburger waren, hadden velen familie in Israël wonen. Een Israëli die iemand in Engeland kent, wordt bijvoorbeeld gevraagd om een brief te schrijven, waarin staat dat degene die de brief bezorgt, iemand is van een organisatie, opgericht om het joodse volk in diaspora te redden. Zou de Britse kennis daarbij eventueel kunnen helpen?

Er zijn duizenden sayanim in de wereld. In Londen alleen al zijn er ongeveer tweeduizend actief en er staan nog eens vijfduizend op de lijst. Ze vervullen allemaal een andere functie. Een sayan bijvoorbeeld, die een autoverhuurbedrijf heeft, kan de Mossad aan een auto helpen zonder dat zij zich van tevoren hoeven te documenteren. Een andere sayan kan voor onderdak zorgen zonder dat argwaan wordt gewekt. Weer een andere sayan kan je geld geven, mocht je dat midden in de nacht nodig hebben. Een arts kan een kogelwond behandelen zonder de politie in te lichten, enzovoort. Het is de bedoeling om over een enorme hoeveelheid mensen te beschikken die diensten kunnen verlenen en uit loyaliteit voor de goede zaak zwijgen als het graf. Zij krijgen alleen een onkostenvergoeding. Vaak wordt er van de loyaliteit van sayanim door katsa's voor eigen gewin misbruik gemaakt. Er bestaat geen manier voor de sayan om dit te controleren.

Zelfs als iemand joods is, kan het voorkomen dat hij niet voor de Mossad wil werken – maar hij zal je niet verraden. Je hebt de beschikking over een systeem dat volstrekt geen gevaar oplevert en dat in miljoenen joden voorziet bij wie je buiten Israël informatie kunt verzamelen. Het is makkelijker een operatie uit te voeren met de middelen waarover je ter plekke kunt beschikken. Sayanim zijn overal van een ongelooflijk praktisch nut. Ze zullen echter nooit in gevaar gebracht worden – noch hebben ze toegang tot geheime informatie.

Stel je voor dat een katsa voor een operatie een winkel met elektrische apparaten als dekmantel nodig heeft. Een telefoontje naar een sayan uit die branche is dan voldoende om binnen een oogwenk een ruimte met $3 of $4 miljoen aan televisietoestellen en videorecorders vol te krijgen.

Omdat de meeste van de activiteiten van de Mossad zich in Europa afspelen, is het handig om een zakenadres in de Verenigde Staten te hebben. Er zijn adres-sayanim en telefoon-sayanim. Als een katsa een adres of een telefoonnummer moet verstrekken, kan hij die van de sayan gebruiken en als de sayan een telefoontje of een brief krijgt, weet hij precies hoe hij moeten handelen. Sommige zaken-sayanim bezitten een telefooncentrale met twintig telefoons en alles er op en er aan geheel als dekmantel voor de Mossad. De grap is dat 60 procent van deze telefoonbedrijfjes in Europa in handen van de Mossad zijn. Anders zouden ze op de fles gaan.

Het enige probleem met dit systeem is dat het de Mossad niet schijnt te kunnen schelen of het een smet werpt op het blazoen van de joden in diaspora als het bekend zou worden. Het antwoord dat je dan krijgt is: 'Nou en, wat is het ergste dat deze joden kan overkomen? Dat ze allemaal naar Israël komen? Geweldig.'

Katsa's op de buitenlandse bureaus dragen zorg voor de sayanim en echt actieve sayanim worden eens in de drie of vier maanden door een katsa bezocht, wat voor de katsa betekent dat hij die dag, naast vele telefoontjes, ook vele gesprekken onder vier of acht ogen met andere sayanim zal voeren. Het systeem stelt de Mossad in staat om te werken met wat zij een geraamte noemen. Daarom moet een KGB-bureau bijvoorbeeld 100 mensen in dienst hebben, terwijl een vergelijkbaar Mossad-bureau er maar zes of zeven nodig heeft.

Mensen maken de fout door te denken dat het een nadeel is dat de Mossad geen bureaus in vijandelijke landen heeft. De Amerikanen bezitten een bureau in Moskou en de Russen in Washington en New York. Maar Israël heeft geen bureau in Damascus. Ze begrijpen niet dat Israël de hele wereld als doelwit beschouwt, West-Europa en de Verenigde Staten vormen daarop geen uitzondering. De meeste Arabische landen produceren hun eigen wapens niet en ze hebben ook geen eigen militaire academies. Dus kun je een Syrische diplomaat net zo goed in Parijs werven, of in Londen of in Verenigde Staten. Je kunt over Saoedi-Arabië meer in de Verenigde Staten te weten komen dan in het land zelf. Wat bezitten de Saoediërs? Ze hebben AWAC's, dat zijn Boeings en Boeings worden in de VS gemaakt. De enige Saoediër die we in mijn tijd konden werven was een personeelslid in de ambassade van Saoedi-Arabië in Japan. Dat was alles.

Als je de hoge officieren wilt benaderen, dan moet je naar Engeland en de Verenigde Staten, want daar studeren ze. Hun piloten worden getraind in Engeland, Frankrijk en de Verenigde Staten. Hun commandotroepen worden opgeleid in Italië en Frankrijk. Daar kun je ze werven. Het is makkelijker en minder gevaarlijk.

Ran S. leerde de klas ook over 'witte agenten', personen die met of zonder hun medeweten waren geworven en die misschien wel, maar soms ook niet wisten dat ze voor Israël werkten. Dit waren altijd niet-Arabieren en gewoonlijk goed op de hoogte van technische zaken. Er bestaat een wijdverbreid vooroordeel in Israël dat Arabieren niets van techniek begrijpen. Er worden zelfs grapjes over gemaakt, zoals die waarin een man Arabische hersenen voor $150 per pond verkoopt en Israëlische voor $2 per pond. Op de vraag waarom de Arabische hersenen zo duur zijn, antwoordt hij: 'Omdat ze amper zijn gebruikt.' Zo denkt men in Israël over Arabieren.

Het is minder riskant om met 'witte' agenten om te gaan, dan met 'zwarte' of Arabische agenten. Een van de redenen is dat Arabieren die in het buitenland werken aan strenge veiligheidscontroles onderworpen worden door de Arabische inlichtingendiensten – als die merken dat je met een zwarte agent werkt, zullen ze je doden. Het ergste dat een Mossad-katsa in Frankrijk ooit overkwam toen hij met een witte agent werkte, was uitwijzing. Maar de witte agent *zelf* kon worden vervolgd wegens hoogverraad. Je doet er alles aan om hem te beschermen, maar hij loopt het meeste gevaar. Als je met een Arabier werkt, loop je beiden gevaar.

Terwijl de lessen op de Academie door bleven gaan, gingen ook de oefeningen buiten met de auto's gestaag verder. We leerden een techniek die *maulter* heette: het volgen van een geïmproviseerde veiligheidsroute. Als je in een buurt kwam waar je de weg niet kende en je beschikte niet over een van te voren uitgestippelde route, dan volgde er een serie van procedures – eerst rechtsaf, daarna linksaf, doorrijden, stoppen, enzovoort – die voornamelijk bedoeld waren om er zeker van te zijn dat je niet gevolgd werd. We werden er ook regelmatig aan herinnerd dat we niet aan onze auto zaten 'vastgeklonken'. Als we dachten dat we werden geschaduwd, maar het niet helemaal zeker wisten, was het misschien verstandig om uit te stappen en te voet verder te gaan.

In een andere lezing, gegeven door een katsa met de naam Rabitz, werd verteld over het 'lokale' Israëlische bureau dat zich bezig hield met Cyprus, Egypte, Turkije en Griekenland. De katsa's die daarvoor werkten werden *hoppers* of *jumpers* genoemd omdat ze vanuit het hoofdkwartier in Tel Aviv opereerden. Ze werven en runnen agenten en sayanim door steeds maar heen en weer te vliegen. In al deze landen is het werken gevaarlijk omdat hun regeringen de neiging hebben om te sympathiseren met de PLO.

Dit bureau in Israël zelf is onder katsa's niet populair. Tijdens de lessen over dit onderwerp gaf Ran S. er zelfs op af. Ironisch genoeg werd hij later hoofd van dit bureau.

Om ons te ontspannen begonnen we wedstrijden te organiseren tegen vijfentwintig andere cadetten die ook een opleiding op de Academie volgden – een administratieve opleiding, zoals voor computerprogrammeur, secretaris en dergelijke. Ze kregen les in organisatiekunde en waren altijd veel serieuzer dan wij.

Om ze van de begeerde tafeltennistafel weg te houden, plachten we de balletjes en de bats te verstoppen, maar we speelden wel basketbal tegen ze. Wij speelden het spel om te winnen. Een van ons hield de score bij, zodat we altijd wonnen. Het andere team schreeuwde dan moord en brand, maar ze bleven toch iedere dinsdagmiddag om 1 uur tegen ons spelen.

Ondertussen gingen onze lessen door. Nadat ons was geleerd hoe we iemand, na contact te hebben gelegd, konden werven, werden ons financiële richtlijnen gegeven. Bijvoorbeeld: voordat iemand werd gestrikt, moest je zijn financiële situatie kennen. Het was niet de bedoeling dat je een arme donder met geld overlaadde, want dat zou argwaan wekken. Stel je voor dat een agent terugkeert naar een vijandelijk land en hij financieel geholpen moet worden. Zeg dat hij onder een tweejarig contract met de Mossad staat voor $4000 per maand. Als die agent $1000 per maand kan besteden zonder dat dit een noemenswaardige verandering in zijn levensstijl teweegbrengt, dan opent de katsa een bankrekening voor hem, misschien in Engeland, en stort er het volle jaarsalaris op. Dat wil zeggen: hij krijgt $12.000 op voorhand en de overige $36.000 wordt op zijn spaarrekening gestort. Op die manier voorzie je niet alleen in zijn levensonderhoud, maar zorg je ook voor zijn toekomst. Je maakt hem zo ook afhankelijker en je behartigt dus tegelijkertijd je eigen belangen.

Er bestond ook een bonusregeling – bijvoorbeeld voor iedere extra informatie die werd gegeven – al naar gelang de kwaliteit van de informatie en de positie van de agent. Dit kon verschillen van $100 tot $1000, maar een Syrische minister zou per bericht wel $10.000 of $20.000 kunnen krijgen.

Ieder van de 30 tot 35 operationele katsa's heeft tenminste 20 agenten tot zijn beschikking. Elk van deze agenten ontvangt een gemiddeld salaris van $3000 per maand, plus nog eens $3000 aan bonussen en velen van hen verdienen nog aanzienlijk meer aan bonussen. Het kost de Mossad alleen al $15 miljoen per maand om de agenten te betalen. Daarbij moeten nog eens de kosten van de werving, de safe houses, auto's en vele andere uitgaven bij worden opgeteld, zodat het totaal aan uitgaven in de honderden miljoenen dollar per maand loopt.

Een katsa besteedt algauw $200 tot $300 per dag aan lunches en diners, in totaal $1000 per dag. Dat betekent nog eens $30.000 tot $35.000 per dag om alle katsa's te betalen. En dan hebben we het nog niet eens gehad over het salaris van een katsa, dat kan variëren van $500 tot $1500 per maand, afhankelijk van zijn rang.

Niemand beweert dat een inlichtingendienst goedkoop is.

Het volgende dat Dov ons leerde was het uitstippelen van een 'veiligheidsroute'. Dat betekende een route die door anderen werd beveiligd. We leerden over de samenwerking met de *yarid* (of 'plattelandskermis') en over operationele veiligheidsaspecten en we kregen over dit onderwerp een film te zien.

Yarid-teams bestonden uit vijf of zeven mensen. Er waren in die tijd drie van zulke teams. Als ze in Europa opereerden, dan was het hoofd van de afdeling Europa van de veiligheidsdienst hun baas.

Het hoofddoel van deze lessen was om te laten zien welke hulp de yarid aan katsa's konden verlenen, maar het was ook bedoeld om ons te laten zien hoe we zelf een route konden beveiligen als de yarid er niet was.*

* Zie: APPENDIX I

Toen ik dit had geleerd, ging er een heel nieuwe wereld voor me open. Ik bevond me nogal vaak in het drukke stadsverkeer en opeens vielen me op straat dingen op die ik nooit eerder had gezien – de politie volgt mensen. Dit gebeurt aan de lopende band, maar tenzij je er in getraind bent, zie je het niet.

Daarna werd door Yehuda Gil een lezing gegeven over de subtiliteiten van het werven. Gil was een legendarische katsa, die door Riff werd geïntroduceerd als een 'meester'.*

Hij begon te vertellen dat er drie belangrijke soorten lokaas waren waarmee mensen konden worden geworven: geld, sex en het inspelen op gevoelens en emoties, zoals wraakgevoelens of ideologisch bepaalde emoties.

'Ik wil dat jullie eraan blijven denken dat jullie je altijd rustig en tactvol gedragen,' zei Gil. 'Hou jezelf in. Laten we aannemen dat jullie iemand op het oog hebben die tot een bepaalde minderheid in zijn land behoort en die wraak wil nemen. Die persoon kan worden geworven. En als je hem betaalt en hij neemt het geld aan, dan weet je dat hij geworven is en hij weet dat ook. Iedereen begrijpt dat je dat geld niet voor niets geeft en niemand verwacht geld te krijgen, tenzij hij weet dat hij er iets voor terug moet doen.

En dan is er de seks. Bruikbaar, maar het kan niet gezien worden als een betaalmiddel, want de meeste geworven personen zijn mannen. Er is een gezegde dat luidt: "Vrouwen geven en vergeven, mannen krijgen en vergeten". Daarom is seks geen betaalmiddel. Geld vergeten mensen niet.

Zelfs als iets werkt,' zei Gil, 'dan wil dat noodzakelijkerwijs nog niet zeggen dat het de juiste methode is. Als het goed is, dan werkt het altijd, maar is het verkeerd dan werkt het soms. Hij vertelde een verhaal over een Arabische medewerker, een *oter*, van wie verwacht werd dat hij een afspraak zou regelen met iemand die wij wilden werven. Gil wachtte in de auto terwijl de oter de persoon ging halen. Gils dekmantel was dat hij een zakenrelatie was. De oter werkte al lang voor de Mossad en toen hij de te betrokkene naar de auto van Gil had gebracht, stelde hij Gil als Albert voor en de geworvene als Ahmed, en hij zei: "Dit is die vent van de Israëlische inlichtingendienst over wie ik je ver-

---

* Zie PROLOOG: OPERATIE SFINX; Hoofdstuk 12: SCHAAKMA(A)T; Hoofdstuk 15: OPERATIE MOZES.

telde. Albert, Achmed is bereid om voor $2000 per maand voor je te werken. Hij doet alles wat je wilt".'

Oters – altijd Arabieren – worden gebruikt omdat er maar weinig Arabischsprekende katsa's zijn en het veel makkelijker voor een Arabier is om het eigenlijke contact te leggen. De oter breekt het ijs en na verloop van tijd komt iedere katsa erachter hoe bruikbaar ze zijn.

In het verhaal van Gil werkte de directe methode. Ahmed was geworven, maar het was niet volgens het boekje gegaan. Gil leerde ons dat het leven nu eenmaal vaak zo loopt en dat je, als je aan het werven was, moest meebuigen. Dingen moesten natuurlijk over komen. Stel bijvoorbeeld dat je weet dat de man die je wilt werven zich op een bepaalde avond in een Parijse bistro bevindt. Je weet dat hij Arabisch spreekt. Gil zou dan naast hem gaan zitten en de oter iets verderop aan de bar. Plotseling ziet de oter Gil, zegt gedag en begint in het Arabisch te praten. Je hoeft dan niet lang meer te wachten of de bewuste persoon mengt zich in het gesprek. Omdat ze de achtergrond van die kerel kennen, sturen ze het gesprek in een richting die zijn belangstelling heeft. Dan kan Gil tegen de oter zoiets zeggen als: 'Zie je je vriendin straks?' Waarop de oter antwoordt: 'Ja, maar ze neemt haar vriendin mee en we kunnen het niet doen waar die bij is. Waarom kom je niet mee?' Gil zou dan antwoordden dat hij het te druk had. Op dat punt aangekomen wil de man maar al te graag laten blijken dat *hij* vrij is – en de weg naar de werving ligt open.

'Zo moet het,' vervolgde Gil. 'Als dit gesprek in het Ivriet was gevoerd in die Parijse bar, dan waren *jullie* misschien geworven. Mensen voelen zich in het buitenland altijd aangetrokken tot anderen die hun taal spreken.'

De truc bij het leggen van het eerste contact is om alles zo natuurlijk mogelijk te laten verlopen, zodat wanneer iemand er achteraf aan denkt, hij het nog steeds niet vreemd kan vinden. Als het niet werkt, dan is er trouwens geen man over boord. Het slachtoffer mag zichzelf nooit als doelwit beschouwen. Maar voordat je hem in die Parijse bistro hebt benaderd, heb je zijn hele dossier gelicht, heb je ontdekt waarvan hij houdt en waarvan niet. Ook heb je proberen te ontdekken wat hij die avond van plan is, je hebt alle toevalligheden proberen uit te sluiten om risico's te vermijden.

Het volgende belangrijke vak werd gegeven door Yetzak Knafy, die een serie grafieken meenam om te illustreren welke logistieke hulp de

Tsomet (de wervingsafdeling) voor zijn operaties ontvangt. Het is enorm en begint met de sayanim en gaat verder met geld, auto's, appartementen, enzovoort. Maar je voornaamste hulp bestaat uit papier. Een katsa kan bijvoorbeeld zeggen dat hij eigenaar is van een bedrijf dat flessen maakt of dat hij een manager is bij IBM in het buitenland. Dat bedrijf is goed: het is zo groot dat je er met gemak voor jaren een IBM-manager kunt verstoppen. We exploiteerden zelfs een paar IBM-winkels voor technische hulp bij noodgevallen, met personeel in dienst en een kantoor – alles er op en er aan – en IBM wist er niets van af. Het opzetten van een onderneming, zelfs als hij alleen maar als dekmantel fungeert, valt niet mee. Je hebt visitekaartjes nodig, briefpapier, telefoon, telex en ga maar door. De Mossad bezat heel veel lege ondernemingen, compleet met adres en registratienummer, wachtend op het moment dat ze tot leven gewekt zouden worden. Ze hadden zelfs wat geld in dit soort bedrijven geïnvesteerd, genoeg om voor de belastingdiensten de schijn op te houden en geen argwaan te wekken. Ze hadden honderden van zulke bedrijven in de hele wereld.

Op het hoofdkwartier waren vijf kamers gevuld met de administratie van deze lege ondernemingen. In alfabetische volgorde lagen ze opgeborgen in archiefkasten. Er waren waren vijf kamers, elk met een kast met 480 laden. Deze informatie betrof de geschiedenis van het bedrijf, de financiële situatie ervan, de geschiedenis van zijn logo, door wie het geregistreerd was en al het andere waarvan verwacht mocht worden dat een katsa ervan op de hoogte was, als hij zich uitgaf voor een representant van dat bedrijf.

Halverwege het cursusjaar hadden we een evaluatiegesprek dat *bablat* werd genoemd. *Bablat* is in het Ivriet een afkorting voor *bilbul beitsim*, wat zoveel betekent als 'eieren klutsen' of onzin praten. Het gesprek duurde vijf uur.

Twee dagen daarvoor hadden mijn collega Arik F. en ik een oefening moeten doen, waarbij ons werd gezegd dat we in een café in Henrietta Solsstraat nabij de Kiker Hamdina moesten gaan zitten. Ik vroeg Arik F. of hij gevolgd was. Hij zei dat dit niet zo was. Dus zei ik : 'Goed, ik weet dat ik niet gevolgd ben en jij zegt ook niets te hebben gemerkt, maar waarom zit die kerel dan naar ons te kijken? Wat mij betreft, is het afgelopen. Ik ga weg.'

Arik zei dat we niet konden weggaan, dat we moesten wachten tot we zouden worden opgehaald. 'Als je wilt blijven, best,' zei ik tegen hem. 'Maar ik ben vertrokken.'

Arik zei me dat ik een fout maakte, maar ik zei dat ik op hem bij de Kiker Hamdina zou wachten.

Ik gaf hem een half uur de tijd. Ik had bedacht dat ik na mijn vertrek het café in de gaten zou houden. Ik had de tijd, dus volgde ik een route, controleerde dat ik niet geschaduwd werd, ging terug en klom het dak van een gebouw op om het restaurant te observeren. Na tien minuten liep de man op wie we hadden zitten wachten naar binnen en weer twee minuten daarna later omsingelden politiewagens het café. De politie-mannen sleepten hen tweeën naar buiten en sloegen ze wezenloos. Ik belde een ambulance. Later kwam ik erachter dat het om een gezamen-lijke oefening ging van de Mossad en de *undercover*-afdeling van de politie van Tel Aviv. Wij waren het lokaas.

Arik, die toen 28 was, sprak Engels en leek erg veel op de ontvoerde Terry Waite, de afgezant van de *Church of England*. Voordat hij deze opleiding ging volgen, werkte hij bij de militaire inlichtingendienst. Hij was de grootste leugenaar die er op de hele aardbodem rondliep. Als hij goedemorgen zei, moest je naar buiten kijken om het te controleren. Arik was niet zo erg in elkaar geslagen tijdens het incident omdat hij was blijven praten – of liegen – maar hij praatte. Arik wist dat zolang je sprak, je niet in elkaar geslagen werd.

Maar die andere kerel, Jacob, bleef maar herhalen: 'Ik weet niet wat jullie van me willen.' Een reus van een agent sloeg hem en beukte hem met zijn hoofd tegen een muur. Door toedoen daarvan liep hij een sche-delbasisfractuur, was twee dagen bewusteloos en lag hij uiteindelijk zes weken in het ziekenhuis. Hij kreeg een jaar lang doorbetaald, maar daarna hield hij op met de opleiding.

Dit in elkaar slaan leek net een wedstrijd. De politie wilde bewijzen dat ze beter waren dan wij. Het was nog erger dan echt worden gearres-teerd. De commandanten van beide partijen zullen wel tegen elkaar hebben gezegd: 'Ik durf erom te wedden dat jullie mijn jongens niet klein krijgen,' en: 'O nee? Hoe ver kan ik gaan?'

We klaagden erover tijdens de *bablat* dat er geen enkele reden was om zo erg in elkaar geslagen te worden. Ze antwoordden ons dat, als je te pakken werd genomen, je niet moest tegenstribbelen, maar moest blij-ven praten. Iedere keer als we op oefening gingen, liepen we het risico door de politie gepakt te worden. Dat leerde ons om maatregelen te nemen.

106

Op zekere dag zou er een lezing worden gehouden door Mark Hessner. *

Deze lezing ging over een gemeenschappelijke operatie, 'Operatie Ben Baker' genaamd, die de Mossad met de Franse inlichtingendienst had ondernomen. Mijn kameraden en ik hadden besloten om alvast vooruit te werken en de zaak de avond ervoor te bestuderen. Na de les die avond, keerden we terug naar kamer 6 van de Academie. Alle dossiers waren daar opgeslagen. Het was augustus 1984, een prachtige vrijdagvond en we vergaten de tijd. Het was tegen middernacht dat we de kamer verlieten en die afsloten. We hadden onze auto op een parkeerplaats in de omgeving achtergelaten en we liepen in die richting toen we opeens lawaai bij het zwembad hoorden.

'Wat is dat in godsnaam?' vroeg ik aan Michel.

'Laten we gaan kijken,' zei hij.

'Wacht, wacht,' zei Heim. 'Laten we er rustig heen gaan.'

'Of nog beter,' stelde ik voor. 'Laten we naar de tweede verdieping teruggaan om van daaruit te bekijken wat er aan de hand is.'

Het lawaai bleef aanhouden toen we terugliepen naar de Academie en de trap op slopen naar het kleine badkamertje waar ik eens was vastgehouden, om daar door het raampje te kijken wat er gebeurde.

Ik zal nooit vergeten wat ik toen zag. Er waren ongeveer 25 mensen in en om het zwembad aanwezig en iedereen was poedelnaakt. Het plaatsvervangende hoofd van de Mossad – hij is nu het hoofd – was er ook. Hessner. En verscheidene secretaresses. Het was ongelooflijk. Sommige van de mannen vormden geen plezierige aanblik, maar de meeste van de meisjes waren verrukkelijk om te zien. Ik moet zeggen dat ze er naakt beter uitzagen dan in uniform! De meesten waren vrouwelijke soldaten die het bureau waren toegewezen en die niet ouder waren dan 18 of 20 jaar.

Sommige van de feestgangers speelden in het water, sommigen dansten en anderen lagen gewoon op hun handdoeken, terwijl weer anderen een stevig partijtje lagen te neuken. Ik had nog nooit zoiets gezien.

'Laten we een lijst opstellen van de aanwezigen,' zei ik. Heim stelde voor dat we er een fototoestel bijhaalden, maar Michel zei: 'Ik ga weg. Ik wil hier blijven werken.' Yosy was het daarmee eens en Heim gaf toe dat het misschien inderdaad niet verstandig was om foto's te nemen.

* Zie Hoofdstuk 9: STRELLA

We stonden daar twintig minuten. Vele malen werd er van partner gewisseld. Het schokte me werkelijk, want het was niet bepaald wat je verwachtte. Je zag deze mensen als helden, je keek tegen ze op en dan zag je dat ze een orgie bij een zwembad aan het houden waren. Heim en Michel schenen er niet gek van op te kijken.

We vertrokken rustig, gingen naar de auto en duwden die naar het hek. We startten de motor pas toen we voorbij het hek waren en de heuvel afgingen.

We onderzochten het later nog een keer en het scheen dat deze feestjes regelmatig werden gehouden. De omgeving rond het zwembad is de veiligste plaats van heel Israël. Je komt er niet binnen, tenzij je van de Mossad bent. En wat is het ergste dat kon gebeuren? Dat een cadet je zag? Nou en? Je kon het nog altijd ontkennen.

Het was vreemd om de volgende dag de lezing van Hessner aan te moeten horen, terwijl we wisten wat hij de vorige avond had uitgespookt. Ik herinner me nog dat ik hem een vraag stelde. Ik kon niet anders. 'Hoe gaat het met uw rug?' vroeg ik. 'Waarom?' antwoordde hij. 'U loopt alsof u hem verrekt heeft,' zei ik. Heim keek me aan; zijn kin raakte bijna het plafond.

Na het langdradige college van Hessner moesten we er nog een uitzitten over de militaire structuur van Syrië. Het is moeilijk om tijdens zulke lessen niet in slaap te vallen. Als je op de Golanvlakte was, zou je geïnteresseerd zijn, maar al dat gedoe over waar ze gestationeerd waren, was nogal saai, ofschoon het algemene beeld van het geheel door de cadetten wel werd opgepikt en dat was toch de bedoeling.

Het volgende onderwerp was nieuw en handelde over de beveiliging van bijeenkomsten in bevriende landen. Tijdens het eerste college werd een door de Mossad geproduceerde film over dat onderwerp vertoond. De film sprak ons niet erg aan. Je zag alleen maar mensen in restaurants zitten. Belangrijk hierbij was de vraag welk restaurant je koos en op welk tijdstip je de afspraak moest laten plaatsvinden. Vóór de ontmoeting controleer je of niemand je zit te observeren. Als je een agent spreekt, moet hij het eerst naar binnen gaan, zodat je je ervan kunt vergewissen of hij niet geschaduwd wordt. Iedere stap die je in dit soort zaken zet is gebonden aan regels. Als je die aan je laars lapt, kan dat je de kop kosten. Als je op een agent zit te wachten in een restaurant, ben je een makkelijk doelwit. Zelfs als hij even opstaat om naar de wc te gaan, kan je beter niet blijven wachten.

Dat gebeurde een keer in België toen een katsa met de naam Tsadok Offir een Arabische agent ontmoette. Nadat ze enkele minuten samen hadden gepraat, zei de Arabier dat hij even iets moest halen. Toen hij terugkwam, zat Offir daar nog steeds. De agent trok een pistool en pompte Offir vol met lood. Offir overleefde de aanslag op miraculeuze wijze en de bewuste agent werd later in Libanon gedood. Offir vertelt het verhaal aan iedereen die het maar wil horen, om aan te tonen hoe gevaarlijk het is als je even de regels niet in acht neemt.

We werden continu onderwezen hoe we onszelf moesten beschermen. Ze bleven herhalen: 'Wat je nu leert is zoals leren fietsen, zodat, als je in de grote boze buitenwereld bent, je niet meer hoeft na te denken en automatisch handelt.'

Het idee achter het werven is als een rotsblok dat een helling afrolt. Wij gebruikten het woord *ledarder*, want betekent dat je op de top van een heuvel staat en een rotsblok naar beneden duwt. Op die manier werf je. Je ontfermt je over een persoon en die duw je langzaam in de richting van iets illigaals of iets immoreels. Je duwt hem de berg af. Want als hij op een voetstuk blijft staan, kan hij niet helpen. Op die manier kun je hem niet gebruiken. Waar het uiteindelijk om gaat is het gebruiken van mensen. Maar om dat te bereiken moet je ze kneden. Als je met iemand te maken hebt die niet drinkt, geen sex wil, geen geld nodig heeft, geen politieke problemen kent en gelukkig is, kun je het wel schudden. Wat je doet, is werken met verraders. Een agent is een verrader, het maakt niet uit of hij zijn best doet om dat goed te praten. Je hebt te maken met het laagste soort mens. We zeiden vaak dat we mensen niet chanteren. Dat hoeven we ook niet. We manipuleren ze.

Niemand heeft ooit gezegd dat het gezellig werk is.

Beginnelingen

Begin maart 1984 was eindelijk het moment gekomen dat we de klaslokalen konden verlaten.

Van onze groep waren er nog maar 13 overgebleven, die werden verdeeld in drie groepen die ieder een appartement in de omgeving van Tel Aviv kregen aangewezen. Mijn groep kwam in een appartement op Givataim, toegewezen de tweede groep in het centrum bij de Dizengoffstraat en de derde aan de Ben Goerionavenue in het noordelijke gedeelte van de stad.

Elk appartement was zowel een safe house als een bureau. Dat van mij lag op de derde verdieping met een balkon aan de woonkamer en een aan de keuken. Verder waren er twee slaapkamers, een badkamer, en een toilet. Het schaars gemeubileerde appartement behoorde toe aan een katsa die in het buitenland verbleef.

Shai Kauly had de leiding over mijn safe house. De andere nieuwelingen die er hun intrek hadden genomen waren: de psycholoog Tsvi G., Arik F., m'n vriend Avigdor A., en nog een man die Ami heette. Ami was een bijzonder kundig linguïst, maar naast zijn andere fouten, was hij een verstokte nietroker, in een omgeving waar kettingroken tot de normale bezigheden hoorde.

Ami, een vrijgezel uit Haifa, had het uiterlijk van een filmster en hij was bang dat hij een keer toegetakeld zou worden. Het blijft voor mij de vraag hoe hij ooit door de eerste tests is gekomen.

Met z'n vijven arriveerden we ongeveer om 9 uur 's ochtends. Onze koffers waren gepakt en we hadden $300 in onze portemonnee, wat, gezien het salaris van een nieuweling van $500 per maand, een aanzienlijk bedrag was.

We vonden het niet prettig dat Ami ook bij onze groep zat, want hij was zo'n mietje. We begonnen te praten over wat we zouden doen als de politie langs zou komen. Hoe moesten we ons daarop voorbereiden? Dit was bedoeld om Ami zich nog ongemakkelijker te laten voelen dan hij al was. Klootzakken die we waren, we hadden er nog plezier in ook.

Toen er op de deur geklopt werd, schoot Ami recht overeind, hij was niet in staat zijn gespannenheid te verbergen. Degene die klopte, was

110

Kauly, die voor ieder van ons een grote enveloppe bij zich had. Ami kirde tegen hem: 'Ik wil hier niets meer mee te maken hebben!' Kauly zei hem dat hij terug moest gaan en naar het hoofd van de Academie moest vragen.

Ami werd later naar de jongens in de Dizengoffstraat gestuurd, maar toen de politie ze op een avond een bezoekje bracht en de deur intrapte, stond hij op en zei: 'Ik heb er genoeg van.' En hij liep zonder iets te zeggen de deur uit. Hij kwam niet meer terug. Er waren er nog maar twaalf overgebleven.

In de enveloppen die Kauly bij zich had, zaten onze opdrachten. Mijn opdracht luidde dat ik contact moest opnemen met ene Mike Harari, een naam die mij toentertijd niets zei. Ik moest ook informatie verzamelen over een man die door zijn vrienden 'Mikey' werd genoemd. Hij was piloot geweest tijdens de Onafhankelijkheidsoorlog, waarvoor hij zich vrijwillig had aangemeld.

Kauly vertelde dat we elkaar moesten helpen om de opdrachten tot een goed einde te brengen. Dit hield in dat we gezamenlijk een plan moesten uitdenken en dat we het appartement moesten beveiligen. Ieder van ons gaf hij wat informatie – ik heette opnieuw 'Simon' – en wat formuleren om rapporten te schrijven.

Eerst moesten we een geheime bergplaats maken om onze papieren in te verstoppen, daarna moesten we een dekmantel zien te verzinnen, om uit te kunnen leggen waarom we allemaal in dit ene appartement zaten, voor het geval de politie een inval mocht doen. De beste manier om dat te doen was door het opzetten van een 'kettingredenering'. Ik zou kunnen zeggen dat ik van Holon naar Tel Aviv was gekomen, waar ik Jack, die de eigenaar van het appartement was, in een café had ontmoet. 'Jack zei dat ik het kon gebruiken omdat hij voor twee maanden naar het buitenland zou gaan,' zou ik dan zeggen. 'Toen ontmoette ik Arik in een restaurant. Ik kende hem nog van onze diensttijd in Haifa en ik heb hem gezegd dat hij zolang hier mocht logeren.' Avigdor zou de vriend van Arik zijn en zij zouden op hun beurt een dergelijk verhaal opdissen, enzovoort, totdat het geheel uiteindelijk plausibel zou klinken. Tegen Kauly zeiden we dat hij voor zijn eigen dekmantel moest zorgen.

We maakten een bergplaats in een tafel in de woonkamer. Het meubelstuk had een frame, waarop een los houten tafelblad lag, dat werd afgedekt door een glasplaat. Door de glasplaat er af te lichten en een

111

tweede tafelblad aan te brengen, ontstond er een goed toegankelijke plaats om iets te verbergen, terwijl weinigen er aan zouden denken om daar te zoeken.

Ook spraken we een speciale klop op de deur af: twee keer kloppen, dan nog een keer, vervolgens weer twee keer en daarna nog één keer. Bovendien zouden we, voordat we naar het appartement gingen, een gecodeerd bericht doorbellen. Als er niemand thuis was zou er een gele handdoek aan de waslijn op het keukenbalkon hangen ten teken dat de kust veilig was.

Het moreel was geweldig. We liepen met onze hoofden in de wolken. We deden nu echt serieus werk, zelfs al ging het alleen nog maar om een training.

Voordat Kauly die dag vertrok, bereidden we onze plannen voor om onze contactpersonen te benaderen en informatie over hen in te winnen. Omdat we hun adressen hadden, was het zaak ze eerst te observeren. Zo gebeurde het dat Avigdor voor mij het huis van Harari in de gaten hield, terwijl ik de contactman van Arik observeerde. Die was de eigenaar van een bedrijf dat Bukis Toys heette.

Het enige dat ik van Harari wist, waren zijn telefoonnummer en zijn adres. Hij stond niet in het telefoonboek. Wel vond ik iets over hem in de bibliotheek. Hij stond in de Israëlische *Who's Who*. Onder zijn naam stond een korte persoonsbeschrijving, waarin werd gemeld dat hij de president was van de verzekeringsmaatschappij Migdal, een van de grootste ondernemingen in die branche, met een hoofdkantoor in het Hakirya-district. Daar stonden ook veel overheidsgebouwen. In de korte bibliografie stond ook dat zijn vrouw als bibliothecaresse werkte op de universiteitsbibliotheek in Tel Aviv.

Ik besloot te solliciteren naar een baantje bij Migdal-verzekeringen. Ik werd doorverwezen naar de personeelsafdeling en terwijl ik in de rij stond, observeerde ik een man van ongeveer mijn leeftijd, die in een nabijgelegen kantoortje werkte. Een andere beambte hoorde ik hem 'Yakov' noemen.

Ik stond op, liep naar het kantoortje, en zei: 'Yakov.'

'Ja. Wie ben je?' vroeg hij.

'Ik ben Simon. Ik herinner me je. We lagen samen in Tel Hashomer,' zei ik, doelende op de militaire basis waar heel Israël zich voor de vervulling van de dienstplicht moet melden.

'In welk jaar was jij daar?' vroeg hij.

In plaats van hem direct te antwoordden, gokte ik: 'Ik ben een 203,'
wat het nummer was van een bepaalde lichting rekruten.
'Ik ben ook een 203,' zei Yakov.
'Luchtmacht?'
'Nee, cavalerie, tanks.'
'O, je bent dus geëindigd als 'koepelneuker' zei ik lachend.
Ik zei dat ik Harari een beetje kende en ik vroeg Yakov of ze nog een
baantje voor me hadden.
'Ja, we hebben vertegenwoordigers nodig,' deelde Yakov me mee.
'Is Harari nog steeds directeur?'
'Nee, nee,' antwoordde hij, en noemde een andere naam.
'O, wat doet Harari nu dan?'
'I Iij is diplomaat,' zei Yakov. 'En hij heeft ook een belangrijke baan in
het Kur-gebouw.'
Er begon me een licht op te gaan, want Avigdor had gemeld dat hij een
Mercedes met een diplomatenkenteken voor Harari's huis had zien
staan. Dat verwonderde me toen. Voor iemand met een Hebreewse
naam was het in Israël erg verdacht om samen met een buitenlandse
diplomaat gezien te worden. Alle diplomaten werden in dit land als
spionnen beschouwd. En daarom was het voor iedere liftende Israëlische soldaat verboden om zich mee te laten nemen door een diplomaat: hij zou voor de krijgsraad moeten verschijnen als hij dat wel
deed. Toen Avigdor de Mercedes voor het huis van Harari opmerkte,
wisten we niet dat het zijn eigen auto was. We dachten dat hij van een
bezoeker was.
Yakov en ik babbelden nog een paar minuten tot een vrouw naar me
toe kwam, die zei dat het mijn beurt was voor een sollicitatiegesprek.
Om geen argwaan te wekken, liet ik me meetronen voor het gesprek,
dat ik bewust verknalde.
Ik wist in ieder geval waar de vrouw van Harari werkte – op de universiteitsbibliotheek van Tel Aviv – en dat Harari een diplomaat was.
Maar waar? En voor wie? Ik kon zijn auto volgen, maar als Harari een
diplomaat was, dan had hij waarschijnlijk een training van de inlichtingendienst gehad en tijdens mijn eerste echte oefening wilde ik niet
tegen de lamp lopen.
Op de tweede dag vertelde ik Kauly dat ik van plan was mijn oefeningen een voor een af te werken. Eerst wilde ik contact maken met Harari
en daarna zou ik uitvinden wie Mikey was.

Iedere keer wanneer we uit ons appartement kwamen, was het mogelijk dat we werden gevolgd. Als dat gebeurde, moest je de anderen in het safe house waarschuwen dat het niet langer veilig was. Natuurlijk wist ieder van ons waar de anderen waren, want we dienden al onze rapporten bij Kauly in.

Ik kon APAM nu dromen. Terwijl ik op de vierde dag naar het Kurgebouw liep, merkte ik dat ik vanaf het Hakirya door iemand werd gevolgd. Ik legde mijn dagelijkse veiligheidsroute af door met de bus van Givataim richting Derah Petha Tikvah te gaan. Op de hoek van de Kaplanstraat stapte ik uit. De route liep dwars door Hakirya.

Die dag stapte ik uit de bus en liep een blokje om – dat deed ik ook voordat ik de bus nam in Givataim – ik keek naar rechts en zag niets. Toen ik naar links keek, zag ik echter een paar mannen zitten in een auto op een parkeerplaats. Het zag er volkomen misplaatst uit, dus dacht ik bij mezelf, goed, ik zal het spelletje meespelen en het ze betaald zetten.

Ik ging naar de Derah Petha Tikvah, een belangrijke verkeersader met in beide richtingen drie rijstroken, wat betekende dat de auto op de parkeerplaats moest opschieten, omdat ze me anders zouden kwijtraken.

Ik bereikte het punt waarop een brug over de Petha Tikvah naar het Kalkagebouw voert. Het was ongeveer 11.45 uur en het verkeer zat behoorlijk vast. Ik liep de brug op en bleef staan. Ik kon de man achter het stuur van de auto naar me zien opkijken, niet verwachtende dat ik naar beneden zou kijken. Er stond nog een man achter me, maar die kon me niet te dicht naderen zonder dat ik het merkte. Aan de andere kant van de brug kwam opeens nog iemand tevoorschijn. Hetzelfde gebeurde toen ik in plaats van in noordelijke richting in zuidelijke richting wilde lopen. Vanaf het punt waar ik stond, midden op de brug, kon ik dat allemaal goed overzien.

Er was een plaats onder de brug waar auto's konden draaien, waar de middenberm was onderbroken. In plaats van de brug af te lopen, sloeg ik mezelf opvallend tegen het hoofd, alsof ik iets vergeten was, draaide me toen om en liep terug naar Kaplanstreet – langzaam genoeg, zodat ze me konden bijhouden. Ik lachte in mijn vuistje toen ik vanonder de brug auto's hoorde toeteren omdat de achtervolgende auto in het drukke verkeer probeerde te draaien.

Op de Kaplanstraat konden ze me alleen maar in lijn volgen. Ik liep tot

114

halverwege de straat en ging naar een militaire wachtpost bij de Victor Gate (vernoemd naar mijn oude sergeant-majoor), daarna stak ik de straat over naar een kiosk, waar ik een flesje limonadegazeuse kocht. Terwijl ik daar stond, kon ik mijn achtervolgers in hun auto langzaam zien naderen. Plotseling zag ik dat de bestuurder Dov L. was. Toen ik het flesje had leeggedronken, liep ik naar de auto – die zat nu helemaal vast in het drukke verkeer – en ik maakte van de motorkap gebruik om op de stoep te springen en uiteindelijk te verdwijnen. Ik kon Dov in een soort van morsecode horen claxoneren, alsof hij daarmee zeggen wilde: 'Het is al goed. Een nul voor jouw. Je hebt me.'

Ik was opgetogen. Dit was echt leuk. Later zou Dov bekennen dat niemand hem ooit zo aan de schandpaal had genageld; hij schaamde zich diep.

Nadat ik er zeker van was dat ik niet meer werd geschaduwd, nam ik een taxi naar de andere kant van Tel Aviv, waar ik nog een eind zou lopen om er zeker van te zijn dat het geen truc was om me onoplettend te maken. Daarna ging ik terug naar het Kur-gebouw. Aan de balie zei ik dat ik een afspraak had met Mike Harari. Ik werd doorverwezen naar de derde verdieping, waar een klein bordje hing met de woorden 'Import/Export'.

Ik had besloten om tijdens lunchtijd te gaan, want dan is er in Israël niemand van het management op kantoor. Het enige wat ik op dit moment wilde, was praten met een secretaresse en een telefoonnummer, plus nog wat andere informatie. Als Harari er was, zou ik moeten improviseren.

Gelukkig was er alleen maar een secretaresse. Ze zei me dat het bedrijf voornamelijk zijn eigen produkten verscheepte, meestal naar Zuid-Amerika, maar soms namen ze ook passagiers mee of een kleine lading van anderen, als er nog ruimte in het schip over was.

Ik zei haar dat ik via de verzekeringsmaatschappij had gehoord dat hij hier werkte.

'Nee, nee,' zei ze. 'Hij is hier wel firmant, maar hij werkt hier niet. Hij is de ambassadeur van Panama.'

'Pardon,' zei ik (een slechte reactie, maar ik had de verdediging even laten zakken). 'Ik dacht dat hij Israëli was?'

'Dat is hij ook,' zei ze. 'Maar hij is ook honorair ambassadeur van Panama.'

Ik verliet het pand, liep mijn route en schreef een rapport over alles wat er die dag was gebeurd.

115

Toen Kauly kwam en hij me vroeg hoe het ging, wilde hij weten hoe ik van plan was het contact te leggen.

'Ik ga naar de Panamese ambassade.'

'Waarom?' zei Kauly.

Ik had al een plan uitgedacht. Op de Pareleilanden bij Panama worden op grote schaal pareloesters gekweekt. Ook de Rode Zee bij Israël is erg geschikt voor het kweken van pareloesters. De zee is rustig, heeft het juiste zoutgehalte en verderop in de Perzische Golf groeien pareloesters in overvloed. Ik had dit allemaal bestudeerd – met name het kweken van parels – in de bibliotheek. Ik zou naar de ambassade gaan, ogenschijnlijk als de compagnon van een rijke Amerikaanse zakenman die een parelkwekerij in Eilat wilde gaan beginnen. Vanwege de hoge kwaliteit parels uit Panama, wilde hij een hele container pareloesters naar Israël laten verschepen om een kwekerij te beginnen. Het plan zou verder duidelijk maken dat de betrokkenen veel geld hadden en dat het ze ernst was – dat het niet de bedoeling was om iemand snel een poot uit te draaien – omdat er de eerste drie jaar geen opbrengst was te verwachten.

Kauly stemde met het plan in.

Nu moest ik een afspraak met Harari zien te regelen, sterker nog, met de *officiële* ambassadeur van Panama. Toen ik belde, maakte ik mezelf bekend als Simon Lahav. Ik zei dat ik een voorstel wilde doen om in Panama te investeren. De secretaresse stelde voor dat ik een afspraak zou maken met een attaché. Maar ik antwoordde: 'Nee, ik heb iemand nodig met ervaring in zaken,' waarop zij weer antwoordde: 'Misschien dat u dan een afspraak met meneer Harari moet maken.' We maakten een afspraak voor de volgende dag.

Ik zei haar dat ik voor nadere informatie te bereiken was in het Sheratonhotel. Via een regeling van de Mossad met de veiligheidsdiensten van verscheidene hotels, stond ik daar ingeschreven. Mossad-officieren staan geregistreerd en kunnen over een kamernummer beschikken voor binnenkomende berichten.

Later die dag kwam in het hotel het bericht voor me binnen dat ik Harari de volgende dag om zes uur 's avonds op de ambassade kon spreken. Dat leek me raar, omdat alles om vijf uur sluit.

De ambassade van Panama ligt in de buurt van het strand, aan de zuidzijde van het Sede Dov-vliegveld en is gehuisvest op de begane grond van een groot gebouw. Klaar om zaken te doen, arriveerde ik in een

116

kostuum. Ik had gevraagd om een ander paspoort, want ik opereerde niet als een Israëli, maar als een zakenman uit Brits-Columbia in Canada. Ik had de burgermeester van Eilat, Raf Hochman, al opgebeld. Ik had hem leren kennen in het jaar dat ik daar woonde. We hadden op de middelbare school in dezelfde klas gezeten. Natuurlijk vertelde ik Hochman niet wie ik was, maar ik besprak mijn voorstel met hem, voor het geval dat Harari er navraag naar mocht doen.

Jammergenoeg kon Kauly het paspoort niet bemachtigen dat ik nodig had. Dus ging ik zonder. Wat kon mij het schelen. Als hij er naar vroeg, dan zou ik zeggen dat ik een Canadees was en dat ik normaal gesproken geen paspoort bij me heb, het lag nog in het hotel.

Ik kwam bij de ambassade aan. Alleen Harari was er. We zaten tegenover elkaar in een barok kantoor, Harari achter zijn bureau, terwijl ik hem mijn plan voorlegde.

Zijn eerste vraag was: 'Word je gesteund door een bank of gaat het om individuele investeerders?'

Ik zei dat het om risicodragend kapitaal ging. Harari glimlachte. Ik zat al klaar om over oesters te beginnen, toen Harari vroeg: 'Over hoeveel geld hebben we het hier?'

'Tsja, tot ongeveer $15 miljoen. Maar er is nog een hoop speelruimte. We hebben berekend dat de kosten over drie jaar niet meer dan $3,5 miljoen hoeven te bedragen.'

'Waarom dan zo'n hoog plafond als de kosten zo laag blijven,' vroeg Harari.

'Omdat de mogelijke opbrengsten erg hoog zijn en omdat mijn partner goed is in het bij elkaar krijgen van fondsen.

Nu verlangde ik ernaar om de technische aspecten van het plan met hem door te nemen en de naam van de burgermeester van Eilat te noemen en wat dies meer zij. Maar hij sneed me de weg af, leunde op zijn bureau zei: 'Voor het juiste bedrag kun je in Panama zo'n beetje alles kopen.'

Dit stelde me voor een probleem, want in plaats van dat hij de berg afrolde, deed ik dat. Ik was gekomen om de brave borst te spelen, maar voordat ik mijn mond kon opendoen, rolde hij *mij* van de helling af. Ik zat in een ambassade met een honorair ambassadeur te praten. Hij kende me niet eens en nu al werd het onderwerp van steekpenningen en smeergelden aangesneden.

Dus antwoordde ik: 'Hoe bedoelt u?'

117

'Panama is een grappig land,' zei Harari. 'Het is eigenlijk niet zo zeer een land als wel een bedrijf. Ik ken de juiste mensen – of om het met andere woorden te zeggen – de man die over de toko gaat. De ene hand wast de andere in Panama. Vandaag kunnen we onderhandelen over je parelkwekerij, maar morgen kunnen we iets anders van je nodig hebben. Het is een zakenafspraak, maar we houden ervan om op lange termijn te denken.'

Harari pauzeerde en zei: 'Maar voordat we verder gaan, kan ik je papieren zien?'

'Wat voor soort papieren?'

'Nou, je Canadese paspoort.'

'Ik draag mijn paspoort niet steeds bij me.'

'In Israël draag je altijd je paspoort bij je. Bel me als je hem bij je hebt, dan praten we verder,' zei hij. 'Zoals je weet is de ambassade nu gesloten.'

Hij stond op en leidde me zonder iets te zeggen naar de deur.

Ik had een slechte indruk gemaakt toen Harari naar mijn paspoort vroeg. Ik had geaarzeld, bijna gestotterd. Dat had waarschijnlijk een lampje bij hem doen branden, zodat hij achterdochtig was geworden. Opeens had hij gevaarlijk geleken.

Ik ging terug naar het appartement, volgde de gebruikelijke veiligheidsprocedures en beëindigde om tien uur 's avonds mijn rapport toen Kauly langskwam om het te lezen.

Kauly vertrok en niet lang daarna arriveerde de politie. Ze trapten de deur in en daarmee ons hele constructie. Wij nieuwelingen werden allemaal naar het politiebureau in Ramat Gan gebracht en in aparte cellen gestopt om te worden verhoord. Opnieuw drong het langzaam tot ons door dat, als je op een bureau werkte, de plaatselijke autoriteiten je grootste vijanden konden zijn. Als je bijvoorbeeld zou zijn gevolgd, moest je in je rapport vermelden of je dacht dat je door de plaatselijke politie was gevolgd of niet.

We werden de hele nacht vastgehouden en toen we terugkeerden naar ons appartement was de deur al weer gemaakt. Tien minuten later ging de telefoon. Het was Araleh Sherf, directeur van de Academie. Hij zei: 'Victor? Stop met alles waarmee je bezig bent. Ik heb je hier nodig. Onmiddellijk.'

Ik nam een taxi en liet me afzetten op de hoek bij de Country Club. Ik liep naar de school. Ik wist dat er iets niet in orde was. Misschien waren

ze erachter gekomen dat de speelgoedfabrikant bij de Mossad had gezeten bijvoorbeeld, evenals de contactman van Avigdor, de eigenaar
van een stokerij.

Sherf zei: 'Laat me duidelijk zijn. Mike Harari was het hoofd van de
Metsada. De enige keer dat hij iets versjteerd heeft, was in Lillehammer, waar hij toentertijd commandant was.

'Shai Kauly was erg trots op je. Hij heeft je rapport aan mij gegeven,
maar wat jij over Harari schrijft is niet zo mooi. Hij komt er uit naar
voren als een oplichter. Dus heb ik hem de vorige avond gebeld en naar
zijn commentaar gevraagd. Ik heb hem jouw rapport voorgelezen. Hij
vertelde me dat alles wat je geschreven hebt een verkeerde weergave
van het gesprek is.' Sherf vertelde me toen wat Harari te melden had
gehad.

Volgens hem had ik twintig minuten zitten wachten alvorens hij me
kon ontvangen. Daarna zou ik begonnen zijn in slecht Engels m'n verhaal te vertellen. Hij zei dat hij me doorhad en me er uit had laten trappen. Hij zei dat hij niets wist over parels en beschuldigde me ervan dat
ik alles had verzonnen.

'Harari was mijn commandant,' zei Sherf. 'Moet ik hem geloven, of
jou, een nieuweling?'

Ik voelde het bloed naar mijn hoofd stijgen. Ik werd boos.

Mijn geheugen voor namen liet te wensen over, maar mijn rapporten
waren verdomme bijna altijd volmaakt. Ik had, voordat ik bij Harari
binnenkwam, een casetterecorder in mijn koffer aangezet en ik overhandigde de cassette aan Sherf. 'Hier is een weergave van het gesprek.
Vertelt u me dan nog eens wie u gelooft. Ik heb het gesprek woord voor
woord in mijn verslag overgenomen.

Sherf nam het bandje aan en verliet het kantoor. Vijftien minuten later
kwam hij terug.

'Wil je dat iemand je terug naar het appartement rijdt?' zei hij.

'Er is klaarblijkelijk een vergissing in het spel geweest. In deze enveloppen zit het geld voor je team.'

'Kan ik de tape niet terugkrijgen?' zei ik. 'Er staan nog wat dingen op
van een andere operatie.'

'Welke tape?' zei Sherf.

'Die ik aan u heb gegeven.'

'Kijk,' zei hij. 'Het is lange nacht voor je geweest op het politiebureau.
Het spijt me dat ik je alleen maar hier heb laten komen om je het geld

voor je team mee te geven. Maar zo gaan die dingen soms.'
Later zei Kauly me dat hij blij was dat ik een opname van het gesprek had gemaakt. 'Had je dat niet gedaan,' zei hij. 'Dan was je gevloerd en waarschijnlijk ook van de opleiding getrapt.'
Ik heb van het bandje nooit meer iets gezien of gehoord, maar ik had mijn lesje wel geleerd. Mijn beeld van de Mossad was wel een beetje veranderd. En nu over de grote held. Ik had al heel wat gehoord over Harari, maar alleen via zijn codenaam 'Cobra'. Toen kwam ik erachter wie hij werkelijk was.
Toen de Amerikanen op 20 december 1989, vlak na middernacht, het Panama van generaal Manuel Noriega binnenvielen, luidden de eerste berichten dat Harari ook gevangen was genomen. In de persbulletins werd hij omschreven als de 'duistere ex-officier van Israëls geheime inlichtingendienst, die een van de meest invloedrijke adviseurs van Noriega was geworden.' Een voorlichter van de zojuist door de Amerikanen geïnstalleerde Amerikaanse regering verklaarde blij te zijn dat ze naast Noriega ook Harrari 'de invloedrijkste figuur in Panama' hadden gearresteerd. Men was echter wat voorbarig. Noriega werd gepakt, maar Harari ontsnapte, om vervolgens weer in Israël op te duiken, waar hij tot op heden verblijft.

Ik moest nog steeds mijn andere opdracht voltooien, het verzamelen van informatie over de ex-piloot met de naam Mikey. Mijn vader, Syd Osten (hij heeft de naam Ostrovsky verengelsd), die nu in Omaha (Nebraska) woont, is vrijwilliger bij de Israëlische luchtmacht geweest, dus was ik enigszins vertrouwd met hun flamboyante escapades en heroïek tijdens de Onafhankelijkheidsoorlog. Er zijn heel wat piloten uit de Verenigde Staten, Groot-Brittannië en Canada geweest, die, nadat ze in de Tweede Wereldoorlog hadden gevolgen, zich aanmeldden om voor Israël te vechten.
Veel van hen waren gestationeerd op het vliegveld Sede Dov, waar mijn vader de leiding had. Veel van hun namen kon ik terugvinden in het archief, maar ik kon niets vinden over een man met de naam 'Mikey.'
Daarna belde ik het hoofd van de veiligheidsdienst Mousa M. om te vragen of ik geregistreerd kon worden in het Hilton-hotel. Ik kocht wat karton en driepoten voor reclamedoeleinden en belde het verbindingsbureau van de luchtmacht om te zeggen dat ik een Canadese film-

maker was, die een documentaire wilde maken over de vrijwilligers die de staat Israël mede hadden helpen opbouwen. Ik zei dat ik twee dagen lang in het Hilton zou logeren en dat ik zoveel mogelijk van die mensen wilde ontmoeten.

Een maand daarvoor had de luchtmacht nog oudgedienden onderscheiden, dus moest hun adressenlijst bijgewerkt zijn. De man van de luchtmacht berichtte me dat hij 23 oud-piloten had weten te bereiken en dat 15 beloofd hadden naar het Hilton te zullen komen. Als ik ze nog nodig had, dan hoefde ik maar te bellen.

Ik pakte het karton en schilderde er de volgende woorden op: 'Opvlammende Luchten: Het Verhaal over de Onafhankelijkheidsoorlog'. En daarboven schreef ik: 'Canadese Filmmaatschappij voor Documentaires.'

Op vrijdag om tien uur 's ochtends, kwamen Avigdor en ik het Hilton binnenlopen. Avigdor droeg een overal en de borden. Ik droeg een driedelig pak. Avigdor zette een driepoot bij de ingang, waarop stond in welke kamer de bijeenkomst werd gehouden en daarna zette hij er nog een in de hal. Niemand van het hotel vroeg waarmee we bezig waren.

Vijf uur lang heb ik met de mannen gesproken. Een cassetterecorder stond op tafel. Een van hen vertelde – zonder dat hij wist wie hij voor zich had – zelfs verhalen over mijn vader.

Op een gegeven ogenblik, toen drie of vier mannen door elkaar spraken, zei ik: 'Mikey? Wie is Mikey?' En dat terwijl niemand zijn naam had genoemd.

'O, dat is Jack Cohen,' zei een van hen, 'Hij was arts in Zuid-Afrika.' Toen begonnen ze een tijdje over Mikey te praten, die de ene helft van het jaar in Israël woonde en de andere helft in de Verenigde Staten. Niet lang daarna bedankte ik de mannen en vertelde ze dat ik moest vertrekken.

Ik had geen enkel visitekaartje afgegeven. Ik had geen enkele belofte gedaan. Ik had de namen van iedereen. Ze hadden me allemaal uitgenodigd om eens keer met ze te gaan lunchen. Ze aten uit mijn hand. Je kon alles met ze beginnen en dat was ook het enige dat ik deed.

Daarna ging ik terug naar het appartement, schreef mijn rapport, en zei tegen Kauly: 'Als er iets op dit bandje staat dat ik niet mag opschrijven, zeg het me dan nu meteen.'

Kauly lachte.

121

Nadat we dit gedeelte van de opleiding tegen het einde van maart 1984 achter de rug hadden, vroeg Araleh Sherf om vrijwilligers voor een grote theatershow, die zou worden uitgevoerd in de concertzaal van het 'Museum of Man' voor de jaarlijkse Mossad-conventie en door de alom bekende Israëlische filmproducent Amos Etinger zou worden geregisseerd. Over anderhalve dag zou de uitvoering plaatsvinden. Tamar Avidar, de vrouw van Etinger, is een bekende columniste en eens was ze ook Israëls culturele attaché in Washington geweest.

Deze gebeurtenis was een van de zeldzame gelegenheden waarop de Mossad iets ondernam waar andere mensen bij betrokken waren, ofschoon die buitenstaanders meer als verre familieleden van het bedrijf konden worden gezien – hoofdzakelijk bestaande uit politici, militairen, de oudgedienden en verscheidene hoofdredacteuren van kranten. We waren uitgeput. We moesten nog steeds een aantal rapporten voor Kauly schrijven en we hadden de avond daarvoor niet veel geslapen, omdat we voor de show hadden geoefend. Yosy stelde aan de groep voor dat we naar zijn huis zouden gaan om wat te slapen, want we moesten bij elkaar blijven. Daarna vertelde Yosy dat er verder op straat een vrouw op hem stond te wachten, die hij beloofd had even te zullen spreken. Uiteindelijk sliep hij die nacht helemaal niet.

Ik zei tegen hem: 'Je bent net getrouwd. Je staat op het punt een kind te krijgen. Waarom ben je eigenlijk getrouwd? Je neemt nooit eens rust. Je gedraagt je als een zwaluw die altijd maar vliegt. Een bepaald lichaamsdeel van je vliegt in ieder geval altijd.'

Hij legde uit dat zijn schoonouders een winkel hadden op het Kiker Hamdinaplein (ongeveer te vergelijken met de sjieke Fifth Avenue in New York) dus aan geld geen gebrek hadden. Daarbij was hij een orthodoxe jood, dus verwachtten zijn ouders dat er een kleinkind zou komen. 'Beantwoordt dit je vragen?' vroeg hij.

'Gedeeltelijk,' antwoordde ik. 'Hou je niet van je vrouw?'

'Minstens twee keer per week,' zei hij.

De enige die de sexcompetitie met Yosy aankon, was Heim. Hij had wat je noemt vrouwenvlees. Yosy was erg slim, maar Heim niet. Ik kan nog steeds niet begrijpen hoe de Mossad zo'n stom varken als Heim kon rekruteren. Hij was wel boerenslim, maar daarmee had je het wel zo'n beetje gehad. Het enige wat hij wilde was Yosy eruit neuken. Zelfs Jimmy Durante zou Heim in een schoonheidswedstrijd hebben verslagen. Hij had een ongelooflijk grote gok. Maar het ging hem om de kwantiteit, niet om de kwaliteit.

Veel mensen zijn onder de indruk als ze erachter komen dat je voor de Mossad werkt. Het geeft je een enorme macht. Er zijn lui die hun connectie met de Mossad gebruiken om vrouwen te imponeren. Dat is gevaarlijk. Dan brak je met alle regels. Maar zo speelden zij hun spel. Ze waren almaar aan het opscheppen over hun veroveringen.

Heim was getrouwd en hij en zijn vrouw kwamen vaak op de feestjes die we gaven. Zijn vrouw vertelde Bella, mijn vrouw, dat ze zich over Heim geen zorgen maakte, omdat hij 'de meest trouwe man ter wereld was.' Ik stond perplex toen ik dat hoorde.

In de 'stille kamer' op de 13de verdieping van het hoofdkwartier in Tel Aviv heb ik wat mij betreft de meest schokkende ervaring met betrekking tot Yosy's veroveringen meegemaakt. De mensen van onze telefoondienst hadden een systeem ontworpen waarbij een katsa zijn agent in, laten we zeggen, Libanon kon bellen, terwijl, voor degene die het gesprek eventueel afluisterde, de indruk werd gewekt dat er gebeld was uit Londen, Parijs of een andere Europese hoofdstad.

Als de kamer in gebruik was, ging er een rode lamp branden – nogal toepasselijk voor deze situatie – en niemand kon dan naar binnen. Yosy bracht een secretaresse mee naar de kamer – een ernstige inbreuk op de regels – en verleidde haar terwijl hij tegelijkertijd met zijn agent in Libanon sprak. Om te bewijzen dat hij het klaargespeeld had, zou hij een panty in de kamer onder een monitor achterlaten. Later ging Heim naar binnen en vond de panty. Hij bracht ze naar de vrouw en zei: 'Is deze van jou?'

Beschaamd zei ze nee, maar Heim legde hem op haar bureau en zei terwijl hij vertrok: 'Vat geen kou.'

Iedereen in het gebouw wist hiervan. Maar er is me eerlijk gezegd ook heel wat ontgaan. Er ontwikkelde zich een band tussen de mannen onderling die in het gebouw maar wat rondneukten. Het stelde me des te meer teleur omdat ik dacht dat ik op de Olympus van Israël terecht gekomen was, terwijl ik eigenlijk Sodom en Gomorra was binnengetreden. Al het werk werd er door beïnvloed. Eigenlijk was iedereen via een sexuele relatie aan anderen gebonden. Het betrof een heel netwerk van gunsten. Jij bent mij wat schuldig. Ik ben jou wat schuldig. Zo kwamen de katsa's hogerop, ze neukten zich een weg naar de top.

De meeste secretaresses waren bijzonder knap. Ze werden op hun uiterlijk geselecteerd. Het kwam echter zover dat ze niets anders meer waren dan lustobjecten. Dat hoorde bij hun baan. Toch naaide niemand zijn eigen secretaresse. Dat kwam het werk niet ten goede. Er waren spionnen die soms twee, drie, of zelfs vier jaar van huis waren. De Metsada-katsa's die hen begeleidden waren de enige schakel tussen hen en hun gezinnen. Ze hadden wekelijks contact met de vrouwen en na verloop van tijd werd er meer gedaan dan alleen maar praten en eindigde het ermee dat ze met die vrouwen naar bed gingen.

Dat was dan degene aan wie je je leven toevertrouwde maar die je maar beter niet met je vrouw alleen kon laten. Jij bent ergens in een Arabisch land en hij verleidt je vrouw. Het was zo gebruikelijk dat als je vroeg om voor de Metsada te kunnen werken, men placht te vragen: 'Waarom, ben je geil?'

De show van de nieuwelingen heette 'De Schaduwen'. Het was een spionageverhaal dat achter drie grote schermen met daarop gerichte spotlichten werd gespeeld, zodat je alleen de silhouetten zag. Omdat wij katsa's in opleiding waren, mochten we niet aan het publiek worden getoond.

De theatershow begon met een buikdanseres en de daarbij behorende Turkse muziek, terwijl een man met een koffertje achter het scherm voorbij liep. Dit was een grapje voor insiders. Men zegt dat je een katsa aan zijn drie S'en kunt herkennen: zijn Samsonite-koffertje, zijn *Seven Star* (een in leer gebonden agenda met codes) en zijn Seiko-horloge. De volgende scene liet een wervingsoperatie zien. Daarna volgde een sketch over het openen van een verzegelde enveloppe gevuld met diplomatieke papieren, waarna het toneel werd veranderd in een Londens appartement, waar iemand in de ene kamer zat te praten, terwijl hij in de andere kamer door een man met een koptelefoon werd afgeluisterd. Dit werd gevolgd door een voorstelling van een Londens feestje, met Arabieren die allen een tulband droegen en van wie enkel de silhouetten te zien waren. Ze dronken allemaal en werden vriendelijker en vriendelijker. In de volgende scène ontmoette een katsa een Arabier op straat. Ze verwisselden hun Samsonite-koffers.

Tegen het einde liepen alle spelers hand in hand naar voren en zongen een lied dat het muzikale equivalent was van 'Volgend jaar in Jeruzalem', een traditionele joodse gelukwens uit de tijd van voor de oprichting van de staat Israël.

Twee dagen later hielden we ter ere van ons slagen een barbeque-feestje in de tuin op de binnenplaats van de Academie, vlak naast de zaal met de tafeltennistafel. Onze vrouwen, de instructeurs en alle andere betrokken waren erbij.

We hadden het uiteindelijk gehaald. Het was maart 1984, we hadden één cursus doorlopen en er zouden er nog twee volgen.

Deel II

Erin en eruit

De Belgische tafel

In april 1984 waren we nog geen katsa's, maar ook geen cadetten meer. In feite waren we junior-katsa's of stagiaires die eerst op het hoofdkwartier ervaring moesten opdoen en daarna nog een tweede cursus inlichtingenwerk volgen, voordat we ons echt katsa konden noemen.

Ik werd ingedeeld bij de afdeling research. Shai Kauly legde ons de volgende morgen uit dat wij als stagiaires het komende jaar elke paar maanden van afdeling zouden wisselen om het hele bedrijf te leren kennen als voorbereiding op onze tweede cursus.

Na een lange discussie, zoals altijd onderbroken door grappen maken, rookpauzes en koffiedrinken, kondigde Kauly aan dat Aharon Shahar, het hoofd van de *Komemiut* (voorheen *Metsada* geheten, maar met alle andere afdelingen van naam veranderd toen in juli 1984 een codeboek op een station in Londen was verdwenen), ons wilde spreken. Hij zocht twee man uit voor zijn afdeling: Tsvi G., de psycholoog, en Amiram, een rustige, vriendelijke man, die overste in het leger was geweest. Deze twee zouden inlichtingenofficier worden voor de spionnen.

De Komemiute (betekent letterlijk: 'onafhankelijkheid met geheven hoofd') opereert zo'n beetje als een Mossad binnen de Mossad. Het is een buitengewoon geheime afdeling, waaronder de echte spionnen vallen, dat wil zeggen Israëli's die *undercover* naar Arabische landen worden gestuurd en daar spionagewerk doen. Binnen deze afdeling is er nog een kleine eenheid die *kidon* ('bajonet') wordt genoemd en verdeeld is in drie teams van elk twaalf man. Dit is een moordcommando, eufemistisch betiteld als 'de lange arm van de Iraëlische wet'. Normaal gesproken zijn er twee van zulke teams in Israël aan het trainen, terwijl de derde een operatie in het buitenland aan het uitvoeren is. De leden ervan weten niets van de rest van de Mossad en ze kennen zelfs elkaars werkelijke namen niet.

De spionnen werken daarentegen nauw samen, en wel in paren. Een van die twee opereert in principe in een vijandelijk (Arabisch) land en de ander in een bevriend land. In bevriende landen als Groot-Brittannië wordt door de Mossad niet gespioneerd, maar het is wel heel goed mogelijk dat de spionnen er samen een onderneming hebben opgezet.

Indien nodig, gaat de ene spion naar een vijandelijk land om te spioneren, waarbij hij de onderneming als dekmantel gebruikt, terwijl de andere spion in het bevriende land, dat als uitvalsbasis dient, optreedt als zijn reddingslijn en hem waar mogelijk steunt.

De rol van de spionnen is in de loop der jaren veranderd, zoals ook Israël zelf is veranderd. Ooit hield de Mossad zijn mensen lange tijd in Arabische landen, maar vaak bleven ze er te lang en werden ze ontmaskerd. De Mossad maakte daarbij gebruik van 'Arabisten', Israëli's die de taal perfect spraken en zich voor Arabieren konden uitgeven. In de beginjaren van de staat, toen vele joden uit Arabische landen naar Israël kwamen, was er geen gebrek aan Arabisten. Dit is nu niet langer het geval en het school-Arabisch is niet goed genoeg om als Arabier te kunnen doorgaan.

Tegenwoordig geven de meeste spionnen zich uit voor Europeanen. Ze tekenen voor vier jaar. Het is van cruciaal belang dat er een bestaand bedrijf achter ze staat, zodat ze op ieder moment kunnen afreizen. De Mossad wijst ze een partner toe – de spion die opereert in het bevriende land dat als uitvalsbasis dient. Ze hebben daadwerkelijk de leiding over een echt bedrijf, geen nep-constructie, meestal gaat het om import/export.

Ongeveer zeventig procent van deze ondernemingen zijn in Canada gevestigd. Het enige contact van de spionnen met de dienst verloopt via hun inlichtingenofficier. Elke inlichtingenofficier heeft vier of vijf paar spionnen onder zijn hoede, niet meer.

Er is een afdeling binnen de Komemiut waar een groep van ongeveer twintig economen werkt. Deze mensen doen marktonderzoek en lichten bedrijven door en verstrekken informatie aan de inlichtingenofficier die op zijn beurt de spionnen advies geeft over bedrijfsvoering.

Spionnen worden geworven onder gewone Israëlische burgers. Ze komen uit allerlei beroepsgroepen – er zijn artsen, juristen, ingenieurs en academici onder – mensen die bereid zijn vier jaar van hun leven te geven voor hun land. Hun gezinnen ontvangen een gemiddeld Israëlisch salaris als compensatie voor gederfde inkomsten en voor de spion wordt extra geld gestort op een aparte rekening. Na vier jaar staat er op deze rekening een bedrag van tussen de 20.000 en 30.000 dollar.

Spionnen zijn niet uit op het verzamelen van informatie als troepenbewegingen en het voor een oorlog gereed maken van ziekenhuizen, maar op achtergrondinformatie. Dit houdt in dat ze zich richten op de economische situatie, de geruchten, de stemmingen en dergelijke. Ze kunnen zonder al te veel moeite het bewuste land in en uit gaan en deze zaken waarnemen zonder werkelijk gevaar te lopen. Ze sturen geen berichten uit het land waar ze opereren, maar leveren er soms wel iets af – geld of berichten. In veel bruggen in Arabische landen bevinden zich explosieven, die tijdens de bouw ervan door spionnen zijn aangebracht – alle spionnen zijn getraind in sabotagetechnieken. In geval van oorlog kunnen deze bruggen eenvoudig uitgeschakeld worden door een spion die de explosieven laat ontploffen

Hoe het ook zij, nadat Tsvi en Amiram in de Komemiut waren benoemd, had Shai Kauly nog een mededeling voor de rest. Het had te maken met de ons toegezegde vakantie.

'Zoals jullie weten,' zei hij, 'kan ieder plan worden gewijzgd. Ik weet dat jullie allemaal naar vakantie verlangen, maar eerst moet er nog iets gedaan worden. Jullie zijn de eerste stagiaires die een uitgebreide cursus gaan volgen om de computer van de dienst te leren gebruiken. Dat zal niet meer dan drie weken in beslag nemen en daarna kunnen jullie beginnen aan wat er nog over is van de vakantie.'

We hadden geleerd dat we zulke dingen bij de Mossad konden verwachten. Het kwam wel voor dat we, als we op het punt stonden met vakantie te gaan, er iemand kwam zeggen dat ze ons de komende 24 uur nog nodig hadden. Dan kregen we twintig minuten om naar huis te bellen en rende iedereen naar de telefoon.

Voor katsas bestond er een soort systeem dat op verzoek in werking kon worden gesteld, met korte telefoontjes in de trant van: 'Hallo, ik ben van het bureau. Uw echtgenoot komt niet thuis zoals de bedoeling was. Hij zal zo gauw mogelijk contact opnemen. Als u in de tussentijd problemen hebt, vraag dan naar Jacob.'

Dat werd opzettelijk zo gedaan. Je kunt je niet voorstellen hoe belangrijk seks is in het leven van een katsa. De grote onzekerheidsfactor betekende totale vrijheid. Wanneer een katsa een vrouwelijke soldaat versierd had en met haar het weekend wilde doorbrengen, dan was dat geen probleem, want zijn echtgenote was er aan gewend dat hij vaak niet thuis kwam. Dat soort vrijheid werd openlijk verlangd. Maar de grote grap was dat je geen katsa kon worden als je niet getrouwd was. Dan kon je onmogelijk naar het buitenland. Ze zeiden dat iemand die ongetrouwd was maar achter de vrouwen aanjoeg en een meisje kon treffen dat gestuurd was. Aan de andere kant neukte iedereen er op los, zich daarbij blootstellend aan chantage en iedereen wist dat. Dit is me altijd een raadsel geweest.

Voor de computercursus was een van de kamers op de tweede verdieping van de Academie leeggeruimd en waren er tafels neergezet in een halve cirkel, met voor iedereen een beeldscherm om aan te werken. De instructrice bediende een groot beeldscherm aan de muur dat voor iedereen zichtbaar was. We leerden eerst hoe we toegang moesten krijgen tot de hoofdcomputer en hoe we een document over een bepaald onderwerp moesten aanvragen via het hoofdmenu. Dit was het echte werk: direct verbonden te zijn met de computer van het hoofdkwartier, het programma te leren gebruiken en de resultaten voor je te zien van het inlichtingenwerk.

Een gedenkwaardige gebeurtenis tijdens de cursus had te maken met een programma dat *ksharim* ('knopen') heette en waarmee de gegevens over de contacten van iemand konden worden opgeroepen. Arik F. ging op zekere dag achter het toetsenbord van de instructrice zitten toen deze er even niet was en tikte eerst 'Arafat' in en vervolgens 'ksharim'. Arafat had voor onze computer de hoogste prioriteit. Hoe hoger de prioriteit was van de persoon die je opvroeg, des te sneller kwamen de antwoorden.

Er stonden niet veel personen in het computerbestand met een hogere prioriteit dan Arafat, maar het echte probleem betrof het netwerk van honderdduizenden dwarsverbindingen, zodat, toen de enorme lijsten met namen over het beeldscherm begonnen te 'scrollen', het systeem zo overbelast raakte, dat alle andere computers uitvielen. Er moesten zoveel gegevens worden opgezocht dat er geen capaciteit meer over was voor iets anders. Arik had de Mossad-computer voor minstens acht uur onklaar gemaakt; gedurende die tijd was het onmogelijk de computer te stoppen of van een andere opdracht te voorzien.

Sindsdien is het systeem aangepast, zodat nu per verzoek hoogstens driehonderd documenten kunnen worden opgeroepen en verzoeken meer gericht moeten zijn. In plaats van naar al Arafats contacten te vragen, moet je je nu per keer tot een deel van zijn contacten beperken, bijvoorbeeld zijn Syrische contacten.

Na de computercursus en na wat er van mijn vakantie was overgebleven – drie dagen – werd ik ingedeeld bij het Saoediarabische bureau van de researchafdeling. Dit bureau stond onder leiding van een vrouw, genaamd Aerna, en bevond zich vlak bij het Jordaanse bureau, waarvan Ganit het hoofd was. Geen van beide bureaus werden belangrijk gevonden. De Mossad had in die tijd slechts één bron in Saoedi-Arabië, een man op de Japanse ambassade. Alle andere informatie werd uit kranten, tijdschriften en andere media gehaald, plus uit de door Unit 8200 onderschepte berichten.

Aerna was druk bezig een boek samen te stellen over de stamboom van de Saoedische koninklijke familie. Ook verzamelde ze inlichtingen over een mogelijke tweede oliepijplijn dwars door het land, waar de Irakezen gebruik van wilden maken, zodat ze hun olie konden uitvoeren om daarmee hun oorlog tegen Iran te kunnen betalen. Vanwege de oorlog was het uiterst moeilijk om de olie veilig door de Perzische Golf te transporteren. We lazen interessante rapporten van de Britse geheime dienst over Saoedi-Arabië. Deze dienst schreef buitengewoon goede rapporten, die in feite politieke analyses waren, nooit echte inlichtingenrapporten. De Engelsen waren zeer zuinig met het geven van inlichtingen. Een van hun rapporten meldde dat de Saoedi's meenden dat de oliemarkt zou aantrekken en dat die tweede pijplijn er daarom komen. Maar de Engelsen beweerden dat de markt vrijwel verzadigd was en dat de Saoedische economie een klap zou krijgen zodra er niet genoeg geld meer zou zijn om hun uitgebreide systeem van gratis ziekenhuizen en dito scholen te bekostigen.

We namen de Engelsen erg serieus, maar iedereen in het gebouw placht te zeggen dat ze waarschijnlijk misleid waren door 'dat wijf'. Zo noemden ze Margaret Thatcher binnen de Mossad altijd. Ze hadden haar het etiket antisemiet opgeplakt. Er werd altijd één simpele vraag gesteld wanneer er iets gebeurde: 'Is het goed voor de joden of niet?' Vergeet de politiek en al dat andere gedoe. Dit was het enige dat telde en afhankelijk van het antwoord werden mensen soms antisemiet genoemd, of dat nu klopte of niet.

We ontvingen regelmatig lange vellen papier, waarop afgeluisterde gesprekken waren uitgetypt, vertaalde telefoongesprekken tussen leden van de Saoedische koninklijke familie. Zo waren er gesprekken tussen een prins en een familielid in Europa. De prins zei dan dat hij krap bij kas zat en dat hij even iemand zou geven om dit verder te regelen. Die persoon vertelde dan dat er een bepaald schip met miljoenen liters olie op weg was naar Rotterdam en dat hij wilde dit schip op naam van de prins zou worden geregistreerd en dat het geld op zijn Zwitserse bankrekening moest worden gestort. Het was ongelooflijk hoeveel geld die Saoediërs terloops opstreken.

In een gedenkwaardig gesprek vroeg Arafat de koning een keer om hem te helpen, omdat hij Assad in Syrië niet aan de lijn kon krijgen. Daarna belde de koning Assad op en vleide hem met betitelingen als 'Vader van alle Arabieren' en 'Zoon van het Heilig Zwaard'. Maar hierna wenste hij Arafat nog steeds niet te spreken.

In die dagen leerde ik een man kennen die Efraim (roepnaam Effy) heette, een voormalige contactpersoon voor de CIA in de tijd dat hij voor de Mossad in Washington was gestationeerd. Efraim schepte er altijd over op dat hij degene was die ervoor had gezorgd dat Yitzhak Rabin in 1977 had moeten aftreden, drie jaar nadat hij voor de Arbeiderspartij premier was geworden. De Mossad hield niet van Rabin. De voormalige ambassadeur van Israël in de Verenigde Staten was in 1974 teruggekeerd om de partij te gaan leiden en Golda Meir op te volgen als premier. Rabin eiste van de inlichtingendienst het ruwe materiaal, in plaats van de bewerkte versies die premiers normaal werden voorgelegd. Hij maakte het daardoor een stuk moeilijker voor de Mossad om door manipulatie van hun informatie het regeringsbeleid naar hun hand te zetten.

Rabin en zijn kabinet traden in december 1976 af, nadat hij drie ministers van de Nationale Religeuze Partij ontslagen had vanwege hun stemonthouding bij een motie van wantrouwen in de Knesset. Hierna bleef Rabin aan als premier van een demissionair kabinet tot de verkiezingen in mei 1977, toen, tot vreugde van de Mossad, Menachem Begin premier werd. Wat Rabin echter vooral de das om had gedaan, was een 'schandaal' dat vlak voor de verkiezingen door de bekende Israëlische journalist Dan Margalit openbaar was gemaakt.

Het was een Israëlische staatsburger niet toegestaan een bankrekening in het buitenland te hebben. Rabins echtgenote bezat echter een rekening in New York waar nog geen $10.000 op stond. Ze maakte er gebruik van tijdens hun reizen daar, alhoewel ze het recht had, als de echtgenote van de premier, om al haar onkosten te declareren. Desondanks wist de Mossad van die bankrekening af, en Rabin wist dat zij dat wisten, maar hij nam het niet serieus. Dat had hij wel moeten doen. Toen de tijd rijp was, werd Margalit getipt dat Rabin een buitenlandse bankrekening bezat. Volgens Efraim had hij de journalist, toen deze naar de Verenigde Staten vloog om het verhaal te checken, voorzien van alle nodige gegevens over de rekening. Het daaropvolgende artikel en schandaal hielpen Begin aan zijn overwinning op Rabin. Rabin was een integere politicus, maar de Mossad mocht hem niet. Dus namen ze hem te grazen. Efraim liep voortdurend te roepen dat hij degene was die hem te gronde had gericht. Ik heb niemand hem ooit horen tegenspreken.

Tijdens de eerste cursus hadden de studenten een rondleiding gehad in de *Israeli Aeronautical Industries* (IAI). Via het Saoedische bureau kwam ik te weten dat de Israëli's onderdelen voor reservetanks van de IAI met tussenkomst van een derde land (ik weet niet welk) doorverkochten aan Saoedi-Arabië, waardoor hun gevechtsvliegtuigen zo nodig langere vluchten konden maken. Israël had eveneens een contract met de Verenigde Staten voor de levering van dergelijke reservetanks. De Saoedi's, die hadden becijferd dat ze te veel betaalden, wendden zich tot de Verenigde Staten met het verzoek of ze de onderdelen niet bij hen konden kopen. Israël stond op zijn achterste benen en schreeuwde nee! De hele joodse lobby kwam in stelling om de verkoop te voorkomen, omdat het de Saoedische F-16's de mogelijkheid zou geven Israël direct aan te vallen. Maar we wisten hoe oneerlijk dit alles was aangezien we ze, onder een civiele dekmantel, veel meer in rekening brachten dan de Amerikanen zouden doen. Op deze wijze werd een hoop aan de Saoedi's verkocht. Dat land vormt een gigantische markt.

De researchafdeling bevond zich in de kelder en op de begane grond van het hoofdkwartier. Hier zaten het hoofd van de afdeling, diens plaatsvervanger, de bibliotheek, de computerruimte, de typekamer en andere hulpdiensten voor de afdeling. Het merendeel van de staf werkte voor een van de vijftien onderzoeksbureaux: Verenigde Staten, Zuid-Amerika, het algemeen bureau (waaronder Canada en West-Europa), het atoombureau (gekscherend het 'kaput'-bureau genoemd), Egypte, Syrië, Iran, Irak, Jordanië, Saoedi-Arabië en de Verenigde Arabische Emiraten, Lybië, Marokko/Algerije/Tunesië (bekend als de Magreb), Afrika, de Sovjetunie en China.

De afdeling produceerde korte dagelijkse rapporten die iedereen 's morgens meteen op zijn beeldscherm kon lezen. Verder werd er een uitgebreider, vier pagina's lang weekrapport samengesteld op lichtgroen papier, met de belangrijkste gebeurtenissen in de Arabische wereld en een maandrapport van vijftien tot twintig bladzijden met een aanzienlijke hoeveelheid details en voorzien van kaarten en tabellen.

Ik maakte een kaart van de voorgenomen route van de nieuwe oliepijp-lijn, compleet met allerlei bijzonderheden en een tabel, waarin werd aangegeven hoeveel kans een olietanker had om veilig door de Golf te komen. In die tijd schatte ik die kans op 30 procent. Het beleid was dat, als die kans groter dan 48 procent was, de Mossad de strijdende partij-en zou inlichten over de positie van de schepen van de ander. We be-schikten over een man in Londen die contact had met zowel de Iraanse als de Iraakse ambassade daar en die zich in beide kampen als vader-landslievend voordeed en hen inlichtingen verschafte. Ze ontvingen zijn inlichtingen graag en wilden hem ervoor betalen omdat ze zo goed waren. Maar hij zei altijd dat hij het uit vaderlandsliefde deed, niet om het gewin. We stonden toe dat een bepaald aantal Iraanse en Iraakse schepen vrij kon passeren, maar als dat punt bereikt was, zorgden we ervoor dat de andere partij werd ingelicht en het schip werd getorpe-deerd. Op die manier konden we de oorlog in stand houden. Als ze elkaar aan het bevechten waren, konden ze ons immers niet aanvallen.

Na enkele maanden bij de researchafdeling te hebben gewerkt, werd ik overgeplaatst naar wat in mijn ogen de spannendste afdeling van het gebouw was: de *Kaisarut* of afdeling verbindingen. Ik kwam terecht bij de *dardasim*, verbindingsmensen voor de regio's Verre Oosten en Afrika, die onder leiding stonden van Amy Yaar.
Deze afdeling had wel iets weg van een spoorwegstation, een soort van mini-ministerie van Buitenlandse Zaken voor landen waarmee Israël geen diplomatieke banden onderhield. Ex-generaals en talloze voor-malige veiligheidsmensen liepen er voortdurend in en uit. Ze kregen kaartjes met hun naam opgespeld en gebruikten hun voormalige con-tacten met de Mossad om de zaken van hun privé-ondernemingen te regelen – meestal wapenhandel. Omdat deze mensen niet als Israëli's naar bepaalde landen konden gaan, hielp onze afdeling bij het sluiten van de deals door voor valse paspoorten en dergelijke te zorgen.
Dit was niet in de haak, maar niemand zei er iets van. Iedereen voelde dat ook hij eens zijn beste tijd gehad zou hebben en dan waarschijnlijk hetzelfde zou doen.
Amy zei me dat, wanneer ik ongebruikelijke verzoeken ontving, ik niet moest vragen waarom, maar ze gewoon aan hem moest voorleggen.
Op een dag kwam er een man binnen die me vroeg of ik een contract kon laten tekenen dat de goedkeuring van de premier behoefde. Het

contract betrof de verkoop van twintig tot dertig in de Verenigde Staten gefabriceerde Skyhawk-gevechtsvliegtuigen aan Indonesië, hetgeen in strijd was met een verdrag over wapenverkoop tussen Israël en
de Verenigde Staten. Israël werd geacht dergelijk wapens niet zonder
Amerikaanse toestemming door te verkopen.
'Goed,' zei ik, 'kunt u dan morgen terugkomen of uw telefoonnummer
hier achterlaten. Ik bel u zodra ik iets weet.'
'Nee, ik wacht liever,' zei hij.
Bij mijn bezoek aan de IAI had ik een stuk of dertig van deze Skyhawk-
gevechtsvliegtuigen gezien, keurig verpakt in knalgeel plastic en klaar
voor transport. Toen we er naar vroegen, antwoordden ze alleen dat ze
naar het buitenland verscheept zouden worden, maar ze wilden ons
niet vertellen waarheen. Ik was er vrij zeker van dat de Amerikanen in
het geheel niet zouden kunnen instemmen met de verkoop van deze
vliegtuigen aan Indonesië. Het zou de machtsevenwicht in die regio
verstoren. Maar het was niet aan mij daarover te oordelen. Dus toen
die vent zei dat hij wel zou wachten op de goedkeuring van premier
Peres, trok ik mijn la open en riep: 'Shimon, Shimon.' Daarna keerde ik
me weer tot hem en zei: 'Het spijt me, mijnheer Peres is momenteel niet
aanwezig.'
De man werd ontzettend kwaad en stond erop dat ik Amy er bijhaalde.
Ik had niet eens de moeite genomen om te vragen wie hij was. Toen ik
Amy over het geval vertelde, raakte hij helemaal opgewonden. 'Waar
is ie? Waar is ie?'
'In de hal.'
'Stuur hem dan naar binnen met dat contract,' zei Amy.
Ongeveer twintig minuten later kwam de man uit het kantoor van
Yaar en liep langs mijn bureau. Hij hield het contract onder zijn kin en
zei, lachend van oor tot oor: 'Blijkbaar was de heer Peres er toch.'
Peres bevond zich in werkelijkheid waarschijnlijk in Jeruzalem en wist
er ongetwijfeld niets van dat zijn handtekening onder dit contract was
gezet. Het betreffende document stond bekend als een 'rugdekking',
uitsluitend voor intern gebruik, om de transporteur of een andere betrokkene te laten zien dat het financieel goed zat, aangezien de premier
de overeenkomst had getekend.
Officieel werkt het Mossad-personeel natuurlijk voor de premier. Deze wist dat er financiële transacties plaatsvonden, maar vaak was hij
niet op de hoogte van de inhoud van de overeenkomsten. En meestal

kon hem dat niets schelen. Het was soms beter om niet alles te weten. Als hij ervan wist, zou hij beslissingen moeten nemen. Op deze manier kon hij, wanneer bijvoorbeeld de Amerikanen er achter zouden komen, zeggen dat hij er niet van had geweten en het zou een wat de Amerikanen noemen 'plausibele ontkenning' zijn.

Het Asia-gebouw, eigendom van de rijke Israëlische industrieel Saul Eisenberg, stond naast het hoofdkwartier van de Mossad. Eisenberg was, vanwege zijn contacten in het Verre Oosten, de verbindingsman van de Mossad met China. Hij en zijn mensen regelden omvangrijke wapenleveranties. Veel van de verkopen betroffen afgedankt materieel, zoals Russisch wapentuig dat tijdens de oorlogen op Syrische en Egyptische troepen was buitgemaakt. Toen de AK-47's van Russische makelij uitverkocht dreigden te raken, begon Israël zijn eigen variant daarvan te produceren – een kruising tussen een AK-47 machinegeweer en de Amerikaanse M-16, Galil genaamd. Het wapen werd in de hele wereld verkocht.

Door die dienstverlening aan al die particulieren leek de afdeling wel een warenhuis. Ze behoorden onze instrumenten te zijn, maar de instrumenten waren een eigen deuntje gaan spelen. Ze hadden meer ervaring dan wij, dus in feite gebruikten ze ons.

Tot een van mijn opdrachten hoorde het begeleiden van een groep Indiase atoomgeleerden die zich zorgen maakten over de dreiging van de islamitische bom (de Pakistaanse) en die op een geheime missie waren om Israëlische nucleaire deskundigen te ontmoeten en gegevens uit te wisselen. Het draaide erop uit dat de Israëli's graag informatie van de Indiërs ontvingen, maar niet erg bereidwillig waren een wederdienst te verlenen.

De dag nadat ze waren vertrokken, was ik bezig met mijn gewone bureauwerk, toen Amy mij bij zich riep voor twee opdrachten. Eerst moest ik voorbereidingen treffen voor het vertrek van een groep Israëli's die naar Zuid-Afrika ging om daar eenheden van de geheime politie te helpen opleiden. Daarna moest ik naar de ambassade van een of ander Afrikaans land om een man op te halen die naar zijn vaderland zou terugvliegen. Hij moest naar zijn huis in Herzlia Pituah worden gebracht en vervolgens naar het vliegveld, waar hij langs de veiligheidscontrole moest worden geloodst.

'Ik zie je op het vliegveld,' zei Amy, 'want er komt een groep mensen uit Sri Lanka om hier te trainen.'

Amy stond op de Sri Lanka-vlucht uit Londen te wachten, toen ik me bij hem voegde. 'Als die lui aankomen,' zei hij, 'moet je niet raar staan te kijken. Je moet niets laten merken.'
'Wat bedoel je?'
'Nou, het zijn net apen. Ze komen uit een streek die niet erg ontwikkeld is. Tot voor kort woonden ze nog in de bomen. Dus stel je er niet te veel van voor.'
Amy en ik begeleidden de negen Sri Lankanen via een achterdeur van het vliegveld naar een bestelauto met air-conditioning. Zij waren de eersten van een groep van in totaal bijna vijftig man. Ze konden worden verdeeld in drie kleinere groepen:
- Een terrorismebestrijdingsteam, die op de militaire basis Kfar Sirkin bij Petha Tikvah werd opgeleid. Deze groep leerde hoe ze gekaapte bussen en vliegtuigen konden overrompelen of hoe ze moesten omgaan met kapers in een gebouw, hoe ze vanuit een helikopter langs een touw moesten afdalen en andere taktieken die worden gebruikt bij de bestrijding van terrorisme. En ze zouden natuurlijk uzi's en ander materieel van Israëlische makelij kopen, zoals kogelvrije vesten, speciale granaten, enzovoort.
- Een wapenaankoopteam, dat in Israël was om op grote schaal wapens te kopen. Ze kochten bijvoorbeeld zeven of acht grote PT-boten, *Devora* genaamd, die ze hoofdzakelijk gebruikten om langs de noordkust van hun land te patrouilleren tegen infiltratie door Tamils.
- Een groep hoge officieren die radar en ander marine-materieel wilden aanschaffen om de Tamils te bestrijden die nog steeds vanuit India binnenvielen en mijnen legden in de territoriale wateren van Sri Lanka.

Ik moest Penny*, de schoondochter van president Jayawardene, twee dagen lang rondleiden langs de gebruikelijke toeristische attracties, maar daarna zou iemand anders van kantoor haar overnemen. Penny was een sympathieke vrouw, qua uiterlijk de Indiase versie van Corazon Aquino. Hoewel ze boeddhistisch was vanwege haar echtgenoot, was ze christelijk opgevoed en wilde ze alle christelijke heilige plaatsen bezoeken. Op de tweede dag nam ik haar mee naar de Vered Haglil, of

* Zie hoofdstuk 3: GROENTJES

Roos van Galilea, een manege annex restaurant op een heuvel, met een mooi uitzicht en lekker eten. We hadden daar een rekening lopen. Daarna kreeg ik de hoge officieren die de radarapparatuur wilde kopen onder mijn hoede. Ik moest ze naar een fabriek in Ashod brengen, genaamd Alta, die hun van dienst zou kunnen zijn. Maar de vertegenwoordiger van Alta zei, toen hij hun specificaties had bekeken: 'Dit is maar schijn. Ze gaan onze radar niet kopen.'

'Hoezo?' vroeg ik.

'Deze specificaties zijn niet door die apen geschreven,' zei de man. 'Ze zijn geschreven door een Britse radarfabrikant, Deca. Dus deze lui weten allang wat ze willen kopen. Geef ze een banaan en stuur ze naar huis. Je verknoeit je tijd.'

'Goed, maar kunnen we ze dan geen prospectus of zo geven om ze blij te maken?'

We voerden dit gesprek in het Ivriet, terwijl we met z'n allen koffie en thee zaten te drinken met een koekje er bij. De vertegenwoordiger van Alta zei dat het hem niet uitmaakte om een praatje te houden, opdat ze zich niet afgescheept zouden voelen, maar zei hij: 'dan gaan we een geintje uithalen'.

Zo gezegd, zo gedaan. Hij ging naar een ander kantoor om een stel technische tekeningen te halen van een groot stofzuigersysteem dat wordt gebruikt om havens schoon te maken als er met olie geknoeid is. Het was een reeks kleurige schema's. De bijschriften waren in het Ivriet gesteld, maar de man sprak in het Engels over deze 'hoogwaardige radarapparatuur'. Ik had moeite mijn lachen te houden. Hij legde het er nogal dik op, vooral toen hij beweerde dat deze radar met gemak een vent kon lokaliseren die in het water lag en zowat in staat was diens schoenmaat, naam, adres en bloedgroep vast te stellen. Toen hij klaar was, bedankten de Sri Lankanen hem, zeiden dat ze versteld stonden van de technologische vooruitgang, maar dat deze apparatuur niet voor hun schepen geschikt was. Stonden ze ons over hun schepen te vertellen. Nou, die kenden we al. Bouwden we zelf!

Toen hij me bij het hotel afzette, vertelde ik Amy dat de Sri Lankanen de radar niet zouden kopen. 'Ja, dat wisten we,' antwoordde hij.

Hierna moest ik van Amy naar Kfar Sirkin, waar de commando-groep aan het trainen was, om ze met van alles en nog wat van dienst te zijn en ze 's avonds mee uit te nemen in Tel Aviv. Maar hij waarschuwde me alles kort te sluiten met Yosy, die die week naar dezelfde afdeling was overgeplaatst.

Yosy had ook een door Israëli's getrainde groep onder zijn hoede. Maar ze mochten niet in contact komen met mijn mensen. Het waren Tamils, verklaarde vijanden van mijn Singhalese groep. Tamils, die voor het merendeel hindoe zijn, beweren dat ze, sinds Sri Lanka (toen nog Ceylon) in 1948 onafhankelijk werd van Groot-Brittannie, onderdrukt worden door de dominerende, boeddhistische, Singhalese meerderheid. Van de ongeveer 16 miljoen Sri Lankanen is 74 procent Singhalees en maar 20 procent Tamil. De Tamils wonen voornamelijk in het noorden van het eiland. Omstreeks 1983 is een groep Tamil guerrilla-eenheden, die gezamenlijk bekend staan als de Tamil Tijgers, begonnen met een gewapende strijd om in het noorden een eigen Tamil-staat, Tamil-Eelam genaamd, te stichten – een nog steeds voortdurende strijd die aan beide zijden duizenden levens heeft geëist.

In de zuidelijke Indiase deelstaat Tamil Nadu, waar 40 miljoen Tamils wonen, bestaat grote sympathie voor de Tamils op Sri Lanka. Veel Sri Lankaanse Tamils hebben daar, om het bloedbad te ontvluchten, hun heil gezocht en de Sri Lankaanse regering heeft de Indiase autoriteiten ervan beschuldigd de Tamils te bewapenen en te trainen. Ze zouden beter de Mossad kunnen beschuldigen.

De Tamils oefenden op de commandobasis van de marine, waar ze les kregen in penetratietechnieken, het leggen van mijnen, communicatietechnieken en hoe ze schepen als de Devora konden saboteren. Beide groepen bestonden uit ongeveer 28 man en we besloten dat Yosy de Tamils die avond naar Haifa zou meenemen, terwijl ik met de Singhalezen naar Tel Aviv zou gaan om een eventuele confrontatie te vermijden.

Twee weken later werd het pas echt problematisch: toen waren zowel de Tamils als de Singhalezen – natuurlijk onwetend van elkaars aanwezigheid – in Kfar Sirkin aan het oefenen. Het is een vrij grote basis, maar toch gebeurde het een keer dat de twee groepen elkaar tijdens het joggen op slechts enkele meters passeerden. Na de basistraining in Kfar Sirkin werden de Singhalezen naar de marinebasis overgebracht om de fijne kneepjes onder de knie te krijgen van alle technieken die de Israëlische instructeurs zojuist aan de Tamils hadden uitgelegd. Het was een heksenketel. We moesten strafoefeningen of nachtelijke exercities verzinnen, alleen om te voorkomen dat beide groepen tegelijkertijd in Tel Aviv zouden zijn. De activiteiten van deze ene man (Amy) hadden de positie van Israël politiek gezien in gevaar kunnen brengen als deze groepen elkaar waren tegengekomen. Ik weet zeker dat Peres 's nachts geen oog dicht had gedaan als hij had geweten wat er gaande was. Maar hij wist natuurlijk van niets.

Toen de drie weken bijna om waren en de Singhalezen zich op maakten om naar Atlit, de zeer geheime commando-basis van de marine, te gaan, zei Amy me dat hij niet mee zou gaan. De *Sayret Matcal* zou hun training overnemen. Dit was de uiterst geheime commando-eenheid die de beroemde bevrijdingsactie op het vliegveld van Entebbe heeft uitgevoerd. (Deze mariniers zijn te vergelijken met de Amerikaanse *Seals*.)

'Kijk, we zitten met een probleem,' zei Amy. 'Er is een groep van 27 SWAT-lui uit India in aantocht.'

'Mijn god,' zei ik. 'Wat is hier aan de hand? We hebben al Singhalezen en Tamils en ook nog Indiërs. Wie volgt?'

Het SWAT-team zou op dezelfde basis worden opgeleid waar Yosy met zijn Tamils zat, een riskante en mogelijk onhoudbare situatie. Bovendien had ik mijn gewone bureauwerk te doen en ook het schrijven van de dagelijkse rapporten ging gewoon door. 's Avonds nam ik het SWAT-team mee uit eten, na me er wederom eerst van te hebben verzekerd dat de groepen elkaar niet tegen het lijf konden lopen. Elke dag kreeg ik een enveloppe met $300 aan Israëlisch geld om voor die lui uit te geven.

In die tijd had ik contact met de Taiwanese luchtmacht-generaal Key, een vertegenwoordiger van de Taiwanese inlichtingendienst in Israël. Hij opereerde vanuit de Japanse ambassade en wilde wapens kopen. Ik kreeg opdracht hem rond te leiden, maar hem niets te verkopen, aangezien de Taiwanezen alles wat ze kochten binnen twee dagen hadden nagemaakt en ze ten slotte Israël van de markt zouden concurreren. Ik nam hem mee naar de Sultan-fabrieken in de Galil, waar mortieren en mortiergranaten werden gemaakt. Hij was onder de indruk, maar de fabrikant zei me dat hij hem in geen geval iets kon verkopen: ten eerste omdat hij uit Taiwan kwam en ten tweede omdat nu al niet aan de geplaatste bestellingen konden voldoen. Ik zei hem dat ik nooit had geweten dat we zo met mortieren in de weer waren. 'Dat zijn we ook niet,' zei hij, 'maar de Iraniërs kunnen ze nu goed gebruiken.' Dat hield de zaak draaiende.

Op een gegeven moment werden er voorbereidingen getroffen om een groep Taiwanezen op te leiden. Het was een compromis. Ze hadden de

Mossad gevraagd om spionnen voor ze in China te verzorgen, maar dat wilde de Mossad niet. In plaats daarvan trainden ze een eenheid die op de neviot leek, opgeleid om informatie te halen uit niet-levende objecten.

In die dagen liep er op de afdeling ook een stel Afrikanen in en uit, die allerlei hulp kregen. Ik bleef, op Amy's speciale verzoek, twee maanden langer op de afdeling dan de bedoeling was – zowel een compliment als een nuttige aanvulling op mijn staat van dienst.

Vaak werd het verhaal opgedist van de zogenaamde 'plonsmachine', om te illustreren aan welke rare onzin de Afrikanen hun geld vergooiden. Iemand vroeg een Afrikaanse leider of hij wel een plonsmachine had. Die had hij niet, dus boden ze aan er voor $25 miljoen een voor hcm te bouwen. Toen een gigantische hijskraan van bijna 300 m lengte en 180 m hoogte, hangend boven het water, klaar was, ging de maker naar de leider terug en zei dat hij nog eens $5 miljoen nodig had om het karwei te kunnen klaren. Hij ontwierp vervolgens onder de arm een liftinstallatie die een enorme roestvrij stalen bal van bijna 20 m doorsnede bevatte. Alle onderdanen van de leider en ook delegaties uit andere Afrikaanse landen verzamelden zich op de 'lanceer'dag aan de oever van de rivier om te zien hoe de wonderlijke machine in bedrijf werd gesteld. De lift bewoog toen langzaam langs de arm van de hijskraan naar het uiteinde, hij opende zich en de reuzachtige bal viel in het water en deed 'plons'.

Het is een grap, maar niet erg ver bezijden de waarheid.

Ik heb nooit zoveel geld zo snel onder zoveel mensen van hand tot hand zien gaan als tijdens mijn periode bij Amy. De Mossad beschouwde al deze contracten als een eerste kennismaking met de talloze landen waarmee op een dag diplomatieke banden zouden worden aangeknoopt, dus geld was geen probleem. En de zakenlui bekeken het natuurlijk van de zakelijke kant. Ze streken allemaal een gezond percentage op.

Mijn laatste opdracht bij Amy was een vierdaagse rondreis door Israël met een man en een vrouw uit de Volksrepubliek China die elektronische apparatuur wilden kopen.

Ze werden kwaad omdat ze apparatuur kregen te zien die van mindere kwaliteit was dan ze zelf al hadden. Ze klaagden: 'Wat proberen jullie ons eigenlijk te verkopen? Sokken?' Wat ik erg geestig vond, aangezien ik altijd zei dat onze economie pas echt goed zou lopen als we er in slaagden sokken te verkopen aan het Chinese leger. Iedereen zou zitten te breien.

Het Chinese stel werd slecht behandeld. Dat kwam omdat Amy ze niet hoog genoeg vond. Hij nam op eigen houtje beslissingen op het gebied van de buitenlandse politiek, zonder ook maar iemand te raadplegen. Het was verbazingwekkend. Zijn hele leven werkte Amy voor de regering en werd hij betaald door de regering, toch woonde hij op zijn eigen stuk land ten noorden van Tel Aviv in een grote villa met een stuk bos. We gingen er wel eens heen om wat te drinken, als we tijdens de weekends moesten werken, en er liepen altijd zakenlui rond die voor de barbecue waren uitgenodigd. Ik zei een keer tegen hem: 'Hoe kun je je dit allemaal veroorloven?' En hij antwoordde: 'Als je hard werkt en veel spaart, kun je je dit veroorloven.' Ja, ja.

Vervolgens werd ik ingedeeld bij de *Tsomet* (of *Melucha*) en kwam ik terecht bij het bureau Benelux, waar ik me onder andere bezighield met het controleren van Deense visumaanvragen.

Bij de Tsomet zijn de bureaus in Tel Aviv er om de bureaus in het buitenland van dienst te zijn, niet om ze instructies te geven. Het hoofd van een Tsomet-bureau in het buitenland is de baas en heeft in de meeste gevallen dezelfde rang als het hoofd van de onderafdeling, onder wie hij ressorteert. (Bij Kaisarut, waar ik daarvoor had gewerkt, is het net andersom. Daar worden de beslissingen door de bureaus en de onderafdelingen in Tel Aviv genomen, zodat het hoofd van het bureau in bijvoorbeeld Londen ondergeschikt is aan het hoofd van het bureau Londen in Tel Aviv.)

De eerste onderafdeling van de Tsomet had verscheidene bureaus. Een er van, bureau Benelux genaamd, ging over België, Nederland, Luxemburg en ook over Scandinavië (met standplaatsen in Brussel en Kopenhagen); daarnaast waren er de Franse en Engelse bureaus, met standplaatsen in Londen, Parijs en Marseille.

Er was nog een tweede belangrijke onderafdeling, met het Italiaanse bureau en standplaatsen in Rome en Milaan, het Duitse en Oostenrijkse bureau, in die tijd met een standplaats in Hamburg (later werd dat Berlijn), en een bureau voor 'jumpers', het Israëlische bureau genoemd, met katsa's die, als dat nodig was, naar Griekenland, Turkije, Egypte en Spanje vlogen.

Het hoofd van een bureau in het buitenland had dezelfde rang als het hoofd van een onderafdeling en kon deze zonodig passeren door zich rechtstreeks tot het hoofd van de afdeling te richten. De structuur werkte niet helemaal goed meer, want als hij van het hoofd van de afdeling nul op rekest keeg, kon hij zich alsnog richten tot het hoofd van het bureau Europa, dat in Brussel zetelde. En aan hem moest het hoofd van de afdeling gehoorzamen. Dit liep uit op een voortdurend gevecht en met iedere personele wisseling veranderden de machtsverhoudingen.

Er bestonden binnen de Mossad niet zoiets als bevelen. Het was aangenamer zonder. Om te beginnen wilden ze niemand boos maken en bovendien hoefde uiteindelijk niemand iets te doen waar hij geen zin in had. De meesten hadden twee kruiwagens – een openlijke en een verborgen kruiwagen – een om je hogerop te helpen en een om je uit de stront te halen. Dus er werd voortdurend geprobeerd te achterhalen wie op wie steunde en waarom.

Toen er op de computer een bericht binnenkwam van een agent die toen als assistent-luchtmachtattaché op de Syrische ambassade in Parijs werkte, dat het hoofd van de Syrische luchtmacht (die tevens het hoofd van hun inlichtingendienst was) naar Europa zou komen wat duur meubilair te kopen, dacht ons hoofdkwartier er onmiddellijk aan om te proberen daar afluisterapparatuur in aan te brengen.

Via de computer werden alle beschikbare meubel-*sayanim* opgevraagd. Er werd een plan opgesteld om een 'sprekende' tafel te vervaardigen voor het gerenoveerde kantoor op het hoofdkwartier van de Syrische luchtmacht. Een katsa van het Londense bureau werd naar Parijs gestuurd om de zaak te regelen, ofschoon de Mossad wist dat de generaal zijn meubels in België ging kopen, niet in Frankrijk. (Ze wisten niet waarom.)

Voordat de generaal zou arriveren, werd de katsa in de meubelwereld neergepoot als iemand die elk meubelstuk voor iemand kon regelen en goedkoper dan waar ook. We wisten dat de generaal zelf niet op koopjes uit was. Hij was rijk en zou zijn geld trouwens via de ambassade krijgen en daarom cash betalen. Het idee was niet de generaal te strikken, maar zijn assistent, die de feitelijke aankoop zou doen. We hadden nog geen drie weken om dit voor elkaar te krijgen.

We namen contact op met een bekende binnenhuisarchitect, een sayan en kregen van hem foto's van zijn werk. Daarmee flansten we in een paar dagen een prospectus in elkaar van een onderneming die kwaliteitsmeubelen leverde voor redelijke prijzen. We hadden drie manieren om de assistent van de generaal te benaderen. Om te beginnen zouden we proberen hem direct te benaderen. Hem de prospectus geven en kijken of hij zou toehappen en de meubels rechtstreeks van de Mossad zou kopen. Als dat mislukte, zouden we uitzoeken waar hij de meubels ging kopen en regelen dat wij ze zouden bezorgen. De laatste stap, als al het andere faalde, was het kapen van de meubels.

We wisten in welk hotel in Brussel de generaal logeerde en dat hij met zijn lijfwachten drie dagen in het hotel zou blijven voordat hij naar Parijs terugkeerde. We schaduwden de generaal en zijn assistent van winkel tot winkel en zagen de assistent aantekeningen maken. Op dat moment dacht de katsa dat hij het verpest had. We wisten niet wat we moesten doen. De dag was voorbij en de generaal ging terug naar zijn hotel. Onze man op de Syrische ambassade meldde ons dat de generaal van plan was om de volgende dag naar Parijs terug te gaan, maar dat er één ticket geannuleerd was. We concludeerden hieruit dat de assistent zou achterblijven om de aankoop verder af te handelen.

Dat klopte. De volgende ochtend werd de assistent van het hotel gevolgd naar een zeer exclusieve meubelzaak. Hij voerde een lang gesprek met de verkopers en de katsa besloot dat dit het moment was om te handelen. Dus hij liep de zaak binnen en begon er rond te neuzen. Vervolgens kwam er een sayan binnen, die op de katsa af liep en hem op luide en overtuigende toon bedankte voor de aanschaf van meubels die hem duizenden dollars had bespaard.

Nadat de sayan vetrokken was, keek de assistent van de generaal nieuwsgierig zijn kant op.

'Meubels aan het kopen?' vroeg de katsa.

'Ja.'

'Kijk, moet u dit zien,' zei hij en gaf hem de speciale prospectus.

'Werkt u in deze winkel?' vroeg de assistent, die duidelijk niets in de gaten had.

'Nee, nee. Ik koop meubels voor mijn klanten,' zei de katsa hem. 'Ik koop grote partijen in tegen aantrekkelijke kortingen. Ik regel het transport en zorg voor gemakkelijke betalingsregelingen.'

'Hoe bedoelt u?'

'Ik heb overal klanten. Ze komen langs en kiezen de stijl uit die ze willen en ik koop de meubels direct van de maker. Dan vervoer ik ze en men betaalt bij aankomst. Op die manier hoeft men zich geen zorgen te

maken of er iets kapot gaat. Er is geen gedoe. Men hoeft zich niet bezig te houden met schadeloosstelling en dergelijke.'
'Hoe weet u of ze u betalen?'
'Dat is nooit een probleem.'
Nu ging er bij de assistent een lichtje op. Hij zag zijn kans schoon om flink bij te verdienen. Het kostte de katsa ongeveer drie uur, maar toen had hij een lijst met alles wat de generaal nodig had. De meubels kwamen bij elkaar op $180.000, exclusief het vervoer en de verpakking, en de katsa verkocht de hele handel voor $105.000, dus kon de assistent $75.000 in eigen zak steken.
Het grappige was dat de assistent de haven van Litakia als bestemming opgaf, maar dat hij voor zichzelf en voor de generaal een valse naam had bedacht. Het enige dat niet vals was, was de plek waar het spul afgehaald zou worden. Hij zei dat we, als we de zaak wilden controleren, de Syrische ambassade in Parijs konden bellen. Een half uur nadat hij afscheid had genomen van onze katsa, belde de assistent de ambassade en vertelde dat, als iemand zou vragen of die naam en dat adres wel klopten, men ja moest zeggen, aangezien het een hoogst belangrijke operatie betrof.
Twee dagen later werd een rijk geornamenteerde tafel naar Israël verscheept. Hij werd uitgehold en voorzien van afluister- en zendapparatuur ter waarde van $50.000, plus een speciale batterij die het drie tot vier jaar zou uithouden. De apparatuur was op zodanige wijze aangebracht dat niemand hem ooit zou kunnen vinden tenzij de tafel doormidden zou worden gezaagd. Vervolgens werd de tafel naar België teruggestuurd en daar bij de lading met bestemming Syrië gevoegd.
De Mossad wacht nog steeds op een levensteken van de tafel. Er zijn al spionnen op zoek geweest, maar ze hebben hem niet kunnen terugvinden. Het zou een droom zijn geweest als het was gelukt. Misschien staat hij in een bunker-kantoor in Damascus. De Russen hebben zulke bunkers gebouwd en die zijn ondoordringbaar voor radiogolven.

Voor de rest was mijn werk op de afdeling vrij saai. Ik hield me bezig met dossiers en roosters en vooral met het dekken van chefs, als hun echtgenotes vroegen waar ze uithingen – ik moest dan zeggen dat ze een opdracht aan het uitvoeren waren.
Ik werkte in een bordeel, zoals iedereen daar.

Haarstukje

Het was 27 oktober 1984. Mijn collega's en ik hadden zojuist in het gebouw van het hoofdkwartier onze opleiding als leerling-katsa's voltooid en stonden op het punt om terug te gaan naar de Academie om te beginnen aan de cursus die ons tot volleerd officier van de inlichtingendienst zou maken. Ditmaal zouden we in een grote ruimte op de tweede verdieping van het hoofdgebouw komen te zitten. Van de oospronkelijke groep van vijftien waren er twaalf overgebleven, maar we kwamen weer terug op het oude aantal doordat er drie man werden toegevoegd uit voorgaande cursussen, waar te weinig leerlingen aan hadden deelgenomen om die zinvol te kunnen voortzetten. Onze drie nieuwe collega's waren Oded L., Pinhas M. en Yegal A.

Er waren meer wijzigingen. Araleh Sherf was weg als hoofd van de Academie, omdat hij was overgestapt naar de afdeling *Tsafririm*, ofwel 'ochtendbries', en was vervangen door David Arbel, voormalig hoofd van het bureau in Parijs, maar laatstelijk vooral bekend van de Lillehammer-affaire – hij was degene die alles aan de plaatselijke autoriteiten had verteld. Shai Kauly was er nog steeds, maar Oren Riff was overgeplaatst naar het kantoor van het hoofd van de Mossad. Onze nieuwe cursusleider was Itsik E.*, ook al een katsa met een minder glansrijke carrière – een van de twee mannen die door de PLO was betrapt bij het spreken van Ivriet op het vliegveld Orly, nadat hij een waardevolle agent op het vliegtuig naar Rome hadden gezet.

Arbel, een witharige, kleine, timide en bebrilde man, straalde bepaald geen vertrouwen uit. Itsik betoonde zich aan de andere kant een capabele, praktisch gerichte katsa die zojuist een werkstage als plaatsvervangend hoofd van het Parijse bureau had afgerond. Hij sprak vloeiend Frans, Engels en Grieks en voelde zich onmiddellijk aangetrokken tot de in Frankrijk geboren Michel M. De twee mannen, die altijd Frans tegen elkaar spraken, werden dikke vrienden, wat de afkeer, die sommigen voor Michel begonnen te voelen, alleen maar vergrootte. Hij had aanvankelijk met mijn clubje opgetrokken, maar we waren uit elkaar gegroeid – voornamelijk omdat hij zijn taal ge-

* Zie PROLOOG: OPERATIE SFINX

bruikte om bij Itsik in het gevlei te komen en om te roddelen over de anderen, mij incluis.

We noemden hem altijd 'kikker', maar nooit in zijn bijzijn. Als we hem zagen aankomen, maakten voor de gein kwaakgeluiden. Michel sprak er altijd over hoe geweldig de Franse keuken was, de kikkerbilletjes, de Franse wijn, de kaas, de Franse zus en de Franse zo.

Michel maakte toen al geen deel meer uit van mijn clubje, maar Yosy en Heim nog wel. We waren toen al heel gewiekst en doortrapt, een stelletje echte klootzakken. We dachten dat we alle kneepjes van het vak kenden. Het idee was nu, zeiden ze, ons de *essentie* van het inlichtingenwerk duidelijk te maken. Tot nu toe hadden we gedrag en informatievergaring op een laag niveau bestudeerd. Thans moesten we ons bezighouden met de gave afwerking.

Het eerste wat we te zien kregen, onder leiding van veiligheidsman Nahaman Lavy en een man genaamd Tal, was een nieuwe film van Mossad Productions, getiteld 'Allemaal vanwege een spijkertje', het beroemde verhaal over hoe een leger de oorlog verloor vanwege een spijkertje dat had losgelaten van het hoefijzer van het paard van de bevelhebber, het bewijs dat zelfs het kleinste detail niet over het hoofd gezien mag worden. Hoe onbeduidend het ook lijkt, toch kan elk kleinigheidje dat niet wordt gecontroleerd de hele operatie bederven. Deze vertoning maakte deel uit van een vier uur durende bijeenkomst waartoe ook een lezing over veilig gedrag, veiligheid en betrouwbaarheid behoorde.

Daarna zaten we een uur bij Ury Dinure, onze nieuwe NAKA-instructeur. Vervolgens begonnen we aan een uitgebreide cursus internationale bedrijfskunde, waar we leerden hoe een onderneming wordt geleid, hoe verzendingen worden geregeld, beleidsstructuren, de verhouding tussen raad van bestuur en aandeelhouders, de plichten van een president-commissaris, hoe de effectenbeurs werkt, het opstellen van buitenlandse transacties, het verschepen van goederen, alles wat we moesten weten over een onderneming als we die gebruikten als dekmantel voor onze operaties. De cursus bedrijfskunde duurde tot aan het einde van onze opleiding, met minstens twee keer per week een college van twee uur, plus talloze tentamens en werkstukken die moesten worden gemaakt.

Ondertussen was Itsik begonnen aan een nieuwe oefening, waarbij we tot in de kleinste details leerden hoe we een agent moesten runnen. Eén oefening was er op gericht om te laten zien hoe je een onbetrouwbaar geworden agent moest elimineren wanneer je verzeild was geraakt in een situatie waarin je niet kon wachten totdat Metsada de kidon-eenheid had gestuurd om het karwei op te knappen. We werden verdeeld in drie groepjes van elk vijf man. Elk groepje had een ander 'subject' van wie informatie moest worden verkregen en voor wie een plan tot uitschakeling moest worden bedacht.

Mijn groepje had de noodzakelijke informatie in drie dagen bijeen. Het enige wat ons subject met vaste regelmaat deed, was elke dag om half zes bij de kruidenier om de hoek twee pakjes sigaretten kopen. Je kon de klok er op gelijk zetten. Dat was duidelijk de beste plek om hem op te pikken. We beschikten over een chauffeur; een andere man en ik zaten op de achterbank. Toen ik de agent riep, herkende hij zijn katsa en stapte meteen achterin. We reden de stad uit en op een afgesproken punt hielden we een ether-masker voor zijn gezicht om hem buiten bewustzijn te brengen. Het hele geval was natuurlijk gespeeld.

De rest van het plan bestond eruit de afrekening op een ongeluk te laten lijken. We zouden zijn auto in de buurt van een steile rots hebben verborgen en vervolgens zouden we de bewusteloze man er hebben ingelegd. Daarna zouden we wodka (die brandt goed) via een trechter van krantepapier in zijn keel hebben gegoten, even hebben gewacht totdat de alcohol door het bloed zou zijn opgenomen, voor het geval iemand dat later zou controleren, en een aansteker en een brandende sigaret naast hem hebben neergelegd. Dat zou beschouwd worden als de 'oorzaak' van de brand. Als de auto in brand stond, zouden we die volgens plan de rots afduwen.

Een van de andere groepjes ontdekte dat hun man elke avond naar een nachtclub ging. Zij kozen voor een directere methode. Ze liepen op straat, in de buurt van de club, op hem toe, 'schoten' met losse flodders vijf keer op hem, gingen terug naar hun auto en reden gewoon weg.

Ondertussen werkten we steeds meer aan onze dekmantels, waarbij we leerden allerhande paspoorten te gebruiken. Dan liepen we met een bepaalde identiteit over straat en werden we gearresteerd, waarna we tijdens de ondervraging ons verhaal volhielden, vrijgelaten werden, een vent met een nieuw paspoort tegenkwamen en, bingo, opnieuw gearresteerd werden door een andere politieagent en we ons nieuwe verhaal moesten volhouden.

We kwamen nu ook iets te weten over Tsafririm en de 'regelingen' die

150

werden getroffen om joden in de hele wereld te kunnen verdedigen. Op dit punt rezen er problemen, tenminste bij sommigen van ons. Ik kon het gewoon niet eens zijn met dit concept van burgerwachten. Ik was van mening dat zulke regelingen bijvoorbeeld in Groot-Brittannië, waar joodse kinderen geleerd werd hun synagogen met wapens te verdedigen, eerder gevaarlijk dan gunstig waren voor de joodse gemeenschap. Ik kwam met het argument dat een groep mensen, zelfs als die onderdrukt werd, met pogingen om hen uit te roeien – zoals voor de joden gold – in democratische landen nooit het recht had op eigenrichting. Ik kon me voorstellen dat dit gebeurde in Chili of Argentinië of in andere landen waar mensen op klaarlichte dag verdwijnen, maar niet in Groot-Brittannië of Frankrijk of België.

Het feit dat er antisemitische groeperingen bestaan, hetzij in werkelijkheid hetzij in de verbeelding, kan absoluut niet als excuus gelden, want als je rondkijkt in Israëls achtertuin, kom je heel wat anti-Palestijnse groeperingen tegen. Betekende dit soms dat we van mening waren dat Palestijnen het recht hadden wapens te bezitten en burgerwachten op de been te brengen? Of zouden we deze mensen niet liever terroristen noemen?

Dit soort praatjes werd binnen de Mossad natuurlijk niet erg gewaardeerd, vooral niet als ze werden bezien tegen de achtergrond van de Holocaust. Ik weet dat de Holocaust zo ongeveer het vreselijkste is dat de joden ooit is overkomen: Bella's vader bijvoorbeeld zat vier jaar in Auschwitz en het grootste deel van haar familie is door de Duitsers afgemaakt. Maar men moet niet vergeten dat er ook bijna 50 miljoen andere mensen zijn omgekomen. De Duitsers probeerden ook zigeuners, verscheidene religieuze groeperingen, Russen en Polen uit te roeien. De Holocaust had niet zo zeer een reden tot verwijdering als wel een reden tot vereniging met andere volkeren moeten en kunnen zijn. Maar dit is mijn bescheiden mening en die had weinig invloed.

Ons wekelijkse 'sport'-programma veranderde dramatisch, toen er een nieuwe sport werd geïntroduceerd waarbij onze gezondheid behoorlijk op het spel werd gezet. We moesten naar een gebouw in een militair kamp bij Herzlia, waar we trappen op en af moesten rennen, terwijl we zelf met scherp schoten en beschoten werden door een machine die houten kogels afvuurde die pijn deden als ze je van dichtbij raakten. Het idee was te oefenen in het wegduiken en terugschieten, gewend te raken aan je vuurwapen en tegelijk je lichaam te trainen.

We oefenden ook met afdalen – je langs een gebouw laten afzakken aan een touw, je afduwen, je een stukje laten zakken, je weer afduwen, tot je beneden was. En we oefenden met het langs een touw afdalen vanuit een helikopter, plus enige andere commando-achtige oefeningen zoals de 'spring en schiet'-techniek om een kaper in een bus te beschieten.

Een ander onderdeel van de cursus heette 'het werven van een agent bij een bevriende dienst', dat wil zeggen wederzijdse werving met bijvoorbeeld de CIA. De spreker begon met te zeggen dat dit het onderwerp van zijn lezing was. 'Hoe komt zoiets tot stand?' vroeg hij vervolgens, waarna hij vlug antwoordde: 'Nooit. Zoiets doen we nooit. We zullen ze assisteren als ze erom vragen, en net doen alsof het wederzijds is, maar als we het alleen afkunnen, doen we het alleen.'

Hij leerde ons hoe we een agent bij een bevriende dienst moesten wegkapen: door het aanvankelijk voor te stellen als een wederzijdse operatie, hem vervolgens in een ander land te stationeren, zijn instructies te wijzigen en de bevriende dienst te melden dat het contact met de wederzijdse agent verloren was gegaan. Het was een eenvoudige procedure. Ik maakte een afspraak met hem en zou hem, als hij de moeite waard was, losweken en zijn salaris verdubbelen. Dan was hij ineens *onze* agent, die we 'blauw-wit' noemden, naar de kleuren van de Israëlische vlag.

Een bijzonder intrigerend aspect van de cursus werd getoond in een film getiteld 'Een president de klos', een gedetailleerde studie van de moord op John F. Kennedy op 22 november 1963. De theorie van de Mossad was dat de moordenaars – huurmoordenaars van de maffia, niet Lee Harvey Oswald – eigenlijk de toenmalige gouverneur van Texas, John Connally, hadden willen vermoorden. Connally zat bij JFK in de auto, maar raakte slechts gewond. Oswald werd beschouwd als degene die voor alles moest opdraaien en Connally als het mikpunt van gangsters, die wilden doordringen in de olie-industrie. De Mossad was van mening dat de officiële lezing van de moordaanslag regelrechte, onvervalste kletskoek was. Om hun theorie uit te proberen speelden ze de rit met de presidentiële auto na, waarbij scherpschutters, die waren uitgerust met veel betere wapens dan Oswald, een bewegend doel op de vastgestelde afstand van 90 m moesten proberen te raken. Het lukte ze niet.

Het zou een perfecte dekmantel zijn geweest. Als Connally vermoord zou zijn, zou iedereen hebben aangenomen dat het om een aanslag op JFK ging. Als ze Kennedy hadden willen pakken, dan hadden ze dat overal kunnen doen. Een van de kogels zou aan de achterkant van Kennedy's hoofd naar binnen en via zijn borst naar buiten zijn gegaan en ook nog Connally hebben getroffen. Als ooit een kogel een pirouette heeft kunnen maken, dan moet het deze zijn geweest.

De Mossad beschikte over elk filmpje dat er van de moord in Dallas was gemaakt, foto's van de omgeving, de topografie, luchtfoto's, alles. Met figuranten speelden ze de presidentiële rit keer op keer na. Beroepslui pakken een zaak hetzelfde aan. Als ik van plan ben een krachtig geweer te gebruiken zijn er een paar plaatsen vanwaar ik zou werken en de beste plaats is die vanwaar ik mijn doel het langst in het vizier kan houden, waar ik er het dichtst bij kan komen en waar ik tegelijk het minst opval. Met dat uitgangspunt zochten we een paar mogelijke plaatsen uit en we lieten meer personen uit verschillende hoeken vuren.

Oswald had een 6,5 mm Mannlicher-Carcano geweer gebruikt met een vier maal vergrotend telescopisch vizier. Hij had het uit een catalogus van een postorderbedrijf voor de prijs van $21,45. Hij had ook een .38 Smith & Wesson revolver bij zich. Het is nooit komen vast te staan of hij twee of drie keer heeft geschoten, maar hij gebruikte in ieder geval gewone militaire kogels met een gemiddelde snelheid van ruim 700 m/s.

Tijdens het naspelen installeerden de Mossad-mannen, die over betere en krachtiger bewapening beschikte, hun geweren op standaards en toen het moment daar was riepen ze 'pang' door de luidsprekers en dan gaf een richtingzoekende laser aan waar de mensen in de auto zouden zijn geraakt en hoe de kogel zou zijn gegaan. Volgens onze bevindingen was het geweer waarschijnlijk gericht geweest op Connally's achterhoofd en had JFK op het verkeerde moment een gebaar of een beweging gemaakt – of misschien had de moordenaar even geaarzeld.

Het was maar een oefening. Maar het toonde aan dat het onmogelijk was te doen wat Oswald zou hebben gedaan. Hij was niet eens een beroeps. Kijk maar naar de afstand, vanaf de zesde verdieping, en naar het soort spullen dat hij bij zich had. De kerel had het geweer pas gekocht. Iedereen weet dat het tijd en oefening vergt om een telescoop aan te brengen op een nieuw geweer. De officiele lezing is gewoonweg niet geloofwaardig.

Wie echter wel geloofwaardig was, was een man die op een ochtend aan het einde van de eerste maand van onze laatste cursus langskwam. Hij was klein en breed, en begon met: 'Mijn naam doet er niet toe, maar ik ga jullie vertellen over iets waar ik aan meegedaan heb, samen met een man die Amikan heet. Ik zat een tijdje bij een kidon-eenheid en mijn groep ontving intructies om het hoofd van het PLO-kantoor in Athene en diens assistent uit te schakelen. Ik noem Amikan omdat hij een godsdienstig man is, een grote kerel, meer dan 2 m lang en stevig gebouwd zoals ik.'

De spreker was Dan Drory, en de gebeurtenis waar hij over vertelde was de zogenaamde Operatie PASAT, een succesvolle Mossad-operatie midden jaren zeventig in Athene.

Drory, die duidelijk van zijn werk hield, opende vervolgens een diplomatenkoffertje en zei: 'Deze bevalt me,' waarbij hij een Parabellum tevoorschijn haalde, een Duits pistool dat op de Luger lijkt, en het op tafel legde. 'Deze bevalt me ook, maar die mag ik nooit meenemen.' En hij legde een Eagle op tafel, een in Israël gemaakte magnum met een luchtkoelingssysteem. 'Maar deze mag ik weer wel gebruiken,' zei hij, terwijl hij een Baretta .22 pakte. 'Het voordeel van deze is dat je geen geluiddemper nodig hebt.'

Hij zweeg even en zei toen: 'Maar dit is mijn grootste favoriet.' Hij flitste een stiletto open, het dodelijke steekwapen met een smal blad dat aan het einde iets breder wordt en uitloopt op een scherpe punt. 'Je kunt het in iemand steken en het er weer uittrekken zonder dat het bloed naar buiten gutst. Als je het terugtrekt, sluit de huid zich vanzelf. Het voordeel van dit wapen is dat je het tussen de ribben kunt steken en als het goed diep zit, kun je het ronddraaien zodat je alles openrijt. Dan trek je het er rustig weer uit.'

Ten slotte liet hij een soort beugel zien met een speciaal handvat waaraan twee messen zaten, ecn die langs de duim en de ander die langs de wijsvinger liep. Hij deed het om zijn hand, bevestigde de twee messen – een kon worden ingeklapt als een zakmes, de ander leek op een stanleymes – en zei: 'Dit gebruikt Amikan altijd graag. Je grijpt de knakker bij zijn keel en je knijpt je hand toe. Het is net een schaar. Het snijdt door alles heen. Dan houdt ie verder zijn gemak. Het is afdoende, maar toch werkt het niet onmiddellijk en dat vindt Amikan fijn. Het duurt een tijdje voordat de knakker dood is. Maar om dit te kunnen gebruiken moet je erg sterk zijn – zoals Amikan.'

Ik wist meteen dat ik met die Amikan nooit iets te maken wilde hebben. Hij was mij te aanhalig.

Amikan stond erop, als diep gelovig man, altijd zijn keppeltje te mogen dragen. Aangezien hij meestal met een dekmantel in vijandige oorden opereerde, kon Amikan zijn keppeltje natuurlijk moeilijk dragen zonder hinderlijk de aandacht te trekken. Daarom had hij zijn kruin kaalgeschoren en droeg hij daarop een keppeltje van mensenhaar – een haaistukje dat diende als *undercover*-keppeltje.

Toen ze hun instructies kregen om de twee PLO'ers te pakken te nemen, gingen Drory, Amikan en de anderen van hun groep naar Athene. De twee doelen werden gelokaliseerd. Beide mannen huurden een flatje in de stad en tijdens hun regelmatige vergaderingen over de te volgen strategie bleven ze afstandelijk tegen elkaar.

Omdat de dienst nog steeds de naweeën voelde van de schokkende publiciteit rond de Lillehammer-affaire, waarbij de verkeerde was gedood, wilde het nieuwe hoofd van de Mossad, Yitzhak Hofi, persoonlijk de afrekeningen controleren en pas ter plekke toestemming geven. Hij wilde de slachtoffers zien voordat ze werden doodgeschoten.

Om het niet te moeilijk te maken noem ik het hoofd van het PLO-kantoor Abdul en zijn assistent Said. Nadat de situatie in ogenschouw was genomen, werd besloten dat de zaak niet in Abdoels flat kon worden afgehandeld. Het tweetal kwam echter vaak bij elkaar in een hotel aan een vrij brede straat – gewoonlijk op dinsdag en donderdag, samen met enkele andere PLO-mensen. De twee werden bjna een maand lang geschaduwd voordat er beslissingen werden genomen.

Beide mannen werden herhaaldelijk gefotografeerd en hun dossiers werden gecheckt en weer gecheckt om er zeker van te zijn dat er geen vergissing in het spel was. Abdul was als jongeman ooit door de Jordaanse politie gearresteerd in Oost-Jeruzalem, en na de Israëlische bezetting was zijn dossier bewaard gebleven. Ze bemachtigden zelfs een glas dat Abdul in het hotel had gebruikt, om zijn vingerafdrukken te kunnen vergelijken met die in het oude dossier. Hij was het zeker.

Na de vergaderingen verliet Abdul altijd het hotel en reed hij naar het huis van een van zijn vriendinnen. Said volgde een ander patroon. Hij ging in normale kleren naar de vergaderingen, reed daarna in twintig minuten naar zijn flat in een buitenwijk voor de beter gesitueerden en trok nettere kleren aan om 's avonds uit te gaan. Hij woonde op de tweede en hoogste verdieping van een pand dat vier appartementen bevatte. Opzij van het huis lagen, langs de oprijlaan, vier parkeerplaatsen. Hij parkeerde in de op een na laatste en liep over de oprijlaan naar de voordeur. Er stond een lantaren tegenover de parkeerplaatsen en er waren ook lampen aangebracht aan de muur waar de auto's geparkeerd stonden.

Terwijl Abdul de meer politieke van de twee was en weinig persoonlijke bescherming genoot, behoorde Said tot de militaire tak. Hij deelde zijn appartement met drie andere PLO-leden, van wie er ten minste twee optraden als zijn gewapende lijfwacht. Het was een soort PLO-bolwerk.

De straat voor het hotel had twee rijbanen in beide richtingen met een vluchtstrook in het midden. Het was geen bijzonder drukke wijk, met weinig voetgangers. Er was een parkeerplaats voor de gasten van het restaurant, waar Abdul en Said allebei parkeerden, en een aan de achterkant voor de hotelgasten.

Na alle factoren te hebben afgewogen, besloten Drory en Amikan de twee mannen na een gewone donderdagavondvergadering te pakken te nemen.

Er stond een telefooncel aan de overkant van de straat, schuin tegenover het hotel, en ook een in de buurt van Saids appartement. Aangezien Said de vergaderingen altijd eerder verliet dan Abdul, waren ze van plan om Abdul voor het hotel te pakken en daarna de man die in de telefooncel bij Saids appartement stond te wachten, te waarschuwen dat hij er aan kwam.

Amikan had de leiding over het groepje dat zich met Said zou bezighouden. Hij had opdracht om een 9 mm pistool te gebruiken en zijn chef controleerde dat om er zeker van te zijn dat hij geen dumdumkogels zou gebruiken. Het is bekend dat de Mossad die gebruikt en ze wilden deze dubbele aanslag liever afschuiven op een van de PLO-groeperingen dan er zelf de schuld – of de eer – van te krijgen.

Op de afgesproken avond werd een kleine bestelwagen recht tegenover het hotel geparkeerd, aan de andere kant van de vluchtheuvel. Een man zou in de lobby zitten als Drory vanaf de parkeerplaats naar de voordeur zou lopen, gevolgd door Yitzhak Hofi. Drory en Hofi moesten in hun auto blijven wachten totdat ze via hun walkie-talkies het teken zouden krijgen – een reeks klikgeluiden – dat ze aan de gang konden gaan.

Om een of andere reden kwamen Abdul en Said die donderdag echter tegelijk naar buiten – voor het eerst dat ze dat deden – zodat niemand iets ondernam. De aspirant-moordenaars keken toe hoe de mannen in hun auto's stapten en wegreden.

De donderdag daarop installeerde de groep zich opnieuw. Ditmaal verliet Said de vergadering om omstreeks negen uur, en ging naar zijn auto. De mannen van de Mossad reden hun auto een stukje naar voren, alsof ze net waren aangekomen en aan het parkeren waren, toen Said in zijn auto stapte en wegreed.

Ongeveer twee minuten later hoorden ze het signaal van hun man in de lobby: Abdul kwam er aan. Het hotel had aan de voorkant een draai-deur met ernaast een gewone deur. Om er zeker van te zijn dat Abdul de draaideur zou nemen, hadden ze de andere deur afgesloten.

De Mossad-man die in de lobby had gezeten ging pal achter Abdul de draaideur in en hield die tegen zodat er niemand anders meer door kon. Een andere man stond in de telefooncel verderop te bellen met zijn maat in de buurt van Saids appartement.

Abdul liep de treden af en ging linksaf naar de parkeerplaats, toen Dro-ry op hem af liep, met Hofi vlak achter hem. Hofi zei: 'Abdul?' Toen hij ja zei, schoot Drory hem twee kogels door de borst en een door het hoofd en liet hem dood achter. Hofi was al op weg naar het bestelwa-gentje aan de overkant van de straat dat nu langzaam de straat op draaide, en de man in de telefooncel zei: 'Het is geregeld,' en gaf te kennen dat het onderdeel Said van de operatie nu kon beginnen.

Wat Drory betreft, die draaide zich gewoon om en liep terug naar de parkeerplaats waar hij in zijn auto stapte en wegreed. De man die in de lobby had gezeten ging weer door de draaideur naar binnen, liep door de lobby, en ging door de achterdeur naar buiten, waar hij zijn eigen auto had staan. De hele zaak duurde hoogstens tien seconden. Als ie-mand in de lobby hem had gadegeslagen, had het net geleken alsof de man de draaideur in was gegaan, had gemerkt dat hij iets vergeten had en weer het hotel in was gelopen. Tien minuten later werd het lijk van Abdul op de parkeerplaats gevonden.

Toen Said zijn auto op zijn vaste plaats parkeerde, stond Amikan in de bosjes tussen de twee appartementenhuizen. De lantaren tegenover de parkeerplaatsen deed het niet, maar in het schijnsel uit het achterraam en van de lampen aan de muur kon Amikan zien dat Said onderweg iemand had opgepikt. Zijn probleem was nu dat hij van zijn plaats niet kon zien wie van de twee Said was, zodat hij zich maar op het standpunt stelde dat de vriend van zijn vijand ook zijn vijand moest zijn. Hij benaderde de auto van achteren en schoot met zijn 9 mm pistool, waar hij een speciaal magazijn op had aangebracht, elf gaten in hun hoofden door snel van de een op de ander te vuren.

Toen liep hij naar de bestuurderskant van de auto om te controleren of ze allebei wel dood waren. Omdat hij van achteren had geschoten had geen van beiden nog een gezicht over.

De schietpartij was snel gegaan, maar ook nogal luidruchtig. Hoewel Amikan een geluiddemper had gebruikt, hadden het glasgerinkel en de inslag van de kogels in de muur de aandacht getrokken van Saids lijfwachten. Ze verschenen op het balkon op de tweede verdieping, donkere silhouetten die afstaken tegen het licht van de kamer, en tuurden in de duisternis waarbij ze Saids naam riepen. Een ander lid van Amikans groepje, die voor het appartementenblok had staan posten, riep hen in het Arabisch toe: 'Kom gauw! Kom gauw!' en dat deden ze. In de tussentijd renden Amikan en hij de straat over, sprongen, samen met de man die in de telefooncel had gestaan, in hun auto en scheurden weg, de nacht in.

Ik herinner me nog goed hoe Drory over deze operatie vertelde. Het was zoals je een lekkere maaltijd beschrijft, als je echt hebt zitten smullen. Als een exquis diner. Ik zal nooit vergeten hoe Drory de aanslag beschreef. Hij hief zijn handen alsof hij een pistool had en vuurde toen. Het was angstaanjagend. Ik ben wel eens beschoten en ik heb heel wat gezien. Maar de grimas die Drory op dat moment trok, is iets wat ik nooit zal vergeten. Hij was zo opgewonden dat hij knarsetandde.

Tijdens een korte vragenronde daarna werd Drory gevraagd hoe het voelde om iemand neer te schieten als het geen zelfverdediging was noch op een slagveld geschiedde. 'Dit was nationale zelfverdediging,' antwoordde hij. 'Hij heeft mij niet beschoten, maar figuurlijk hield hij een pistool op mijn volk gericht. Gevoel heeft hier niets mee te maken. Trouwens, zo rot voelde ik me helemaal niet.'

Toen hem werd gevraagd wat er door Amikan moest zijn heengegaan terwijl hij in de bosjes zijn prooi stond op te wachten, legde Drory uit dat hij voortdurend op zijn horloge had staan kijken omdat het al laat aan het worden was en hij honger had. Hij wilde het zo snel mogelijk achter de rug hebben, zodat hij iets te eten kon halen – zoals iedereen die door zijn werk te laat is voor het avondeten.

Hierna werden er niet veel vragen meer gesteld.

Weldra begonnen we met een uitgebreide cursus fotografie, waarbij we leerden welke camera's we moesten gebruiken, hoe we filmpjes moesten ontwikkelen, inclusief een methode om twee chemische tabletten in lauw water te laten oplossen, waarna je het filmpje 90 seconden onderdompelt, zodat het nog niet helemaal ontwikkeld is – dat kan later gebeuren – maar je snel kunt controleren of de beoogde afbeeldingen er op staan. We experimenteerden ook met verschillende lenzen en met het ongezien maken van foto's, zoals vanuit schoudertassen.

Pinhas Maidan, een van de drie nieuwkomers die zich voor de laatste onderdelen van de opleiding bij onze groep hadden gevoegd, besloot zijn fotografielessen te gebruiken voor een profijtelijk zaakje.

Aan het strand ten noorden van Tel Aviv ligt een strook genaamd Tel Barbach, niet ver van de Country Club, waar alle hoeren rondhangen en wachten op mannen die in hun auto's langskomen, hen oppikken, waarna ze de duinen ingaan en het doen. Pinhas besloot de nachtzicht-apparatuur mee te nemen en zich in de duinen te posteren om mannen die met hoeren in hun auto zaten, te fotograferen. Hij slaagde er, dank zij de hoogwaardige apparatuur en de sterke telelenzen, in enkele niets verhullende foto's te maken. We hadden eerder al geleerd hoe we de computer van de politie konden kraken – er zonder toestemming en zelfs zonder dat de politie het wist in rondneuzen – zodat Maidan via de kentekens gemakkelijk achter de namen van de autobezitters kon komen en hen begon te chanteren. Dan belde hij op om te zeggen dat hij beschikte over enkele compromitterende foto's en vroeg om geld.

Hij schepte er over dat hij er flink aan verdiende. Hij zei niet hoeveel, maar ten slotte diende iemand een klacht in en kreeg hij een waarschuwing. Ik had gedacht dat ze hem er wel uit zouden gooien. Maar blijkbaar werd dit beschouwd als het tonen van initiatief. Ik denk dat je, als je zo diep in de stront zit, niet meer ruikt dat er iets stinkt.

Volgens de zienswijze van de Mossad kon het maken van dergelijke foto's soms natuurlijk een handig middel zijn om lui te werven – maar soms ook niet. Er deed een verhaal de ronde over een hoge Saoedische ambtenaar die gefotografeerd was toen hij in bed lag met een hoer die instructies had gekregen om met haar klant een zodanig standje te kiezen dat de camera zowel de penetratie als zijn gezicht kon vastleggen. Later confronteerde de Mossad hem met dit bewijs van zijn seksuele escapades. Ze legden de foto's voor hem op tafel en zeiden: 'Misschien wilt u met ons samenwerken.' Maar in plaats van te beven van angst, was de Saoediër verrukt over de foto's. 'Dit is prachtig,' zei hij. 'Ik wil graag twee van deze en drie van die,' en voegde er aan toe dat hij ze aan al zijn vrienden wilde laten zien. Onnodig te zeggen dat deze wervingspoging mislukte.

De cursus ging verder met het behandelen van inlichtingenwerk in de verschillende Arabische landen en de katsa's-in-opleiding mochten enige tijd in hotels met veiligheidsmensen praten om hun inzichten te leren kennen. Omdat we veel in hotels opereerden, moesten we weten wat we moesten doen om het trekken van de aandacht van de veiligheidsmensen te vermijden – die *kleine* dingen. Bijvoorbeeld: als een kamermeisje op de deur klopt, binnenkomt en iedereen zwijgt als zij binnen is, gaat ze waarschijnlijk aan de veiligheidsmensen vertellen dat er in die kamer iets vreemds aan de hand is. Maar als iedereen gewoon door praat alsof ze er niet is, dan rijzen er geen verdenkingen.

We volgden ook een reeks lezingen over de Europese politie. Land na land analyseerden we de verschillende korpsen, doorzagen we ze en leerden hun kracht en zwakke plekken kennen. We bestudeerden de islamitische bom en bezochten verschillende militaire bases, evenals het kernonderzoekscentrum Dimona in de Negev, ongeveer 60 km ten noordoosten van Beersheba. Het centrum was aanvankelijk vermomd als een textielfabriek en daarna als pompstation, totdat de CIA in december 1960 na een U-2 verkenningsvlucht het fotografische bewijs in handen kreeg dat er een kernreactor gehuisvest was. Er stond ook een veel kleinere reactor, genaamd KAMG (afkorting van *Kure Garny Le Machkar* of Nucleaire Onderzoeksvoorziening), in Nahal Sorek, op een luchtmachtbasis even ten zuiden van Tel Aviv. Ik heb beide fabrieken bezocht.

Toen dit geheim in 1960 was uitgelekt, kondigde David Ben-Gurion officieel Israëls 'vreedzame' atoomproject aan, hoewel veel er van nog steeds niet bepaald vreedzaam genoemd kan worden.

In 1986 heeft de in Marokko geboren Israëli Mordechai Vanunu, die van 1976 tot 1985 bij Dimona had gewerkt en daarna naar Australië was vertrokken, onthuld dat hij een fototoestel naar binnen had gesmokkeld en 57 foto's had gemaakt van de zeer geheime opwerkingsfabriek, die zich enkele verdiepingen onder de grond bevond, waar toentertijd genoeg plutonium lag opgeslagen om 150 nucleaire en thermo-nucleaire bommen te kunnen maken. Hij bevestigde eveneens dat de Israëli's Zuid-Afrika in september 1979 hebben geholpen met een kernproef in het zuidelijke deel van de Indische Oceaan bij de onbewoonde Prins Edward- en Marion-eilanden.

Vanunu werd als beloning voor zijn arbeid tijdens een proces achter gesloten deuren in Jeruzalem veroordeeld tot een gevangenisstraf van achttien jaar wegens spionage. Hij werd door de Mossad gevangen genomen nadat hij door een aantrekkelijke agente verleid was tot een boottochtje op de Middellandse Zee bij Rome. De Londense *Sunday Times* stond op het punt zijn verhaal en de foto's te publiceren, maar Vanunu werd verdoofd, aan boord van een Israëlisch schip gesmokkeld, snel berecht en in de gevangenis gegooid.

In werkelijkheid was de ontvoering van Vanunu grof geklungel. Vanunu was geen beroeps en niet echt gevaarlijk. Alleen door de manier waarop de zaak was aangepakt wist het publiek er van. Uiteindelijk kregen ze Vanunu in Israël, maar de Mossad kon er bepaald niet trots op zijn.

Te oordelen naar mijn eigen ervaring met de Dimona-fabriek, klopte Vanunu's beschrijving helemaal. En dat niet alleen, ook zijn interpretatie klopte. Hij zei dat ze die bommen fabriceerden en dat ze ze, als het moest, zouden gebruiken. Dat is waar. Het was, in de dienst, evenmin een geheim dat we Zuid-Afrika hielpen met een nucleair programma. We hebben hen van het merendeel van hun militair materieel voorzien. We hebben hun speciale eenheden getraind. We hebben jarenlang nauw met ze samengewerkt. Beide landen meenden de ondergangsmachine nodig te hebben en waren bereid die in te zetten.

Aangezien Dimona streng beveiligd was, was het ook omringd met luchtdoelraketten van de typen Hawk en Chapparal. De grap was dat, toen we het gedeelte met de Hawks bezochten, deze raketten gewoon lagen weg te rotten. Ze hadden niks kunnen verdedigen. Toch werden ze later aan Iran verkocht. We hebben daar hard om moeten lachen.

De katsa's-in-opleiding kregen ook lessen in internationale communicatiesystemen, in het bijzonder de Mediterrane kabel die uitkwam in Palermo op Sicilië, waar hij in verbinding stond met satellieten die het grootste deel van de Arabische communicatie voor hun rekening namen. Via Unit 8200 was Israël er mee verbonden en had daardoor inzage in zowat alles wat de Arabieren doorgaven.

Een ander vast onderdeel van onze cursus was een 'sociometrisch' verslag dat om de paar weken geschreven moest worden, waarbij ieder van ons de anderen moest beoordelen en indelen in verschillende categorieën: operaties, betrouwbaarheid, standvastigheid, vriendelijkheid, hartelijkheid, enzovoort. Ik bracht het er niet zo slecht van af, maar het was niet eerlijk. Je hoorde de resultaten niet te weten, maar dat gebeurde toch. Als je iemand niet mocht, zette je hem natuurlijk helemaal onderaan. En aangezien we allemaal een beetje wantrouwend waren, controleerden Yosy, Heim en ik elkaars lijsten voor de zekerheid.

Nu waren we klaar voor de laatste oefening. Over twee weken zouden we volleerde katsa's zijn.

Gegroet en vaarwel

Een dag voor de laatste oefening werd ik gebeld door mijn collega Jerry S. Op dat moment kon ik me nog geen voorstelling maken van de enorme consequenties van dit schijnbaar onschuldige telefoontje.

Jerry, toen 32 jaar, was een Amerikaans staatsburger. Hij had een baard, een snor en grijzend haar. Hij was mager en had als jurist gewerkt voor het eigen advocatenkantoor van Cyrus Vance, de minister van Buitenlandse Zaken van de Amerikaanse president Jimmy Carter. In die tijd waren Jerry en ik met elkaar bevriend, hoewel ik op de hoogte was van de geruchten dat hij homoseksueel zou zijn. Op een gegeven moment had hij iedereen verteld dat hij een vriendin had die uit de Verenigde Staten was overgekomen en bij hem logeerde, maar dat ze terug moest omdat ze getrouwd was. Aangezien niemand haar ooit had ontmoet, bleven de geruchten aanhouden. Jerry was vaak bij mij over de vloer geweest en ik bij hem. Ik hielp hem vaak met het opzetten van dekmantels. Behalve dat rare, kleine verschil van inzicht, konden we goed met elkaar overweg. Er was dus niets vreemds aan dat hij me uitnodigde bij hem langs te komen. Hij zei dat hij me iets te zeggen had en dat hij iets wilde laten zien. Ik zei: 'Goed, waarom niet?'

Toen ik binnenkwam, bereidde hij ons zijn favoriete drankje, een cocktail van wodka, gemalen ijs en aardbeienmoes. Voordat hij ging zitten, zette hij een video-cassette op.

'Ik heb iets wat ik je wil laten zien,' zei hij, 'maar voordat ik dat doe, wil ik je zeggen dat ik een goede bron heb en als we van nu af aan geschaduwd zullen worden, dan weet ik daar van. Ik zal je kunnen vertellen waar en wanneer. Daar hoeven we ons dus niet druk over te maken.'

'Ik zal eerlijk zeggen, Jerry,' zei ik hem, 'dat ik me daar helemaal geen zorgen over maak. Ik vind het eigenlijk best leuk om gevolgd te worden. Het is spannend.'

'Luister,' zei hij. 'Ik heb Ran H. (een andere klasgenoot, die ernstige problemen met APAM had) er over verteld en die had er wel oren naar.'

'Dat verbaast me niets. Maar wat denk je er mee op te schieten?'

'Nou, dan zoek je zelf maar uit *hoe* ze je volgen,' zei Jerry lichtelijk geïrriteerd.

'Prima, Jerry, doe wat je niet laten kunt,' antwoordde ik. 'Het maakt me niet uit. Als je denkt dat je er wat mee opschiet, mij best. Maar ik *ben* nieuwsgierig. Hoe kom je trouwens aan die informatie?'

'Het heeft te maken met die vrouw die door Itsik wordt geneukt. Ze is de beroemde nummer vier. Ik heb zelf ook een kleine affaire met haar en zij geeft me al deze gegevens.'

'Je houdt me voor de gek.'

'Ik wist wel dat je me niet zou geloven, dus waarom ga je niet even rustig deze video zitten bekijken?'

Een tijdje geleden was Jerry bij Itsik langs gegaan en had toevallig een vrouw naar buiten zien komen. Ze zag er aantrekkelijk uit, met een gebruinde huid, lichtbruin haar en een geweldig figuur. Jerry zag haar weggaan, wachtte even en ging toen op bezoek bij Itsik, wiens echtgenote niet thuis was. Hij zei niets over de vrouw.

De yarid, de eenheid die belast was met veiligheidsoperaties in Europa, oefende zijn vaardigheden natuurlijk in Israël. Een van de beste manieren om de techniek uit te testen was het schaduwen van katsa's-in-opleiding. Deze eenheden gebruikten nummers, geen namen, en de katsa's hoorden niet te weten wie zij waren. De yarid-eenheid kreeg een dag van tevoren te horen wie ze moesten volgen, wanneer en waar ze moesten beginnen, en ze kregen een foto van het subject te zien. De onderhavige vrouw heette nummer vier.

Jerry had haar tijdens een eerdere oefening al opgemerkt, en hoewel hij toen niet had geweten wie zij was, had hij het in zijn verslag gezet. Toen hij haar het huis van Itsik zag uitkomen, legde hij het verband. Toen hij haar de deur uit had zien komen en in haar auto zien stappen, had hij het kenteken opgeschreven. Dat controleerde hij later op de politie-computer en zodoende kwam hij achter haar naam en adres.

Hij wilde zijn voordeel doen met deze kennis. Om te beginnen wist hij wat er over hem verteld werd en hij wilde die geruchten de kop indrukken. Hij wilde bovendien weten wie wanneer gevolgd werd, zodat hij zich niet voortdurend zorgen hoefde te maken over APAM. Hij was niet goed in deze oefening, daarom wilde hij er greep op krijgen, aangezien het zo'n belangrijke rol in de opleiding speelde. Een katsa kan niet worden uitgezonden als hij de APAM niet heeft gehaald.

In zijn appartement, dat was volgepropt met alle denkbare elektronische snufjes, bevond zich ook een enorm trainingsapparaat, een zogenaamde Soloflex, dat bestaat uit een bank en een balk die aan een frame bevestigd is. Voor een van de oefeningen moet je je enkels vastmaken aan harde rubberen klemmen, ze vervolgens vasthaken aan de balk en dan jezelf optrekken, om je buikspieren te oefenen, terwijl je ondersteboven aan die balk hangt.

Een andere opvallend apparaat was een kleine videocamera die in een diplomatenkoffertje was ingebouwd – een camera die ze bij veel oefeningen gebruikten. Je kon hem, als je hem nodig had, van de Academie lenen. Niet alleen waren de sterren uit deze films onwetend van hun status, bovendien resulteerde de hoge kwaliteit van de apparatuur in films die er buitengewoon professioneel uitzagen.

De film begon met een groothoek-beeld van de kamer. De gordijnen waren dicht, maar er was veel licht. Opzij stonden een wandmeubel van licht hout en een eettafel, maar de Soloflex domineerde het midden van de kamer.

In het begin zaten Jerry en nummer vier te praten. Daarna begonnen ze elkaar te kussen en te strelen. 'Laten we een oefening doen,' zei hij en begon de rubberen klemmen om haar enkels te doen nadat ze haar joggingbroek had uitgetrokken. Toen hing hij haar ondersteboven aan de balk.

Ik kon mijn ogen niet geloven. Ik dacht: mijn god, dit kan niet waar zijn. Maar dat was het wel.

Toen ze daar hing te wachten, deed Jerry een stap achteruit, spreidde zijn armen alsof hij het voor de camera deed en zei: 'Ta-da!'

Haar shirt was over haar hoofd gezakt en haar borsten hingen bloot. Jerry trok haar shirt uit, boog zich voorover, tilde haar op en daarop begonnen de twee elkaar te kussen. Toen schoof hij zijn hand in haar panties en begon haar te vingeren. Nadat hij dat een tijdje gedaan had, trok Jerry zijn eigen kleren uit, en in de laatste paar minuten van het filmpje zie dat ze hem ondersteboven hangend pijpt, terwijl hij in zijn blootje op de bank zit.

'Jerry, je had dit filmpje niet hoeven te maken om haar medewerking te verkrijgen,' zei ik hem na afloop.

'Misschien niet. Maar ik dacht dat ze, als ze niet zou willen meewerken, dit na het zien van dit filmpje zeker zou doen. Het is opwindend, vind je niet?'

'Ja, in een bepaald opzicht wel,' antwoordde ik voorzichtig.

'Je weet toch wat ze op kantoor over me zeggen?'

'Wat, dat je een homo bent?'

'Ja.'

'Dat is jouw probleem, niet het mijne. Ik ben hier niet om over jou te oordelen.'

Op dat moment ging hij bij me zitten. Dichtbij. 'Kijk, je hebt gezien dat ik geen homo ben.'

'Jerry, waarom vertel je me dit?' vroeg ik hem, terwijl ik me een beetje ongemakkelijk begon te voelen.

'Kijk, ik vind het allebei lekker,' zei hij. 'Ik denk dat wij meer plezier zouden kunnen hebben dan jij denkt.'

'Jerry, begrijp ik goed wat je nu zegt?'

'Ik hoop het.'

Ik stond paf. Maar het wekte tevens mijn woede op. Ik stond op van de bank en liep naar de deur. Jerry legde zijn hand op mijn schouder om me tegen te houden. Op dat moment kreeg ik een waas voor ogen. Ik trok zijn hand van mijn schouder en gaf hem een opdoffer. Ik had nog nooit iemand zo hard in zijn maag geraakt. Ik rende de trap af en ging de straat op, ik had frisse lucht nodig. Ik rende in veertig minuten helemaal naar de Academie – naar schatting zo'n kilometer of zeven, acht. Ik was niet in al te beste conditie. Ik moest almaar hoesten, maar bleef rennen.

In de Academie trof ik Itsik. 'Itsik, ik moet je iets vertellen,' zei ik. 'Hier moet een eind aan komen.'

'Kom maar even mee naar m'n kantoor.'

Ik vertelde hem het hele verhaal. Ik kan niet zeggen dat het een helemaal samenhangende versie was, want ik stamelde. Maar het was duidelijk genoeg. Ik vertelde hem dat Jerry een videoband had waarop hij zijn vriendin neukte en dat hij mij avances had gemaakt.

'Rustig maar, rustig maar,' zei Itsik. 'Ik breng je wel even naar huis.'

Ik bedankte hem voor het aanbod, maar zei hem dat mijn fiets bij de Academie stond en dat ik naar huis wilde fietsen.

'Kijk,' zei Itsik. 'Je hebt het me verteld. Nu moet je het vergeten.'

'Wat bedoel je: vergeten?'

'Ik bedoel vergeten. Ik wil er niets meer over horen.'

'Wie is de kruiwagen van die gast?' vroeg ik.

'*Vergeet* het.'

Ik kon weinig doen. Want het was ongelooflijk dat Itsik mij zei alles te vergeten, zonder het verhaal ook maar te controleren. Toen voegde hij er aan toe: 'En ik wil hier ook niemand anders over horen. Zeg niets tegen Yosy of Heim of wie dan ook. Begrepen?'

166

'Goed, ik zal het vergeten. Maar ik stuur je wel een schriftelijke bevestiging, en ik wil een dossier-kopie.'
'Mooi, doe dat.'
Een dossier-kopie betekende dat een kopie van een brief die alleen voor
de geadresseerde bestemd was, in een verzegelde enveloppe kon worden gedaan en naar een computer-dossier werd gezonden, waar zij verzegeld bleef. Maar de geadresseerde moest een handtekening zetten ter
bevestiging dat hij de brief gelezen had, en de datum was geregistreerd.
Stel dat een katsa zijn superieuren vertelde dat de Syriërs de volgende
week een aanval zouden doen, maar dat zijn waarschuwing genegeerd
werd. Dan zouden, als de aanval plaatsvond, mensen kunnen vragen
waarom zij niet waren ingelicht. Indien de katsa een dossier-kopie had
gemaakt, dan kon hij die gewoon laten zien als bewijs dat hij ze een
seintje *had* gegeven.
Op weg naar huis ging ik langs bij veiligheidschef Mousa M. en vertelde hem het hele verhaal. 'U zou het programma moeten wijzigen en het
meisje overplaatsen,' zei ik.
'Heb je het aan Itsik verteld?'
'Ja.'
'Wat heeft hij gezegd?'
'Hij zei dat ik het moest vergeten.'
'Ik denk niet dat ik het meisje kan laten overplaatsen,' zei Mousa,
'want dan weet Itsik dat jij er met mij over hebt gepraat.'

Het eerste wat ons de volgende dag te doen stond, toen we, medio oktober 1985, aan onze laatste, drie weken durende oefening begonnen,
was ons in drie eenheden van elk vijf man te vestigen in de ons toegewezen appartementen. Een team zat in Haifa, een ander in Jeruzalem, en
het mijne zat op de derde verdieping van een pand in de buurt van de
Mugraby, een bioscoop bij de Allenby en de Ben Yehudastraat, in het
zuidelijke centrum van Tel Aviv – een nogal verloederde buurt waar
wordt getippeld.
Behalve Jerry bestond mijn team uit Arik, Oded L. en Michel. Nadat
we onze apparatuur in een kast hadden ingebouwd en alle andere
noodzakelijke maatregelen hadden getroffen voor het inrichten van
een *safe house*, kregen we paspoorten en werden we meegenomen naar
het vliegveld, waar we langs de douane en de veiligheidscontrole moesten gaan alsof we net in Israël arriveerden. Ik had een Canadees paspoort.

Daarna ging ik met een taxi van het vliegveld naar het appartement, onderzocht de buurt, noteerde waar de telefooncellen stonden, enzovoort, en ik was ruim op tijd voor de briefing om één uur 's middags. (We mochten tijdens deze opdracht van tijd tot tijd naar huis, maar dit was om toerbeurt, aangezien er 's nachts altijd iemand in het appartement diende te zijn.) Toen ik terugging naar het appartement was het alsof er tussen Jerry en mij niets was voorgevallen, behalve dat ik nu wist dat ik hem niet kon 'aanraken', noch mijzelf tegen hem kon beschermen. Zijn kruiwagen was te machtig.

Voor de eerste oefening moesten we naar het Grand Beach Hotel, op de hoek van de Dizengoffstraat en de Ben-Goerionavenue, aan de overkant van wat vroeger het Sheraton was. Het oude Sheraton was beschikbaar gesteld aan de Amerikanen die werkten aan de bouw van vliegvelden in de Negev, als onderdeel van de Camp David-akkoorden waarbij Israël vliegvelden in de Sinaï had opgegeven. Ik reserveerde telefonisch een kamer in het Grand Beach, terwijl Jerry in de lobby van dat hotel een contactpersoon moest ontmoeten. Deze contactpersoon had documenten in een diplomatenkoffertje dat in zijn achterbak lag, en het plan was het koffertje in handen te krijgen, de documenten te fotograferen en alles terug te leggen in de kofferbak zonder dat iemand het merkte.

De autosleutels hadden we al en het voertuig zou zes plaatsen vanaf de voormalige Sheraton-entree geparkeerd staan. Het bleek echter slechts drie plaatsen van de ingang te staan, in het volle blikveld van de portier.

Jerry's opdracht was de contactpersoon in de bovenlobby van het Grand Beach aan de praat te houden, terwijl hij zodanig zat dat hij mij kon zien binnenkomen met het koffertje en mij dwars door de lobby naar de liften kon zien gaan. Als de foto's in de hotelkamer zouden zijn genomen, moest alles worden teruggelegd, het koffertje worden schoongeveegd vanwege vingerafdrukken, en zou ik het terugleggen in de auto. Wanneer het koffertje weer in de achterbak lag, zou ik Arik een teken geven en die zou Jerry waarschuwen, zodat hij de man kon laten gaan. Dit gebeurde allemaal buiten medeweten van de contactpersoon.

De enige moeilijkheid van deze oefening was dat de auto te veel in het zicht van de portier stond. Dus vroeg ik Arik of hij een portefeuille had, zei hem deze te legen, behalve wat bankbiljetten die hij er een beetje uit moest laten steken en er mee naar de portier te gaan, waarbij hij moest zeggen dat hij dit had zien liggen en wilde dat het naar gevonden voorwerpen werd gebracht. Zodoende stond de portier niet op zijn plaats toen ik de koffer uit de achterbak haalde.

Toen ik weer naar beneden kwam, wist Arik al hoe de portier heette, dus belde hij hem voor een dringende boodschap. Terwijl de portier naar binnen ging om de telefoon aan te nemen, legde ik het koffertje terug.

Twee uur later zagen we elkaar terug in ons appartement. Iedereen zweeg, maar er scheen niets aan de hand te zijn. Weldra kwamen Itsik en Shai Kauly binnen. We gaven allemaal een nauwkeurige beschrijving van de gebeurtenissen, maar toen iedereen was uitgesproken, wendde Jerry zich tot Itsik en zei: 'Ik wil een klacht indienen over het gedrag van Vic.'

Ik was stomverbaasd. Ik had gedaan wat er van mij was verwacht en nu kwam die etterbak met een officiële klacht aanzetten.

Maar Jerry ging door. 'Toen Victor bij de Kaisarut werkte, heeft hij enkele Afrikanen in dit hotel ondergebracht. Door deze oefening uit te voeren in een hotel waar hij bekend is, heeft hij de hele operatie in gevaar gebracht.'

'Wacht es even,' zei ik. 'We hebben in elk rothotel hier in de stad geoefend. En trouwens, theoretisch gezien zijn we voor deze oefening in Parijs en in Parijs ken ik geen *enkel* hotel.'

Het maakte niets uit, Itsik luisterde en schreef toen in zijn boekje: 'Goed gezien.'

Ik probeerde het bij Kauly. 'Shai...'

'Ik bemoei me er niet mee,' antwoordde Kauly.

De volgende dag vroeg ik of ik meteen aan mijn tweede opdracht mocht beginnen. Het zou me gelegenheid geven om enkele dagen niet in het safe house te hoeven zijn. Ik walgde er al van om Jerry in mijn buurt te hebben.

Wat ik moest doen, was contact leggen met een Britse diplomaat die verantwoordelijk was voor het onderhoud van alle militaire begraafplaatsen (hoofdzakelijk uit de Eerste Wereldoorlog) in Israël. Hij had een kantoor in Ramlah, even ten oosten van Tel Aviv, waar zich een grote begraafplaats bevond en hij had ook een kantoor in de Britse ambassade in Tel Aviv. De Shaback had de man al verschillende malen langs de snelweg zien stoppen om foto's te maken van militaire installaties. We verdachten hem ervan dat hij zelf van een inlichtingendienst was ofwel voor iemand werkte. Het had er toe geleid dat de Shaback gevraagd had zijn gangen na te gaan.

Mijn eerste taak was iets te verzinnen om deze man te kunnen ontmoeten. Waarom niet opnieuw een film? Nadat ik een kamer had geboekt in het Carleton-hotel, pal tegenover het Marina in de Hayarkonstraat in Tel Aviv, ging ik naar een monument vlakbij de plaats waar de troepen van de Britse generaal Allenby tijdens de Eerste Wereldoorlog de rivier de Yarkon waren overgestoken en een einde hadden gemaakt aan vier eeuwen Ottomaanse overheersing van het Heilige Land. Met in gedachten de data van de veldslagen en de namen van de brigades die er hadden gestreden, ging ik vervolgens naar een andere grote Britse begraafplaats in de buurt van Haifa, waar ik tussen de graven zocht totdat ik er een vond met de naam van een soldaat (McPhee) die in die tijd strijdend ten onder was gegaan.

Me uitgevend voor een Canadees uit Toronto, met business cards en al, vertelde ik dat ik een film wilde maken over een familie die van Londen naar Canada was verhuisd, maar dat er een familielid bij was dat was gesneuveld in de strijd ter bevrijding van het Heilige Land. Eerst belde ik het kantoor in Ramlah en vertelde het verhaal aan een christelijke Arabische vrouw die daar werkte. Ze gaf me het telefoonnummer van mijn doelwit op de ambassade, dus belde ik hem daar, vertelde hem het verhaal, noemde McPhee's naam (en zei dat ik niet wist waar hij begraven lag), zei dat ik in het Carleton logeerde en dat ik hem wilde ontmoeten. Geen probleem.

En dus verscheen de Brit op onze afspraak, samen met een andere man, en we zaten met zijn drieën twee en een half uur te praten. De diplomaat wilde me graag helpen. Hij kwam met de naam en met precieze aanwijzingen waar het graf gevonden kon worden. Hij nam gewoon aan dat het allemaal goed zat en we hadden het er zelfs over om hem in te huren voor de grote oorlogsscènes die ik zogenaamd wilde maken. Ik zei hem dat ik binnenkort vertrok, maar dat ik binnen een maand contact met hem zou opnemen. Ik had slechts instructies gekregen om contact te maken en de deur op een kier te zetten.

Mijn volgende opdracht was contact te leggen met een man in Oost-Jeruzalem die een souvenirwinkeltje aan de Salaha Adinstraat dreef. Ik peilde de buurt, nam foto's met een verborgen camera en kwam op goede voet te staan met de man, een PLO'er, wat de reden was dat ze meer van hem wilden weten.

Tijdens een andere opdracht nam Itsik me mee naar een flatgebouw in Tel Aviv en zei dat er op de derde verdieping een man zat die bezoek had en dat ik twintig minuten de tijd had om met deze gast aan de praat te raken.

'Dit is een gotspe,' zei ik.

'Leg uit wat een gotspe is,' zei Itsik.

'Je schijt bij iemand voor zijn deur, klopt aan en vraagt om toiletpapier. Dat is een gotspe.'

Ik ging naar een winkel in de buurt en kocht twee flessen Mouton Claret. Ik ging het gebouw binnen en controleerde de namen op het bellenbord, drukte op een bel en zei dat ik iets bij een vrouw moest afleveren.

'O, je zoekt zeker naar Dina?' zei een stem.

'Is Dina getrouwd?' vroeg ik.

'Nee,' was het antwoord.

Ik belde aan bij Dina's appartement, maar gelukkig was ze niet thuis. Ik ging het gebouw in en liep de trap op: het was zo'n flatgebouw waar je langs alle deuren moet. Toen ik op de derde verdieping kwam, waar mijn doelwitten zaten, nam ik een van de wijnflessen, hield hem omhoog en liet hem vallen, wat een harde klap veroorzaakte voor de deur van het beoogde appartement. Ik klopte aan.

'Het spijt me ontzettend,' zei ik toen er werd opengedaan. 'Ik ging naar boven om bij Dina langs te gaan, maar ze was niet thuis. Nu heb ik deze fles laten vallen. Heeft u iets om het te kunnen opvegen?'

De man en zijn gast hielpen allebei. Ik stelde voor dat we de andere fles evengoed samen konden opdrinken, en ik bleef er twee uur zitten en hoorde allebei hun levensverhalen aan. Opdracht uitgevoerd.

Het team in Haifa richtte zich ondertussen op de VN-vredesmacht, in het bijzonder de Canadezen. Canadezen vormden een uitermate geschikt doelwit. Ze waren vriendelijk. Het waren meestal aardige lui. Ze waanden zich in Israël in een westers land, dus voelden ze zich best op hun gemak – heel wat meer dan in een Arabisch land. Ik bedoel, als je lol wilt trappen, waar moet je daar dan naartoe? Naar Damascus?

Er waren diverse Canadese *duvshanim* (letterlijk: 'zoete broodjes', VN-soldaten die werden betaald om boodschappen en pakjes over te brengen) die voor ons pakjes over de grenzen smokkelden. Twee opdrachten behelsden het inbreken in politiebureaus, een keer op het

171

hoofdbureau van Mador in de Dizengoffstraat in Tel Aviv, de andere keer in het hoofdbureau van de speciale recherche in Jeruzalem. Een man genaamd Zigel had daar de leiding over een speciaal fraudeteam. Een van de zaken waar hij toen aan werkte, werd 'Dossier Perzik' (*Tik Afarsek* in het Ivriet) genoemd.

Toen we daar inbraken, hadden we een 'expert met deurknoppen' bij ons die vertelde welke documenten we moesten meenemen. 'Dossier Perzik' bleek betrekking te hebben op een onderzoek naar de gangen van een oudere minister van de religieuze partij, genaamd Yosef Burg, een van de oudste parlementsleden in Israël. Burg draaide al zo lang mee, dat er een mop over hem de ronde deed. Drie archeologen, een Amerikaan, een Brit en een Israëli, stuiten op een drieduizend jaar oude Egyptische mummie. Als ze het graf openen, ontwaakt de mummie en vraagt aan de Amerikaan: 'Waar komt u vandaan?'

'Amerika. Het is een groot land aan de andere kant van de oceaan. Het machtigste land ter wereld.'

'Nooit van gehoord,' zegt de mummie, en richt zich tot de Britse archeoloog, waarna hetzelfde ritueel zich herhaalt.

Ten slotte vraagt hij aan de Israëli: 'Waar komt u vandaan?'

'Israël,' luidt het antwoord.

'O ja, Israël, dat ken ik wel. Is Burg daar trouwens nog steeds minister?'

Ik weet niet wat er in het dossier stond of waar het onderzoek betrekking op had, maar ik weet wel dat het Dossier Perzik op verzoek van de staf van de premier is weggenomen en dat het hele onderzoek in het slop raakte wegens gebrek aan bewijs. Of het nu Begin, Peres of Shamir is geweest, dat maakt niet uit. Als je eenmaal over een instrument beschikte dat je kon gebruiken, dan gebruikte je het ook. En dat deed de Mossad altijd.

Terwijl de katsa's-in-opleiding slechts een paar van zulke oefeningen deden, was dat vaste prik voor de mannen die werden opgeleid tot neviot. Als je een oefening wilt organiseren die gericht is tegen een beveiligde plaats, dan kies je er een uit. En een politiebureau is een beveiligde plaats.

Ik was geschokt door deze praktijken en ik vroeg waarom we zulke dingen deden als ze indruisten tegen onze eigen voorschriften. We hoorden buiten ons land te werken, niet er binnen.

Oren Riff, die ik als een vriend had beschouwd, antwoordde: 'Als je iets zoekt, dan zoek je het waar je het verloren hebt, niet in het licht,' hierbij refererend aan het verhaal over de man die iets in het donker verloren had, maar in het licht ging zoeken. Toen hem werd gevraagd waarom hij daar aan het zoeken was in plaats van op de plek waar hij het verloren had, antwoordde hij dat hij in het donker niets kon zien, maar in het licht wel.

'Je kunt beter je mond houden en je werk doen,' zei Riff, 'want het gaat je helemaal niet aan.' Daarop vertelde Riff me het verhaal van de man die uit de woestijn kwam en op een spoorbaan stond. Hij hoorde het fluiten van een aanstormende trein, maar wist niet wat het was. Langzaam kon hij het geweldige gevaarte op hem af zien komen, maar hij wist ook niet wat een trein was, dus bleef hij staan en werd overhoop gereden. Op de een of andere manier overleefde hij het, en na een lang verblijf in het ziekenhuis mocht hij naar huis, waar zijn vrienden een feestje hadden georganiseerd. Iemand zette de theeketel op het vuur, maar toen hij de ketel hoorde fluiten sprong hij op, greep een bijl, rende naar de keuken en sloeg de ketel kapot. Toen hem werd gevraagd waarom hij dat had gedaan, antwoordde hij: 'Je moet zulke dingen in de kiem smoren!'

Daarna zei Oren tegen mij: 'Knoop dit goed in je oren. Stop met fluiten. Je mag fluiten als je groter bent dan de lui die je nu je fluittoon laat horen.'

Woedend antwoordde ik: 'Lik m'n reet!' en stormde het kantoor uit. Ik dacht dat ik gelijk had. Als ik het tegen de andere lui in het kantoor had gezegd, kleine jongens zoals ik, dan waren ze het een voor een met me eens geweest. Maar niemand durfde zijn mond open te doen, want ze stonden allemaal klaar om naar het buitenland te gaan, en dat was het enige waar ze zich druk om maakten. Met zo'n houding kan het nooit wat worden. Dat werkt niet.

Toen we de cursus half november 1985 afrondden en we eindelijk katsa's waren geworden – het had bij elkaar drie jaar geduurd – was de sfeer zo verpest dat we zelfs geen feestje organiseerden. Oded had het niet gehaald, maar werd communicatie-deskundige voor het kantoor in Europa. Avigdor had het ook niet gehaald. Hij werd via Mike Harari als huurmoordenaar uitgeleend aan een paar mensen in Zuid-Amerika. Michel ging naar België en Agasy Y. werd verbindingsman in Caïro. Jerry ging naar Tsafririm om bij Araleh Sherf te gaan werken. Het laatste wat ik over hem heb gehoord, is dat hij een operatie in Jemen voorbereidde om te proberen een paar joden naar Israël te krijgen. Heim, Yosy en ik werden alledrie bij het Israëlische bureau ondergebracht.

Ik had de cursus met goed gevolg doorlopen, maar ook enkele machtige vijanden gemaakt. Efraim Halevy, bij voorbeeld, het hoofd van de verbindingsmensen, noemde me een 'lastpost'.

Desondanks werd ik uitgekozen om naar België te gaan, een grote eer voor een lastpost, om bij de aanvalskatsa's te gaan werken. Dat ergerde Itsik. Er waren immers niet zo veel mogelijkheden. Als ik ging, zou ik minstens voor drie tot vijf jaar vast zitten.

In de tussentijd werkte ik onder Ran als invaller, totdat hij naar Egypte moest om mensen te ronselen. De Egyptische televisie had een kritische film over de Mossad uitgezonden, getiteld 'De man met de verleidelijke ogen', die een boel inside-informatie bevatte. Maar in plaats van dat iedereen er aanstoot aan had genomen, was het bij de ambassade storm gelopen met vrijwilligers die voor de Mossad wilden werken.

Twee weken nadat ik bij de Israëlische standplaats was gekomen, kreeg ik de opdracht een pakketje dat met een El Al-vlucht uit het Verre Oosten was aangekomen, door te sturen naar een adres in Panama dat door Mike Harari was opgegeven. Ik ging het halen in een Subaru, maar toen ik op de luchthaven aankwam, trof ik daar tot mijn verbijstering een pak aan van twee bij drie meter en zeker anderhalve meter dik, helemaal verpakt in plastic, met daarin allemaal kleine pakketjes – veel te groot voor de auto. Dus belde ik een vrachtwagen om het op te halen en naar het kantoor te brengen om het opnieuw in te laten pakken, waarna ik het doorstuurde naar Panama.

Ik vroeg Amy Yaar wat er in die pakketjes zat.

'Dat gaat je niet aan,' zei Yaar. 'Doe gewoon wat je gevraagd wordt.' Op de luchthaven werd het pakket niet op een Panamees vliegtuig gezet, zoals mij gezegd was, maar op een vliegtuig van de Israëlische luchtmacht. Ik zei dat er een fout moest zijn gemaakt. Ze zeiden: 'Nee, nee. Het vliegtuig is uitgeleend aan Panama.'

Het was een Hercules transportvliegtuig. Terug op kantoor deed ik mijn beklag. Ik wist wat we verzonden. Zo dom was ik ook weer niet. We bemiddelden niet voor wapens uit het Verre Oosten. Het konden alleen maar drugs geweest zijn. Daarom vroeg ik waarom we een Israëlisch vliegtuig hadden gebruikt, en ze vertelden me dat Harari de lei-

174

ding had over de Panamese luchtmacht, dus wat was er mis mee?
Ze hoorden me tijdens de lunch en op kantoor te keer gaan dat we
Harari met dit soort activiteiten toch niet moesten steunen. Er was een
klachtensysteem binnen de dienst waar je via de computer je klachten
kon deponeren en die kwamen bij de interne veiligheidsdienst terecht.
Ik diende een officiele klacht in. De narigheid met dit systeem was dat,
wanneer je een klacht indiende, hooggeplaatsten er toegang tot hadden. Dus Harari zou er zeker achterkomen.
Het was de steen die alles aan het rollen bracht. Met mijn actie had ik
bij Harari zijn zwakke plek geraakt. Hij mocht me trouwens sowieso
niet, aangezien we al een voorgeschiedenis hadden.

Te zelfder tijd werd er geregeld dat ik naar Cyprus zou gaan. Ik hoorde
eigenlijk niet te gaan, maar Itsik wilde dat ik ging. Ik was even verbaasd als opgewonden dat hij mij wilde laten gaan.
Het was mijn taak op te treden als bemiddelaar in een operatie die al in
gang was gezet. Ik wist weinig van de bijzonderheden, maar moest een
man ontmoeten en een systeem opzetten waardoor hij in Europa bepaalde apparatuur voor explosieven zou ontvangen. Ik kende zelfs zijn
naam niet. Hij was een Europeaan die op Cyprus in verbinding stond
met de PLO en tegelijkertijd wapentransacties afsloot. Het idee was dit
in de knop te breken. De klanten van de man waren wapenhandelaren
en we dachten dat ze, als we hen te grazen zouden nemen, zouden denken dat de militante PLO-eenheid hen had verlinkt.
Ik moest controleren of de betrokken mensen naar een zeker ontmoetingspunt in Brussel zouden komen om de goederen te ontvangen. De
deal was in Brussel gepland omdat de explosieven en de ontstekings-
mechanismen vanuit het hoofdkwartier van de Mossad in Tel Aviv via
de diplomatieke post naar het Europese hoofdkwartier in Brussel werden gezonden. Vanwege zijn belangrijke status was de diplomatieke
postzending vaak behoorlijk omvangrijk.
De kopers waren handelaren uit België en Holland. Het plan was ze te
pakken, over te geven aan de politie in hun eigen landen en die de zaak
verder laten opknappen. De politie wilde natuurlijk bewijzen. De
Mossad zou voor die bewijzen zorgen zonder dat de politie wist dat de
Mossad er achter zat.
Voor een deel van het plan zou Michel worden gebruikt, vanwege zijn
uitstekende Frans, om de politie gedurende een bepaalde periode tele-

fonische tips toe te spelen, zodat ze op den duur zouden weten waar de feitelijke transactie zou plaatsvinden.

Ik verbleef in het Sun Hall Hotel dat uitzicht bood over de haven van Larnaca. De ontstekingsapparatuur moest naar België worden overgebracht en in een auto worden gelegd. Ik had een sleutelbos die ik aan een van de mannen op Cyprus moest geven en hen er bij zeggen dat ze nog wel zouden horen waar en wanneer ze de auto moesten oppikken. Ze wilden me op Butterfly Hill ontmoeten, maar ik stond er op de sleutels in mijn hotel over te dragen.

De mannen werden door de Belgische politie op heterdaad betrapt toen ze naar de auto liepen; ook de man die ik op 2 februari 1986 de sleutels had gegeven was er bij. Er werden meer dan 100 kg plastic explosieven en 200 tot 300 ontstekingsmechanieken in beslag genomen. Daarna maakte ik me op om naar huis terug te gaan. Ik besefte niet dat ik eigenlijk voor andere doeleinden naar Cyprus was gezonden – als onderdeel van een operatie waar ik het een en ander van wist doordat ik er op de computer van kantoor mee te maken had gehad.

De nieuwe orders waren in mijn hotel te blijven en te wachten op een telefoontje van een Metsada-spion die de luchthaven van Tripoli, in Libië, in de gaten hield. Het sleutelwoord was: 'De kippen zijn uit het kippenhok gevlucht.' Als ik dat ontvangen had, moest ik dit bericht elke vijftien seconden doorseinen en de boodschap 'De kippen zijn uit het kippenhok gevlucht' constant herhalen. Dit zou worden opgevangen door een nabij gelegen torpedoboot en doorgegeven aan de Israëlische luchtmacht, die vliegtuigen in de lucht zou hebben om een Libisch privé-vliegtuig te dwingen in Israël te landen.

De 'kippen' in kwestie waren enkele van de hardste, meest gezochte PLO-terroristen ter wereld, met name: Abu Khaled Amli, Abu Ali Mustafa, Abdul Fatah Ghamen en Arabi Awad Ahmed Jibril van het opperbevel van de PFLP. Jibril was verantwoordelijk voor de kaping van de *Achille Lauro* en hij was degene voor wie de Amerikaanse kolonel Oliver North zo bang was dat hij een duur veiligheidssysteem kocht om zijn huis te beschermen.

Libië's sterke man Muammar al-Gaddafi had een driedaags overleg georganiseerd van wat hij het Geallieerde Leiderschap van de Revolutionaire Krachten van de Arabische Natie noemde, met vertegenwoordigers van 22 Palestijnse en andere Arabische organisaties, in zijn bolwerk, de Bab al Azizialegerplaats. Gaddafi wilde maatregelen nemen

176

tegen de manoeuvres van de Amerikaanse marine voor de Libische kust en de afgevaardigden moesten hun goedkeuring hechten aan het plan om zelfmoordcommando's in te zetten tegen Amerikaanse doelen in de Verenigde Staten en elders, indien de VS het in hun hoofd mochten halen een daad van agressie te plegen tegen Libië of enig ander Arabisch land.

De Mossad hield de toestand vanzelfsprekend nauwkeurig in de gaten. Even vanzelfsprekend namen de Palestijnen aan dat ze dat deden. En het lekte uit dat de vooraanstaande PLO gedelegeerden van plan waren om vroeg te vertrekken met hun vliegtuig en over de zuidoostelijke kust van Cyprus naar Damascus te vliegen. De Mossad had twee spionnen ingezet die elkaar niet kenden – wat vrij normaal is – en die bij de telefoon zaten te wachten. Een van beiden hield de luchthaven in het oog. Hij moest de mannen aan boord van het vliegtuig zien stappen en zien opstijgen, dan de andere spion inlichten, die op zijn beurt mij moest opbellen. Dan zou ik de boodschap naar de torpedoboot doorseinen.

Ik was Cyprus binnengekomen onder de naam Jason Burton. Ik was halverwege afgezet door een Israëlische patrouilleboot en daarna opgepikt door een privé-jacht uit de haven, maar in mijn paspoort stond een inreisvisum afgestempeld alsof ik via de luchthaven was binnengekomen.

Het was kil en winderig en er liepen niet veel toeristen rond. Er logeerden echter wel een stel Palestijnen in mijn hotel. Nadat ik mijn eerste opdracht had afgerond en alleen op een telefoontje zat te wachten, had ik niet veel om handen. Ik kon mijn kamer uit, maar ik mocht het hotel niet verlaten, dus gaf ik aan de balie door dat ze, als ik niet op mijn kamer was, alle telefoontjes moesten doorverbinden.

Het was op de avond van 3 februari 1986 dat ik de man in de lobby opmerkte. Hij was zeer goed gekleed, droeg een gouden brilmontuur en drie grote ringen aan zijn rechterhand. Hij had een klein sikje en een snor en ik schatte hem op ongeveer 45 jaar. Zijn zwarte haar begon grijs te worden. Hij droeg dure leren schoenen en een wollen pak van mooie snit.

Hij zat in de lobby in een Arabisch tijdschrift te bladeren, maar ik kon zien dat hij er de *Playboy* in had verstopt. Ik wist dat hij een Arabier was en ik zag zo dat hij zich belangrijk voelde. Ik dacht: wat maakt het uit, ik heb niks te doen, dus ik sprak hem aan.

Ik deed dat zonder omhaal. Ik liep gewoon naar hem toe en zei in het Engels: 'Mag ik de uitklapfoto even zien?'

'Pardon?' antwoordde de man in een Engels met een zwaar accent.

'U weet wel, het stuk van de maand. De meid in het midden.'

Hij lachte en liet het mij zien. Ik stelde me voor als een Britse zakenman die het grootste deel van zijn leven in Canada had gewoond. We hadden een aangenaam gesprek en besloten na een tijdje samen te dineren. De man was een Palestijn die in Amman woonde en die, net als mijn dekmantel, in de in- en uitvoerhandel zat. Hij hield van een glaasje, dus gingen we na het eten naar de bar, waar hij dronken begon te raken. Ondertussen betuigde ik mijn warme sympathie voor de Palestijnse zaak. Ik had het zelfs over een boel geld dat ik op een verscheping naar Beiroet verloren had vanwege de oorlog. 'Die ellendige Israëli's,' zei ik. De man had het steeds maar over de zaken die hij in Libië deed en ten slotte, aangevuurd door de drank en mijn kennelijke vriendelijkheid, zei hij: 'We luizen de Israëli's er morgen in.'

'Mooi, mooi. Hoe gaan jullie dat aanpakken?'

'We hebben uit een bron vernomen dat Israël dat PLO-overleg met Gaddafi in de gaten houdt. We gaan ze op de luchthaven misleiden. De Israëli's denken dat al die PLO-mensen samen op het vliegtuig stappen, maar dat is niet zo.'

Ik had moeite om rustig te blijven. Ik had geen opdracht gehad om contact te leggen, maar ik moest toch iets doen. Ten slotte, om één uur 's nachts, nam ik afscheid van mijn 'vriend' en ging ik terug naar mijn kamer om een nummer-voor-noodgevallen te bellen. Ik vroeg naar Itsik.

'Die kan niet doorverbonden worden. De lijn is bezet.'

'Ik moet hem spreken. Het is een noodgeval. Anders wil ik het hoofd van Tsomet spreken.'

'Sorry, die is ook in gesprek.'

Ik had mezelf via mijn codenaam al als katsa bekendgemaakt, maar, ongelooflijk, ze wilden me niet doorverbinden. Dus belde ik Araleh Sherf thuis, maar hij was er niet. Toen belde ik een vriend bij de inlichtingendienst van de marine en vroeg of hij me kon doorzenden naar waar de chefs zaten, een oorlogskwartier dat door Unit 8200 in een luchtmachtbasis in de Galil was ingericht.

Nu kreeg ik Itsik wel aan de lijn. 'Waarom bel je me hier?'

'Luister, de hele toestand is een truc. Die lui gaan helemaal niet met dat vliegtuig.'

'Hoe weet je dat?'
Ik vertelde hem het verhaal, maar Itsik zei: 'Dit lijkt op LAP (psychologische oorlogvoering). Trouwens, je had helemaal geen toestemming om contact te leggen.'
'Daar heb jij helemaal niets over te zeggen,' riep ik. We stonden inmiddels tegen elkaar te schreeuwen. 'Dit is belachelijk!'
'Kijk, wij weten wat er moet gebeuren. Doe jij nu maar gewoon je werk. Weet je nog wat je moet doen?'
'Ja, dat weet ik. Maar voor het geval we er op terugkomen wil ik dat je weet wat ik heb gezegd.'
'Goed. Doe nu maar je werk.'
Ik kon de hele nacht niet slapen, maar de volgende dag kwam tegen de middag eindelijk het bericht. 'De kippen zijn uit het kippenhok gevlucht.' Jammer voor de Mossad, maar dat was niet zo. Toch gaf ik de boodschap door, verliet daarop onmiddellijk het hotel, ging naar de haven, stapte aan boord van het jacht en werd afgezet bij de patrouilleboot die me terugbracht naar Israël.

Die dag, 4 februari, dwongen de Israëli's het privé-vliegtuig te landen op de luchtmachtbasis Ramat David in de buurt van Haifa. Maar in plaats van de vooraanstaande PLO'ers zaten er negen onbelangrijke Syrische en Libanese ambtenaren in het vliegtuig, een grove internationale blunder voor zowel de Mossad als voor Israël. Vier uur later lieten ze hen gaan, maar niet voordat Jibril een persconferentie had belegd waar hij aankondigde: 'Vertel iedereen niet aan boord te stappen van Amerikaanse of Israëlische vliegtuigen. Vanaf vandaag zullen we burgers die dergelijke vliegtuigen nemen, niet ontzien.'
In Damascus eiste de Syrische minister van buitenlandse zaken, Farouk al Shara'a een spoedvergadering van de Veiligheidsraad. Die werd die week gehouden, maar de Verenigde Staten spraken een veto uit over een resolutie waarin Israël veroordeeld werd. In Syrië zei de stafchef van het leger, generaal-majoor Hikmat Shehabi: 'We zullen degenen die deze misdaad hebben gepleegd een lesje leren dat ze niet gauw zullen vergeten. We zullen ons beraden over de methode, het tijdstip en de plaats.' Gaddafi verklaarde daarop dat hij zijn luchtmacht opdracht had gegeven Israëlische burgervliegtuigen boven de Middellandse Zee te onderscheppen, ze te dwingen in Libië te landen en ze te doorzoeken op 'Israëlische terroristen'. Libië gaf mede de

schuld aan de Amerikaanse Zesde Vloot, vanwege hun medewerking aan de operatie.

Een geschokte premier Shimon Peres vertelde aan de commissies voor defensie en buitenlandse zaken van de Knesset dat, vanwege informatie als zou er een belangrijke PLO-terrorist aan boord zijn, 'we hebben besloten te controleren of hij inderdaad in het vliegtuig zat. De aard van de informatie was dusdanig dat het genoeg reden gaf voor ons besluit tot onderschepping... Het bleek een misvatting te zijn.'

Minister van Defensie Yitzhak Rabin zei: 'We hebben niet gevonden wat we hoopten te vinden.'

Terwijl dit alles aan de gang was, zat ik nog steeds op de patrouilleboot op weg naar huis. Ik vernam al gauw dat de Mossad-autoriteiten mij de schuld van de blunder gaven, en om er zeker van te zijn dat ik er niet kon zijn om me te verdedigen, had de kapitein van de boot, een man die ik nog kende uit mijn marinetijd, opdracht gekregen op een kilometer of zestien, zeventien van de kust bij Haifa 'motorpech' voor te wenden. Toen de boot stilviel, zat ik net koffie te drinken. Ik vroeg de kapitein wat er aan de hand was.

'Ze hebben me doorgegeven dat ik motorpech heb.'

We dobberden daar twee dagen rond. Het was mij niet toegestaan de radioverbinding te gebruiken. De kapitein was in feite de gezagvoerder van een kleine vloot van elf patrouilleboten, maar was speciaal op deze job gezet. Ik denk dat ze bang waren dat ik een jonge vent had weten te intimideren.

Deze kapitein was niet voor een kleintje vervaard. Hij had jaren geleden naam gemaakt toen hij in een mistige nacht een 'vuiltje' op zijn radar waarnam. Zijn radio scheen niet goed te werken. Hij kon wel zenden, maar niet ontvangen. Toen de schaduw steeds dichter bij kwam, waarschuwde hij via zijn radio: 'Stop of ik schiet.' Juist op het moment dat hij klaar stond om zijn kleine luchtafweergeschut op de boeg van zijn schip in stelling te brengen, doemde er een gigantisch vliegdekschip, de Nimitz, uit de mist voor hem op en richtte zijn schijnwerpers op hem. Hij stond klaar om te vuren. Het anker van de Nimitz alleen al was groter dan zijn hele schip. Men moest daar altijd hard om lachen.

Helaas kon niemand lachen om de mislukte onderschepping – behalve de Palestijnen en de Arabieren dan – en toen ik eindelijk aan wal mocht gaan, zei Oren Riff tegen me: 'Deze keer heb je het echt verknald.'

Ik begon hem uit te leggen wat er gebeurd was, maar hij zei: 'Ik wil er niets over horen.'

Ik probeerde steeds maar Nahum Admony, het hoofd van de Mossad, te spreken te krijgen, maar hij wilde me niet zien. Toen kreeg ik van personeelschef Amiram Arnon te horen dat ze van me af wilden. Hij raadde mij aan zelf ontslag te nemen. Ik zei dat ik niet wou opstappen, waarop Arnon zei: 'Okee, dan krijg je nu je salaris.'

Ik ging naar Riff en zei dat ik nog steeds Admony te spreken wilde krijgen. Riff zei: 'Hij wil niet alleen niet met je praten, hij wil zelfs niet dat je hem aanhoudt op de gang of in de lift. En als je hem buiten het gebouw aanschiet, zal hij dat opvatten als een aanval op zijn persoon.' Wat betekende dat zijn lijfwachten zouden schieten.

Ik sprak met Sherf, die zei dat hij helaas niets kon doen.

'Maar ik ben er ingeluisd,' zei ik.

'Dat maakt niet uit,' antwoordde Sherf. 'Je kunt er niets tegen doen.'

Dus ik vertrok. Het was de laatste week van maart 1986.

De volgende dag belde een vriend van me bij de marine om te vragen waarom mijn dossier was weggenomen van de speciale plek, waar die van de Mossadleden worden bewaard zodat ze niet als reservisten kunnen worden opgeroepen. (De meeste mensen in Israël dienen dertig, zestig of negentig dagen per jaar als reservist. Dat geldt ook voor ongetrouwde vrouwen en voor alle mannen tot 55 jaar. Hoe hoger de militaire rang, des te langer de dienstplicht.)

Normaal gesproken werd je dossier, als je de Mossad verliet, teruggezet bij de gewone reserve-mappen, maar wel met de kanttekening dat de betreffende persoon niet voor frontlijn-activiteiten in aanmerking kwam. Dat was omdat ze te veel wisten. En dus vroeg mijn vriend zich, in gelukzalige onwetendheid over de interne problemen, af waarom het dossier was weggehaald. Hij nam aan dat ik er zelf om had gevraagd, aangezien het gewoonlijk pas na vijf of zes maanden na je vertrek uit de Mossad werd weggehaald. Ik was pas een dag weg. Erger nog, het dossier ging vergezeld van een verzoek mij in te delen bij de verbindingstroepen met het zuidelijke Libanese leger, wat voor een ex-Mossad-man vrijwel een doodvonnis betekende.

Ik vond dat dit te ver was gegaan. Dus ik lichtte Bella in, pakte mijn spullen, boekte bij Tower Air een chartervlucht naar Londen en vloog van daar met TWA naar New York. Na daar een paar dagen te hebben doorgebracht, vloog ik naar Omaha om mijn vader op te zoeken.

De dag nadat ik vertrokken was, werd er bij mijn huis persoonlijk een oproep voor militaire dienst bezorgd. Gewoonlijk neemt die procedure ongeveer 60 dagen in beslag, met nog eens 30 dagen om je voor te bereiden.

Bella nam de oproep aan. Maar de volgende dag stond de telefoon roodgloeiend vanwege autoriteiten die wilden weten waar ik uithing. Waarom ik me nog niet voor de dienst had gemeld. Ze zei dat ik in het buitenland zat.

'Hoe is dat mogelijk?' zei de legerman. 'Hij heeft geen ontheffing.'

Die had ik overigens wel. Nou, niet echt van het leger gekregen. Ik had mijn eigen ontheffing gefabriceerd, haar zelf afgestempeld en toen er als een haas vandoor.

Ik ging voor een paar dagen naar Washington, in een poging contact op te nemen met de Mossad. Maar het was niet erg vruchtbaar. Niemand wilde me spreken en ik weigerde te zeggen waar ik me bevond. Daarna kwam Bella naar Washington, terwijl onze twee dochters naar Montreal vlogen. Uiteindelijk vestigden we ons in Ottawa.

Ik weet niet zeker of het allemaal is gekomen doordat ik te veel mijn mond open deed. Maar hoe dan ook, ze hebben me als zondebok willen gebruiken en hebben me gedumpt. Zo gaat dat nu eenmaal.

Maar die Palestijn op Cyprus die me over de truc vertelde, daar wil ik het nog even over hebben. Hij zei nog iets anders wat nog schokkender was. Hij zei dat hij twee vrienden had die even goed Ivriet spraken als Israëli's, Arabieren die in Israël waren opgegroeid, die in Europa een veiligheidssysteem opzetten alsof ze Israëlische veiligheidsmensen waren en die Israëli's ronselden om te helpen met het schrijven van handboeken voor de training van clandestiene groepen. Het was allemaal nep. Het enige wat ze zochten, was informatie – de Israëli's vrijuit aan het praten krijgen als er niemand in de buurt was. Toen ik dit op het kantoor aan een aantal mensen vertelde, zeiden ze dat ik gek was, dat dit niet waar kon zijn en dat dit niet naar buiten gebracht mocht worden omat er dan herrie over kwam. Ik vroeg hen waar ze het over hadden. We moesten mensen waarschuwen, zei ik. Maar ze waren niet te vermurwen.

De Palestijn had waarschijnlijk uit de school geklapt omdat hij wist dat het aan de vooravond van de operatie was, dat we in een hotelbar in Larnaca zaten, en trouwens, hoe kon hij denken dat ik er iets tegen zou kunnen gaan doen? De spion in Tripoli had de PLO-zwaargewichten overigens aan boord van het privé-vliegtuig zien stappen. Wat hij niet zag, was dat ze aan de andere kant weer uitstapten toen het vliegtuig, op weg naar de startbaan, achter een hangar opnieuw geladen werd. Ze hadden me een hele operatie op die Arabier moeten laten uitvoeren. Hij wist duidelijk het een en ander. Maar ze hebben me nooit de kans gegeven. Als het een gewone situatie was geweest, hadden ze na mijn telefoontje nooit persoonlijke motieven mogen laten gelden, aangezien ik immers een katsa was. We hadden ons heel wat ellende kunnen besparen en we hadden zelfs de vijand te slim af kunnen zijn geweest. We hadden het moeten zien aankomen. Het ging om mensen die doodsbang voor ons waren. En dan dachten wij nog dat ze gewoon met zijn vijven in een vliegtuig gingen zitten? Deze mensen die zich normaal gesproken onder de grond verscholen? Ze waren onderlegd en ervaren. We hadden moeten weten dat het een truc was. De Mossad had helemaal geen bemiddelingsfiguur op Cyprus nodig om een bericht door te geven. Wat ze nodig hadden, was een zondebok. En dat bleek ik te zijn.

Mijn problemen waren begonnen toen ik kadet was, maar de instructeurs hoopten blijkbaar dat ik er over heen zou groeien en me op den duur beter aan het systeem zou aanpassen. Ik deed mijn werk goed en ze hadden veel in me geïnvesteerd. Niet iedereen was trouwens tegen me, dus het duurde even totdat het punt was bereikt waarop uiteindelijk besloten werd dat ze meer last dan voordeel van me hadden. Mijn problemen met Jerry hebben de zaak waarschijnlijk aan het rollen gebracht. Hij had blijkbaar een sterk paard waarop hij wedde. En tegen mij.

Het is duidelijk dat de Mossad niet van mensen houdt die vragen stellen over het systeem of over degenen die het draaiende houden. Ze geven de voorkeur aan mensen die de dingen braaf nemen zoals ze zijn en er zelfs hun voordeel mee doen. Zolang het maar geen problemen geeft, kan het niemand wat schelen.

Hoe het ook zij, tijdens mijn uitgebreide opleiding en mijn korte loopbaan als katsa ben ik genoeg te weten gekomen om een dagboek te schrijven en een behoorlijk inzicht te hebben in talrijke operaties van de Mossad.

Veel van de lessen tijdens de opleiding werden gegeven door mensen die verschillende Mossad-operaties hadden uitgevoerd. De leerlingen bestudeerden deze operaties tot in de kleinste details, speelden ze na, kregen elk detail uitgelegd. Bovendien heeft de vrije toegang tot de computer van de Mossad mij gelegenheid gegeven een enorme kennis op te bouwen over de organisatie en haar activiteiten. Over vele daarvan gaat u nu horen, en over veel er van voor het eerst.

Deel III

Met arglist

Strella

Op 28 november 1971 werd de Jordaanse premier Wasfi Tell op brute wijze vermoord door vier terroristen toen hij het Sheraton-hotel in Caïro binnenging. Tell, een pro-westerse Arabier die open stond voor onderhandelingen met Israël, werd zo het eerste doelwit van de moorddadige Palestijnse groepering met de naam Zwarte September of, in het Arabisch, *Ailul al Aswad*. Deze naam verwijst naar de maand september in 1970 waarin koning Hoesein van Jordanië korte metten maakte met de Palestijnse guerrilla's in zijn land.

Leden van de Zwarte September, verreweg de bloeddorstigste en extreemste van alle *fedayin* – Arabisch voor guerrillastrijders – lieten op Tells dood al snel die van vijf in West-Duitsland wonende Jordaniërs volgen, die zij beschuldigden van spionage voor Israël. Ze pleegden een aanslag op de Jordaanse ambassadeur in Londen, plaatsten krachtige explosieven bij een Hamburgse firma die computers aan Israël verkocht en bij een raffinaderij in Triëst die volgens hen olie verwerkte voor 'pro-zionistische belanghebbenden' in Duitsland en Oostenrijk.

Op 8 mei 1972 kaapten twee mannen en twee vrouwen op *Lod International Airport* bij Tel Aviv een Sabena-toestel met negentig passagiers en tien bemanningsleden, waarmee ze wilden bereiken dat 117 in Israël gevangen zittende *fedayin* werden vrijgelaten. De volgende dag werden de twee mannelijke terroristen doodgeschoten door Israëlische commando's; de twee vrouwelijke werden gevangen genomen en tot levenslang veroordeeld. Op 30 mei schoten op Lod Airport drie door de fedayin betaalde Japanse terroristen met machinegeweren in het wilde weg om zich heen. Ze doodden 26 toeristen en verwondden er 85.

Op 5 september 1972, tijdens het hoogtepunt van de 20ste Olympische Spelen in München, bestormde een Zwarte-Septembereenheid de Israëlische verblijven in het Olympische Dorp. Ze vermoordden elf Israëlische atleten en coaches. Het vuurgevecht met de Duitse politie dat hierop volgde, was in de hele wereld op de tv te zien. De groep was al langer actief in Duitsland en de week voor het begin van de Olympische Spelen was een aantal leden op weg gegaan naar München. Ze reisden afzonderlijk en brachten een arsenaal aan kalasjnikov-machinegeweren, pistolen en handgranaten van Russische makelij mee.

Drie dagen later reageerde Israël op de wreedheden door zo'n 75 gevechtsvliegtuigen opdracht te geven bombardementen uit te voeren op wat Israël guerrillabases in Syrië en Libanon noemde – de zwaarste aanvallen sinds de oorlog van 1967. Er vielen 66 doden en talloze gewonden. Israëlische straaljagers haalden boven de Golan-hoogvlakte zelfs drie Syrische vliegtuigen neer en Syrië schoot twee Israëlische jagers uit de lucht. Israël stuurde grondtroepen naar Libanon om tegen Palestijnse terroristen te vechten, die Israëlische wegen hadden ondermijnd en het Syrische leger verzamelde zich bij de grenzen van dat land voor het geval de vijandelijkheden op een echte oorlog zouden uitlopen.

De Israëli's die al behoorlijk van slag waren door de tegen hen gerichte acties van buitenaf, waren letterlijk met stomheid geslagen toen op 7 december de Shin Bet, de Israëlische binnenlandse veiligheidsdienst, 46 personen arresteerde die spioneerden voor het Syrische Deuxième Bureau (G-2) of op de hoogte waren van het bestaan van dit spionagenetwerk, maar erover hadden gezwegen. Wat een zware schok teweegbracht in het land was dat vier van de gearresteerden joods en dat twee van hen, onder wie de leider, sabra's waren – in het land zelf geboren Israëli's – en dat die mensen nota bene voor een Arabisch land hadden gespioneerd.

Direct na het gebeuren in München gaf premier Golda Meir opdracht tot het nemen van wraak. Meir was toen een grootmoeder van halverwege de zeventig en zij uitte haar rouw om de Olympische slachtpartij in München door openlijk een vergeldingsoorlog af te kondigen, waarin Israël 'verbeten en met inzet van alles' zou vechten op een 'uitgestrekt en gevaarlijk front.' Met andere woorden: de Mossad zou ze te pakken nemen of zoals de Mossad het uitdrukte: 'Niemand zal ontsnappen aan de lange arm van de Israëlische gerechtigheid.' Meir ondertekende de doodvonnissen van ongeveer 35 bekende Zwarte-Septemberterroristen, onder wie de leider Mohammed Yusif Najjar, beter bekend als Abu Yusuf, die zich in Beiroet ophield en daarvoor een belangrijke functie had bekleed bij de inlichtingendienst van Al Fatah. Van de groep maakte ook de kleurrijke en voor niets terugdeinzende Ali Hassan Salameh deel uit, die door de Mossad de 'Rode Prins' werd genoemd. Hij was het brein achter het bloedbad in München en opereerde in die tijd vanuit de DDR. In 1979 kwam hij in Beiroet bij een bomexplosie om het leven.

188

Omdat Meir de Mossad opdracht had gegeven de Zwarte-September-moordenaars op te sporen en ze dan meteen uit de weg te ruimen, werd zij zelf het voornaamste doelwit van de terroristen. De Mossad besloot daarop het moordcommando van de Metsada, de *kidon*, in te schakelen.

De eerste die na München een bezoek werd gebracht was de vertegenwoordiger van de PLO in Rome, de 38-jarige Abdel Wa'il Zwaiter. Op 16 oktober 1972 stond hij in het flatgebouw waar hij woonde op de lift te wachten, toen er van korte afstand twaalf kogels op hem werden afgevuurd.

Op 8 december nam de 34-jarige Mahmoud Hamchari, de belangrijkste vertegenwoordiger van de PLO in Frankrijk, in zijn Parijse appartement de telefoon op.

'Hallo.'

'Spreek ik met Hamchari?'

'Ja.'

Boem! Het Mossad-team had een springlading in zijn telefoon aangebracht. Toen hij de hoorn naar zijn hoofd bracht en zei wie hij was, werd het explosief met behulp van een afstandsbediening tot ontploffing gebracht. Hamchari was zwaar verminkt en stierf een maand na de aanslag.

Eind januari 1973 ging de 33-jarige Hoessein Al Bashir, die zich voordeed als hoofd van *Palmyra Enterprises* en met een Syrisch paspoort reisde, naar bed in zijn kamer op de tweede verdieping van het Olympic-hotel in Nicosia. Enige tellen later was er niets meer over van zowel de kamer als Bashir, de vertegenwoordiger van Al Fatah op Cyprus. De moordenaar had gewoon gewacht tot Bashir het licht in zijn kamer uitdeed en toen met afstandsbediening de explosieven, die hij onder het bed had geplaatst, tot ontploffing gebracht.

In zijn lijkrede bij de begrafenis van zijn kameraad zwoer Arafat wraak, maar 'niet op Cyprus, niet in Israël en niet in de bezette gebieden,' waarmee hij duidelijk aangaf van plan te zijn de activiteiten van de terroristen te internationaliseren. In totaal doodde de Mossad tijdens Meirs vergeldingsoorlog ongeveer twaalf leden van de Zwarte September.

Om de zaak kracht bij te zetten begon de Mossad in plaatselijke Arabische kranten dodenlijsten met de namen van nog levende verdachte terroristen te plaatsen. Anderen ontvingen anonieme brieven waarin uitgebreid werd ingegaan op hun privé-leven, vooral op de seksuele aspecten daarvan en waarin hen werd geadviseerd zich afzijdig te houden. Bovendien raakten vele Arabieren in Europa en het Midden-Oosten gewond bij het openen van door de Mossad gemaakte bombrieven. Hoewel het niet de bedoeling was van de Mossad, werden tijdens deze vergeldingscampagne ook veel onschuldigen getroffen.

Maar ook de PLO verstuurde bombrieven: aan Israëlische functionarissen over de hele wereld en aan prominente joden. Alle brieven droegen een Amsterdams poststempel. Op 19 september 1972 werd de 44-jarige Ami Shachori, een landbouwattaché op de Israëlische ambassade in Londen, op slag gedood toen hij er een openmaakte. Een aantal aanslagen op mensen van de Mossad waar toen veel ophef over werd gemaakt, was in feite zogenaamde *white noise* of 'ruis': berichten die in de kranten verschenen en die vaak door de Mossad zelf waren verspreid om verwarring te stichten. Een klassiek voorbeeld is de gebeurtenis die plaatsvond op 26 januari 1973. Toen werd in de drukste straat van Madrid, de Gran Via, de Israëlische zakenman Moshe Hanan Yshai (die, zoals later bekend werd, in werkelijkheid de 37-jarige Mossad-katsa Baruch Cohen was) neergeschoten door een Zwarte-Septemberterrorist waar hij zogenaamd achteraan zat. Hij zat echter achter niemand aan. Dat was alleen wat de Mossad het publiek wilde doen geloven.

Een ander voorbeeld is de dood in november 1972 van de 36-jarige Syrische journalist Khodr Kanou, die een dubbelagent zou zijn. Hij werd in de deuropening van zijn appartement in Parijs doodgeschoten omdat de Zwarte September geloofde dat hij informatie over hun activiteiten doorspeelde aan de Mossad. Dat deed hij niet. Maar zo werd deze moord verklaard in de media. Terwijl er veel is geschreven over dubbelagenten, zijn er in werkelijkheid maar weinig. De paar die echt bestaan, hebben, om goed te kunnen functioneren, een stabiele bureaucratische omgeving nodig.

In die herfst van 1972 zocht Meir naar een manier om de aandacht van de Israëli's af te leiden van de verschrikkingen van het internationale terrorisme en het sinds de Zesdaagse Oorlog steeds maar toenemende isolement van het land. Op zijn minst had ze politiek gezien behoefte aan ontspanning. Israël had enige tijd tevoren om audiëntie verzocht voor Meir bij paus Paulus VI. Toen in november bericht van het Vaticaan kwam dat het verzoek zou worden ingewilligd, vroeg Meir haar ambtenaren voorbereidingen te treffen.

Maar, zo zei ze hen, 'ik ga niet naar Canossa,' een uitdrukking die verwijst naar het Italiaanse kasteel waar keizer Hendrik IV van het Heilige Roomse Rijk zich in 1077 als boeteling vervoegde om zich aan paus Gregorius VII te onderwerpen. Omdat men hem opzettelijk drie dagen buiten liet wachten voordat hij van de ban werd ontheven, is dit bezoek symbool geworden voor onderwerping.

Er werd besloten dat Meir naar Parijs zou gaan om op 13 en 14 januari een onofficiële internationale socialistische conferentie bij te wonen – een conferentie waarop de Franse president Georges Pompidou forse kritiek had. Ze zou het Vaticaan op 15 januari aandoen en voor de terugkeer naar Israël zouden nog twee dagen bij Felix Houphouet-Boigny, de president van Ivoorkust, worden doorgebracht.

Binnen een week nadat toestemming voor de pauselijke audiëntie was verleend, stond het bezoek formeel vast, hoewel het niet publiekelijk werd aangekondigd.

Omdat de bevolking van Israël voor ongeveer drie procent, rond de 100.000 mensen, uit christelijke Arabieren bestaat, heeft de PLO goede connecties met het Vaticaan. Zo hoorde Abu Yusuf snel van Meirs plan de paus te bezoeken. Hij stuurde onmiddellijk een boodschap naar Ali Hassan Salameh in Oost-Duitsland: 'Laten we de persoon die ons bloed in heel Europa vergiet te grazen nemen.' (Van die boodschap, en van veel van de gegevens die in dit hoofdstuk ter sprake komen, was de Israëli's niets bekend tot 1982, toen ze tijdens de oorlog tegen Libanon een geweldige hoeveelheid PLO-documenten wisten te bemachtigen.)

Hoe Meir zou worden gedood, en wanneer precies, werd overgelaten aan de Rode Prins; de beslissing om toe te slaan was genomen en hij was de aangewezen persoon voor de uitvoering van het plan. Meir was natuurlijk vijand nummer een, maar Yusuf zag de aanslag ook als een spectaculaire gelegenheid om de wereld te laten zien dat de Zwarte September nog volstrekt niet was uitgeschakeld, dat er rekening mee moest worden gehouden.

Eind november 1972 kreeg het Londense bureau van de Mossad een onverwacht telefoontje van een zekere Akbar, een Palestijnse student die connecties had bij de PLO en vroeger wat geld verdiende met het verkopen van informatie aan de Mossad maar van wie al lang niets meer was vernomen.

Nu belde hij ineens om te zeggen dat hij iets wilde bespreken. Omdat hij niet lang actief was geweest, zal hij geen direct contact hebben gehad met een vaste katsa, en hoewel de namen die hij aan de telefoon gebruikte hem identificeerden, moest hij toch een telefoonnummer geven waarop hij zelf te bereiken was. Hij zal iets gezegd hebben in de trant van: 'Zeg Robert dat Isaac heeft gebeld,' plus een abonneenummer en een netnummer, want hij kon wel iemand zijn die normaal gesproken in Parijs werkte maar nu vanuit Londen belde. De dienstdoende ambtenaar zal de boodschap in de computer hebben gestopt en in dit geval moet snel duidelijk zijn geworden dat Akbar, die in Engeland studeerde en eigenlijk hoopte zich uit het inlichtingenwerk te kunnen terugtrekken, een voormalige 'zwarte' (of Arabische) agent was. Uit zijn dossier zal zijn gebleken wanneer er voor het laatst contact met hem was geweest. Ongetwijfeld hebben er foto's van hem bijgezeten: een grote en daaronder drie kleinere, waarop hij van alle kanten te zien was en bijvoorbeeld met en zonder baard.

Wanneer de Mossad met de PLO te maken heeft, hoe indirect ook, worden altijd extra voorzorgsmaatregelen getroffen, dus er zullen zeer strikte APAM-procedures zijn gevolgd voordat de katsa en Akbar elkaar werkelijk ontmoetten.

Toen Akbar eenmaal *clean* was gebleken, vertelde hij dat hij van zijn PLO-contact instructies had gekregen naar Parijs te komen. Hij vermoedde dat het om een grote operatie zou gaan – anders zouden ze geen onbetekenende mensen als hem inschakelen – maar specifieke informatie had hij niet.

Hij wilde geld. Hij was gespannen en opgewonden. Hij wilde echt niet opnieuw tot over zijn oren bij een zaak betrokken raken, maar hij dacht dat hij weinig keus had omdat de PLO wist waar hij zat. De katsa gaf Akbar meteen geld en een telefoonnummer dat hij in Parijs moest bellen.

Omdat het, vooral op korte termijn, moeilijk is teams in te schakelen uit Arabische landen, waar mensen niet gewend zijn aan de Europese manier van doen, wat tot gevolg heeft dat ze in een Europese omgeving meer in de gaten lopen, gebruikt de PLO studenten en werknemers die al in Europa zitten en zodoende onverdacht en zonder dekmantel kunnen rondreizen. Om dezelfde reden maakt de PLO vaak gebruik van

Europese revolutionaire groepen, ook al vertrouwen of respecteren ze die niet.

Nu was Akbar aan de beurt, en hij vloog naar Parijs voor een bespreking met andere PLO-mensen in het metrostation Pyramides. Het Parijse bureau van de Mossad zou ervoor zorgen dat Akbar gevolgd werd naar zijn afspraak, maar op de een of andere manier liep het mis. Tegen de tijd dat de volgers arriveerden waren Akbar en zijn gastheren al vertrokken. Hadden ze de bespreking afgeluisterd en foto's gemaakt, dan zouden ze misschien enig inzicht hebben gekregen in het web van intriges dat de Zwarte September aan het weven was om Meir te vermoorden.

Als interne voorzorgsmaatregel waren PLO-krachten zodra ze instructies hadden ontvangen altijd met zijn tweeën, maar toen zijn partner even naar het toilet was lukte het Akbar snel het Parijse nummer te bellen. Hij zei dat er nog een bespreking op het programma stond. 'Doelwit?' vroeg de katsa. 'Iemand van jullie,' antwoordde hij. 'Ik kan nu niet praten.' Hij hing op.

Iedereen was in paniek. Naar Israëlische vestigingen over de hele wereld ging het bericht dat de PLO van plan was een Israëlisch doel te treffen. Alle bureaus verhoogden hun waakzaamheid en iedereen speculeerde zich suf over wie het doelwit zou zijn. Op dat moment, twee maanden voor Meirs reis, die nog niet eens bekend was gemaakt, dacht niemand aan haar.

De volgende dag belde Akbar weer en zei dat hij die middag naar Rome zou vertrekken. Hij had geld nodig en wilde iemand spreken, maar hij had niet veel tijd want hij moest naar het vliegveld. Hij bevond zich op het metrostation Roosevelt. Hij kreeg instructies de volgende metro naar Place de la Concorde te nemen en daar in een bepaalde richting te lopen, en hij moest opnieuw, maar dan op een andere manier, de eerder genoemde voorzorgsmaatregelen treffen.

Ze wilden hem spreken in een hotelkamer, maar ook hier weer: het ogenschijnlijk simpele huren van een kamer is in de spionagebusiness allesbehalve eenvoudig. Om te beginnen heb je twee aangrenzende kamers nodig, met een camera die de vergaderruimte in het oog houdt en twee gewapende veiligheidsmannen die bij de deur van de kamer ernaast klaar zitten om binnen te stormen wanneer de agent een beweging in de richting van de katsa maakt. De katsa zou ook van tevoren een sleutel van de kamer moeten krijgen zodat hij geen tijd hoeft te verspillen met wachten bij de balie.

Omdat Akbar op tijd moest zijn voor het vliegtuig naar Rome, moest alles snel in zijn werk gaan. Men zag dus af van de bijeenkomst in het hotel en hij werd opgepikt terwijl hij op straat liep. Hij zei dat, wat de operatie ook inhield, er iets technisch mee gemoeid was, materieel dat Italië moest worden binnengesmokkeld. Dit ogenschijnlijk onbetekenende beetje informatie zou later een sleutelelement blijken bij het in elkaar passen van de puzzel. Omdat deze operatie een zaak was van het Parijse bureau, werd besloten een Parijse katsa naar Rome te sturen, die daar Akbars contactpersoon zou zijn.

Twee veiligheidsmensen werden aangewezen om Akbar naar het vliegveld te rijden. Omdat er op dat moment geen anderen beschikbaar waren, waren het allebei katsa's. Een van hen, Itsik, werd later een van mijn leermeesters aan de Mossad-academie. Maar de handelingen die hij die dag verrichtte strekken katsa's bepaald niet tot voorbeeld. Integendeel.*

Omdat ze voor de bespreking met Akbar in de auto allerlei veiligheidsmaatregelen in acht hadden genomen, voelden Itsik en zijn partner zich safe. Maar de voorschriften zeggen dat katsa's zich niet in de buurt van vliegvelden mogen ophouden, omdat ze dan gezien kunnen worden en eventueel herkend, later, bij een andere operatie op een ander vliegveld of waar dan ook. Ze vertonen zich ook nooit in het openbaar zonder eerst de omgeving uitgebreid te checken.

Na aankomst op de luchthaven Orly ging een katsa naar een cafetaria om koffie te drinken. De andere nam Akbar mee naar de ticketbalie en de incheckhal en hij bleef net zo lang bij hem tot hij zeker wist dat hij inderdaad zou vertrekken. Misschien dachten ze dat Akbar de enige Palestijn was die onderweg was naar Rome, maar dat was niet zo.

Zoals de Mossad jaren later ontdekte in de tijdens de oorlog tegen Libanon bemachtigde documenten, werd Akbar op het vliegveld door een andere man, een lid van de PLO, gesignaleerd met de vreemdeling. Deze man heeft de katsa gevolgd en gezien hoe die zich bij zijn partner in de cafetaria voegde. Het is onvoorstelbaar, maar de twee mannen, die de luchthaven al lang hadden moeten verlaten, begonnen een gesprek in het Ivriet, waarop de PLO-er onmiddellijk naar de telefoon stapte om Rome te bellen en te melden dat Akbar niet clean was.

Akbar en de Mossad zouden duur betalen voor de slordigheid van Itsik en zijn partner.

* Zie Hoofdstuk 7: HAARSTUKJE

Ali Hassan Salameh, beter bekend als Abu Hassan en door de Mossad de Rode Prins genoemd, was een zwierig en avontuurlijk type. De Libanese schoonheid Georgina Rizak, Miss Universe 1971, was de tweede echtgenote van deze even onverschrokken als elegante man, het brein achter de wreedheden in München. Hij besloot Russische Strellaraketten te gebruiken – door de Russen SA-7 genoemd en door de NAVO voorzien van de codenaam 'Grail' – om Golda Meirs vliegtuig op te blazen bij de landing op Fiumicino, de luchthaven van Rome.

De raketten, die gebaseerd zijn op het Amerikaanse Redeye raketsysteem, worden met behulp van een draagbaar 10,6 kg wegende lanceerinrichting vanaf de schouder afgevuurd. De 9,2 kg wegende raket zelf heeft een krachtige drietrapsvoortstuwing, een infrarood-passief geleidingssysteem en een maximaal bereik van 3,5 km. Deze raketten zijn niet bijzonder geavanceerd, maar wel dodelijk. Ze richten zich op de uitlaat van hete motoren. Omdat ze niet erg beweeglijk zijn, zijn ze over het algemeen niet te gebruiken tegen de zeer wendbare, snelle gevechtsvliegtuigen. Maar voor langzame, grote doelwitten zoals passagiersvliegtuigen zijn ze zeer geschikt.

Het was geen probleem om aan Strella's te komen. De PLO bezat ze in zijn trainingskampen in Joegoslavië, dus er hoefde alleen een manier te worden gevonden om ze via de Adriatische Zee Italië binnen te smokkelen. De PLO beschikte toen ook over een bescheiden jacht met slaapruimte, dat voor anker lag bij Bari, aan de oostkust van Italië, recht tegenover Dubrovnik in Joegoslavië.

Salameh maakte een tocht door een aantal groezelige bars in Hamburg, Duitslands belangrijkste havenstad, totdat hij een Duitser vond die iets wist van navigatie en voor geld tot alles bereid was. Hij huurde twee vrouwen die hij in een andere bar was tegengekomen en die ook geïnteresseerd waren in zijn aanbod van geld, seks, drugs en een relaxte cruise op de Adriatische Zee.

De Duitsers werden naar Rome gevlogen en vervolgens naar Bari, waar ze aan boord gingen van het PLO-jacht, dat volgestouwd was met eten, drugs en drank. Hun enige opdracht was naar een eilandje voor Dubrovnik te varen, te wachten terwijl een paar mensen het ruim vulden met houten kisten en dan terug te gaan naar een plek op het strand ten noorden van Bari, waar ze PLO-ers zouden treffen en een paar duizend dollar de man zouden ontvangen. Ze kregen ook te horen dat ze zich vooral goed moesten vermaken, drie of vier dagen de tijd moesten nemen en zich konden overgeven aan alle mogelijke aardse genoegens – opdrachten die ze ongetwijfeld nauwgezet hebben uitgevoerd.

Salameh had Duitsers gekozen omdat die, als ze gepakt werden, eerder voor leden van de RAF of een andere organisatie zouden worden aangezien dan voor mensen die iets met de PLO te maken hadden. Helaas voor hen was het niet Salameh's gewoonte na het beëindigen van een missie risico's te nemen met buitenstaanders. Toen de Duitsers terugkwamen met de kisten met raketten voeren enige PLO-ers in een kleine boot uit om de lading te lossen; ze namen de drie mee, sneden ze de keel af, maakten het jacht lek en brachten het ongeveer een kwart mijl uit de kust tot zinken.

De Strella's werden in een Fiatbus geladen en het PLO-team reed van Bari naar Avellino, van Avellino naar Terracina, toen naar Anzio en vandaar naar Ostia en Rome. Ze vermeden de hoofdwegen, reden om zo min mogelijk in de gaten te lopen alleen overdag en arriveerden uiteindelijk bij een appartement in Rome, waar de kisten met raketten werden opgeslagen totdat ze nodig waren.

Het was Zwarte-Septemberleider Abu Yusuf in Beiroet ter ore gekomen dat Akbar een dubbelrol speelde. Yusuf besloot hem niet meteen te liquideren – daarmee zou hij misschien de hele operatie op het spel zetten – maar de informatie te gebruiken om de Israëli's op een dwaalspoor te brengen. Hij wist dat ze iets op het spoor waren, maar het kon nooit veel zijn, want Akbar had heel weinig te horen gekregen over de operatie.

'We moeten iets doen zodat de Israëli's zullen zeggen: "O, dàt was het",' zei Yusuf tegen zijn medewerkers.

En daarom organiseerde de Zwarte September op 28 december 1972, nog geen drie weken voor Meirs op 15 januari geplande bezoek aan Rome, iets dat in die tijd werd gezien als een onverklaarbare aanval op de Israëlische ambassade in Bangkok. Het was een vrij simpele operatie. Ze prikten de dag waarop prins Vajiralongkorn in het parlementsgebouw werd benoemd tot troonopvolger, een plechtigheid die door de Israëlische ambassadeur Rehevam Amir en de meeste andere buitenlandse diplomaten zou worden bijgewoond.

Het weekblad Time gaf een beschrijving van de overmeestering van de ambassade aan Soi Lang Suan (de laan achter de boomgaard): 'In de hete tropische zon van het middaguur klommen twee mannen in leren jacks over de muur rond het terrein terwijl twee anderen, keurig gekleed in donkere pakken, door de hoofdingang naar binnen wandelden. Voordat de bewaker alarm kon slaan keek hij al in de loop van een paar machinepistolen. De Arabische terroristische groepering Zwarte September, verantwoordelijk voor het bloedbad in München, had weer toegeslagen.'

Dat hadden ze inderdaad. Maar puur als afleidingsmanoeuvre. Ze bezetten de ambassade en hingen de groen-witte Palestijnse vlag uit een raam. Ze lieten de bewaker en alle Thaise werknemers gaan maar hielden zes Israëli's vast als gijzelaar, onder wie Shimon Avimor, die ambassadeur was in Cambodja. Snel omsingelden vijfhonderd mensen van de Thaise politie en het Thaise leger het gebouw. De terroristen gooiden briefjes naar buiten waarin ze eisten dat Israël zesendertig Palestijnse gevangenen vrijliet en dreigden anders na twintig uur de ambassade met iedereen erin, inclusief henzelf, op te blazen.

Uiteindelijk kregen de Thaise onderminister van buitenlandse zaken Chartichai Choonhaven, luchtmaarschalk Dawee Chullasapya en de Egyptische ambassadeur in Thailand Moustafa el Essaway toegang tot de ambassade om onderhandelingen te beginnen. De Israëlische ambassadeur Amir bleef buiten en installeerde in een naburig kantoor een telexapparaat om direct contact te kunnen houden met Meir en haar ministers in Jeruzalem.

Na amper een uur onderhandelen besloten de terroristen de gijzelaars vrij te laten in ruil voor een vrijgeleide uit Thailand. Na een diner van chickencurry met scotch, hun aangeboden door de Thaise regering, vertrokken ze bij het aanbreken van de dag met een speciale Thaise vlucht naar Caïro, in gezelschap van Essaway en twee vooraanstaande Thaise onderhandelaars.

Het *Time*-verslag van deze gebeurtenis meldde ook dat het vanwege Essaways rol 'een zeldzaam voorbeeld van Arabisch-Israëlische samenwerking' betrof, en 'zeldzamer was het nog dat de terroristen voor rede vatbaar waren geweest. Dit was de eerste keer dat leden van de Zwarte September het hadden opgegeven.'

De journalisten hadden natuurlijk niet kunnen weten dat dit van het begin af aan de bedoeling was geweest. Evenmin als de Israëli's die allemaal geloofden dat dit de operatie was waarvoor Akbar hen had gewaarschuwd – op een belangrijke uitzondering na: Shai Kauly, het toenmalige hoofd van het Milanese bureau van de Mossad.

197

Om zeker te weten dat de Mossad in deze afleidingsmanoeuvre zou trappen, had Akbar voor het gebeuren in Thailand van zijn PLO-makkers te horen gekregen dat hij voorlopig in Rome moest blijven en dat een land ver buiten Europa en het Midden-Oosten, het gebruikelijke terroristische strijdperk, het toneel zou zijn van de operatie. Natuurlijk gaf Akbar deze informatie door aan de Mossad. Toen de aanval in Bangkok plaatsvond was het hoofdkwartier in Tel Aviv er dus van overtuigd dat dit de bewuste operatie was en ook was men erg blij dat er geen Israëli's waren gedood of zelfs maar gewond. Er ontstond heel wat beroering binnen de Mossad over het feit dat er gewaarschuwd was voor een dergelijke aanval maar dat de plaats van handeling niet had kunnen worden bepaald. Binnen de Shaback, die verantwoordelijk is voor de veiligheid van Israëlische ambassades en andere vestigingen in het buitenland, was de opschudding nog groter.

Akbar was er ongetwijfeld van overtuigd dat Bangkok al die tijd het doel was geweest, dus nam hij contact op met zijn katsa in Rome voor een nieuwe afspraak. De Palestijnen volgden Akbar niet naar zijn afspraken. De veiligheidsmaatregelen van de Mossad zijn zo extreem, dat ze dan het risico zouden lopen ontdekt te worden, met als gevolg dat de Mossad erachter zou komen dat ze Akbar doorhadden. Voor hen was het vooral van belang hem informatie te geven die hij zou doorgeven aan de Mossad.

Nu wilde Akbar, die geloofde dat de operatie achter de rug was, geld zien. Omdat hij snel terug zou gaan naar Londen, had hij van de katsa in Londen de opdracht gekregen zo veel mogelijk documenten uit het safe house van de PLO mee te nemen. De uitbetaling, die zou plaatsvinden in een dorpje ten zuiden van Rome, werd voorafgegaan door de gebruikelijke voorzorgsmaatregelen – Akbar moest naar een trattoria in Rome gaan, waarna standaard APAM-procedures volgden.

Wat echter niet standaard was, was het resultaat van deze ontmoeting. Akbar was in de auto van de katsa gestapt. Een veiligheidsman opende de aktetas, die Akbar gewoontegetrouw aan hem had gegeven. De tas ontplofte meteen, Akbar werd gedood, evenals de katsa en de beide veiligheidsmannen. De chauffeur overleefde het maar was zo zwaar gewond dat hij tot op de dag van vandaag vegeteert als een plant. Van drie andere Mossad-ambtenaren die in een andere auto volgden, zwoer er een later dat hij over het communicatiesysteem had gehoord hoe Akbar met paniekerige stem had gezegd: 'Niet openmaken!', alsof hij wist dat er explosieven in de tas zaten. De Mossad is er echter nooit achter gekomen of Akbar wist dat zijn tas voorzien was van een springlading.

Hoe dan ook, de mensen in de tweede auto riepen de hulp in van een ander team, dat een ambulance had klaarstaan, compleet met verpleegster en arts – plaatselijke sayanim. De stoffelijke resten van hun drie dode collega's werden samen met de ernstig gewonde snel weggevoerd van de plaats van de aanslag en later naar Israël overgebracht. Akbars half verkoolde lichaam werd in het autowrak achtergelaten voor de Italiaanse politie.

Later zou duidelijk worden dat de PLO een vergissing had begaan door Akbar te doden vóór de Meir-operatie. Ze hadden net zo goed kunnen wachten tot hij terug was in Londen. Hoewel de Mossad zou hebben geweten wie de moordenaars waren, zou het dan niemand veel hebben uitgemaakt.

Intussen was Meir in Frankrijk aangekomen, het eerste agendapunt van de reis die haar ook langs Rome zou voeren. Mossad-ambtenaren gniffelden erom dat Meir Israëli Galili niet had meegnomen, een minister zonder portefeuille waarmee ze langdurig een verhouding had gehad. Voor hun rendez-vous gebruikten ze vaak de Mossad-academie en zo werd hun romance binnen het Instituut een onderwerp waarover men zich flink vrolijk maakte.

Mark Hessner*, het hoofd van het bureau in Rome, was volledig om de tuin geleid door de Bangkok-list van de PLO. Maar in Milaan bleef Shai Kauly geloven dat er iets fout zat. Kauly was een vasthoudende, zorgvuldige man die bekend stond om zijn muggezifterij. Soms was hij erg lastig. Hij heeft bijvoorbeeld eens de verzending van een dringende boodschap tegengehouden omdat er een grammaticale fout moest worden gecorrigeerd. Meestal had men echter alleen maar baat bij zijn nauwgezetheid. Dit keer zou Kauly's volharding Golda Meirs leven redden.

Hij bleef alle rapporten over Akbar en aanverwante PLO-activiteiten bestuderen. Het ging er bij hem niet in dat de aanval in Bangkok de operatie was waarover Akbar had gesproken: waarom zou er dan technisch materiaal naar Italie zijn gesmokkeld? En toen Akbar werd

* Zie Hoofdstuk 4: TWEEDEJAARS

gedood kreeg Kauly nog meer argwaan. Wat voor reden zouden ze hebben om hem te doden, behalve dat hij als agent voor de Israëli's werkte? En als ze dat wisten moest de aanval in Bangkok een valstrik zijn, redeneerde Kauly.

Toch had hij geen duidelijke aanwijzingen. De dienst weet de aanslag aan de katsa in Londen: toen hij Akbar had gevraagd documenten mee te nemen, had hij er niet bij verteld hoe hij dat moest aanpakken om niet te worden betrapt.

Wat Hessner betreft, zijn persoonlijke vijandschap jegens Kauly zou een complicerende factor zijn bij wat nog moest komen. Toen Hessner cadet was op de Academie, was hij verscheidene malen betrapt op leugens omtrent zijn doen en laten – onder andere door Kauly, die toen zijn instructeur was. De leugens kwamen uit omdat Hessner niet door had dat hij werd gevolgd. In plaats van te doen wat hem was opgedragen, was Hessner naar huis gegaan. Toen hij door Kauly op het matje werd geroepen had hij een verhaal verteld dat volstrekt afweek van de werkelijkheid. Dat hij er toen niet uitgeschopt is, betekende dat hij een goede kruiwagen binnen het Instituut had, maar hij heeft het Kauly nooit vergeven – en Kauly is hem altijd als een amateur blijven zien.

Nu Meirs bezoek naderde, waren de veiligheidsmaatregelen verscherpt. Kauly bleef de rapporten bestuderen, bleef proberen de ontbrekende schakels te vinden.

Zoals zo vaak gebeurt in dergelijke situaties, kwam Kauly's mazzel van volkomen onverwachte zijde. Een peperdure hoer, die verschillende talen sprak, bezat in Brussel een appartement waar ze PLO-strijders ontving die behoefte hadden aan een rustpunt tijdens de voortdurende oorlog tegen Israël. De Mossad tapte haar telefoon af en had afluisterapparatuur in haar appartement geïnstalleerd. De opnames van de amoureuze geluiden van haar en haar vrienden in allerlei staten van seksuele opwinding waren een favoriete bron van vermaak geworden voor Mossad-ambtenaren over de hele wereld. Er werd gezegd dat ze in ten minste zes talen kon kreunen.

Luttele dagen voor Meirs geplande aankomst in Rome zei iemand in het Brusselse appartement – Kauly dacht dat het Salameh was, hoewel hij daar nooit absoluut zeker van is geweest – tegen de vrouw dat hij naar Rome moest bellen. De persoon die de telefoon opnam gaf hij opdracht 'het appartement leeg te maken en alle veertien koekjes mee te nemen.' Normaal gesproken zou een telefoontje naar Rome niet verdacht zijn geweest, maar met Meirs naderende komst en de argwaan die Kauly al had, was dit precies wat hij nodig had om in actie te komen.

De in Duitsland geboren Kauly was maar zo'n één meter zestig lang, had scherpe gelaatstrekken, lichtbruin haar en een lichte teint. Hij was bescheiden en had niet de neiging zijn superieuren te imponeren – daarom zat hìj in Milaan, op een minder belangrijk bureau, en Hessner in Rome.

Toen Kauly de Brusselse tape had gehoord, belde hij onmiddellijk een bevriende verbindingsman. Die belde Vito Michele, zijn vriend bij de Italiaanse inlichtingendienst, en zei hem dat hij terstond het bij een bepaald telefoonnummer horende adres moest hebben. (Omdat Kauly deel uitmaakte van de Tsomet, stond hij bij het consulaat geregistreerd als attaché. Omdat hij de plaatselijke inlichtingendienst niet kon vertellen dat hij katsa was, kon hij Michele niet rechtstreeks bellen.)

Michele zei dat hij het adres niet kon geven zonder toestemming van zijn baas, Amburgo Vivani, dus zei de verbindingsman dat hij Vivani zou bellen, hetgeen hij ook deed. Welke wegen de Italiaanse inlichtingendienst moest volgen om de informatie te krijgen was voor Kauly niet van belang. Hij wist alleen dat de man in het appartement in Rome te horen had gekregen dat hij de volgende dag moest vertrekken en dat er dus maar weinig tijd was om het adres te achterhalen en te onderzoeken of het iets met een PLO-operatie te maken had.

Vivani kreeg het adres te pakken, maar, de verbindingsman in Rome gaf de informatie niet aan Kauly in Milaan. Hij gaf het adres door aan het bureau in Rome, waar men niet wist wat men ermee aan moest – en ook niet op de hoogte was van de vete tussen Kauly en Hessner – zodat het een dag bleef liggen. Uiteindelijk achterhaalde Kauly het adres zelf. Hij belde het bureau in Rome en zei de mensen daar regelrecht naar het appartement te gaan, in verband met iets dat te maken kon hebben met Meirs bezoek. Kauly had toen alleen nog maar vermoedens, maar hij was ervan overtuigd dat er iets kritieks stond te gebeuren.

Tegen de tijd dat de Mossad het appartement had gevonden was het leeg. Een huiszoeking leverde echter een belangrijk bewijsstuk op: een vodje papier waarop het uiteinde van een Strella-raket stond afgebeeld en in het Russisch de werking van het mechanisme werd uitgelegd. Kauly was buiten zichzelf van woede. Nu, minder dan twee volle dagen voordat de premier arriveerde, wist hij dat overal PLO-ers zaten, dat er een operatie voorbereid was en dat ze raketten hadden.

Meir werd gewaarschuwd dat ze in gevaar was. Haar antwoord aan het hoofd van de Mossad was: 'Ik ga bij de paus op bezoek. Jij en je mannen zorgen ervoor dat ik veilig aankom.'

Toen ging Kauly langs bij Hessner om te bespreken of ze wel of niet de plaatselijke veiligheidsdienst zouden inschakelen. Hessner, die een machtsspelletje wilde spelen, bedankte Kauly voor zijn hulp maar voegde eraan toe: 'Jouw plaats is in Milaan. Dit is Rome.' Hij sommeerde hem te vertrekken. Omdat Hessner hoofd was van het Tsomet-bureau in Rome, viel deze zaak automatisch onder zijn verantwoording. Als een van zijn superieuren in Israël de leiding wilde overnemen, zou die daarvoor naar Rome moeten komen. Dat gebeurde toen niet. Nu zou het misschien wel zo gaan.

Toch wond Kauly zich meer op over de veiligheid van de premier dan over de afbakening van werkterreinen. Tegen Hessner zei hij dat hij maar moest doen wat hij niet laten kon. 'Ik blijf,' hield hij vol. Hessner nam woedend contact op met het hoofdkwartier om zich erover te beklagen dat Kauly zich niet aan de regels hield. Tel Aviv beval Kauly zich terug te trekken en meteen terug te gaan naar Milaan.

Maar Kauly vertrok niet uit Rome. Hij had twee van zijn katsa's uit Milaan bij zich – daar zat nu niemand meer – en hij vertelde Hessner dat ze alleen maar wat zouden rondkijken en niemand voor de voeten zouden lopen. Al was Hessner daar niet blij mee, hij had in elk geval de grenzen van zijn werkterrein bevestigd gekregen. Hij gaf al zijn personeel opdracht naar de luchthaven en omgeving te gaan om te zien of ze de terroristen konden onderscheppen. Maar de PLO, die veronderstelde dat de Mossad misschien meer van zijn plannen wist dan in werkelijkheid het geval was, had de extra voorzorgsmaatregel genomen 's avonds naar de kust te gaan en in de bussen te slapen. Zo leverde een controle van alle hotels en pensions in en om het Lido di Ostia en van alle bekende PLO-stamkroegen in de nacht voor Meirs aankomst, de nacht van 14 op 15 januari, niets op.

In elk geval kende de Mossad het bereik van de raketten, dus men wist welk gebied moest worden doorzocht voordat Meirs vliegtuig zou landen – een uitgestrekt gebied, ongeveer acht bij twintig kilometer. Hessners onverstandige beslissing de plaatselijke politie niet in te lichten over de mogelijke problemen, maakte het allemaal niet eenvoudiger.

De Strella kan met behulp van afstandsbediening worden afgevuurd. Wanneer het doel binnen zijn bereik komt, ontvangt de raket een elektro magnetische puls die een pieper in werking stelt; eenmaal afgevuurd spoort het projectiel het doel zelf op. De terroristen hadden ongetwijfeld van hun eigen agenten gehoord hoe laat het toestel uit Parijs was vertrokken en hoe laat het vermoedelijk zou landen. Ze wisten ook dat het een El Al-jet zou zijn – de enige die rond dat tijdstip werd verwacht.

Leonardo da Vinci, de luchthaven van Rome te Fiumicino, werd door Alitalia-functionarissen in die tijd 's werelds slechtste luchthaven genoemd. Het was er druk en onoverzichtelijk en vliegtuigen hadden vrijwel altijd vertraging, soms wel drie uur, omdat het vliegveld maar twee landingsbanen had, waarop zich in het hoogseizoen wel vijfhonderd vliegtuigen per dag verdrongen.

Natuurlijk zou Meirs vliegtuig alle voorrang krijgen, maar de constante chaos in de luchthaven zelf hielp de Mossad-ambtenaren niet bepaald bij hun speurtocht naar een groep terroristen met raketten. Ze konden overal zitten – in het gebouw zelf, in de hangars eromheen of in de weilanden rondom het vliegveld.

Kauly, die op eigen houtje rondliep door de luchthaven, kwam een in Rome gestationeerde katsa tegen en vroeg waar de verbindingsmensen van de Mossad waren. (Dat waren degenen die indien nodig de Italiaanse politie moesten waarschuwen, niet de katsa's zelf.)

'Hoezo verbindingsmensen?' antwoordde de man.

'Je bedoelt dat ze er niet zijn!' Kauly geloofde zijn oren niet.

'Inderdaad,' zei de Romeinse katsa.

Kauly belde onmiddellijk de verbindingsman in Rome en zei hem Vivani te bellen en te vertellen wat er gaande was. 'Doe wat je kunt. Er moet hier versterking komen.'

Omdat er op het terrein van de luchthaven nauwelijks goede schuilplaatsen waren, leek het waarschijnlijk dat de terroristen zich buiten de directe omgeving van de luchthaven bevonden. Toch zochten ze overal, al snel bijgestaan door Adaglio Malti van de Italiaanse inlichtingendienst.

Malti had er geen idee van dat het er wemelde van de Mossad-officieren. Hij was daar naar aanleiding van een tip van de verbindingsofficier in Rome, die inhield dat uit betrouwbare bron was vernomen dat de PLO van plan was de Italianen in moeilijkheden te brengen door

Meirs vliegtuig boven het vliegveld neer te schieten met raketten van Russische makelij. (Dit bericht zal, voordat de Italianen het te horen kregen, bevestigd zijn door het verbindingskantoor in Tel Aviv.)

Ondertussen hadden de terroristen zich in twee groepen gesplitst. De ene groep had zich met vier raketten naar het gebied ten zuiden van de luchthaven begeven en de andere was met acht raketten in noordelijke richting vertrokken. Het feit dat twee van de veertien 'koekjes' na de operatie onvindbaar bleven, zou later van betekenis blijken. De noordelijke groep was inmiddels bezig in een weiland naast hun Fiatbus twee raketten op te stellen.

Het duurde echter niet lang of ze werden ontdekt door een veiligheidsman van de Mossad die dat gebied aan het uitkammen was. Hij riep. Zij openden het vuur. Er heerste een geweldige consternatie. De Italiaanse politie arriveerde en de Mossad-man, die hen niet verwachtte – Kauly was immers degene die ze had geroepen – en bovendien niet wilde dat ze hem zagen, rende weg. In de verwarring probeerde een van de terroristen weg te komen, maar Mossad-officieren die de actie hadden gadegeslagen haalden hem snel in, bonden hem vast, gooiden hem in een auto en voerden hem vlug af naar een hangar op de luchthaven.

Nadat hij langdurig was afgetuigd vertelde de terrorist dat ze van plan waren Golda Meir te doden en hij pochte: 'Jullie kunnen er niets meer aan doen.'

'Wat bedoel je, we kunnen er niets meer aan doen? We hebben jou!' antwoordde een officier, en de mishandeling werd voortgezet.

Kauly had ondertussen over zijn walkie-talkie gehoord dat er een gevangene was gemaakt. Hij ging onmiddellijk op weg naar de hangar. De officieren vertelden Kauly dat zij deze terrorist hadden gegrepen en dat de Italianen er ook een paar te pakken hadden gekregen, met negen of tien raketten.

Maar Kauly herinnerde zich dat het tijdens het Brusselse telefoontje was gegaan over 'veertien koekjes'. De Mossad zat nog steeds met een probleem en bovendien zou Meirs vliegtuig over hooguit dertig minuten landen. Er moesten meer raketten zijn, maar waar?

De gevangene was inmiddels bewusteloos. Kauly gooide water over hem heen.

'Voor jullie is het afgelopen,' zei Kauly. 'Jullie hebben het dit keer verknald. Ze landt over vier minuten. Jullie kunnen er niets meer aan doen.'

'Jullie premier is dood,' schamperde de gevangene tegen zijn beulen. 'Jullie hebben ons niet allemaal gepakt.'

Kauly's grootste angst werd bevestigd. Ergens in de omgeving stond een Russische raket met Golda Meirs naam erop.

Daarop sloeg een veiligheidsman de gevangene weer bewusteloos. Op zijn lichaam hadden ze een zogeheten 'bouncing Betty' gevonden, een explosief dat vaak gebruikt wordt door terroristen. Aan de slagpin van dit ding zit een touwtje met een korte stok. Ze vervingen het touwtje door een langer touw, legden de bom naast de terrorist, verlieten het gebouw, trokken aan het touw en bliezen de man aan flarden.

De spanning was onvoorstelbaar. Kauly kreeg via de walkie-talkie Hessner te pakken en vroeg hem Meirs piloot over de radio opdracht te geven de landing uit te stellen. Het is niet duidelijk of Hessner dat inderdaad deed. Wat vaststaat is dat een veiligheidsman van de Mossad, die in zijn auto de omgeving verkende en op een rondweg om het vliegveld reed, ineens iets vreemds zag aan een rijdende snackbar die langs de kant van de weg stond. Hij was er al twee keer langs gereden, maar de derde keer viel het hem op: er staken drie schoorsteenpijpen uit het dak, maar er rookte er maar een. De terroristen hadden zich ontdaan van de baas van de snackcar, twee gaten in het dak gemaakt en daar Strella-raketten doorheen gestoken. Wanneer Meirs vliegtuig genoeg was genaderd en de raket begon te piepen, zouden ze alleen maar de trekker hoeven over te halen, en zo'n vijftien seconden daarna zou er van het vliegtuig niets meer over zijn.

Zonder een seconde te verliezen maakte de Mossad-man een scherpe U-bocht; hij scheurde op de snackcar af en reed hem ondersteboven, zodat de twee terroristen eronder bekneld raakten. Hij stapte uit en constateerde dat de terroristen niet weg konden komen. Toen zag hij politiewagens zijn kant op komen. Hij sprong terug in zijn auto, keerde en verdween schielijk richting Rome. Zodra hij zijn Mossad-collega's had ingelicht, verdwenen ze allemaal van het toneel, alsof ze er niet de hoofdrol hadden gespeeld.

De Italiaanse politie arresteerde vijf leden van de Zwarte September. Ze waren op heterdaad betrapt met raketten waarmee ze Meir wilden vermoorden, maar desondanks werden ze binnen een paar maanden vrijgelaten en naar Libië gevlogen.

Carlos

Op 21 februari 1973 stuurden de Israëliers twee Phantoms af op een ongewapende Boeing 727 van Libyan Arab Airlines die onderweg was naar Caïro maar uit de koers raakte. Ze schoten het vliegtuig neer, waarbij 105 van de 111 inzittenden om het leven kwamen. Dit gebeurde slechts twaalf uur nadat Israëlische commando's een aanval op Beiroet hadden uitgevoerd waarbij verschillende PLO-objecten werden opgeblazen, een aanzienlijke hoeveelheid documenten werd bemachtigd en verschillende PLO-leiders omkwamen, inclusief Zwarte-Septemberleider Abu Yusuf en zijn vrouw.

De aanval op het burgervliegtuig was een tragische vergissing. Israël had in die tijd dreigende berichten ontvangen dat een vliegtuig vol bommen naar Tel Aviv zou worden gevlogen. De rampzalige Boeing vloog pal boven een van de grootste militaire bases in de Sinaï-woestijn. Toen de luchtmachtcommandant niet kon worden gevonden nam een kapitein de beslissing om te schieten.

Het zou nog zes jaar duren voordat de Mossad eindelijk de Rode Prins te pakken kreeg, maar Golda Meirs doelbewuste persoonlijke vendetta tegen de Zwarte September bracht een drastische verandering teweeg in de rol van de Mossad. De nadruk lag voortaan op de PLO — wat geen ideale situatie was, want andere vijanden zoals Egypte en Syrië, die met oorlog dreigden en zich daar ook werkelijk op voorbereidden, kregen nu minder aandacht. Anwar Sadat had overal in Egypte comités opgericht die onomwonden 'oorlogscomités' heetten. Maar de Mossad stak alle tijd en middelen in de jacht op Zwarte-Septemberterroristen.

Op 6 oktober 1973, slechts een paar maanden na het Strella-incident in Rome, zei generaal Eliahu Zeira, hoofd van de Israëlische militaire inlichtingendienst, tijdens een persconferentie in Tel Aviv: 'Er zal geen oorlog komen.' Tijdens de conferentie kwam er een Israëlische majoor binnen die de generaal een telegram overhandigde. Zeira las het en vertrok onmiddellijk, zonder een woord te zeggen.

Egypte en Syrië hadden aangevallen; de Yom-Kippuroorlog was begonnen en na een dag telde Israël 500 doden en meer dan 1000 gewonden. Een paar dagen later slaagde Israël erin zich te herstellen en begon het de invasielegers terug te dringen, maar de oorlog maakte definitief een einde aan het beeld dat men, zowel in het land zelf als in de rest van de wereld, van Israël had: het land werd niet langer gezien als een onoverwinnelijke macht.

Dankzij de Mossad leefde Golda Meir nog, maar een van de gevolgen van de oorlog was haar aftreden als premier, op 10 april 1974.

Wat Shai Kauly betreft: hij wist dat er ergens nog twee Strella-raketten moesten zijn, die waren overgebleven na de mislukte aanslag op Meir. Maar de onmiddellijke dreiging was voorbij, hij was terug in Milaan en de oorlogsbeslommeringen overstemden al snel alle andere problemen.

Het vliegveldincident had de Italiaanse politie behoorlijk in verlegenheid gebracht. Pal voor hun neus was een poging tot moord gepleegd op een vooraanstaande politieke persoonlijkheid, en het enige dat zij hadden gepresteerd was te laat arriveren en zich ontfermen over de rotzooi die de Mossad had achtergelaten. De Italiaanse inlichtingendienst had geen flauw vermoeden gehad van het plan Meir te doden. Terwijl de grote massa niets afwist van deze gebeurtenissen, waren een paar mensen uit veiligheidskringen wel op de hoogte. Dus vroegen de Italianen de Israëli's de details niet openbaar te maken.

Het standpunt van de Mossad was dat het voordelig kon zijn een andere partij te helpen iets verborgen te houden. Men was altijd bereid andermans figuur te redden – zolang de betrokkenen maar beseften dat zij in de ogen van de Mossad volstrekte onbenullen waren.

Zo werd de LAP, *Lohamah Psichlogit*, de Mossad-afdeling voor psychologische oorlogvoering, verzocht een verhaal in elkaar te draaien. Rond die tijd was de spanning tussen Israël en Egypte tot het uiterste opgelopen, maar omdat de Mossad het zo druk had met de jacht op de Zwarte September, werden de overduidelijke aanwijzingen dat men zich voorbereidde op een oorlog over het hoofd gezien. Over de hele wereld verspreid opereerden steeds hooguit 35 à 40 katsa's, en die concentreerden zich zodanig op de activiteiten van de PLO – die met haar talrijke facties over duizenden mensen beschikte dat ze er volledig door in beslag werden genomen, zodat er een blinde vlek optrad waar het Israëls andere grote vijanden betrof.

Hoe dan ook, de LAP verzon een verhaal dat de Italianen openbaar konden maken en tegelijkertijd liet de Mossad de inlichtingendiensten van Engeland, Frankrijk en de VS weten wat er werkelijk was gebeurd.

De inlichtingendiensten hebben een regel, de zogeheten *third party rule*: wanneer bijvoorbeeld de Mossad informatie verstrekt aan de CIA omdat die twee een goed samenwerkingsverband hebben, dan mag de CIA die informatie niet doorspelen aan een derde partij, omdat zij de informatie zelf al van een inlichtingendienst heeft gekregen. Natuurlijk kan deze regel worden omzeild door het doorspelen van een deel van de informatie in een andere vorm.

Rond de tijd van het incident op de luchthaven van Rome en de daarop volgende dekmantel-affaire, voorzag de Mossad de CIA regelmatig van lijsten van Russisch wapentuig dat naar Egypte en Syrië werd gestuurd, inclusief type- en serienummers van de wapens. Het doel was tweeledig: ten eerste waren de lijsten goed voor het aanzien van de Mossad, die aan zulke informatie wist te komen, en ten tweede bewezen zij hiermee dat er een wapenvoorraad werd aangelegd. De CIA zou zo meer kans van slagen hebben bij de pogingen de regering van de VS te overtuigen van de noodzaak de steun aan Israël te vergroten. Het Congres kreeg niet te horen waar de informatie vandaan kwam, maar zag die wel bevestigd door de identieke informatie die het Congres kreeg van de joodse lobby.

De Amerikanen beschouwden Muammar al-Gaddafi van Libië al als een gevaarlijke gek maar halverwege de jaren zeventig leek de hele wereld uit gekken te bestaan. Overal ontstonden kleine terroristische revolutionaire groepen. In Frankrijk de Action Directe, in Duitsland de Baader-Meinhofgroep, in Japan het Rode Leger, in Italië de Rode Brigades (die in 1978 oud-premier Aldo Moro vermoordden), in Spanje de Baskische ETA (die de eind 1973 gepleegde moord op de Spaanse premier Carrero Blanco opeiste), en verder waren er zo'n vijf verschillende Palestijnse organisaties. Zelfs in de VS bestonden dergelijke groepen: de Weathermen en het Symbionese Bevrijdingsleger, dat verantwoordelijk was voor de ontvoering in 1974 van Patricia Hearst, de erfgename van krantenmagnaat Randolph Hearst.

Te midden van deze opwinding werden vele synagogen en andere joodse instellingen in Europa getroffen door bomaanslagen, dus voor de Mossad was de tijd rijp de Egyptenaren en Libiërs de schuld te geven van het Italiaanse avontuur, ook al hadden ze er niets mee te maken.

De Mossad kreeg de lijst van de Strella-raketten die de Italianen hadden geconfisqueerd. Dat waren er nog steeds twaalf, maar pas later zou men zich zorgen gaan maken om de twee ontbrekende. De serienummers van deze raketten werden toegevoegd aan de lijsten van door de Russen naar Egypte gezonden wapens die de CIA kreeg toegestuurd, ook al wist de Mossad uit de verhoren van de terroristen dat de raketten afkomstig waren uit Joegoslavië.

Maar het voor het Italiaanse publiek bestemde, door de LAP verzonnen verhaal, vertelde dat de terroristen hun wapens van Libië hadden gekregen en eind december 1972 per auto met de Strella's uit Beiroet waren vertrokken, dat ze met een veerboot in Italië waren aangekomen en vervolgens naar Rome waren gereden, vermoedelijk op doorreis naar Wenen, waar ze een joods doel wilden aanvallen. De reden voor hun omweg, zo werd uitgelegd, was dat het gemakkelijker is een Westeuropees land binnen te komen vanuit een ander Westeuropees land dan vanuit een communistisch land. De terroristen, die na hun mislukte vliegveldaanslag gevangen werden gehouden en met niemand contact mochten hebben voordat de LAP een verhaal in elkaar had gedraaid, werden 'officieel' op 26 januari 1973 door de Italiaanse politie gearresteerd wegens het vervoeren van explosieven. Het is onvoorstelbaar, maar de Italiaanse politie liet de terroristen vrij, eerst twee en later nog eens drie.

Ondertussen waren de Amerikanen alle van de Mossad afkomstige informatie in hun militaire computersysteem aan het invoeren. Toen de Italianen ten slotte op 26 januari bekend maakten dat ze de terroristen hadden gearresteerd en hun wapens hadden geconfisqueerd, gaven ook zij de serienummers van de Strella's door aan de CIA, die daarop de gegevens naar de militaire inlichtingendienst stuurde. Toen nu die serienummers bleken overeen te komen met de nummers die de Mossad had opgegeven met de mededeling dat ze vermoedelijk vanuit Rusland naar Egypte en Syrië waren gebracht, gaf de computer aan dat alle stukken op hun plaats vielen. Nu wisten de Amerikanen zeker dat de Russen aan Egypte hadden geleverd, dat op zijn beurt de raketten aan Gaddafi had gegeven, die er weer de terroristen mee had bewapend – wat allemaal nog duidelijker aantoonde dat de Libische leider precies degene was waarvoor de VS hem aanzagen. Alleen de Mossad kende de waarheid.

De belangrijkste reden voor de Italianen om de terroristen los te laten, moet hun angst voor een rechtszaak zijn geweest. Daarbij zou immers alles aan het licht zijn gekomen: dat de Italiaanse inlichtingendienst een eerste minister zou hebben laten vermoorden door een stel terroristen. Een grof schandaal.

De Mossad zat ermee dat twee van de raketten nog niet waren getraceerd. De Italianen waren daarentegen opgelucht dat het schandaal niet aan het licht was gekomen en dat de Amerikanen nu dachten dat Gaddafi overal achter zat.

Toen de terroristen nog in het gevang zaten, waren ze door mannen van de Shaback ondervraagd. Die waren te weten gekomen dat Ali Hassan Salameh, de Rode Prins, inderdaad bij de aanslag betrokken was geweest. Nu wilde de Mossad hem absoluut te pakken krijgen.

De Italiaanse politie had de Shaback toestemming gegeven de Palestijnen in Rome te ondervragen. Naar alle waarschijnlijkheid zijn bij die verhoren steeds twee mannen van de Shaback betrokken geweest, die dan een vertrek binnenkwamen waarin de gevangene op een stoel zat, met zijn armen en voeten vastgebonden. De hand- en voetboeien zullen met een ketting verbonden zijn geweest. Om te beginnen zal de Shaback de Italiaanse politie hebben gevraagd de ruimte te verlaten. 'Dit is nu een Israëlische ruimte. Wij zijn verantwoordelijk voor de gevangene.' De gevangen PLO-er moet doodsbenauwd zijn geweest. Per slot van rekening was hij naar Europa gegaan om uit de handen van de Israëli's te blijven.

Na de deur te hebben afgesloten zullen de Shaback-officieren, in het Arabisch, iets hebben gezegd als: 'Wij zijn je vrienden van de *Muchbarat*.' (Muchbarat is de veelomvattende naam waarmee de Arabieren alles op het gebied van informatie samenvatten. Het is dan ook de naam van veel Arabische inlichtingendiensten.)

Ze zullen zich ervan hebben vergewist dat de gevangene precies wist wie hij tegenover zich had en in wat voor situatie hij zich bevond. Daarna zullen ze zijn boeien hebben vervangen door het wredere type waarnaar hun voorkeur uitgaat. Die boeien zijn gemaakt van plastic en lijken op de plastic clips waarmee je labels aan bagage bevestigt. Terwijl gewone handboeien nog een beetje bewegingsvrijheid geven, worden deze strak aangetrokken, wat de bloedcirculatie belemmert en pijn veroorzaakt.

Na zijn armen en benen van dergelijke boeien te hebben voorzien, ondertussen babbelend over het trieste van zijn situatie, hebben de Shaback-officieren waarschijnlijk een jute zak over het hoofd van de gevangene getrokken, zijn gulp geopend en zijn penis te voorschijn gehaald. Vervolgens zullen ze hem zo hebben laten zitten, geboeid, met een zak over zijn hoofd en zijn geslachtsdeel op schoot. 'Voel je je nu prettig?' zullen ze hebben gegrapt. 'Laten we wat praten.'

Het zal vast niet lang hebben geduurd voor er inderdaad werd gepraat. In dit geval had de Shaback er jammer genoeg geen idee van dat de gevangenen kort daarna zouden worden vrijgelaten. De Shaback-mannen vroegen veel over Salameh. Zoveel dat de gevangenen na hun vrijlating de Rode Prins vrijwel meteen hebben laten weten dat hij bovenaan de lijst van de Mossad stond.

Rond die tijd was de Zwarte September erg actief. Bombrieven waren nog een veel gebruikt middel en overal in Europa werden bomaanslagen gepleegd en granaten tot ontploffing gebracht. Terwijl de Mossad zich tot het uiterste inspande om Salameh te pakken te krijgen, deden de leiders van de Zwarte September in Beiroet hetzelfde om hem te beschermen. Hij was hun kroonprins. Zodoende raadden ze hem aan zich een poosje gedeisd te houden.

Maar Zwarte-Septemberleider Abu Yusuf – die een paar weken later, op 20 februari 1973, door Israëlische commando's zou worden gedood tijdens een aanval op zijn hoofdkwartier in Beiroet – besloot dat de organisatie Salameh moest vervangen, op zijn minst tijdelijk, door iemand anders die de Europese operaties kon afhandelen. De keuze viel op Mohammed Boudia, die geboren was in Algerije en intensief deelnam aan het modieuze Parijse leven. Hij zette een eigen cel op: de 'Boudia-cel'.

Boudia had het plan alle terroristische groeperingen die in Europa opereerden bijeen te voegen tot één ondergronds leger. Hij organiseerde voor leden van verschillende groeperingen trainingen in Libanon en vormde in een mum van tijd een grote terroristische organisatie, een soort coördinatiecentrum voor alle facties. Theoretisch gezien was het een goed plan, maar het grote probleem was dat de PLO-groeperingen uitermate nationalistisch waren terwijl het merendeel van de overige organisaties radicaal marxistisch was, en dat islam en marxisme nu eenmaal niet samengaan.

Boudia had een eigen verbindingsman die op en neer reisde tussen Parijs en Beiroet, de Palestijn Moukharbel. Moukharbels dossier, compleet met foto, was een van de vele dossiers die tijdens de aanval van Israëlische commando's op het hoofdkwartier van de Zwarte September in Beiroet waren buitgemaakt.

Toen verscheen Mossad-katsa Oren Riff ten tonele. Alles was in rep en roer. Er was geen tijd voor de gebruikelijke omzichtige procedures.

Riff, die Arabisch sprak, kreeg in juni 1973 de opdracht een rechtstreekse poging te doen Moukharbel te werven, dat wil zeggen dat hij
hem direct moest aanspreken en een voorstel doen. (Deze techniek
heeft voordelen: soms lukt het en wanneer het niet lukt kunnen mensen er zo door worden afgeschrikt dat ze hun werk voor de tegenpartij
staken – of er wordt meteen korte metten met ze gemaakt, zoals met
Meshad, de Egyptische natuurkundige.*
Moukharbel verbleef in een duur hotel in Londen. Hij werd anderhalve dag gevolgd en het hotel werd verkend. Daarna werd besloten dat
Riff bij hem zou aankloppen zodra hij terugkwam van een wandeling.
Zijn kamer was al doorzocht op verstopte wapens. Ze hadden niets
gevonden en ook geen andere mensen aangetroffen. Toen Moukharbel in de lift naar boven stond, botste iemand 'per ongeluk' tegen hem
op, om hem razendsnel te fouilleren. Omdat Moukharbel een PLO-er
was, werd hij als bijzonder gevaarlijk beschouwd. Alle onder deze omstandigheden mogelijke voorzorgsmaatregelen waren getroffen en
Riff wachtte tot de man zijn kamer was binnengegaan. Toen liep hij
naar de deur.
Terwijl hij goed oplette of de ander niet ergens een wapen vandaan
haalde, somde Riff snel Moukharbels gegevens op: zijn naam, adres,
leeftijd – alles wat hij kende uit het Zwarte-Septemberdossier.
Toen zei hij: 'Ik ben van de Israëlische inlichtingendienst en we zijn
bereid je een mooi bedrag te betalen. We willen dat je voor ons komt
werken.'
Moukharbel, een knappe, mondaine man die gekleed ging in dure
maatpakken, keek Riff recht in de ogen, lachte van oor tot oor en zei:
'Waar bleven jullie toch!'
De twee mannen praatten vijf minuten en maakten een afspraak voor
een volgende bespreking, die formeler zou zijn en waarvoor meer veiligheidsmaatregelen zouden worden getroffen. Moukharbel wilde het
niet zozeer hebben over geld, hoewel hij daar zeker ook belangstelling
voor had. Hij wilde vooral verzekerd worden van een dubbele dekking, zodat hij, mocht er aan een van beide kanten iets gebeuren, safe
zou zijn. Het ging erom dat hij zelf overal goed vanaf kwam, en als
beide kanten hem wilden betalen dan was dat best.
Hij gaf Riff meteen tal van adressen waar Boudia vaak kwam. Boudia

* Zie: PROLOOG: OPERATIE SFINX

hield van vrouwen en had een aantal maitresses in Parijs. Hij wist dat hij een doelwit was en hij gebruikte de huizen van de vrouwen als safe houses en overnachtte steeds bij een ander. Omdat Moukharbel hem moest kunnen bereiken, kende hij de verschillende adressen. Toen Riff ze had doorgegeven aan de Metsada begon die afdeling Boudia op zijn tochten te volgen. Men kwam er snel achter dat hij bezig was geld voor een toekomstige operatie over te brengen naar Ilyich Ramirez Sanchez, een Venezolaan van welgestelde familie, die in Londen en Moskou had gestudeerd en nu in Parijs woonde en enige werkzaamheden verrichtte voor de PLO.

De Metsada had gauw in de gaten dat Boudia een voorzichtig man was. In gevallen als dit zoekt een inlichtingendienst naar een constante – naar een steeds terugkerende handeling van het object. Bij dergelijk werk kan men niet vertrouwen op plotselinge ingevingen. 'Daar heb je hem: laten we hem pakken!' Zo gaat dat niet. Om complicaties te voorkomen moet er een plan worden opgesteld. Het meest constante aan Boudia was dat hij overal heenging in zijn blauwe Renault 16. Er was ook een adres, aan de rue des Fosses-St. Bernard, dat hij vaker bezocht dan de andere.

Toch was het niet zo eenvoudig: Boudia stapte nooit in zijn auto voordat hij de motorkap had geopend, de onderkant van de auto had gecontroleerd en in de achterbak en de uitlaat had gezocht naar eventuele explosieven. Daarom besloot de Metsada een drukmijn in de zitting van zijn stoel te verstoppen. Om de verdenking van de Fransen niet op de Mossad te laten vallen, werd de bom weloverwogen zo gemaakt dat hij er zelfgeknutseld uitzag: gevuld met moeren en spijkers. De bom werd aan de onderkant voorzien van een zware metalen plaat zodat hij naar boven toe zou ontploffen.

Op 28 juni 1973 verliet Boudia het gebouw, hij voerde zijn gebruikelijke controle uit, opende het portier en wipte op de stoel. Terwijl hij de deur dicht trok, ontplofte de auto. Hij was op slag dood. De explosie was zo hevig dat veel van de moeren en spijkers dwars door zijn lichaam vlogen en tegen het dak van de auto sloegen.

De Franse politie, die wist dat Boudia contact had met terroristische groeperingen, geloofde dat het een ongeluk was, dat er explosieven die hij zelf bij zich had waren ontploft – een conclusie die de politie, en niet alleen de Franse, vaak trekt, zonder naar andere verklaringen te zoeken.

De Zwarte September had geen duidelijke aanwijzingen nodig om te weten dat de Mossad Boudia had vermoord. Bij wijze van wraak moest er onmiddellijk een Israëli worden gedood. Een Palestijnse student aan de UCLA in Zuid-Californie kreeg opdracht een wapen aan te schaffen en naar de Israëlische ambassade in Washington te gaan. Ze redeneerden dat een volstrekt onbekende gemakkelijker een hit-and-run-actie kon plegen dan iemand die deel uitmaakt van een terroristische groepering en misschien wordt gevolgd door de Amerikaanse inlichtingendienst. En zo liep op 1 juli 1973 een onbekende jongeman op kolonel Yosef Alon af, de luchtmachtattaché van de ambassade. Hij schoot hem midden op straat dood, vluchtte en is nooit gepakt. De Mossad kwam later pas achter de link met de Boudia-operatie, dankzij documenten die tijdens de Yom-Kippuroorlog werden bemachtigd.

Na de moord op Boudia vertelde Moukharbel aan Riff dat de Zwarte September Sanchez, de Venezolaan, naar Parijs had gestuurd om de Europese operatie verder te leiden. De Mossad wist nauwelijks iets van hem af maar ontdekte snel dat zijn favoriete schuilnaam Carlos Ramirez was – en later simpelweg Carlos. Hij zou spoedig een van de beruchtste en meest gevreesde mensen ter wereld worden.

Ali Hassan Salameh, zelf ook niet gek, was bezig zijn eigen veiligheid te waarborgen. Hij wilde de Mossad omzeilen en tegelijkertijd Israël zwart maken. Dus hij kwam met vrijwilligers overeen dat die zich via twee verschillende ambassades door de Mossad zouden laten werven. Het was hun taak de Israëli's een reeks van gegevens en lokaties te verstrekken aan de hand waarvan ze zijn gangen in kaart konden brengen. Niet zijn echte gangen natuurlijk, maar gangen waarvan hij wilde dat zij dachten dat hij ze maakte. Dit voerde de Mossad ten slotte naar Lillehammer, een stadje in Noorwegen, zo'n 150 km ten noorden van Oslo, waar een ober in een restaurant een griezelige – en voor hem fatale – gelijkenis met de Rode Prins vertoonde.

Het hoofd van de Metsada, Mike Harari, was belast met de taak Salameh te grazen te nemen. Terwijl de nietsvermoedende ober in de gaten werd gehouden door de Mossad, zorgde Salameh ervoor dat een paar van zijn mannen langs kwamen en een gesprekje met hem voerden, om de Mossad ervan te overtuigen dat hij de man was die ze zochten. Op 21 juli 1973 vermoordde de Mossad een onschuldige ober. Drie mensen gingen hiervoor naar de gevangenis. Een van hen, David Arbel*,

* Zie Hoofdstuk 7: HAARSTUKJE; Hoofdstuk 15: OPERATIE MOZES

liet erg veel los, zodat de 'Lillehammer-affaire' misschien wel het grootste schandaal en de grootste blamage in de geschiedenis van de Mossad werd.

In Parijs nam Carlos het over. In Europese inlichtingenkringen wist niemand iets van hem af. Hij sprak geen Arabisch; eigenlijk mocht hij Arabieren niet eens. (Carlos zei over de Palestijnen: 'Als die jongens ook maar een beetje gelijk hebben, hoe kan het dan dat de Israëli's nog steeds in Palestina zitten?') Maar Moukharbel, die onlangs door Oren Riff was geworven als Mossad-agent, bleef werken als verbindingsman voor Carlos. Tijdens het consolidatieproces van de Parijse operatie kreeg Carlos de controle over de Europese wapenvoorraad van de Zwarte September. Naast andere dingen erfde hij de twee 'ontbrekende' Strella-raketten die deel hadden uitgemaakt van de verijdelde poging tot moord op Golda Meir.

Moukharbel was niet alleen verbindingsman voor de Zwarte September, maar ook voor twee andere Palestijnse groeperingen: het Volksfront voor de Bevrijding van Palestina (PFLP) en de Palestijnse Jeugdorganisatie. De hoeveelheid informatie die de Mossad van hem ontving was verbazingwekkend groot. De Mossad kauwde alles uit, hield achter wat nog nuttig kon zijn en begon vervolgens de Europese inlichtendiensten en de CIA te voorzien van zoveel informatie, dat die niet wisten wat ze ermee aan moesten. Binnen de inlichtingendiensten vroeg men elkaar gekscherend: 'Hebben we vandaag het Mossadboek al binnen?' En de band met de CIA was toen zo hecht, dat de Amerikanen het hadden over 'het Mossadbureau in Langley' (CIA-hoofdkwartier in Virginia). Dit overspoelen van de markt met informatie was misschien niet erg handig, maar niemand kon achteraf beweren dat hij ergens niet vanaf had geweten. En van dat mechanisme maakte de Mossad later handig gebruik.

Carlos was natuurlijk geïnteresseerd in de twee overgebleven Strella-raketten in Rome. Kennelijk hadden de twee teams bij de verdeling twee raketten achtergelaten in een safe house dat niet bekend was bij de Mossad. Hadden ze de bij de verijdelde aanslag gepakte terrorist niet gedood, dan waren ze misschien meer te weten gekomen. Hij was een van degenen uit het team die dat huis gebruikten.

Hoewel Carlos nog geen acties had ondernomen tegen joodse doelen, begon de Mossad te beseffen dat hij gevaarlijk was. Ze hoorden van Moukharbel over de raketten, maar het had geen zin er al achteraan te gaan. Hoe dan ook, ze konden geen stap in de richting van het huis zetten zonder Moukharbel op te geven, die elke twee of drie dagen belde met informatie – ergens zat zelfs iemand die hij vierentwintig uur per dag kon bereiken.

Carlos wilde dat de raketten werden gebruikt voor een aanslag op een Israëlisch vliegtuig. Maar hij stortte zich nooit persoonlijk in operaties die een ingewikkelde planning vereisten. Dat was zijn principe – en gedeeltelijk de reden waarom hij nooit is gepakt. Hij plande operaties, zorgde ervoor dat ze werden uitgevoerd, maar bleef zelf achter de schermen.

Voor de Mossad vormden de raketten een probleem. Natuurlijk was Moukharbel te waardevol om op te geven voor deze ene operatie, maar als ze de Palestijnen met de wapens naar het vliegveld lieten vertrekken, zou dat een aanslag op een Israëlisch vliegtuig betekenen.

Oren Riff, Moukharbels katsa, was de regisseur. Riff was van het ongecompliceerde, no-nonsense soort. Eind 1975 was hij een van de elf vermetele katsa's die een brief ondertekenden waarin het hoofd van de Mossad werd meegedeeld dat de organisatie vastgeroest was, te veel geld kostte en ondemocratisch handelde. Bij insiders staat de brief bekend als 'de brief van de elf', en Riff is de enige van de elf die de zaak heeft overleefd – alle anderen werden eruit gezet. Wel werd hij twee keer overgeslagen bij promoties, en toen hij in 1984 zijn dossier opvroeg om te kijken waarom hij niet was bevorderd, kreeg hij te horen dat het een vergissing moest zijn – een onwaarschijnlijk verhaal, want de organisatie had in totaal maar twaalfhonderd mensen in dienst, inclusief de secretaresses en chauffeurs.

Naar aanleiding van de brief werden terloops de NAKA-voorschriften zodanig veranderd dat brieven door hooguit één andere Mossad-ambtenaar konden worden medeondertekend.

Hoe dan ook, Riff belde zijn verbindingsman in Rome met de opdracht Amburgo Vivani, hun vriend bij de Italiaanse inlichtingendienst, te bellen en hem het adres te geven van het safe house waarin de raketten werden bewaard. 'Zeg hem dat je hem zult bellen op een tijdstip dat alle betrokkenen er zijn, en dat hij pas op dat moment naar het appartement moet gaan,' zei Riff. 'Op die manier kan hij ze allemaal pakken.'

Een eenheid neviot-mensen hield het huis voor de Mossad in de gaten en toen ze op 5 september 1973 de terroristen naar binnen zagen gaan, belden ze de Italiaanse inlichtingendienst. De Italianen stonden klaar – evenals de mensen van de Mossad, die de Italianen ongemerkt in de gaten hielden – en gingen het huis binnen, waar ze vijf mensen arresteerden – een Libanees, een Libiër, een Algerijn, een Irakees en een Syriër – en de twee raketten in beslag namen.

Het verhaal voor de buitenwereld hield in dat de vijf van plan waren geweest vanaf het dak vliegtuigen van de burgerluchtvaart, die zojuist waren opgestegen van het Romeinse vliegveld Leonardo da Vinci, neer te schieten. Een lachwekkend verhaal, want de vliegtuigen vlogen helemaal niet over het bewuste gebouw. Maar dat maakte niets uit. Het verhaal werd geloofd.

In die tijd stond het hoofd van de Italiaanse inlichtingendienst in nauw contact met de Mossad. Deze man reisde regelmatig met een verborgen camera naar Arabische landen om voor de Mossad foto's te maken van Arabische militaire bases.

Hoewel de Italianen de terroristen op heterdaad hadden betrapt met twee infrarood-doelzoekende raketten, lieten ze twee van de vijf meteen op borgtocht vrij. Natuurlijk vertrokken die snel uit Rome. De andere drie liet men naar Libië gaan. De Dakota die ze vervoerde werd op 1 maart 1974 op de terugweg naar Rome opgeblazen, waarbij de hele bemanning om het leven kwam. Het onderzoek naar deze bomaanslag loopt nog steeds.

De Italianen beweren dat dit het werk was van de Mossad, maar dat is niet zo. Waarschijnlijk is het de PLO geweest, die misschien dacht dat de bemanning bij de vrijlating in Libië iets had gezien, of bang was dat ze de terroristen bij een andere operatie zou herkennen. Als de Mossad het had gedaan, dan zou het zijn gebeurd met de terroristen aan boord. Op 20 december 1973 was Carlos in Parijs. Hij bezat een woning in een buitenwijk van de stad, die hij gebruikte als opslagplaats voor PLO-munitie. De Mossad zocht een manier om het adres aan de Fransen te kunnen geven zonder de waardevolle agent Moukharbel te verspelen.

Die ochtend pleegde Carlos een voor hem typische terroristische aanslag – zijn beruchte 'bang, bang' en wegwezen. Hij verliet zijn appartement met een granaat, stapte in zijn auto, reed door een straat, wierp de granaat naar een joodse boekwinkel en doodde zo een vrouw en verwondde zes anderen. Dat was genoeg reden voor de Mossad om het adres van de wapenopslagplaats door te geven. Toen de Franse politie de woning binnenviel, vond ze revolvers, geweren, granaten, TNT-staven, pamfletten en een stuk of zes mensen, maar geen Carlos. Hij was diezelfde dag uit Frankrijk vertrokken.

De volgende dag belde hij Moukharbel vanuit Londen en hij zei dat hij hem daar wilde spreken. Moukharbel zei dat hij niet kon komen omdat de Britse politie achter hem aan zat. De Mossad probeerde hem te overreden toch te gaan maar hij weigerde, dus verloor men Carlos een tijdje uit het oog.

Op 22 januari 1974 belde Carlos Moukharbel weer. 'Met Ilyich,' zei hij, 'Ik kom terug naar Parijs. Ik moet hier eerst morgen of overmorgen nog iets opknappen.'

Meteen verhoogden alle mogelijke Israëlische doelwitten in Engeland hun waakzaamheid. Maar dat konden ze niet al te opvallend doen, voor het geval Carlos' telefoontje alleen maar bedoeld was om Moukharbels loyaliteit te testen. Ze wisten dat Carlos iedereen altijd een stap voor was.

Twee dagen later, op 24 januari, reed er een auto langs een Israëlische bank in Londen, en de bestuurder, de enige inzittende, gooide een handgranaat naar de bank. Een vrouw raakte gewond.

De volgende dag belde Carlos naar Moukharbel om een afspraak te maken in Parijs. Hij zei dat hij de Israëlische doelen een tijdje met rust moest laten omdat alles te riskant werd, en dat hij nog wat verschuldigd was aan de Japanse en Duitse organisaties, verplichtingen die hij eerst moest nakomen. Daarna zou hij weer iets voor de PLO kunnen doen.

Dit stelde de Mossad enigszins gerust en het klopte ook met andere informatie die ze hadden gekregen. Maar met Carlos kon je nooit lang gerust zijn. Op 3 augustus van dat jaar werden in Parijs drie auto's met explosieven neergezet, twee voor kantoren van kranten en een (die vóór de ontploffing werd ontdekt) voor een radio-omroep. De Franse politie dacht dat dit het werk was van de Action Directe. Dat was het ook, maar Carlos had geholpen bij het in elkaar zetten en plaatsen van de bommen. Daarna was hij naar een ander deel van Parijs gereden om op het tijdstip van de explosies zelf een flink eind uit de buurt te zijn.

De Mossad kwam er vervolgens achter dat Carlos een lading Russische RPG-7 bazooka's had ontvangen. De RPG-7 is een compact, draagbaar wapen dat nog geen 9 kg weegt en een maximaal bereik heeft van 500 m wanneer het doel stilstaat en 300 m wanneer het doel beweegt. Het doorboort zelfs 30 cm dikke pantsers.

Op 13 januari 1975 gingen Carlos en zijn collega Wilfred Bose op weg naar de luchthaven Orly om rotzooi te trappen. (Bose, een lid van de Baader-Meinhofgroep, werd op 27 juni 1976 gedood tijdens de beroemde ontknoping van de vliegtuigkaping in Entebbe, Oeganda.) Hoe dan ook, het oog van de twee mannen viel op een Israëlisch vliegtuig dat op het platform stond.

Carlos reed nog eens langs om te kijken, stopte de auto en gooide een flesje melk op de weg kapot om aan te geven vanaf welke plek het zicht op het Israëlische vliegtuig het best was. Vervolgens klom hij op het dak van de 2 CV. Hij klemde zijn voeten onder de imperiaal. Bose reed achteruit de weg af en daarna langzaam, met zo'n 15 km per uur, vooruit. Toen ze de plas melk naderden kwam Carlos omhoog uit zijn gehurkte positie. Hij vuurde, miste het Israëlische vliegtuig en beschadigde een Joegoslavisch toestel en een van de luchthavengebouwen. Ze reden de weg een paar honderd meter af en hielden stil. Carlos sprong van het dak, stapte in de auto en weg waren ze.

Toen hij terugkwam in het appartement vertelde Carlos Moukharbel wat hij had gedaan en Moukharbel zei hem dat hij er op de radio over had gehoord en dat hij het Israëlische vliegtuig niet had geraakt.

Carlos antwoordde: 'Goed, dit keer hebben we gemist, maar de negentiende gaan we weer.'

Natuurlijk gaf Moukharbel dit nieuwtje door aan Oren Riff. Ook nu wilden ze hun waardevolle agent niet verspelen, dus gaf Riff opdracht de bewaking te verdubbelen en liet alle Israëlische vliegtuigen naar de noordkant van het vliegveld brengen zodat ze, als Carlos zijn plan inderdaad uitvoerde, maar vanuit een richting konden worden benaderd.

En ja hoor, op 19 januari, nadat de Fransen waren gewaarschuwd voor een mogelijke terroristische actie, kwam Carlos aangereden, dit keer met drie anderen. Ze reden drie keer langs en stopten toen. De Franse politie kwam met gillende sirenes aangereden. De mannen schoten niet. In plaats daarvan deden ze alsof ze al hun wapens neergooiden en renden ze weg van de auto. Carlos greep een langslopende vrouw en drukte een wapen tegen haar hoofd. Een van zijn collega's volgde zijn voorbeeld. Het volgende half uur werd er onderhandeld. Zonder hun wapens te gebruiken lukte het ze weg te komen. Hun uitrusting lieten ze achter en Carlos verdween. Zelfs Moukharbel wist niet waar hij was.

De vijf maanden daarna was alles rustig. Moukharbel leverde nog steeds waardevolle informatie, maar hij hoorde niets meer van Carlos. Toen begon hij zenuwachtig te worden: van vrienden had hij gehoord dat in Beiroet een paar mensen lucht begonnen te krijgen van zijn activiteiten en hem wilden spreken. Ondertussen had de Mossad besloten achter Carlos aan te gaan, maar Moukharbel was alleen nog geïnteresseerd in het krijgen van een nieuwe identiteit, waarmee hij zich zo snel mogelijk kon terugtrekken uit het hele gedoe. Hij was bang geworden dat Carlos hem doorhad.

Het hoofdkwartier wilde niet dat Riff zelf degene was die Carlos liet struikelen en men wilde ook niet dat de Metsada hem elimineerde, dus er werd besloten alles aan de Fransen over te laten, aan wie wel wat informatie kon worden verstrekt. Op 10 juni 1975 belde Carlos Moukharbel, die hem paniekerig vertelde dat hij weg moest uit Parijs. Toch nodigde Carlos hem uit naar een appartement aan de rue Toullier in het vijfde arrondissement te komen. Het bevond zich in een achterhuis dat alleen te bereiken was vanuit het huis aan de straatkant: via een tuin of via een paar trappen en een overloop. Het achterhuis had maar een ingang en dus ook maar een uitgang, en was daarom een plek waar je Carlos niet zou verwachten.

Dankzij een sayan die appartementen bezat, had Riff het appartement op de bovenste verdieping van het voorhuis kunnen huren – een kleine woning, van het type dat toeristen per dag of per week huren. Het keek uit op de binnenplaats en het appartement van Carlos, zodat Riff alles kon volgen wat onder hem gebeurde.

De Franse politie was gewaarschuwd dat in het appartement iemand zat die contact had met een bekende wapenhandelaar en dat er iemand anders was (Moukharbel) die in een netelige situatie zat en graag het een en ander wou vertellen. De politie kreeg niet te horen dat de eerste persoon Carlos was en evenmin dat de ander een agent was.

Riff vertelde Moukharbel dat hij de Franse politie op hem af ging sturen. 'Je vertelt ze dat je eruit wilt stappen en naar Tunis wilt gaan. Wij zorgen ervoor dat ze je niks kunnen maken. Je weet dat je niet safe bent zolang Carlos nog rondloopt. Ze zullen je een foto laten zien van jou met Carlos en je vragen wie hij is.'

'Probeer je eruit te lullen, zeg dat hij onbelangrijk is. Dan zullen ze hem toch willen zien. Je neemt ze mee naar Carlos. Ze arresteren hem om hem te ondervragen en wij zorgen ervoor dat ze informatie over hem krijgen en dat hij voorgoed wordt opgesloten, terwijl jij vrij in Tunis rondloopt.'

Het plan rammelde aan alle kanten, maar als Carlos ermee op te pakken was, dan zat de Mossad daar verder niet mee.

Riff vroeg Tel Aviv toestemming het grootste deel van Carlos' dossier door te geven aan de Fransen, zodat die zouden weten met wie ze te maken hadden. Zijn argument was dat de Mossad hen een agent uitleverde, en als ze niet wisten wie Carlos was, dan zou die agent, Moukharbel, in groot gevaar komen te verkeren. Bovendien was hij bang dat ook voor de Fransen gevaar dreigde wanneer ze niet goed op Carlos voorbereid waren. Per slot van rekening wisten ze nog steeds maar heel weinig over hem.

Riff kreeg ten antwoord dat de verbindingsdienst zo nodig zou zorgen voor de informatieoverdracht, wanneer Carlos eenmaal vast zat en dat dit afhankelijk was van de verhandelbaarheid van de gegevens. Met andere woorden: als de Fransen informatie wilden, dan zouden ze ervoor moeten betalen.

De reden waarom de Fransen niet werden gewaarschuwd voor Carlos was gewoonweg een zaak van rivaliteit en jaloezie tussen twee afdelingen van de Mossad: de Tsomet, later Melucha genoemd, die over de 35 actieve katsa's van de Mossad ging en het grootste aandeel had in de werving van vijandelijke agenten, en de Tevel, of Kaisarut, de verbindingsafdeling.

De Tevel lag altijd overhoop met de Tsomet over de hoeveelheid te leveren informatie. Het standpunt van de Tevel was dat andere geheime diensten vriendschappelijker werden naarmate ze meer informatie kregen, en dan zelf ook meer informatie wilden afstaan. Maar de Tsomet verzette zich hier altijd tegen, met als argument dat informatie niet zomaar mag worden uitgedeeld, dat er direct iets terug moet komen voor alles wat wordt weggegeven.

Dit keer waren de rollen echter omgedraaid: de afdelingshoofden spraken elkaar over het verzoek van Oren Riff (die toen onder de Tsomet viel) de Fransen ongeveer heel Carlos' dossier te geven. De Tsomet wilde zelfs details vrijgeven, maar de Tevel was tegen. Het hoofd van Tevel greep zijn kans zijn rivaal terug te pakken en zei: 'Wat nu? Jullie willen de Fransen informatie geven? Wanneer wij informatie willen geven zijn jullie het er nooit mee eens. Nu zijn wij dus tegen.' Ze konden doen wat ze wilden want er was niemand die er achteraf naar zou vragen, niemand aan wie ze verantwoording zouden moeten afleggen. Ze maakten hun eigen wetten.

Op de afgesproken dag zag Riff hoe Carlos zijn appartement binnenging. De verbindingsofficieren hadden met de Fransen gesproken en ze verteld waar ze Moukharbel moesten oppikken. Er waren nog een paar Zuidamerikanen in het appartement van Carlos. Ze hadden een feestje.

Moukharbel arriveerde in een gewone auto, samen met drie Franse politiemannen. Twee van hen bleven met hem bij de trap staan terwijl de derde op de deur klopte. Carlos deed open, de politieman in burger stelde zich voor en Carlos nodigde hem binnen. Ze praatten een minuut of twintig. Carlos leek werkelijk een aardige vent, geen problemen. Ze hadden hem nooit gezien, nooit iets over hem gehoord. Wat hun betrof, ze hadden alleen maar een tip gekregen. Niets ernstigs.

Riff zou later zeggen dat hij zo nerveus werd van het kijken dat hij alle veiligheidsvoorschriften overboord wilde gooien en erheen wilde rennen om de politiemannen te waarschuwen. Maar hij deed het niet.

Ten slotte moet de diender Carlos hebben verteld dat hij iemand bij zich had die hij misschien kende. 'Ik zou het op prijs stellen wanneer u even met hem sprak. Wilt u even meekomen?'

Tegelijkertijd wenkte de politieman zijn twee collega's op de overloop Moukharbel te brengen. Toen Carlos hem zag dacht hij dat hij erbij was. Maar Moukharbel was van plan Carlos te zeggen dat hij zich geen zorgen hoefde te maken, dat de politie hen niets kon maken. Carlos zei tegen de diender: 'Goed, ik ga mee.'

Al die tijd had Carlos nog de gitaar vast waarop hij aan het spelen was toen de politieman aanklopte. De anderen in de kamer hadden geen idee van wat er aan de hand was dus het feestje ging gewoon door. Carlos vroeg of hij zijn gitaar kon wegzetten en een jas mocht pakken, en de politieman zag geen reden hem dat te verbieden. Ondertussen kwamen de andere drie naar de deur toe.

Carlos ging een zijkamer binnen, gooide de gitaar neer, pakte zijn jas, opende de gitaarkist en haalde een .38 machinepistool te voorschijn. Hij liep naar de voordeur en opende onmiddellijk het vuur, waarbij hij de eerste politieman ernstig verwondde door hem een kogel door de nek te schieten. De andere twee schoot hij dood en toen richtte hij op Moukharbel. Die viel met drie kogels in zijn buik en een in het hoofd neer — de laatste had Carlos van vlakbij afgevuurd om er zeker van te zijn dat Moukharbel inderdaad dood was.

Riff was volledig overstuur; vanuit zijn appartement had hij alles zien gebeuren. Hij had geen wapens. Hij keek machteloos toe hoe Carlos Moukharbel het genadeschot gaf en vertrok toen zo rustig als hij kon. Riff wist een ding zeker: de Franse politie wist wie *hij* was. Ze wisten dat hij degene was die hun mannen daarheen had gebracht, en in hun ogen zou het een valstrik lijken. Tweeëneenhalf uur later was Riff in het uniform van een steward aan boord van een El Al-vliegtuig onderweg naar Israël[*].

De gewonde politieman werd geholpen door de feestgangers, die een ambulance lieten komen. Ze hadden er geen flauw idee van wie Carlos was. De politieman overleefde het en vertelde later dat Carlos tijdens het schieten voortdurend had geroepen: 'Ik ben Carlos! Ik ben Carlos!' Dat was de dag waarop Carlos' naam in de hele wereld bekend werd. Men vermoedde dat Carlos op 21 december 1975 betrokken was bij een operatie tegen het hoofdkantoor van de OPEC in Wenen, waarbij zes pro-Palestijnse guerrillastrijders een OPEC-conferentie verstoorden, drie mensen doodschoten, zeven mensen verwondden en er 81 gijzelden. De volgende jaren zouden er tientallen bomaanslagen en andere terreurdaden plaatsvinden die aan Carlos werden toegeschreven. Alleen al in 1979-80 – daarna heeft de Mossad nooit meer iets over hem vernomen – ontploften er zo'n zestien bommen waarvoor Action Directe verantwoordelijk werd gesteld en die geheel in de Carlos-stijl waren uitgevoerd.

Een van de problemen met inlichtingendiensten is dat ze achter gesloten deuren dingen doen die gevolgen hebben voor mensen. Maar omdat ze achter gesloten deuren werken nemen ze niet altijd de verantwoordelijkheid op zich. Een inlichtingendienst zonder controlerend orgaan is als een onnauwkeurig gericht kanon. Maar er is één verschil: de inlichtingendienst is een kanon dat met voorbedachten rade onnauwkeurig wordt gericht.

De dood van de Franse politiemannen en alle andere slachtoffers van Carlos was te voorkomen geweest. Er was eigenlijk geen reden Carlos los over straat te laten lopen. Wat de Mossad, die niemand verantwoording schuldig is, doet, is niet alleen schadelijk voor het Instituut zelf, maar voor heel Israël.

Samenwerking kan niet worden volgehouden op basis van een quidproquo. Na verloop van tijd zullen de verbindingsmensen van de ge-

[*] Zie Hoofdstuk 2: IN DE SCHOOLBANKEN

heime diensten van andere landen geen vertrouwen meer hebben in de Mossad. Binnen de inlichtingenwereld zal niemand meer waarde hechten aan de Mossad. Daar stuurt de Mossad het zelf op aan. Israël zou werkelijk een fantastisch land kunnen zijn, maar de Mossad richt het te gronde door met macht te manipuleren, niet ten gunste van Israël, maar ten gunste van zichzelf.

Exocet

Op de regenachtige ochtend van 21 september 1976 verliet de 44-jarige wetenschapper Orlando Letelier zijn woning aan de fraaie Embassy Row in Washington en zoals gewoonlijk stapte hij achter het stuur van zijn blauwe Chevelle. Letelier, ooit minister in het kabinet van Chili's onfortuinlijke marxistische president Salvador Allende Gossens, was in gezelschap van zijn 25-jarige Amerikaanse collega Ronni Moffit. Een op afstand tot ontploffing gebrachte bom scheurde de auto enige ogenblikken later in flarden. De mannen waren op slag dood.

Zoals zo vaak gebeurt bij dit soort zaken gaven velen de CIA de schuld. Per slot van rekening had men de CIA bij de val van Allende in 1973 een grotere rol toegeschreven dan die organisatie in werkelijkheid had gespeeld. Lange tijd was de CIA in het buitenland voor allerlei gewelddaden de favoriete zondebok. Anderen wezen met recht de DINA, de Chileense geheime politie, aan als de schuldige en een jaar later werd de DINA onder zware druk van de VS ontbonden door generaal Augusto Pinochet Ugarte, de dictator van het land (hoewel de dienst onder een nieuwe leiding weer tot leven zou komen).

Niemand wees naar de Mossad.

De Mossad was dan wel niet direct betrokken bij de aanslag, die in opdracht van DINA-chef Manuel Contreras Sepulveda werd gepleegd, toch hadden de Israëli's indirect een belangrijke rol gespeeld bij de executie door met Contreras een geheime deal te sluiten over de aanschaf van de in Frankrijk gemaakte Exocet, een anti-scheepsraket.

Het moordcommando schakelde geen personeel van de Mossad in voor de aanslag op Letelier maar maakte zeker gebruik van de knowhow van de Mossad, die deel uitmaakte van de tegenprestatie voor Contreras' raket.

In augustus 1978 stelde een Noord-Amerikaanse grand jury Contreras in staat van beschuldiging, samen met Pedro Espinoza Bravo, de operatiecoördinator van de DINA, DINA-agent Armando Fernandez Larios en vier Cubaanse ballingen die lid waren van een fanatieke anti-Castro organisatie in de Verenigde Staten. Alle zeven werden ze beschuldigd van moord.

Het belangrijkste punt uit de vijftien pagina's tellende aanklacht was afkomstig van de in de VS geboren Michael Vernon Towley, die op zijn vijftiende met zijn ouders naar Chili was verhuisd, als automonteur werkte en was geworven door de DINA. Hij werd een medesamenzweerder genoemd en hij verleende medewerking aan zijn ondervragers in ruil voor een lichte straf van drie jaar en vier maanden. De regering-Pinochet leverde de Chilenen uit aan de VS, maar weigerde hardnekkig Contreras, het brein achter de moord op Letelier, uit te leveren. De Cubaanse ballingen ontsnapten, hoewel een van hen onlangs, op 11 april 1990, is gearresteerd in zijn woonplaats St. Petersburg, in Florida. Contreras werd nooit berecht voor het misdrijf, ook al dwong Pinochet hem in oktober 1977 ontslag te nemen, in een poging het geschonden internationale imago van de militaire junta te verbeteren.

Een paar keer per jaar vergaderen de hoofden van de Israëlische inlichtingendiensten om toekomstige operaties te plannen. Een van de vergaderingen is de *Tsorech Yediot Hasuvot*, of kortweg *Tsiach*, wat 'benodigde informatie' betekent, waarbij alle inlichtingendiensten uit het land, zowel de militaire als de civiele, elkaar treffen. Bij deze vergadering buigen de afnemers van informatie – zoals de AMAN, de dienst van de premier, en allerlei militaire inlichtingenunits – zich over de kwaliteit van de informatie die het afgelopen jaar is binnengekomen en over wat er het komende jaar aan informatie moet worden bemachtigd, in volgorde van belangrijkheid. Het eindverslag van deze bijeenkomst wordt ook Tsiach genoemd en komt neer op een jaarlijkse boodschappenlijst voor de Mossad en de andere leveranciers – zoals het militaire inlichtingenkorps.

Globaal gezien zijn er drie manieren om aan informatie te komen: *humant*, het vergaren van informatie uit menselijke bron, waar bijvoorbeeld de katsa's hun agenten voor gebruiken; *elint*, of tekens, het werk dat wordt verricht door Unit 8200 van het inlichtingenkorps van het Israëlische leger; en *signt*, het vergaren van informatie uit de reguliere media, waarmee honderden mensen van een andere speciale militaire eenheden zich bezighouden.

Tijdens de Tsiach-vergadering wordt niet alleen bepaald wat er via de inlichtingendiensten aan informatie moet worden verzameld, maar ook worden dan de agenten beoordeeld op hun prestaties van het afgelopen jaar. Elke agent heeft twee codenamen: een naam waaronder hij opereert en een naam voor de inlichtingendienst. De afnemers van de informatie krijgen de door de katsa's opgestelde rapporten van de operaties niet te zien. Ze weten niet eens dat ze bestaan. De informatie zelf wordt, onderverdeeld in verschillende categorieën, in een afzonderlijk rapport verstuurd.

Afgaande op de rapporten kennen de informatie-afnemers de agenten een A, een B, een C, een D of een E toe. In de praktijk krijgt een agent nooit een A – die is hoogstens weggelegd voor spionnen. Maar een B betekent: zeer betrouwbare bron; een C is twijfelachtig; een D staat voor: voorzichtig met wat hij zegt en een E voor: werk niet met deze persoon. Elke katsa kent de status van zijn agenten en zal ze een hogere willen bezorgen. De categorisering geldt voor een heel jaar en agenten krijgen een salaris dat overeenkomt met hun beoordeling. Als iemand een jaar C is geweest en daarna B wordt, krijgt hij bovendien een bonus.

Wanneer de katsa's de rapporten maken, vullen ze bovenaan twee hokjes in. In het linkerhokje komt de letter van de agent te staan en in het rechter staat een getal dat begint met een 1 wanneer de agent datgene waarvan hij verslag heeft uitgebracht zelf heeft waargenomen, een 2 wanneer hij erover heeft gehoord van een betrouwbaar persoon maar zelf niets heeft gezien, en een 3 wanneer hij het via-via, als een gerucht, heeft vernomen. Een rapport waar B-1 boven staat bevat dus informatie van een goede agent die het gebeurde persoonlijk heeft waargenomen.

Het hoofd van de inlichtingendienst van het leger is degene met de meeste ervaring binnen de dienst. Elke onderdeel van de Israëlische gewapende macht heeft zijn eigen eenheid: de infanterie beschikt over een eigen inlichtingendienst, evenals de cavalerie, de luchtmacht en de marine. (De eerste twee zijn sinds kort samengevoegd tot de inlichtingendienst van de landmacht.) De chef van het leger, dat officieel Israëli Defense Force heet, IDF, is een luitenant-generaal. Een zwaard gekruist met een olijftak, en twee falafels, vijgeblaadjes, sieren zijn epauletten.

Anders dan het leger van de Verenigde Staten, waarin de onderdelen helemaal gescheiden zijn, is de IDF één groot leger met verschillende onderdelen als marine en luchtmacht. De chefs van die onderdelen, generaal-majoors, dragen zwaard en olijftak en een falafel. Een rang lager zijn de brigadegeneraals, de hoofden van de verschillende militaire inlichtingendiensten. Nog een rang lager is de kolonel (de hoogste rang die ik zelf heb bereikt toen ik in dienst was van de Mossad). Dat het hoofd van de inlichtingendienst van het leger dezelfde rang van generaal-majoor heeft als de chefs van de marine, de luchtmacht, de cavalerie en het Militair Gerechtshof, geeft aan hoe belangrijk de inlichtingendienst is voor de Israëliers. Het hoofd van de inlichtingendienst van de marine heeft een lagere rang.

Eind 1975 ging het hoofd van de inlichtingendienst van de marine naar de jaarlijkse bijeenkomst van de militaire inlichtingendiensten en deelde mee behoefte te hebben aan de Exocet-raket. Deze raket, gemaakt door het Franse Aerospatiale, wordt wel zeeschuimer genoemd; hij wordt bijvoorbeeld gelanceerd vanaf een schip, gaat de lucht in, zoekt met behulp van een sensor zijn doel en daalt dan tot vlak boven de waterspiegel. Hij is dan nauwelijks met radar op te sporen en men kan zich er moeilijk tegen verdedigen. De enige mogelijkheid om erachter te komen hoe men zich tegen een dergelijke raket kan verdedigen is uittesten.
Israëls grootste angst was dat Arabische landen, en vooral Egypte, Exocets zouden kopen. De marine wilde daar in elk geval op voorbereid zijn. Eigenlijk hadden ze voor hun test geen hele raket nodig maar alleen de kop, waarin alle elektronische systemen zitten.
Degene die een raket verkoopt zal de koper niet alle informatie erover willen geven. Bovendien zal hij de raket zelf niet testen vanuit het oogpunt van de verdediging: het gaat hem alleen om de aanval. En zelfs wanneer je technische informatie kreeg van een firma als Aerospatiale, dan zou je nog alleen maar te horen krijgen waartoe de raket allemaal in staat was. Per slot van rekening willen ze verkopen!
Daarom wilden de Israëli's zelf een raket hebben om uit te testen. Maar die konden ze niet openlijk van de Fransen kopen, want Frankrijk had een wapenembargo tegen Israël ingesteld. In veel landen is een dergelijk embargo nog steeds van kracht, omdat men weet dat Israël bepaalde wapens zal namaken zodra het ze heeft.
De chef van de Mossad kreeg de taak een Exocet-kop te bemachtigen en hij gaf op zijn beurt de Tevel opdracht het verzoek van de marine af te handelen.
De Mossad had al een aanzienlijke hoeveelheid informatie over de Exocet, gedeeltelijk dankzij een sayan die bij Aerospatiale werkte en

details had doorgegeven. De Mossad had ook een kleine operatie geleid waarbij een team eropuit was gestuurd om samen met een voor de gelegenheid uit Israël overgevlogen raketexpert in te breken bij de fabriek. Hij werd in de fabriek afgeleverd en kreeg materiaal voorgelegd waar hij zijn deskundig oog over moest laten gaan. Het was zijn taak te bepalen wat ze moesten fotograferen. Het team bracht viereneenhalf uur door in de fabriek en vertrok daarna zonder een spoor achter te laten.

Maar ondanks de foto's die ze van de raket en van alle blauwdrukken daarvan hadden gemaakt, hadden ze een echt exemplaar nodig om mee te werken. De Engelsen hadden de raket maar wilden er ook al geen leveren.

In Europa viel dus niets te halen. De Mossad wist dat verschillende Zuidamerikaanse landen Exocets bezaten. Normaal gesproken zou Argentinië een goede bron zijn geweest, maar op dat tijdstip liep er een deal voor de aanschaf van Israëlische straalmotoren en de Mossad was beducht voor alles wat dat lucratieve contract op losse schroeven zou kunnen zetten.

Het beste alternatief was Chili. Toevallig had dat land Israël net gevraagd een binnenlandse veiligheidsdienst op te leiden – Israël staat bekend om zijn deskundigheid op dat gebied. Israël pocht er dan wel niet openlijk over, maar het heeft uiteenlopende units getraind als Irans gevreesde Savak en veiligheidstroepen uit Colombia, Argentinië, West-Duitsland, Zuid-Afrika en verschillende andere Afrikaanse landen, onder andere de geheime politie van Oeganda's voormalige dictator Idi Amin. Israël trainde ook de geheime politie van de onlangs afgezette sterke man van Panama, Manuel Noriega*

Noriega, die zelf in Israël een training heeft gevolgd, droeg rechts op zijn militaire uniform (normaal gesproken worden ze links gedragen) de vleugels van de Israëlische paratroepen. En hoe weinig onderscheid de Mossad maakt, blijkt wel uit het feit dat beide partijen in de bloedige en slepende burgeroorlog in Sri Lanka, de Tamils en de Singalezen, door de Mossad werden getraind, evenals de Indiërs die erheen werden gestuurd om orde op zaken te stellen.

Vanwege de slechte internationale reputatie van de Chileense DINA, zocht Pinochet naar een mogelijkheid om de dienst een nieuw aanzien

* Zie Hoofdstuk 5: BEGINNELINGEN

te geven, en hij gaf de chef, generaal Manuel Contreras, opdracht om dit uit te werken.

Omdat Contreras Israël al met dit verzoek had benaderd vroeg Nahum Admony, het toenmalige hoofd van de verbindingsdienst, aan de MALAT, zijn afdeling binnen de verbindingsdienst, het verzoek van de marine af te handelen. De MALAT, die zich bezighield met Latijns-Amerika, was een kleine tak en bestond uit de chef en drie ambtenaren. Twee van de ambtenaren hadden een tijd door Zuid-Amerika gereisd, voornamelijk om zakenrelaties voor Israël te zoeken. Een van de twee, een zekere Amir, was in die tijd in Bolivia om een fabriek te bekijken die was gebouwd door de Israëlische grootindustrieel Saul Eisenberg*, een man met zoveel macht dat de Israëlische regering om het voor hem aantrekkelijk te maken zijn hoofdkantoor over te brengen naar Israël, een speciale wet had laten uitvaardigen die hem vrijstelde van vele hoge belastingen. Eisenberg was gespecialiseerd in zogeheten *turnkey operations* – fabrieken bouwen en vervolgens de sleutels van een helemaal voltooid project overhandigen aan de eigenaars.

In 1976 was Eisenberg de centrale figuur in een politiek schandaal en een grootscheeps politieonderzoek in Canada. De president van de federale rekenkamer had in een rapport vraagtekens geplaatst bij de betaling van op zijn minst $20 miljoen, aan Eisenberg zelf en aan zijn verschillende vennootschappen, voor de rol die ze hadden gespeeld als agent voor Atomic Energy of Canada Limited (AECL) en hun pogingen de CANDU-kernreactor te verkopen aan Argentinië en Zuid-Korea. De directeur van AECL, L. Lorne Grey, gaf toen toe dat 'niemand in Canada weet waar het geld is gebleven.'

Voordat Amir uit Bolivia vertrok was alle relevante achtergrondinformatie doorgestuurd naar de ambassade daar. Zo werd hij grondig ingelicht over de mensen die hij ontmoette, over hun sterke en hun zwakke punten – alles waarvan het hoofdkwartier dacht dat hij er iets aan kon hebben. Zijn vluchten, hotelkamer, alles werd vanuit Tel Aviv geregeld – zelfs een fles met Contreras' favoriete Franse wijn, waarvan de naam in zijn Mossad-dossier stond vermeld.

Amir kreeg te horen dat hij een vergadering in Santiago moest bijwonen, maar dat hij daar geen verplichtingen op zich moest laden.

Het hoofdkwartier in Tel Aviv had al gereageerd op het Chileense ver-

* Zie Hoofdstuk 6: DE BELGISCHE TAFEL

230

zoek om een geheime-politietraining, met de mededeling dat de regeringsfunctionaris Amir zou worden gestuurd om het plan te bespreken, maar zonder enige verwachting te wekken. Het doel van de ontmoeting was volgens hen niet meer dan een voorbespreking.
Op het vliegveld van Santiago werd Amir ontvangen door een ambtenaar van de Israëlische ambassade, die hem naar zijn hotel bracht. De
volgende dag ontmoette hij Contreras en een paar van diens topambtenaren. Contreras vertelde dat ze enige hulp kregen van de CIA, maar
dat ze dachten dat de CIA bij een aantal zaken geen hulp zou willen
verlenen. Het kwam erop neer dat ze een binnenlandse veiligheidseenheid wilden die getraind was met het oog op de bestrijding van lokaal
terrorisme – ontvoeringen en bomaanslagen – en die ook bezoekende
hoogwaardigheidsbekleders zou kunnen beschermen.
Na de bespreking vloog Amir naar New York voor een ontmoeting
met het hoofd van de MALAT-afdeling, die zou plaatsvinden in een
huis dat de Mossad daar had geregeld. (Eigenlijk was het huis van een
andere afdeling, 'Al', die alleen in de Verenigde Staten werkt en daar
safe houses heeft. Dit huis was de MALAT ter beschikking gesteld omdat het veiliger was daar te vergaderen dan iemand voor de bespreking
naar Chili te sturen.)
Nadat Amir gedetailleerd verslag had gedaan van de vergadering, zei
zijn baas: 'Ze willen iets die lui. Laten we ze eerst lijmen. Daarna komen we met ons verzoek. We gooien wat aas uit en als ze happen halen
we ze binnen.'
Besloten werd dat Amir met Contreras een deal zou sluiten over de
training van de politie-eenheid. In die tijd werden zulke trainingscur-
sussen alleen in Israël zelf gegeven. Later is het voorgekomen dat Israëlische instructeurs naar het buitenland werden gezonden, naar Zuid-
Afrika en Sri Lanka bijvoorbeeld. Maar in 1975-76 was het beleid de
eenheden naar Israël te laten komen.

De training vindt nog altijd plaats op Kfar Sirkin, een voormalige basis
van de Britse luchtmacht pal ten oosten van Tel Aviv. Israël had de
basis een tijd gebruikt voor de training van officieren; later werd het
een basis voor speciale diensten, die voornamelijk werd gebruikt voor
de training van buitenlandse groepen.
De cursussen duren over het algemeen tussen de zes weken en drie
maanden, afhankelijk van de gewenste training. En ze zijn duur. Israël

rekende in die tijd tussen de $50 en 75 per nacht per man, plus honderd dollar per dag voor de instructie. (De instructeurs zagen natuurlijk niets van dat geld. Zij moesten het doen met hun gewone soldij.) Per man moest bovendien $30 tot 40 per dag voor eten worden betaald en zo'n $50 voor wapens, munitie, en dan waren er nog wat bijkomende kosten. Een eenheid van zestig personen kostte dus rond de $300 per persoon per dag, in totaal zo'n $18.000. Een cursus van drie maanden kwam dan neer op zo'n $1,6 miljoen.

Maar daar kwam dan nog $5000 tot 6000 per uur aan helikopterhuur bij, en bij een oefening werden soms wel vijftien helikopters gebruikt. Daar bovenop kwamen nog eens de kosten van speciale munitie die bij de training werd gebruikt: een bazooka kostte bijvoorbeeld rond de $220, terwijl zware mortiergranaten zo'n $1000 per stuk kostten; luchtdoelmitrailleurs, sommige met maar liefst acht lopen, kunnen in een paar seconden duizenden patronen afschieten – voor $30 tot 40 per stuk.

Het is pure winst. De Israëliers verdienen veel geld met de trainings-operaties – en dan hebben ze nog geen wapens verkocht. Want na ge-traind te hebben met Israëlische wapens, willen de cursisten die wa-pens en munitie natuurlijk mee naar huis nemen.

Amir zei Contreras zestig van zijn beste mannen uit te kiezen voor het trainingsprogramma. Het commando zou in drie groepen worden ge-splitst: soldaten, sergeants en commandanten, en voor ieder niveau zouden specifieke trainingsmethoden worden toegepast. Drie groepen van twintig zouden de basistraining krijgen. Daarna zouden de beste twintig doorgaan naar de commandotraining. Die groep zou de ser-geants en de hogere rangen leveren.

Toen Amir Contreras het volledige voorstel uit de doeken had gedaan, aarzelde de Chileen geen seconde: 'We doen het.' Hij wilde ook de hele uitrusting kopen waarmee zijn mannen werden getraind en vroeg om een kleine fabriek of een voorraad met voldoende munitie en reser-veonderdelen voor zes jaar.

Toen hij had besloten het hele pakket te nemen, begon Contreras een beetje te pingelen, waarbij hij Amir enige duizenden dollars aan steek-penningen aanbood. Maar Amir weigerde en Contreras ging uiteinde-lijk akkoord met de prijs.

Vlak voor het einde van de basistraining vloog Amir weer naar Santia-go voor een afspraak met Contreras.

'De training is uitstekend verlopen,' vertelde Amir hem. 'We staan op het punt de mensen voor de sergeantstraining uit te kiezen. De mannen waren erg goed. We hoefden er maar twee weg te sturen.'

Contreras, die zelf de mannen voor de training had uitgezocht, was tevreden.

Nadat ze een tijdje over het programma hadden gepraat, zei Amir: 'Moet je horen, we hebben iets van jullie nodig.'

'Wat dan?' vroeg Contreras.

'De kop van een Exocet-raket'.

'Dat hoeft geen probleem te zijn,' zei Contreras. 'Blijf een dag of twee in je hotel, dan zal ik het uitzoeken. Ik neem contact met je op.'

Twee dagen later belde Contreras Amir voor een ontmoeting.

'Het gaat niet door,' zei hij. 'Ik heb het gevraagd, maar ze vinden het niet goed.'

'Maar we moeten er een hebben,' zei Amir. 'We hebben jullie aan die training geholpen. Nu hebben wij iets nodig en we hoopten dat jullie ons zouden kunnen helpen.'

'Goed, antwoordde Contreras. 'Ik zal er zelf een voor je zoeken. Niks te maken met de officiële kanalen. Jij betaalt $1 miljoen, cash, en je hebt er een.'

'Daar moet ik toestemming voor vragen,' zei Amir.

'Doe dat. Je weet waar ik zit,' zei Contreras.

Amir belde zijn baas in New York en vertelde hem over Contreras' voorstel. Ze wisten dat de generaal een kop zou kunnen leveren. Het afdelingshoofd kon zo'n beslissing echter ook niet in zijn eentje nemen en belde Admony in Tel Aviv, en het Mossad-hoofdkwartier vroeg weer aan de inlichtingendienst van de marine of de marine bereid was $1 miljoen voor de raket te betalen. Die was bereid.

'Het is voor elkaar,' zei Amir tegen Contreras.

'Mooi. Jij zorgt voor iemand die weet wat we moeten hebben en dan gaan we naar de marinebasis. Jouw man kan me precies laten zien wat je nodig hebt. En dan nemen we het mee.'

Een Israëlische raketexpert van Bamtam, de Israëlische rakettenfabriek in Atlit, een stad ten zuiden van Haifa, waar de Gabriëlraket was ontwikkeld, werd overgevlogen. Omdat de marine een kop wilde hebben die echt werkte, stond de expert erop er een van een schip te nemen – een actieve kop. Op deze manier zouden ze er zeker van zijn dat ze niet werden afgescheept met een nepkop of een versleten, onbruikbare kop.

Op bevel van Contreras werd de raket van het schip gehaald en op een aanhangwagen geplaatst. De Israëliers hadden de $1 miljoen al vooruit betaald.

'Dit is wat je zoekt?' vroeg Contreras.

Nadat de Israëlische marineofficier de raket had onderzocht zei Amir: 'Ja, dat is hem.'

'Goed,' antwoordde Contreras. 'Dan gaan we nu de kop in een kist laden. We zetten hem vast met touwen en klemmen en brengen hem naar Santiago. Je kunt hem daar in de gaten houden als je wilt, het maakt me niet uit. Maar voordat je hem meeneemt, heb ik nog een verzoek.'

'Wat?' vroeg Amir bezorgd. 'We hadden een deal. Wij zijn ons deel van de overeenkomst al nagekomen.'

'Ik zal dat ook doen,' zei Contreras. 'Maar eerst moet je je baas bellen en hem zeggen dat ik hem wil spreken.'

'Dat is niet nodig. Je kunt met mij praten,' zei Amir.

'Nee zeg tegen je baas dat ik hem hier wil hebben. Ik wil hem persoonlijk spreken.'

Amir had weinig keus. Waarschijnlijk had Contreras door dat hij nogal onervaren was wilde hij daar gebruik van maken. Vanuit zijn hotelkamer belde Amir zijn baas in New York, die op zijn beurt Admony in Tel Aviv belde om de situatie uit te leggen. Dezelfde dag nog nam Admony een vliegtuig naar Santiago om de Chileense generaal te ontmoeten.

'Ik wil dat je me helpt een persoonlijke veiligheidsdienst op te zetten,' zei Contreras.

'Daar zijn we al mee bezig,' zei Admony. 'En het gaat prima.'

'Nee, nee, je begrijpt het niet. Ik wil een dienst die me kan helpen onze vijanden te elimineren, waar ze ook zitten. Zoals jullie doen met de PLO. Niet al onze vijanden zitten in Chili. We willen mensen die een directe bedreiging voor ons vormen kunnen uitschakelen. In het buitenland zitten terroristische groepen die ons bedreigen, net zoals er groepen zijn die jullie bedreigen. We willen ze kunnen elimineren.

Nu zijn er twee manieren mogelijk. Jullie beschikken over mensen die de zaakjes opknappen zodra er een probleem is. We weten dat Taiwan jullie heeft gevraagd dat ook voor hen te doen maar dat jullie hebben geweigerd.

Wij willen daarentegen graag eigen mensen gebruiken – we willen dat jullie een groep van ons leren hoe ze moeten omgaan met buitenlandse terroristen. Als jullie dat doen is de raket van jullie.'

Deze complicatie was een schok voor Admony en Amir, en Admony zei Contreras dat hij gezien de aard van het verzoek zijn eigen superieuren toestemming moest vragen voordat hij iets kon beloven.

Dus ging Admony terug naar Tel Aviv, waar hij een topontmoeting zou hebben in het hoofdkwartier van de Mossad. De Mossad was kwaad dat Contreras een onverwachte clausule toevoegde aan de deal. Ze besloten dat er een politieke beslissing moest worden genomen, dat dit niet alleen de veiligheidsdienst aanging: de regering zou moeten uitmaken of Contreras kreeg wat hij wilde of dat men van het hele plan moest afzien.

Nu zat de regering er ook niet bepaald op te wachten bij zo'n soort deal te worden betrokken, zodat de beslissing iets inhield als: 'Van zulke dingen willen wij niets afweten.'

Er zou een onafhankelijk iemand moeten worden ingehuurd om de deal af te ronden. De keuze viel op de baas van een grote Israëlische verzekeringsmaatschappij, Mike Harari, het onlangs gepensioneerde hoofd van de afdeling van de Mossad die verantwoordelijk was geweest voor het knoeiwerk in Lillehammer. Als een van de invloedrijkste adviseurs van dictator Manuel Noriega, was Harari ook betrokken bij de training van de Panamese speciale anti-terreureenheid K-7.

Afgezien van bepaalde eigenschappen die hem tot de aangewezen persoon maakten om met de Chileense generaal te onderhandelen, was Harari toen vennoot in een grote exportfirma, wat handig zou kunnen zijn voor een veilig en onopvallend transport van de raketkop naar Israël.

Als Mossad-officier was Harari hoofd geweest van de Metsada, de afdeling waaronder de spionnen vallen, en van de kidon, een onderafdeling van de Metsada. Hij kreeg instructies Contreras mee te delen dat hij diens speciale anti-terrorismeeenheid alles zou leren wat hij wist. Ook al heeft hij ze vast niet alles geleerd – hij had toestemming van de Mossad nodig voor alles wat hij ze onderwees, en die houdt graag een paar technieken voor zichzelf – hij heeft ze ongetwijfeld genoeg geleerd om aanslagen op hun, echte of vermeende, buitenlandse vijanden te kunnen plegen. De vergoeding voor de training ging rechtstreeks naar Harari en kwam uit een door de DINA beheerd fonds voor smeergeld.

Deze speciale groep bestond uit mensen van Contreras. Het was absoluut geen officiële groep. Hij koos ze uit. Hij betaalde ze. Zij werkten voor hem. Misschien gingen hun ondervragingsmethoden verder dan wat ze hadden geleerd, maar het staat vast dat Contreras' speciale eenheid zijn training heeft gekregen en dat Israël zijn Exocet ontving. Harari onderwees in marteltechnieken als elektrische schokken, wees op pijnpunten en drukpunten en legde uit hoe het de weerstand kan worden gebroken. Het belangrijkste doel van ondervragingen is informatie te krijgen. Maar de Chilenen gaven er een speciale draai aan. Ze leken te ondervragen om het ondervragen zelf. Vaak zaten ze helemaal niet achter informatie aan. Ze hielden er gewoon van mensen te martelen.

Maar op die vochtige dag in Washington in september 1976, toen Letelier zijn laatste ritje maakte, had niemand er een idee van dat de moordenaar getraind was door de Mossad. Dat verband werd nooit gelegd. En ook wist niemand dat Israël de Exocet had.
De Israëliers testten de raketkop door hem aan de onderkant van een Phantomjet te bevestigen, waarbij ze alle contactpunten aansloten op een serie sensoren die onder allerlei omstandigheden konden worden afgelezen. Ze voerden scheervluchten uit en simuleerden raketvluchten. Ze onderzochten hoe de raket er op de radar uitzag, hoe hij door de schepen kon worden gedetecteerd en hoe de telemetrie werkte. De testen namen vier maanden in beslag en werden uitgevoerd met jets van de Hatsrim-vliegbasis bij Beersheba.

Schaakma(a)t

Als kleine jongen droomde Magid ervan op een dag op topniveau schaak te spelen. Schaken was zijn lust en zijn leven, hij bestudeerde de geschiedenis van het schaakspel en leerde de zetten van de grootmeesters uit zijn hoofd

Magid, een sunnitische moslim, was geboren in Syrië maar verhuisde aan het eind van de jaren vijftig naar Egypte. Het waren woelige tijden: Gamal Abdel Nasser probeerde een grote Arabische unie onder leiding van Egypte tot stand te brengen, wat hem in 1958 ten dele lukte, toen Egypte en Syrië zich formeel samenvoegden tot de Verenigde Arabische Republiek.

In de zomer van 1985 zat Magid net in Kopenhagen. Hij wilde zakenman worden, particulier belegger. Op zijn eerste dag in Kopenhagen merkte hij in de lobby van zijn hotel een goedgeklede man op die een schaakboek en een schaakbord bestudeerde. Magid had haast want hij moest naar een afspraak, hij had geen tijd om te stoppen. Maar de volgende dag was de man er weer. Het bord werkte als een magneet op Magid en hij liep op de man af, tikte hem op de schouder en zei in opmerkelijk goed Engels: 'Excuse me.'

'Nu even niet,' snauwde de man.

Geschrokken bleef Magid een poosje achter hem staan, hij keek zwijgend toe en gaf toen een suggestie voor een doordachte verdedigende zet.

Nu was de vreemdeling geïnteresseerd. 'Heeft u verstand van schaken?' vroeg hij.

De twee mannen raakten in gesprek. Magid deed niets liever dan over schaken praten en de volgende tweeëneenhalf uur praatten hij en zijn nieuwe vriend, die zich had voorgesteld als Mark, een Canadese ondernemer en christen met een Libanese achtergrond, over hun favoriete spel.

Mark was in werkelijkheid Yehuda Gil, een katsa van het in Brussel gestationeerde team en aangewezen om contact te zoeken met Magid. Hoewel het niet Magid was waar ze achteraan zaten. Het ging ze om zijn broer Jadid, een ministerieel ambtenaar van het Syrische leger die ze wilden werven. Ze hadden het al eens geprobeerd, in Frankrijk, maar toen was het te kort dag geweest en het had niets opgeleverd. En zoals het meestal gaat bij dergelijke operaties, had Jadid toen niet eens gemerkt wat voor pogingen er waren ondernomen – en hij wist al helemaal niet dat de Mossad hem de codenaam 'Kurketrekker' had gegeven.

Dit verhaal begon om precies te zijn op 13 juni 1985, toen een katsa, een zekere Ami, die werkzaam was op de afdeling Denemarken op de zevende verdieping van het hoofdkwartier van de Mossad in Tel Aviv (toen gevestigd in het Hadar Dafna Building aan King Saulstraat), een routinemededeling kreeg van de Mossad-verbindingsofficier in Denemarken. Die stuurde een verzoek door van 'Purple A', wat de codenaam was voor wat de Mossad de Danish Civil Security Service (DCSS) noemde, om zo'n veertig mensen te checken die Arabische namen en/of achtergronden hadden en een visum of een verblijfsvergunning voor Denemarken hadden aangevraagd.

Wat het Deense volk niet weet – en hooguit een handjevol Deense regeringsfunctionarissen wel – is dat de Mossad voor Denemarken al dit soort aanvragen routinematig controleert en op een kopie van de visumaanvraag een teken naast de naam plaatst als er niets aan de hand is met de aanvrager. Wanneer er wel iets aan de hand is, vertellen de Israëliers het aan de Denen, maar wanneer dat ze beter uitkomt houden ze de aanvraag achter voor nadere bestudering.

De relatie tussen de Mossad en de Deense inlichtingendienst is zo intiem dat het neigt naar het onfatsoenlijke. Maar deze gang van zaken is niet compromitterend voor de Mossad, alleen voor Denemarken. Het komt allemaal doordat de Denen in de veronderstelling verkeren dat de Israëliers ze dankbaar zijn omdat ze veel joden hebben gered tijdens de Tweede Wereldoorlog en dat ze de Mossad dus kunnen vertrouwen.

Zo zit er iemand van de Mossad, een marats, in het hoofdkwartier van de DCSS om alle bij de afluisterafdeling binnenkomende boodschappen met een Arabisch of Palestijns tintje in de gaten te houden – iets dat nogal uitzonderlijk is voor een buitenlandse inlichtingendienst. Als enige Arabisch-sprekende daar begrijpt hij de boodschappen, maar hij stuurt de banden voor vertaling naar Israël (alles gaat via een verbindingspersoon met de codenaam 'Hombre' in het open bureau van de Mossad in Kopenhagen). De informatie wordt niet altijd met Denemarken gedeeld wanneer de transcripties, vaak na zware redactie, worden teruggestuurd. De originele banden stuurt de Mossad niet terug.

Natuurlijk heeft de Mossad weinig achting voor de Denen. Ze worden *fertsalach*, genoemd, Ivriet voor een kleine hoeveelheid ontsnappend gas, een scheet. Ze vertellen de Mossad alles wat ze doen. Maar de Mossad geeft niemand toegang tot de eigen geheimen.

Normaal gesproken zou het ongeveer een uur kosten om veertig namen in de Mossad-computer te checken. Maar toevallig was het de eerste keer dat Ami met de Denen te maken had, en hij begon de informatie over de DCSS te bekijken. Op het scherm verscheen een brief met het nummer 4647 en de aanduiding 'geheim', die een gedetailleerde beschrijving gaf van de functies, het personeel en zelfs enige operaties van de Deense veiligheidsdienst.

Eén keer in de drie jaar gaan ambtenaren van de Deense inlichtingendienst naar Israël voor een seminar onder leiding van de Mossad, om de laatste ontwikkelingen op het gebied van terroristische activiteiten en anti-terreurtechnieken te bespreken. Dankzij deze relatie krijgt Israël een compleet overzicht van de vijfhonderd mensen tellende Palestijnse gemeenschap in Denemarken en ontvangt het 'totale samenwerking op het gebied van dans (het volgen van mensen), zo nodig gecoördineerd met Purple.'*

In de brief stond dat de toen 38-jarige Henning Fode, die sinds november 1984 hoofd was van de DCSS, in de herfst van 1985 Israël zou bezoeken. Michael Lyngbo was de op een na belangrijkste man en hoewel hij nauwelijks ervaring had op inlichtingengebied, was hij binnen de organisatie degene die zich bezighield met alles wat met het Sovjetblok te maken had. Paul Moza Hanson was de rechtskundig adviseur van Fode, de contactpersoon van de Mossad en zijn ambtsperiode liep ten einde. Halburt Winter Hinagay was hoofd van de afdeling voor terreurbestrijding en contra-subversie. Ook hij nam deel aan het laatste terrorisme-seminar in Israël.

(De Mossad organiseert veel van dergelijke seminars, waarbij telkens een inlichtingendienst wordt uitgenodigd. Ze leveren waardevolle contacten op en zorgen ervoor dat iedereen de Mossad blijft zien als de organisatie die beter dan wie ook weet om te gaan met terrorisme.)

* Zie: APPENDIX II

Een ander document op Ami's computerscherm toonde de volledige naam van Denemarkens overkoepelende inlichtingendienst: *Politiets Efterretingsjtneste Politistatonen* (PEP). Het bevatte een lijst van de afdelingen.

Het aftappen van de telefoon valt onder Afdeling S: in een document van 25 augustus 1982 hadden de Denen aan Hombre verteld dat ze van plan waren een nieuw computersysteem te ontwikkelen en de Mossad zestig 'listenings' (zestig lokaties waar ze afluisterapparatuur voor de Mossad hadden aangebracht) konden bieden. Ze hadden ook afluisterapparatuur geplaatst in openbare telefooncellen, 'op ons (Mossad) advies in gebieden die gevoelig zijn voor subversieve activiteiten.'

Het hoofd van de dienst had een rang die 'detective-inspecteur' werd genoemd – iets als een officier van justitie in Israël. Het Mossad-rapport klaagde vervolgens over de magere kwaliteit van hun schaduwunit: 'Hun mensen zijn gemakkelijk te ontdekken. Ze doen het niet goed, wat misschien te maken heeft met het grote personeelsverloop binnen de eenheid... na ongeveer twee jaar neemt iedereen een andere baan.'

De politie was belast met het werven van mensen voor de dienst, maar dat lukte niet erg want de kansen op promotie waren gering. Op 25 juli 1982 vroeg Hombre naar een geheime Noordkoreaanse operatie in Denemarken, maar hij kreeg te horen dat het een operatie voor de Amerikanen was, dus 'vraag er niet meer naar'.

Terwijl hij in de computer zocht naar meer informatie, stuitte Ami op een bladzijde getiteld 'Purple B', waarin details uit de doeken werden gedaan van de inlichtingentak van het Deense leger, door de Mossad Danish Defense Intelligence Service (DDIS) genoemd, die rechtstreeks onder het bevel van de legerleiding en de minister van Defensie viel. Deze dienst is onderverdeeld in vier eenheden: management, afluisteren, research en verzamelen van inlichtingen.

Voor de NAVO houdt de DDIS Polen en Oost-Duitsland en de bewegingen van de Russische schepen in de Oostzee in de gaten, waarbij gebruik wordt gemaakt van geavanceerde elektronische uitrusting die wordt geleverd door de Amerikanen.

In het land zelf is de dienst verantwoordelijk voor militaire en politieke research, voor het 'positieve' vergaren van informatie binnen de Deense grenzen (informatie van Deense burgers over wat ze hebben gezien), dit in tegenstelling tot 'negatieve' vergaring, waarbij informatie van

over de grenzen wordt verzameld. De dienst zorgt ook voor internationale verbindingen en voorziet de regering van nationale stellingnames.
Rond die tijd was de dienst van plan een eenheid op te zetten die zich
volledig op het Midden-Oosten zou concentreren (om te beginnen was
er een ambtenaar aangewezen die zich daar een dag per week mee bezighield).
De dienst staat bekend om zijn scherpe foto's van Sovjetactiviteiten in
de lucht, te land en ter zee. Het was de eerste inlichtingendienst die
Israël voorzag van foto's van het Russische SSC-3 systeem (of grond-
grondwapens). Sinds 1976 was Mogens Telling hoofd van Purple B. In
1980 had hij Israël bezocht. Ib Bangsbore was het hoofd van de
humant-afdeling van Purple B en hij zou er in 1986 mee ophouden. De
Mossad had goede contacten binnen de DDIS en ook binnen het 'Danish Defense Research Establishment' (DDRE). De Deense inlichtingendienst werkte ook samen met Zweden (codenaam 'Burgundy'),
nauwer dan met zijn NAVO-partner Noorwegen. Af en toe had Purple
B contact met 'carousel', zoals de codenaam luidt van de Britse inlichtingendienst, waarmee incidenteel werd samengewerkt, onder andere
bij verschillende operaties tegen de Russische inlichtingendienst.
Al deze informatie verscheen op Ami's scherm en hij nam alles aan-
dachtig door voordat hij het eerste verwijzingsformulier opriep. Met
dat formulier kon hij de informatie die hij tot zijn beschikking had, een
naam, een nummer of wat dan ook, in de computer invoeren, en aan de
hand daarvan kon dan het hele computergeheugen worden doorzocht.
Als de persoon in kwestie een Palestijn was en er verscheen geen nadere
informatie op het scherm, dan gaf Ami het formulier door aan de Palestijnse afdeling van de Mossad. Daar zouden ze misschien verder zoeken en anders sloegen ze de naam alleen maar op in de computer. Alle
afdelingen van de Mossad zijn verbonden met een reusachtige computer in het hoofdkwartier in Tel Aviv. Elke avond wordt er een kopie
van de hard disk gemaakt, die op een veilige plek buiten het gebouw
wordt opgeborgen.
Toen Ami de lijst met de Arabische namen bijna helemaal had doorge-
werkt, stuitte hij op Magids naam. Bij het zien van diens achternaam
ging hem een lichtje op. Ami had even tevoren gepraat met een vriend
bij de researchafdeling en een foto gezien van een man met dezelfde
naam als de Syrische president Hafiz al-Assad. Veel Arabieren hebben
dezelfde naam, dus controleren kan nooit kwaad. In de computer zat

niets over Magid, dus Ami belde de research, afdeling Syrië, en vroeg zijn vriend een kopie van de foto mee te nemen naar de lunch in het restaurant op de negende verdieping, zodat hij die kon vergelijken met Magids foto op de Deense visumaanvraag.

Na de lunch zocht Ami met de foto van Jadid in zijn hand in computer naar meer details; ook checkte hij of Jadid familie had. Hij kwam erachter dat hij een broer had wiens beschrijving en geschiedenis overeenkwamen met die van Magid.

Hier zou dus een 'lead' mogelijk zijn: het werven van de een om de ander te kunnen bereiken. Ami schreef zijn rapport en stopte het tussen de dagelijkse interne post. Het Deense formulier zou zonder opmerkingen worden toegevoegd aan het bestand en de Denen zouden denken dat er niets aan de hand was met de visumaanvraag, omdat de Mossad het ze anders wel had laten weten.

In de Tsiach, het Mossad-jaarboek over 'benodigde informatie', werd al jarenlang om Syrische militaire gegevens gevraagd. Daarom liet de Mossad de AMAN, de Israëlische militaire inlichtingendienst, een lijst opstellen van wat er precies nodig was aan informatie omtrent Syriës militaire paraatheid, gerangschikt in volgorde van belangrijkheid. De elf pagina's tellende verlanglijst* die de AMAN produceerde, omvatte vragen naar het aantal bataljons waarover Syrië beschikte, de staat van de 60ste en 67ste Tankbrigades en van de 87ste Brigade van de 11de Tankdivisie, en naar het aantal brigades van de 14de Divisie van de *Special Forces*. Voorts werd naar een hele reeks aanverwante zaken gevraagd, bijvoorbeeld naar de vervanging van Ahmed Diab, het hoofd van het bureau voor de nationale veiligheid door Rifaat Assad, de broer van president Assad, waarover toen geruchten de ronde deden.

De Mossad had al een aantal bronnen in Syrië – bronnen die het zogenaamde early-warningsysteem vormden. Dit waren mensen die in ziekenhuizen werkten of bijvoorbeeld in de bouw, overal waar maar flarden van informatie waren op te vangen. Die flarden werden doorgegeven en gecombineerd en konden dan iets zeggen over oorlogsvoorbereidingen. De Syriërs zelf lagen al sinds jaar en dag langs de Golanhoogvlakte, dus actuele en betrouwbare militaire inlichtingen waren altijd zeer welkom. Het zou bijzonder prettig zijn wanneer men er bovendien in slaagde een hooggeplaatste Syriër te werven.

* Zie: APPENDIX III voor de volledige lijst.

De Mossad ziet Syrië als een grillig land. Het wordt geleid door een man, Assad, die op een ochtend wakker kan worden met het voornemen: 'Vandaag ga ik oorlog voeren'. Wanneer dat gebeurt, is het zaak daar snel achter te komen, en dat kan alleen wanneer er een bron is die zo dicht mogelijk bij de top zit. In die tijd wist de Mossad dat Assad de Golan-hoogvlakte wilde heroveren. Assad wist dat hij het gebied met snelle actie kon bezetten maar ook dat hij de Israëliers niet lang van zich zou kunnen afhouden, en daarom probeerde hij tijdens de jaren tachtig een paar jaar een garantie van de Russen te krijgen dat ze zouden interveniëren, via de Verenigde Naties of op een andere manier, om een dergelijke oorlog zo snel mogelijk te doen ophouden. Die garantie kwam echter niet, dus Assad heeft zijn tanks er nooit op uitgestuurd.

Deze penibele situatie maakte het van groot belang Magids broer te werven, en binnen een paar uur was Yehuda Gil (Mark voor Magid) onderweg naar Kopenhagen om de komst van zijn mannetje af te wachten. Een ander team werd naar Magids hotelkamer gestuurd om de benodigde afluisterapparatuur en camera's aan te brengen – alles wat maar kon helpen bij de werving van Magid, en vervolgens van diens belangrijke broer.

Het idee een schaakspel te gebruiken om contact te leggen met Magid was afkomstig van Gil zelf, die het aan het eind van een langdurige en gespannen vergadering in een safe house in Kopenhagen had geopperd.

Toen Magid zijn uitgebreide eerste conversatie had met Mark, moet hij het idee hebben gekregen dat hij een betrouwbare vriend had gevonden. Hij vertelde Mark zo ongeveer zijn hele levensverhaal en stelde voor die avond samen te dineren. Mark stemde toe en ging terug naar het safe house om zich met zijn collega's voor te bereiden op het diner.

Tijdens het diner zou hij kijken wat Magid te bieden had, hoeveel hij wist. Ondertussen zou Mark zich voordoen als een welgestelde ondernemer (een graag gebruikte dekmantel) die betrokken was bij verschillende handelstransacties.

Magid vertelde dat zijn gezin in Egypte zat en dat hij ze wilde laten overkomen naar Denemarken, maar niet onmiddellijk: eerst wilde hij een tijdje plezier maken. Hij was op zoek naar een appartement dat hij zolang kon huren; later, wanneer zijn vrouw bij hem was en wanneer ze iets meer zekerheid hadden, zouden ze iets kopen. Mark bood aan hem te helpen en beloofde de volgende dag een makelaar naar Magids hotel te sturen. Binnen een week had Magid zijn appartement. En de Mossad voorzag het grondig van apparatuur, installeerde zelfs camera's in het plafond.

Tijdens de daarop volgende sessie in het safe house werd besloten dat Mark Magid zou zeggen dat hij voor zaken een maand terug moest naar Canada, wat de Mossad de tijd zou geven het bewakingssysteem ten volle te benutten. Ze ontdekten dat Magid geen drugs gebruikte en dat hij veel hield van seks, niet van bijzondere maar wel van veel seks. Zijn weelderige appartement kwam ook vol te staan met het nieuwste op het gebied van elektronica: video- en bandrecorders en dergelijke. De Mossad had het geluk dat Magid zijn broer twee keer per week belde. Al snel werd duidelijk dat Jadid bepaald geen engel was, maar dat hij met Magid bij een paar groezelige geldzaakjes betrokken was. Jadid had bijvoorbeeld in Denemarken grote hoeveelheden pornografisch materiaal gekocht, dat hij met vette winst had verkocht in Syrië. Tijdens een telefoongesprek vertelde hij Magid dat hij hem ongeveer zes weken later in Kopenhagen zou komen opzoeken.

Toen hij deze informatie had, organiseerde Mark weer een ontmoeting met Magid, en in zijn rol van topman van de Canadese maatschappij (maar niet de baas, want dat zou de mogelijkheid wegnemen tijd uit te trekken om met de 'baas' te overleggen – in werkelijkheid met de groep in het safe house), begon hij hem meer en meer aan te moedigen zich nu serieus in het zakenleven te storten.

'Wij houden ons vooral bezig met het geven van investeringsadviezen,' zei Mark. 'We adviseren onze clienten wel of niet in een bepaald land te investeren, dus we moeten informatie over dat land zien te krijgen. We zijn zo'n beetje een particuliere CIA.'

Het noemen van de CIA had geen zichtbaar effect op Magid, iets dat de Israëliers in eerste instantie zorgen baarde, aangezien de naam alleen al bij Arabieren over het algemeen meteen een krachtig negatieve reactie oproept. De Mossad was even bevreesd dat Magid al door iemand anders was geworven, maar dat was niet het geval. Hij was gewoon *cool*.

'Natuurlijk,' ging Mark verder, 'willen we betalen voor informatie die ons in staat stelt te analyseren of investeringen verantwoord zijn – of ze in verschillende delen van de wereld kunnen worden gegarandeerd.

We hebben te maken met belangrijke figuren, begrijp je, dus we moeten gedetailleerde en betrouwbare informatie hebben, niet zomaar iets dat iedereen op straat te weten kan komen.'
Mark nam Irak als voorbeeld, dat wereldwijd bekend is om zijn dadels. 'Maar zou jij nu, met die oorlog (Iran-Irak) een dadelorder plaatsen? Alleen als je er zeker van kon zijn dat je lading geen gevaar liep. Dan zou je het doen. Maar om te weten of je daar zeker van kunt zijn, moet je politieke en militaire kennis in verband kunnen brengen met de gewone markt. En dat doen wij.'
Magid was duidelijk geïnteresseerd. 'Kijk, dit is niet echt mijn branche,' zei hij. 'Maar ik weet iemand die misschien interessant voor jullie is. Ik kan je aan hem voorstellen. Maar wat levert het mij op?'
'Over het algemeen geven we een aanbrengpremie plus een percentage van de omzet. Het is afhankelijk van de waarde van de informatie en van de betrokken landen. Het kan gaan om een paar duizend dollar of om honderdduizenden. Het hangt er vanaf.'
'In welke landen zijn jullie geïnteresseerd?' vroeg Magid.
'Nu hebben we informatie nodig over Jordanië, Israël, Cyprus en Thailand.'
'Wat dacht je van Syrië?'
'Misschien. Dat zou ik moeten navragen. Ik zal het je laten weten. Maar nog eens, het hangt grotendeels af van de wensen van de cliënt en van het niveau waarvan de informatie afkomstig is.'
'Goed, vraag het maar na,' zei Magid, 'maar degene die ik op het oog heb is erg hoog in Syrië.'
De twee kwamen overeen elkaar twee dagen later weer te ontmoeten. Mark, die het nog altijd listig speelde, zei Magid dat Syrië wel interessant kon zijn. 'Niet van het grootste belang,' zei hij tegen de Arabier, 'maar we kunnen er wel iets aan hebben als de informatie echt goed is.'
Een dag tevoren had Magid zijn broer echter al gebeld om hem te zeggen dat hij iets belangrijks voor hem had en dat hij wat eerder naar Kopenhagen moest komen. Jadid was meteen enthousiast.
De dag na Jadids aankomst ontmoette Mark de twee broers in Magids appartement. Hij liet niet blijken dat hij Jadids positie kende maar stelde een reeks vragen om erachter te komen wat voor informatie dat hij van hem kon verwachten, zodat hij zou kunnen beoordelen wat zijn maatschappij hem kon bieden. Mark had het over militaire zaken, maar vermengd met tal van niet-militaire onderwerpen om niet te laten

blijken waar het hem eigenlijk om ging. Na een paar onderhandelings-sessies – waarvan steeds verslag werd uitgebracht aan het safe house – bood Mark Magid $30.000 aanbrengpremie en Jadid $20.000 per maand, plus tien procent daarvan, $2000 per maand voor Magid. De eerste zes maanden zouden worden vooruitbetaald, het geld zou worden gestort op een Kopenhaagse bankrekening die Mark voor Jadid zou openen. Wanneer Jadid na die zes maanden uit Syrië terugkwam met meer informatie, zou hij de volgende zes maanden betaald krijgen, enzovoorts.

Vervolgens kreeg Jadid uitgelegd hoe hij geheime brieven moest schrijven, met een speciaal, chemisch behandeld potlood. Dan zou hij op de achterkant van de gewone brieven aan zijn broer de informatie kunnen sturen.

Omdat Jadid weigerde de spullen die hij nodig had zelf mee te nemen naar Syrië, werd besloten alles naar Damascus te sturen. 'Jullie werken net als een echte inlichtingendienst,' zei hij op een gegeven moment. 'Jazeker,' antwoordde Mark. 'We nemen zelfs ex-inlichtingenmensen in dienst. Het verschil is dat wij geld willen verdienen. Wij delen onze informatie alleen met mensen die bereid zijn ervoor te betalen en gebruiken wat we te horen krijgen voor investeringsdoeleinden.'

Toen moest Mark met Jadid de vragen doornemen. Er zaten veel onzinnige vragen tussen: over onroerend-goedprijzen en personele wijzigingen in ministeries bijvoorbeeld, allemaal om het wat te camoufleren, zodat de militaire vragen niet domineerden. Na een aantal probeersels met het speciale potlood en de verzekering dat iemand contact met hem zou opnemen en dat hij dan zou horen waar hij in Damascus de vragenlijst kon ophalen, leek Jadid ervan overtuigd dat alles in orde was.

Tijdens alle voorbereidingen hield de Mossad rekening met de mogelijkheid dat de broers wisten dat ze voor Israël werkten, maar het spel werd volgehouden. Hoewel de katsa uit voorzorg beter werd bewaakt.

De belofte Jadid zijn spullen te bezorgen lijkt eenvoudig genoeg, maar in werkelijkheid was er een hele reeks ingewikkelde manoeuvres nodig, om elke kans op ontdekking te vermijden.

De Mossad maakte gebruik van een witte, dat wil zeggen een niet-Arabische agent: in dit geval een van hun favoriete koeriers, een Canadese VN-ambtenaar die gestationeerd was in Nahariya, een badplaats in Noord-Israël, zo'n 50 km van de Syrische grens. Deze ambtenaren kunnen alle landen in en uit, zo vaak ze maar willen. De Canadees kreeg de gebruikelijke $500 voor het neerleggen van een uitgeholde steen, waarin de papieren zaten. Dat moest hij doen op een bepaalde plek langs de weg naar Damascus: precies vijf stappen van een bepaalde kilometerpaal.

Toen de Canadees eenmaal veilig terug over de grens was, pikte een Mossadspion de steen op. Hij nam hem mee naar zijn hotelkamer, maakte hem open en haalde de inhoud eruit: de vragenlijst, het potlood en wat geld voor Jadid. Hij bracht het pakket naar een bagagedepot, stak het reçu in zijn zak en vloog naar Italië. Daarvandaan stuurde hij het reçu per expresse naar het hoofdkwartier van de Mossad in Tel Aviv. Daar werd het weer in een envelop gestoken en naar Magid gestuurd, die het ten slotte naar zijn broer zond.

Zo viel het bij Jadid in de brievenbus, gewoon als een brief van zijn broer, zonder dat iemands argwaan was gewekt. Al gauw begonnen er brieven binnen te komen, want Jadid werkte ijverig de gedetailleerde vragenlijst door en vertelde de Israëliers alles wat ze wilden weten over de Syrische militaire paraatheid.

Dit ging een maand of vijf erg goed en de Mossad was ervan overtuigd voor lange tijd te beschikken over een hooggeplaatste nietsvermoedende medeplichtige. Toen kwam er plotseling verandering in de zaak, zoals maar al te vaak gebeurt in de inlichtingenwereld.

De Syriërs merkten absoluut niets van Jadids spionage-activiteiten. Wel kregen ze een steeds sterker vermoeden dat hij iets te maken had met pornografie en drugs. Om zekerheid te krijgen zetten ze een valstrik voor hem. De Syrische politie was van plan Jadid te arresteren terwijl hij met een lading Libanese heroïne het land verliet voor een reis langs verschillende Europese hoofdsteden, en zorgde ervoor dat hij deel uitmaakte van een team dat de boeken moest controleren waarin verslag werd gedaan van de militaire operaties van verschillende Syrische ambassades.

Jadid werd niet gepakt, en dat had hij te danken aan de inhaligheid van een andere Syriër, een zekere Haled, militair attaché van de Syrische ambassade in Londen. Haled was tijdens een eerdere operatie geworven door de Mossad en verkocht de door de ambassade gehanteerde code, die elke maand werd veranderd. Zo kon de Mossad alle berichten naar en van alle Syrische ambassades in de hele wereld lezen. Een van die berichten maakte hen erop attent dat Jadid deel zou uitmaken van het controleteam. Maar een ander bericht, dat van Damascus naar Beiroet was gestuurd, zei dat Jadid zou worden gearresteerd wegens heroïnesmokkel. De mededelingen hadden ernstige gevolgen voor zowel Jadid als Haled.

De Mossad moest Jadid snel op de hoogte stellen: ze hadden nog maar drie dagen voor de geplande arrestatie. Er werd een spion ingeschakeld die zich voordeed als Engelse toerist. Vanuit zijn hotelkamer belde de man Jadid en hij vertelde hem onomwonden dat er een kink in de kabel was gekomen en dat hij niet naar de afgesproken ontmoeting met de dealers moest gaan en zijn lading niet moest ophalen. Hij zou de heroïne krijgen wanneer hij op zijn bestemming in Nederland was aangekomen.

Toen de dealers op de afgesproken plaats arriveerden, was de politie in de buurt en verrichtte een aantal arrestaties. Nu zaten ook de dopedealers achter Jadid aan: zij dachten natuurlijk dat hij ze had aangegeven. Maar Jadid wist niets van dit alles. Dus toen hij in Nederland was aangekomen en nog steeds niets had vernomen over de deal, belde hij naar Syrië om erachter te komen wat er aan de hand was. Hij hoorde dat hij verdacht werd door zowel de regering als de dopedealers en dat hij maar beter niet terug kon komen. Na alle informatie die hij nog in zich had – en dat was heel wat – eruit te hebben gehaald, voorzag de Mossad hem van een nieuwe identiteit en van een huis in Denemarken, waar hij nog altijd woont.

In Londen zat Haled ook met een probleem. Wanneer de controleurs komen wordt de communicatie van de ambassade geblokkeerd; er is tijdelijk geen contact mogelijk met andere ambassades. Zoals bij de ambassades van de meeste landen het geval is, stonden de militaire activiteiten van de Syrische ambassade los van het diplomatieke gedeelte. Als militair attaché had Haled vrij toegang tot de militaire safe, waar hij gebruik van had gemaakt om $15.000 te 'lenen' voor een nieuwe auto. Hij was van plan de 'lening' terug te betalen met de cheque die hij maandelijks van de Mossad kreeg, maar hij had niet gerekend op een verrassingsbezoek van het controleteam.

Gelukkig wist de Mossad van de controle. Haleds katsa belde hem voor de zekerheid op zijn eigen nummer op de ambassade, waarbij hij de gebruikelijke codenaam en -boodschap gebruikte om een ontmoeting af te spreken. Haled begreep dat het teken inhield dat hij op een bepaald tijdstip in een bepaald restaurant iemand moest treffen – het ontmoetingspunt werd regelmatig gewijzigd om ontdekking te voorkomen. Hij wist dat hij daar vijftien minuten moest wachten; als zijn katsa niet kwam opdagen, betekende dat dat hij een bepaald nummer moest bellen. Wanneer de telefoon niet werd opgenomen, betekende dat weer dat hij naar een ander van tevoren afgesproken ontmoetingspunt moest gaan – bijna altijd een restaurant. Maar als Haled werd gevolgd, of wanneer er enige reden was de afgesproken plaatsen te vermijden, dan zou de katsa de telefoon opnemen en hem speciale instructies geven.

In dit geval was het eerste restaurant safe: Haled trof zijn katsa, die hem zei dat er de volgende dag een controleteam zou komen en weer wegging toen Haled hem had verzekerd dat alles in orde was. Dat dacht hij tenminste...

Een uur later, toen de katsa weer in het safe house zat en zijn rapport schreef, belde Haled het speciale nummer dat hij had gekregen. Hoewel hij dat niet wist, was het een nummer binnen de Israëlische ambassade (elke ambassade heeft een aantal 'geheime' nummers). Zijn gecodeerde boodschap zal iets zijn geweest als: 'Michael voor Albert.' Wanneer de man die de telefoon opneemt de code in zijn computer invoert, vertaalt die hem in een verzoek om een spoedbijeenkomst. Haled, die de rang van kolonel had, had in de drie jaar dat hij op de loonlijst van de Mossad stond nooit gebruik gemaakt van de code voor spoedgevallen; volgens zijn psychologische rapporten was hij uitermate stabiel. Het was duidelijk dat er iets mis was.

Omdat men wist dat Haleds katsa nog in het safe house zat, werd er een bodel naar hem toe gestuurd. Nadat hij zich ervan had overtuigd dat hij niet werd gevolgd, belde de bodel naar het safe house, met een gecodeerde boodschap, iets in de trant van: 'Ik zie je over een kwartier bij Jack.' 'Bij Jack' zou in een speciale, van tevoren afgesproken telefooncel zijn.

De katsa verliet het safe house onmiddellijk en ging met een omweg – om er zeker van te zijn dat hij niet werd gevolgd – naar de bewuste telefooncel om de bodel te bellen, die hem weer in code vertelde dat Haled hem in een bepaald restaurant wilde ontmoeten.

Op dat moment verlieten de andere twee op de ambassade werkzame katsa's hun post, maakten hun omweg en gingen naar het restaurant om zich ervan te overtuigen dat het clean was. De ene ging naar binnen en de andere liep naar een afgesproken punt, waar hij Haleds katsa zou ontmoeten – dan kon hij hem waarschuwen als er iets aan de hand was. Omdat Haled een Syriër was en de Mossad nog niet wist wat het probleem was, hield men overal rekening mee. Per slot van rekening had een uur tevoren, tijdens de ontmoeting tussen Haled en zijn katsa, alles nog in orde geleken.

Nadat hij de man buiten had ontmoet, belde Haleds katsa naar het restaurant, vroeg hij hem te spreken – waarbij hij zijn codenaam gebruikte – en zei hij hem naar weer een ander restaurant te gaan, waar ze elkaar zouden treffen. De katsa in het restaurant overtuigde zich ervan dat Haled niemand belde voordat hij op weg ging naar de nieuwe lokatie.

Normaal gesproken zou een operatie als deze niet zijn afgehandeld door katsa's, maar omdat het een spoedgeval betrof, koos men voor een 'station work-out', wat inhield dat het de katsa's van het bureau waren die het werk deden.

Toen de twee mannen elkaar ten slotte ontmoetten, was Haled bleek en beefde hij van angst. Hij was zo bang dat hij het in zijn broek deed, wat een geweldige stank veroorzaakte.

'Wat is er aan de hand?' vroeg de katsa. 'Daarnet was alles nog in orde.'

'Ik weet niet wat ik moet doen. Ik weet niet wat ik moet doen!' bleef Haled herhalen.

'Hoezo? Rustig maar. Wat is het probleem?'

'Ze gaan me vermoorden,' zei hij. 'Het is afgelopen met me.'

'Wie gaat je vermoorden? Waarom?'

'Ik heb mijn leven voor jullie op het spel gezet. Jullie moeten me helpen.'

'We helpen je. Maar wat is het probleem?'

'Mijn auto. Het geld voor de auto.'

'Ben je gek geworden? Je belt me midden in de nacht omdat je een auto wilt kopen?'

'Nee, nee, ik heb de auto al.'

'Goed, wat is er mis met die auto?'

'Niks. Maar ik heb de auto gekocht met geld uit de safe van de ambassade. Je zei dat ze komen controleren. Morgenochtend ga ik naar mijn werk en dan vermoorden ze me.'

Haled had zich in eerste instantie geen zorgen gemaakt want hij had een rijke vriend die hem al eerder geld had voorgeschoten. Hij had gedacht het geld voor een paar dagen te lenen, zolang als de controleurs er waren; wanneer ze vertrokken waren zou hij het geld weer uit de safe halen en teruggeven aan zijn vriend en vervolgens zou hij zijn 'lening' langzaamaan terugbetalen van het voorschot dat hij van de Mossad kreeg. Maar Haled had ontdekt dat zijn vriend niet in de stad was. Nu wist hij geen andere manier om in een nacht zoveel geld bij elkaar te krijgen en in de safe van de ambassade te leggen. Hij zei zijn katsa dat hij een voorschot wilde. 'Ik zal het in zes maanden terugbetalen. Dat is alles wat ik wil.'

'Luister, we zullen het oplossen. Maak je geen zorgen. Maar ik moet eerst iemand spreken.'

Voordat de katsa met Haled vertrok, belde hij zijn collega in de telefooncel; hij gaf hem een gecodeerde boodschap die betekende dat hij snel naar een hotel in de buurt moest gaan om onder een afgesproken naam een kamer te reserveren. Toen ze in de hotelkamer waren stuurde de katsa Haled naar de badkamer om zich te wassen.

Ondertussen kwam in verband met het spoedgeval het hele station in actie, 'went on daylight' – in Mossad-termen, en Haleds katsa belde het hoofd van het station in het safe house. Hij legde de grote lijnen van het probleem uit en vroeg om $15.000 cash. Officieel moest voor elk bedrag boven de $10.000 goedkeuring worden gevraagd aan Tel Aviv, maar in verband met de vereiste spoed gaf het hoofd van het station direct zijn toestemming; hij zei de katsa dat hij hem anderhalf uur later zou spreken en voegde eraan toe: 'Als het misloopt ben jij de lul.'

Het hoofd van het bureau kende een sayan die een casino exploiteerde en altijd grote hoeveelheden cash bij de hand had (ze hadden al eerder van zijn diensten gebruik gemaakt en hem meestal de volgende dag terugbetaald), en deze leende hem het geld. De sayan gaf hem zelfs $3000 extra en zei: 'Misschien heb je het nodig.'

Toevallig had de tweede man van het bureau net een bespreking met Barda, een katsa die zich bezighield met aanslagen en voor een andere opdracht in Londen was. Barda, die zich uitgaf voor iemand van Scotland Yard, had de twee nachtwakers van de Syrische ambassade geworven tijdens de voorbereidingen voor een andere operatie waarbij in de ambassade moest worden ingebroken.

Nu ze het geld hadden, was het zaak het voor de ochtend in de safe te krijgen. Dat was een taak voor Haled, die de combinatie kende en wel een reden voor zijn nachtelijke aanwezigheid in de ambassade kon verzinnen wanneer hij werd betrapt.

Barda regelde ontmoetingen met de beide nachtwakers, in twee verschillende restaurants (allebei dachten ze dat de ander nog aan het werk was), zodat Haled rustig het geld kon terugbrengen.

Toen ze weer terug waren in de hotelkamer zei de katsa tegen Haled dat er de komende vijftien maanden elke maand $1000 zou worden ingehouden op zijn betalingen (wanneer hij het hele bedrag ineens moest terugbetalen, en dus voorlopig geen geld meer zou krijgen, zou hij niet meer gemotiveerd zijn om mee te werken, was zijn redenering).

'Als je iets bijzonders hebt verdubbelen we de bonus zodat je sneller kunt afbetalen,' zei de katsa. 'Maar als je weer iets stoms doet op de ambassade, maak ik je af.'

Kennelijk nam Haled dat serieus, en met recht. Hij schijnt nooit meer een cent te hebben 'geleend'.

Hulp voor Arafat

Het jaar 1981 was een woelig jaar. De dag waarop Ronald Reagan werd ingehuldigd als president van de VS liet Iran 52 gijzelaars vrij, na 444 dagen gevangenschap. Op 30 maart schoot John Hinckley Reagan neer. In Polen ging Lech Walesa, de held van Solidariteit, door met zijn vrijheidsstrijd, een strijd die een voorbode was van de grootscheepse politieke veranderingen in Oost-Europa tegen het einde van het decennium. Met hun huwelijk, dat vanuit Londen over de hele wereld werd uitgezonden, veroverden prins Charles en lady Diana Spencer op de stralende ochtend van 29 juli alle harten van romantisch ingestelde mensen en monarchisten. In Spanje leverden Baskische terroristen slag met leger en politie. En in Washington werd de directeur van de CIA William Casey onder druk gezet af te treden, omdat hij mislukte geheime pogingen had gesteund om Muammar al-Gaddafi, de sterke man van Libië, te vermoorden en omdat hij zijn politieke boezemvriend Max Hugel had aangewezen als leider van de clandestiene operaties van de CIA, ook al was Hugel niet speciaal geschikt voor de job. Hugel zelf trad op 14 juli onder druk af toen twee voormalige zakenpartners hem beschuldigden van illegale manipulaties met aandelen.

In Israël was het zelfs voor de maatstaven van dat land een tumultueus jaar. In 1980 was de inflatie opgelopen tot 200 procent en hij bleef zo snel stijgen dat men zei dat een pak yoghurt waarop zes keer een nieuwe prijs was geplakt nog altijd vers was. Dat is pas inflatie!

De 76-jarige premier Menahem Begin en zijn regerende Likud-partij zaten met zware politieke concurrentie van de 57-jarige Shimon Peres en diens Arbeiderspartij, en bovendien met de moeilijkheid dat een van de ministers, Abu Hatsrea, in een omkoopschandaal was verwikkeld en in de gevangenis belandde. De verkiezingen van 29 juni leverden een gelijk spel van 48 tegen 48 zetels op, maar het lukte Begin de steun te krijgen van een paar splinterpartijen, zodat hij aan de krappe meerderheid kwam van 61 zetels in de 120 zetels tellende Knesset.

Kort daarvoor, op 7 juni, had Israël de toorn van de Verenigde Staten opgewekt door een Iraakse kerncentrale aan te vallen en te verwoesten* en de Amerikanen hadden een tijdelijk F-16-embargo ingesteld

* Zie: OPERATIE SFINX

253

tegen Israël en steunden zelfs een VN-resolutie waarin de aanval werd veroordeeld. Israël verhevigde de aanvallen op Libanon en leek eind juli even van plan Syrië nu echt de oorlog te verklaren. De speciale VS-gezant Philip Habib, een diplomaat van Libanese afkomst die een glanzende carrière achter de rug had, reisde rond door het Midden-Oosten en probeerde vredesonderhandelingen van de grond te krijgen. Robert McFarlane, de adviseur van het ministerie van Buitenlandse Zaken van de VS, werd in juli naar Begin gestuurd om hem te vragen zijn leger wat in te tomen.

De Mossad zag het allemaal niet echt somber in: alles was goed, zolang als er maar geen totale vrede uitbrak. Het was dus zaak te verhinderen dat er serieuze onderhandelingen zouden worden gevoerd – nog een voorbeeld van het gevaar dat een organisatie oplevert die aan niemand verantwoording hoeft af te leggen.

Voor Yasser Arafat en zijn PLO was het ook geen rustig jaar. In 1974 had Arafat PLO-aanslagen buiten de grenzen van Israël, vooral in Europa dus, veroordeeld. Maar het Palestijnse terrorisme in Europa werd er niet minder op, want tal van radicale facties trokken zich niets van Arafat aan. Buiten de bezette gebieden heeft Arafat niet zoveel macht over de Palestijnen. Zijn kracht ontleent hij aan de Westelijke Jordaanoever en de Gazastrook, waar hij, behalve bij fundamentalistische moslims, enorm populair is.

Een van Arafats grootste problemen was de Black June Organization (BJO) onder leiding van Sabri Al Banna, beter bekend als Abu Nidal. De BJO'ers, Palestijnse moslims, worden gedreven door een religieus fanatisme dat hen gevaarlijker maakt dan veel van de andere facties. Deze organisatie was tegen het einde van de jaren zeventig bijna weggevaagd door een verenigde troepenmacht van Syriërs en Libanese christenen, maar Nidal had het overleefd, hoewel hij door Arafat ter dood was veroordeeld. Alle Palestijnse doden die niet aan Israël konden worden toegeschreven werden in de schoenen geschoven van Abu Nidal, die werd beschouwd als de grootste schurk onder de terroristen. De poging die de BJO in 1982 deed om Shlomo Argove, Israëls ambassadeur in Londen, te vermoorden, werd door Israël aangegrepen om Libanon de oorlog te verklaren. Begin noemde het de *War of Choice*, waarmee hij aangaf dat Israël de oorlog was begonnen, niet omdat het daartoe gedwongen was – zoals bij alle eerdere oorlogen het geval was geweest – maar omdat het daarvoor had gekozen. Het was misschien een armzalige keuze, maar na zijn demagogische uitlatingen kon Begin er niet meer onderuit. Hoe dan ook, de aanslag op Argove slaagde niet helemaal, maar liet van hem niet veel meer over dan een plant. Arafat kreeg de schuld hoewel hij er niets mee te maken had.

Voordat de affaire-Argove plaatsvond had Israël in het geheim en on-officieel met Arafats PLO onderhandeld over een wapenstilstand die inhield dat de Palestijnen niet langer vanuit Zuid-Libanon Russische Katyusha-raketten op Israël zouden afvuren, een deal die zo was gefor-muleerd dat het een eenzijdige, door de PLO genomen beslissing leek. Arafat bezocht in die tijd veel Oostbloklanden, op zoek naar steun. De Mossad wist dat hij zou proberen in Europa een grote hoeveelheid lichte wapens bijeen te krijgen en dat hij die naar Libanon zou versche-pen. Maar waarom deed hij dat nu? Per slot van rekening kon hij ge-woon naar bijvoorbeeld Tsjechoslowakije gaan en zeggen dat hij wa-pens wilde. De Tsjechen zouden zeggen: 'Teken hier,' en hem alles stu-ren wat hij nodig had. Het was zoiets als met een bron naast je huis 5 km de weg aflopen om water te halen, wat onzinnig lijkt zolang je er niet bij vertelt dat de bron zout water geeft.

Arafats zoute water was een twintigduizend man sterke, goedgetrain-de macht die Palestinian Liberation Army (PLA) heette en werd aange-voerd door brigadegeneraal Tariq Khadra – die in 1983 zou verklaren Arafat niet te erkennen als leider van de PLO en hem niet langer te steunen. Dit leger had zich verbonden met het Syrische leger, wat bin-nen de Mossad aanleiding was tot het gezegde: 'De Syriërs zullen tot en met de laatste Palestijn Israël bestrijden.'

De Oostbloklanden, die altijd bereid waren de Palestijnen van wapens te voorzien, bewandelden echter officiële wegen. Dat hield in dat de wapens die Arafat toen, in 1981, bij hen bestelde, bij het PLA zouden terechtkomen.

Aanvankelijk was dat geen probleem, maar na het bloedbad in 1972 in Munchen had Arafat behoefte gekregen aan een eigen veiligheidsleger. Arafat kon zijn speciale leger op het PLO-hoofdkwartier in Beiroet be-reiken via toestel 17. Vandaar dat de unit, die in die tijd werd geleid door Abu Tayeb en uit een wisselend aantal, tweehonderd tot zeshon-derd, eerste klas strijders bestond, de naam Force 17 kreeg. Ook steun-de Arafat zwaar op Abu Zaim, het hoofd van zijn veiligheids- en inlich-tingendienst.

Voor de Mossad was Durak Kasim, Arafats chauffeur en bodyguard en lid van Force 17, de belangrijkste persoon bij dit hele gebeuren. Kasim was in 1977 geworven als Mossad-agent, toen hij in Engeland filosofie studeerde. Hij ontving $2000 voor elke keer dat hij verslag uitbracht en dus stuurde hij bijna dagelijks boodschappen, via een communicatiesysteem dat werkte met verzending van radiopulsen. Soms belde hij informatie door en van tijd tot tijd stuurde hij wat op, en een keer verscheen hij zelfs op de *submarine* – het ondergrondse bureau van de Mossad in Beiroet – een roekeloze daad en zijn baas was zwaar geschokt dat Kasim het adres wist. Tijdens de blokkade van Beiroet was Kasim bij Arafat, en vanuit het PLO-hoofdkwartier stuurde hij de Mossad informatie.

Kasim was Arafats adjudant. Hij was degene die Arafat voorzag van jongens. Homoseksualiteit is zonder meer in strijd met het islamitische geloof maar desondanks niet zo ongewoon. Er wordt minder vreemd tegenaan gekeken dan in het Westen. De Mossad beschikte niet over een bewijs van Arafats voorkeur voor minderjarige jongens. Er waren geen foto's, niks. Het kan ook de zoveelste poging zijn geweest om Arafat zwart te maken. Van veel andere Arabische leiders werd verteld hoe ze het ervan namen door het systeem af te romen, maar van Arafat konden ze dat niet zeggen. Hij leeft een bescheiden leven met zijn eigen mensen. Tijdens de blokkade van Beiroet had hij veel kansen te ontsnappen, maar hij vertrok pas toen al zijn mensen weg waren, dus de Mossad kan ook niet beweren dat hij alleen in zijn eigen belang handelt. Misschien gebruikten ze het verhaal over zijn voorkeur voor kleine jongens om dat te compenseren.

In die tijd was de rechtervleugel van de Mossad van mening dat Arafat gedood moest worden. Het argument was dat de Palestijnen Arafat zouden vervangen door een militanter iemand, die niet aanvaardbaar zou zijn voor het Westen of voor linksere Israëli's, zodat er dan geen vreedzame oplossing voor het Palestijnse probleem meer mogelijk zou zijn. Heftige botsingen en uiteindelijk een onvoorwaardelijke overgave waren volgens de Mossad de enige manier om de vrede te bereiken. Het argument tegen het doden van Arafat is dat hij van al dat tuig nog de geschiktste is, een ontwikkeld man en iemand die de Palestijnen onderling verbindt, zodat er, als er onderhandeld wordt, een gesprekspartner is die de Palestijnen werkelijk vertegenwoordigt. Uit hun bronnen in Israël weten zowel de Mossad als de Shaback dat Arafat overal wordt gerespecteerd en in de bezette gebieden zelfs vereerd, hoewel ze dat niet doorgeven aan hun politieke superieuren.

Halverwege 1986 leek het erop dat de rechtervleugel het debat zou gaan winnen. Arafat was echter te zeer een publiek persoon geworden en de Mossad kon niets verzinnen waarop hij te pakken was. Maar hij staat nog steeds op de agenda. Zodra de gelegenheid zich voordoet wordt er toegeslagen.

Een andere hoofdrolspeler was toen Mostafa Did Khalil, bekend als Abu Taan en hoofd van Arafats coördinatiegroep, het Palestinian Armed Struggle Command (PASC). Eerder heette de groep Palestinian Coordination Council, maar nadat Arafat in 1974 het gebruik van geweld buiten Israël had veroordeeld, namen veel van de PLO-organisaties militantere, bombastischere namen aan voor intern gebruik, om te voorkomen dat het zou lijken alsof ze op de softe toer gingen.

Een andere groep waarmee rekening moest worden gehouden was het Arabic Liberation Front (ALF), onder leiding van Abdel Wahab Kayyale. Kayyale werd in december 1981 in Beiroet vermoord; hij werd opgevolgd door zijn onderbevelhebber Abdel Rahim Ahmad.

Hoe dan ook, Arafat wilde lichte wapens om Force 17 uit te breiden. De onvermijdelijke machtsstrijd binnen de PLO was hardnekkig en Arafat voelde dat hij meer persoonlijke vuurkracht nodig had. Maar toen hij er generaal Khadra, de stafchef van het leger, om vroeg, werd hij afgepoeierd. Khadra zei Arafat zich geen zorgen te maken, hij zou hem beschermen. Arafat maakte zich zorgen.

Omdat Khadra overzicht had over alle wapens die vanuit het Oostblok bij de PLO terechtkwamen, moesten alle factionele organisaties via andere Arabische landen als Libië en Irak aan hun wapens zien te komen. Op 17 januari 1981 vloog Arafat naar Oost-Berlijn voor een bespreking met de Oostduitse president Erich Honecker, die hem vijftig Duitse 'adviseurs' meegaf die in Libanon konden helpen bij de training van PLO-ers. Op 26 januari had Arafat weer een ontmoeting met vertegenwoordigers van Oost-Duitsland, dit keer in Beiroet. Hij vroeg weer om wapens en probeerde een geheime deal te sluiten die buiten Khadra om zou gaan. Dankzij de continu binnenkomende rapporten van Kasim wist de Mossad dat Arafat zich grote zorgen maakte over interne problemen en een mogelijke Israëlische aanval.

Op 12 februari had Arafat in Damascus een ontmoeting met vertegenwoordigers van Vietnam en ook met hen probeerde hij een deal te sluiten. Ze boden hem raketten aan maar hij wilde lichte wapens. Drie dagen later ging hij naar Tyrus in Libanon, voor een ontmoeting met de leiders van verschillende PLO-facties, die hij wilde overhalen op te houden elkaar te bestrijden en zich te concentreren op de werkelijke vijand, Israël. Arafat begon steeds nerveuzer te worden. Op 15 april zou in Damascus de algemene PLO-vergadering plaatsvinden en hij wilde voor die datum iets hebben bereikt. Op 11 maart had Arafat in Beiroet drie vergaderingen, met de ambassadeurs van Hongarije, Cuba en Bulgarije, maar geen van hen wilde zich tot iets verplichten.

De Mossad was nu zelf ook erg nerveus want Arafat zou uiteindelijk waarschijnlijk wel aan wapens weten te komen. Wat werkelijk paniek veroorzaakte was dat de PLO-leider ineens zei te willen dat iemand namens hem met Israëlische diplomaten zou bespreken hoe een totale aanval op Libanon kon worden voorkomen. De Mossad was veel eerder dan de Israëlische regering op de hoogte van dit grote geheim, zoals meestal het geval was.

Op 12 maart sprak Arafat in Beiroet Naim Khader, de PLO-vertegenwoordiger in België, en hij vroeg hem de connecties die hij in België had met de Israëlische diplomatieke dienst te benutten om onderhandelingen op gang te krijgen en meer bloedvergieten te voorkomen. Dit verontrustte de Mossad zeer. De Mossad streefde er immers juist naar dat Israël de christenen in Libanon zou gaan helpen, omdat dan ook de Palestijnen daar konden worden uitgeschakeld. Maar als Israël begon te onderhandelen, was die kans verkeken. Er werd veel onderhuidse druk uitgeoefend op het ministerie van Buitenlandse Zaken. Buitenlandse Zaken had het niet door, maar terwijl verder iedereen zich ervoor inspande het niet zo ver te laten komen, stuurde het Instituut aan op een oorlog. De Palestijnen probeerden in contact te komen met Israëlische diplomaten en de Mossad probeerde dit te verhinderen.

Ondertussen had de Mossad ontdekt dat Arafat zou kunnen proberen François Ganud te gebruiken, een 65-jarige bankier uit Genève die Carlos financieel ondersteunde. Arafats plan, dat via Kasim bij de Mossad was terechtgekomen, was geld van Ganud te gebruiken om in Duitsland wapens te kopen met behulp van het Zwarte Blok, een zijtak van de Rote Armee Fraktion (RAF) die in februari in Libanon was getraind door de Duitse adviseurs die Honecker had gestuurd.

De Mossad was niet gelukkig met het succes dat VS-afgezant Philip Habib boekte tijdens zijn vredesmissie en besloot de CIA erbij te be-

trekken en te vertellen dat de PLO zich al pratend over vrede voorbereidde op oorlog, in de hoop dat de Amerikaanse pogingen dan zouden
worden gestaakt of op zijn minst uitgesteld. Begin hield zich ondertussen bezig met zijn verkiezingscampagne en wist niets van de plannen
van de Mossad. De militaire operatie had zelfs al een naam, namelijk
Cedars of Lebanon, en er werd al informatie doorgespeeld naar de
CIA. Maar op 30 maart pleegde John Hinckley zijn mislukte aanslag
op president Reagan; de CIA werd afgeleid en dat deel van de operatie
moest even wachten.

Op 10 april had Arafat weer een bespreking met Honecker in Oost-
Berlijn. De volgende dag was hij in Damascus, op de vijftiende bijeenkomst van de Palestijnse Raad.

Op 15 mei nam de Mossad contact op met de Westduitse anti-terreureenheid GSG-9 (*Grenzschutzgruppe*), omdat die wel eens van nut zou
kunnen zijn bij het verloop van de operatie.

Op 1 juni, ongeveer drie maanden na zijn bijeenkomst met Arafat, belde Naim Khader vroeg in de ochtend vanuit zijn huis naar een ambtenaar van de Israëlische buitenlandse dienst in Brussel. Ze spraken af
dat ze elkaar op 3 juni zouden ontmoeten om te onderzoeken hoe vredesonderhandelingen op gang zouden kunnen worden gebracht. Terwijl Khader onderweg was naar zijn werk kwam een man met een donkere gelaatskleur, een geelbruin jack en een dun snorretje op hem af,
die hem vijf keer in het hart en een keer in het hoofd schoot, van het
trottoir stapte, in een passerende 'taxi' sprong en verdween. Hoewel
Arafat dat toen nog niet wist, had de Mossad weer toegeslagen.

Niettemin rapporteerde Kasim dat Arafat erg gespannen was. Hij kon
niet slapen 's nachts. Hij was doodop. Hij wilde bescherming; de wapendeal voor Force 17 moest nu toch echt snel worden gesloten.

Begin juli werd in West-Duitsland een reeks demonstraties gehouden
tegen de daar gestationeerde Amerikaanse raketten. Op 9 juli was Arafat in Belgrado, nog steeds op zoek naar wapens. Rond die tijd botste
een uit Israël komend Argentijns vliegtuig met wapentuig voor Iran in
het Sovjetluchtruim met een Russisch vliegtuig. De Amerikanen, die
verontwaardigd waren over het feit dat de Israëliers wapens verkoch-
ten aan Iran, stuurden Robert McFarlane voor een onderhoud naar
Begin – een gebeurtenis die het begin markeerde van de Iran-contra's
affaire, die enige jaren later alle aandacht zou krijgen.*

* Zie Hoofdstuk 17: BEIROET

Inmiddels hadden de Syriërs raketten naar Libanon gebracht, wat aanleiding was voor een nieuwe crisis. De sterke man van Libanon, Bashir Gemayel, waarschuwde Syrië dat dit een totale oorlog tot gevolg kon hebben.

De Syriërs kiezen in Libanon overigens voortdurend een nieuwe groep die ze van militaire steun voorzien, waarbij ze uitgaan van wat zij het 'machteloosheidsevenwicht' noemen. Wanneer een van de strijdende facties te sterk wordt, moet er volgens hen een andere factie worden gestimuleerd de eerste te bestrijden. Op die manier houden ze iedereen eronder en hebben ze de situatie helemaal onder controle.

De Mossad probeerde nog steeds de Amerikanen te lijmen en het hoofd van de Mossad, Yitzhak Hofi, gaf de LAP-afdeling opdracht een scenario in elkaar te zetten dat hen ervan zou overtuigen dat de PLO oorlog wilde, geen vrede. Het achterliggende idee was tegenover de Verenigde Staten een Israëlische bezetting van Zuid-Libanon te rechtvaardigen.

De LAP maakte foto's van alle wapenopslagplaatsen van generaal Khadra's PLA. Omdat het PLA een onderdeel van het Syrische leger was, was het nauwelijks een verrassing dat het over eigen wapenopslagplaatsen beschikte, maar de foto's waren bedoeld om te 'bewijzen' dat de PLA zich voorbereidde op een aanval op Israël, ook al wist de Mossad van Arafats verwoede pogingen een oorlog te voorkomen.

De LAP liet de CIA ook op de PLO buitgemaakte documenten zien met plannen voor een aanval op Noord-Israël. Ook dit is weer niets ongebruikelijks en hoeft geen enkele aanwijzing te zijn voor werkelijke aanvalsplannen. Op elke militaire basis zijn zulke gedetailleerde plannen te vinden. Of de PLO van plan was ze uit te voeren, of ze ooit zelfs maar zijn goedgekeurd, dat was een andere zaak. Maar de Mossad was niet van zins de boosaardige voornemens te laten doorkruisen door dergelijke overwegingen.

Nog voordat de vijandelijkheden een aanvang namen werden persberichten en foto's klaargelegd; achteraf zou het eenvoudig zijn met papieren te komen die de authenticiteit van de Palestijnse 'dreiging' aantoonden.

Op instructie van Arafat stuurde Abu Taan, het hoofd van Arafats coördinatie-unit PASC, twee mensen naar Frankfurt om de deal voor de lichte wapens te regelen. Degene die hiermee werd belast was majoor Juad Ahmed Hamid Aloony, die in 1969 van de militaire academie in Algiers was gekomen, in 1978/79 een politieke training in China had gekregen en in 1980 het diploma van een Hongaarse militaire school had behaald. Hij werd vergezeld door sergeant Abd Alrahaman Ahmed Hassim Alsharif, die in 1979 aan de Cubaanse militaire academie was afgestudeerd en dezelfde Hongaarse school had bezocht als Aloony.

De verhouding tussen de Mossad en de Westduitse politie was niet al te vriendschappelijk. Maar de GSG-9, die door Israëliers was getraind, verleende alle medewerking, evenals de speciale anti-terreureenheid van de Hamburgse politie, die door de Mossad van de codenaam *Tuganim*, 'Frieten', was voorzien.

De Tuganim voorzagen mensen van de Mossad van een dekmantel – ze deden alsof ze voor hen werkten. De Mossad had ze per slot van rekening getraind. Ze hadden zelfs wel eens geholpen bij de ondervraging van Arabieren.

Omdat de Tuganim zo goed meewerkten, wilde de Mossad Hamburg als lokatie voor de operatie. De relatie tussen de Mossad en de Westduitse inlichtingendienst was, net als de relatie met de Westduitse politie, matig. Maar elke deelstaat heeft zijn eigen politiekorps en inlichtingendienst, en daarmee had de Mossad te maken.

De Mossad wist ook dat Arafat van plan was Isam Salem, die arts en vertegenwoordiger van de PLO in Oost-Berlijn was, in te schakelen bij het regelen van een lening van de Zwitserse bankier Ganud, voor de lichte wapens die Force 17 nodig had. Op Ganud was altijd een beroep te doen wanneer de PLO geld nodig had. Omdat wapens als *hot items* worden beschouwd wil niemand er lang mee opgescheept zitten, om deals snel te kunnen afhandelen zijn vaak grote overbruggende leningen nodig.

Ondertussen had Arafat besloten een grote scheepslading hasj uit Libanon uit te voeren. Leden van het Zwarte Blok zouden in ruil voor hun zojuist afgeronde training de hasj vervoeren en verkopen aan de Europese onderwereld, en de opbrengst daarvan zouden ze aan Isam Salem geven. Die zou betalen voor de wapens of, als er al een overbruggende financiering nodig was geweest, het geld aan Ganud geven. Arafat was ook van plan de leden van het Zwarte Blok te gebruiken voor het transport van de wapens naar Libanon.

Al deze informatie bereikte het hoofdkwartier van de Mossad via *Yahalomim*, ('Diamanten'), de afdeling die zich bezighoudt met wat de agenten doorgeven. Wanneer een agent naar een Arabisch land gaat, valt hij niet meer onder zijn eigen katsa. De communicatie tussen de agent en de Mossad verloopt dan via het hoofdkantoor in Tel Aviv. Gewapend met deze informatie ging het hoofd van de Mossad aan tafel zitten met de hoofden van Tsomet, Tevel en veiligheidsoperaties om een strategie te ontwikkelen. Ze hadden vier belangrijke doelen: verhinderen dat Arafat de wapens kreeg; de onderhandelingen die de PLO probeerde te voeren met de Israëlische diplomatieke dienst tegenhouden; de hele lading hasj in handen krijgen en voor contant geld van de hand doen; Ganuds lening voor de PLO zien te bemachtigen. Deze operatie was natuurlijk politiek en strategisch gezien zeer voordelig, maar bovendien had de Mossad in die tijd te kampen met ernstig geldgebrek, net als de staat Israël, en was men voortdurend op zoek naar nieuwe bronnen van inkomsten.

Als voorbereiding op deze gigantische en hachelijke operatie werd in mei 1981 een neviot-team naar Hamburg gestuurd dat voor een veilige opslagplaats in een pakhuis moest zorgen. Een katsa van het bureau in Londen werd gestuurd om de zaak voor te bereiden.
Rond dezelfde tijd was in Brussel het Metsada-team ingeschakeld dat Naim Khader uit de weg moest ruimen om te verhinderen dat hij serieuze vredesonderhandelingen van de grond kreeg. Hoe die aanslag precies was gepland is niet te achterhalen, maar alles verliep op een manier die kenmerkend was voor de handelwijze van de Mossad: eenvoudig, snel en doeltreffend; midden op straat op klaarlichte dag; hoe meer getuigen hoe beter; als visitekaartje niet meer dan een paar ongemerkte lege hulzen en het lijk.
De moordenaar moet een pistool met negen kogels hebben gebruikt, waarvan er maar zes voor het slachtoffer zelf bestemd waren. Tussen het moment waarop het slachtoffer neerviel en het moment waarop de moordenaar in de auto stapte, zou iedereen die had willen ingrijpen naast de man op de grond zijn terechtgekomen.
Ze richtten het zo in dat Abu Nidal van de BJO beschuldigd zou worden van de aanslag, niet alleen door buitenstaanders maar ook door Arafat en het Israëlische ministerie van buitenlandse zaken. En jawel, niet lang na de moord op Khader verschenen overal in de media verhalen waarin Nidal de gevaarlijkste en meest gezochte terrorist ter wereld werd genoemd.

Het vijf man sterke neviot-team in Hamburg werd aangevoerd door Mousa M., die pas betrekkelijk kort bij de Mossad zat, afkomstig was van de Shaback en een tijd in Unit 504 had gezeten. Ze verbleven in het exclusieve Atlantic Hotel Kempinsky aan de Alster in Hamburg, de tweede stad van West-Duitsland.

De Mossad houdt van Hamburg, ten eerste om de goede samenwerking met de plaatselijke terreurbestrijdings- en inlichtingendienst en ten tweede om de befaamde live sexshows en de rosse buurten waar hoeren hun charmes achter de ramen ten toon spreiden en zelfs naakt over straat lopen. Maar dat was 's avonds. Overdag hadden de leden van het team het druk in het Hamburgse havengebied op de zuidelijke oever van de Elbe, waar ze zochten naar een paar geschikte pakhuizen, die vrij gemakkelijk te bereiken moesten zijn en een zodanige ligging moesten hebben dat het team ze kon observeren en fotograferen zonder zelf te worden gezien.

Het was een tamelijk rustige opdracht want Arafat had nog steeds geen wapenafspraken gemaakt, en Mousa, die zelf niet van sexshows hield en niet naar hoeren ging, besloot een geintje uit te halen met een van zijn mannen. Omdat de operatie nog niet echt aan de gang was, hielden de mannen zich nog niet aan APAM, de gebruikelijke regels voor operationele veiligheid. Mousa volgde een van zijn mannen mociteloos naar een hotel, waar de man een exclusieve hoer ontmoette. Toen hij naar het toilet ging fotografeerde Mousa de hoer, die in haar eentje bij de bar stond. Daarna ging hij weg. De volgende avond ontmoette de man de hoer weer en weer bracht hij het grootste deel van de nacht met haar door.

Toen hij de ochtend daarna voor een bespreking naar Mousa's hotelkamer kwam, waren de andere leden van het team er al. Iedereen zat wat en rookte en keek bezorgd. Hij voelde dat er iets in de lucht hing. 'Wat is er?' vroeg hij aan Mousa.

'Er is iets ernstigs,' antwoordde Mousa. 'We moeten de stad doorzoeken. We hebben bericht gekregen van het hoofdkwartier dat een sovjetagent hier de hoer speelt en contact heeft met iemand van de Mossad. We moeten haar te pakken zien te krijgen en ondervragen en hem moeten we vinden en terugsturen naar Israël, waar die klootzak zal worden beschuldigd van verraad.'

De man was moe en had een kater; hij had geen zin om zich druk te maken. Totdat Mousa ze allemaal een foto van twintig bij vijfentwintig centimeter van de 'sovjetagent' gaf. Hij verbleekte.

'Kan ik je even spreken, Mousa?' mompelde hij.
'Ja zeker, wat is er?'
'Onder vier ogen graag.'
'Goed.'
'Weet je zeker dat dit de agent is?'
'Ja, hoezo?'
'Wanneer is ze samen met hem gezien?'
'Deze week geloof ik,' zei Mousa. 'Meer dan eens.'

Het duurde een paar minuten voordat de man opbiechtte dat hij degene was die naar de hoer was gegaan, maar hij hield vol dat hij haar niets had verteld en dat zij hem niets had gevraagd. Hij smeekte Mousa hem te geloven en hem te helpen. Mousa keek hem lang aan en begon toen te lachen.

Zo was Mousa. Altijd klaar om iemand een klotestreek te leveren. Het enige dat je kon doen was hopen dat hij een ander als slachtoffer koos. Na lang zoeken vond het team een geschikt pakhuis. Mousa lichtte de katsa in Londen in en zei: 'Je kunt dit maar beter snel afhandelen, dan kan ik mijn jongens hier weghalen voordat ze de een of andere ziekte oplopen!'

Via de als agent geworven Saoedische miljardair Adnan Khashoggi* kende de Mossad een andere Saoediër, een bekende Europese wapenhandelaar. Hij had rechten voor de levering van uzi's en andere wapens voor de Europese particuliere markt. Khashoggi's vriend zou overgehaald worden de voor Arafats order benodigde Amerikaanse wapens te leveren. Men zou natuurlijk doen alsof ze waren gestolen uit verschillende wapenkamers op Europese militaire bases.

Mossad-katsa Daniel Aitan nam onder de schuilnaam Harry Stoler contact op met Isam Salem, Arafats man in Oost-Berlijn. Arafat had hem nog niet gevraagd om de wapens, maar dankzij Kasims voortdurende berichtgeving wist de Mossad dat hij dat snel zou gaan doen zodat werd besloten hem een stap voor te blijven.

De Duits sprekende Aitan, een ongecompliceerd iemand, stelde zichzelf aan Salem voor als 'Harry Stoler', handelaar in wat hij noemde 'diverse uitrustingen en materialen'. Het belangrijkste van alles, zei hij tegen Salem, was dat hij goede prijzen en een veilige levering kon ga-

* Zie Hoofdstuk 17: BEIROET

randeren. Stoler vertelde Salem ook dat hij, hoewel hij zich liever niet met politiek bezighield, de Palestijnse zaak was toegedaan en dat hij hoopte dat de Palestijnen hun doel zouden bereiken.

Ze maakten een nieuwe afspraak. Hoewel PLO-ers in principe als zeer gevaarlijk worden beschouwd, wist de Mossad dat Salem niet betrokken was bij terroristische activiteiten in Europa. De veiligheid van de katsa was dus niet in gevaar. En het lukte, Salem bezweek volledig voor het verkooppraatje.

Bij de volgende geheime ontmoeting – een ontmoeting onder vier ogen – vertelde Stoler dat hij van tijd tot tijd hoorde over 'verdwaalde uitrusting' van Amerikaanse militaire bases in Duitsland – materieel dat zich een tijdje buiten de bases bevond. Hij zei dat hij ook orders kon aannemen voor dergelijke leveringen 'aan de achterdeur', als Salem daarin geïnteresseerd was.

Ondertussen verzekerden mensen van de Mossad de GSG-9 ervan dat ze het Zwarte Blok in de gaten hielden en dat ze zouden waarschuwen waar en wanneer de terroristen konden worden opgepakt met genoeg bewijsmateriaal om ze te kunnen vervolgen.

Geheel volgens verwachting stuurde Arafat uiteindelijk een verzoek naar Salem in Oost-Berlijn, dat persoonlijk werd overhandigd door majoor Aloony en sergeant Alsharif – de mannen van PASC-chef Abu Taan. Ze gaven Salem de lijst van materiaal dat nodig was voor Force 17, met de mededeling dat de deal in alle stilte moest worden gesloten, dat de uitrusting uit het westen moest komen en dat Arafats twee boodschappers rechtstreeks met Abu Taan moesten onderhandelen. Salem kreeg opdracht contact op te nemen met de vrienden binnen de RAF (het Zwarte Blok) of met willekeurig welke andere club die zou kunnen zorgen voor de uitvoering van Arafats wapendeal.

'We sturen eerste klas "tabak" als betaalmiddel,' stond in de order. 'Indien nodig kunnen we een overbruggingsfinanciering regelen via Abu Taan. De brengers van deze brief gaan nog niet lang mee en kunnen dus worden gebruikt als tussenpersonen, waarvoor ze ter uwer beschikking staan.'

Toen Salem het bericht kreeg belde hij natuurlijk Daniel Aitan, alias Harry Stoler. Salem zei dat de deal snel en onopgemerkt moest worden gesloten en dat hij een vertegenwoordiger (Aloony) zou sturen met een boodschappenlijst. Hij wilde weten hoe lang het zou duren om het in de order gevraagde materieel bij elkaar te krijgen en te verzenden.

Tot nu toe was de Mossad van plan geweest zich door middel van listig handelen al het PLO-geld toe te eigenen evenals hun hasj, maar een nieuwe inlichting van Kasim maakte hen erop attent dat Arafat ook nog een reserveplan had.

Hij had een soortgelijke wapenorder geplaatst bij Ghazi Hussein, de PLO-vertegenwoordiger in Wenen, voor het geval Salem niet deed wat van hem werd verwacht. Onmiddellijk werd een andere eenheid naar Wenen gestuurd om Hussein in de gaten te houden. Wenen was een bijzondere plaats voor de Mossad want het was een tussenstation voor Russische joden op weg naar Israël. De banden tussen Israël en Oostenrijk waren in die tijd erg vriendschappelijk, maar de Mossad had er geen contacten. De Oostenrijkers namen hun neutraliteit serieus. Ze hadden nauwelijks een inlichtingendienst.

De hasj die de leden van het Zwarte Blok zouden vervoeren werd op de gebruikelijke manier verpakt, in een reeks balen die 'zolen' worden genoemd omdat ze op schoenzolen lijken. Het plan was dat ze per schip van Libanon naar Griekenland zouden gaan, waar het Zwarte Blok zijn contacten bij de douane zou gebruiken om de handelswaar in auto's over te laden; elk van de vijfentwintig of dertig Europese terroristen zou een gedeelte bij zich in de auto nemen en door Europa naar een pakhuis in Frankfurt rijden.

Een van hen zou zich ontfermen over de verkoop van de hasj en alles met Salem regelen. Maar de GSG-9, die getipt was door de Mossad, arresteerde hem op een geïmproviseerde beschuldiging van subversieve activiteiten tegen Amerikaanse bases. De Duitsers kregen niets te horen over de hasj. Toen de man eenmaal in hechtenis zat, kreeg de Mossad toestemming hem te verhoren. Een Duits sprekende Mossadman, die zich voordeed als iemand van de Duitse veiligheidsdienst, gooide het op een akkoordje om de naam los te krijgen van de tweede man van de groep. Vervolgens sprak de Mossad met de Duitsers af dat de man geen contact met de buitenwereld zou hebben totdat de deal helemaal rond was.

'Ik weet het van de dope,' zei de Mossad-man tegen de gevangene. 'Als je me niet vertelt met wie ik contact moet zoeken blijf je hier de rest van je leven, niet vanwege subversieve activiteiten maar vanwege hasjhandel.'

En zo ging de Mossad met Arafats boodschappenlijst naar de vriend van Khashoggi, de Saoedische handelaar. Aloony, een echte militair, kreeg te horen dat hij verantwoordelijk was voor de controle van het materiaal en voor de feitelijke aflevering in Libanon.

De wapens werden per vrachtwagen naar Hamburg gebracht. De Mossad zei niets tegen de Duitsers. Als we ze waren tegengekomen, hadden we het uitgelegd.

Ondertussen praatte Stoler met Salem over een adres in Beiroet waarheen de wapens zouden worden verzonden. Dat was meer voor de schijn, want de Mossad verwachtte op dat tijdstip niet dat het werkelijk tot verzending zou komen. Stoler zei Salem dat er een of ander verhaal verzonnen moest worden dat aannemelijk was voor de Libanese douane. Bij dergelijke zaken is het altijd verstandig iets te regelen, om de deal 'officieel' te laten lijken. Salem vertelde dat hij in Beiroet een relatie had die in de rozijnenhandel zat. Die zou ze misschien kunnen helpen aan een bestemming voor de lading.

'Rozijnen uit Duitsland?' zei Stoler. 'Is dat niet zoiets als strudel importeren uit Senegal?'

Niet helemaal. Het schijnt dat een gedeelte van de verpakte rozijnen en andere gedroogde vruchten die Duitsland in grote hoeveelheden binnenkomen weer wordt uitgevoerd tegen een lagere prijs dan Griekenland en Turkije kunnen vragen.

Stoler vroeg Salem te zorgen voor een 'officiële' rozijnenorder. 'Dan regel ik het verder wel,' voegde hij eraan toe.

Het idee achter deze taakverdeling was dat Salem zoveel van de planning op zich zou nemen dat hij niet in de gaten kreeg dat iemand anders de touwtjes in handen had. Stoler zei nog dat hij geen schip tot zijn beschikking had, maar ook dat was volgens Salem geen probleem: het zou een containervracht zijn en ze hoefden alleen maar een extra container te plaatsen op een schip dat toch al naar Libanon ging.

Ondertussen gaf een verbindingsman van de Mossad informatie van de Tsomet door aan een andere katsa, die van plan was contact op te nemen met de tweede man van het Zwarte Blok. De katsa ontmoette het Zwarte-Bloklid, zei hem dat hij van diens gevangen zittende collega een boodschap had ontvangen, dankzij gemeenschappelijke contacten in de gevangenis. Hij zei dat de plannen waren veranderd. De hasj zou niet meer worden verkocht maar geruild voor wapens.

De datum waarvoor alles rond moest zijn kwam in zicht. De Mossad had de wapens al besteld en wist dat Salem zijn geld moest krijgen via Abu Taan omdat de hasj nu geen contanten opleverde. De Mossad had alles onder controle. Salem zal zich geen zorgen hebben gemaakt. Hij wist dat hij de overbruggende lening kon krijgen en *dacht* dat hij kon terugbetalen wanneer de hasj eenmaal was verkocht. De Mossad beloofde het Zwarte Blok vervolgens een paar raketten maar nam zich voor dummy's te leveren – plastic materiaal dat niet te onderscheiden is van echt maar niet werkt omdat er niets in zit.

In Hamburg en Frankfurt liep alles gesmeerd maar in Wenen was Ghazi Hussein nog een probleem. Gelukkig had hij Salem gebeld toen hij Arafats wapenorder kreeg. Tegenover Arafat zou hij het nooit toegeven, maar aan Salem vertelde hij dat hij geen contacten had op dit gebied. Salem zei dat hij iemand kende die misschien kon helpen. Allebei wisten ze dat dit een zaak was waarbij eigenlijk zo min mogelijk anderen moesten worden betrokken, maar wat moesten ze anders?

De Mossad trok zich de haren uit het hoofd. Daar zaten ze, midden in een grote operatie met de altijd verraderlijke PLO – en zonder enige bescherming. Ze vergaderden in open binnenplaatsen en cafés om de PLO-ers niet binnenshuis te hoeven ontmoeten, maar verder konden ze niet veel meer doen dan klagen en boodschappen versturen waarin ze dergelijke slecht beveiligde activiteiten kritiseerden en mededeelden geen enkele verantwoordelijkheid op zich te zullen nemen als er iets mis ging.

Begin juni had het plan duidelijke vormen aangenomen. Het kost tijd om wapens te verzamelen en terwijl ze zaten te wachten werd iedereen zenuwachtig. Eind juni lieten zowel Hussein in Wenen als Salem in Oost-Berlijn Arafat weten dat zijn verzoek was ontvangen en dat er binnen twee of drie weken aan zou worden voldaan.

Ondertussen werd majoor Aloony behoorlijk nerveus omdat het geld van de hasjdeal maar niet binnenkwam. Hij had niets gehoord van de contactpersonen. Hij wist ook niet wie of waar ze waren. Het enige dat Aloony had was het adres en het telefoonnummer van een van de mensen van het Zwarte Blok. De leider van het Blok zat in de gevangenis. De tweede man had van de Mossad-man, die zich voordeed als vriend, de opdracht gekregen iedereen van de eenheid te bellen om te zeggen dat mensen die navraag kwamen doen te horen moesten krijgen dat ze bezig waren de hasj te verkopen om aan geld voor de wapens te komen. Als ze een of ander probleem hadden moesten ze dat onmiddellijk doorgeven.

Dus toen Aloony uiteindelijk zijn contactpersoon belde, kreeg hij te horen dat de leider van het Zwarte Blok in de gevangenis zat maar dat een ander de deal zou afhandelen. Zoals hem was opgedragen belde Aloony's contactpersoon vervolgens de plaatsvervangende leider. De Mossad-katsa die zich bezighield met de Saoedische wapenhandelaar zei de handelaar dat hij op moest schieten met de wapens.

De Mossad wist nu dat Aloony vragen begon te stellen, maar dat was niet ernstig want hij kreeg het antwoord dat hij moest krijgen. De Mossad stuurde iemand op hem af die de instructie had gekregen hem te verzekeren dat er niets aan de hand was, dat alles in orde zou komen en dat hij te horen zou krijgen wanneer de deal rond was. Meer mocht hij niet zeggen. Aloony begreep dat zulke deals tijd vergen, en hij leek zich niet buitensporig ongerust te maken. Hij wist ook dat de PLO de Duitsers er in haar trainingskamp goed van had doordrongen dat ze vooral niet moesten proberen de PLO te bedriegen, omdat ze er dan hoe dan ook aan zouden gaan.

Het was prettig dat de PLO-ers minder goed wisten wat er gaande was dan de Mossad. Salem in Oost-Berlijn wist bijvoorbeeld niet dat de order voor Hussein in Wenen een reserve-order was. De bestelling was niet afkomstig van Abu Taan, die zich met Salem bezighield, maar van Arafats persoonlijke veiligheidschef Abu Zaim. Salem wist dat de wapens voor Arafats Force 17 bestemd waren, maar Hussein niet.

Hoe dan ook, de Mossad-man in Wenen en Hussein maakten hun eigen afspraken voor de betaling en levering van de wapens. Hussein wist een manier om goederen te vervoeren met Libische vliegtuigen zonder dat ze werden gecontroleerd. Hoe dat precies ging legde hij niet uit; hij zei alleen dat hij de wapens geleverd wilde hebben in containers, die hij dan naar Beiroet zou brengen. De bedoeling was hem *een paar* echte wapens te geven; alle bazooka's zouden echter, net als in Hamburg en Frankfurt, dummy's zijn.

Het was zaak ervoor te zorgen dat alles in Wenen, Hamburg en Frankfurt synchroon verliep. Als het op een van de drie plaatsen mis ging, kon niet alleen het hele plan in elkaar storten, maar zou het bovendien gevaarlijk kunnen worden.

In Hamburg, waar de wapens waren opgeslagen in een pakhuis dat midden in een rij identiek uitziende panden stond, zou men Aloony en sergeant Alsharif de wapens laten zien, die verpakt waren in een container met onderin en bovenin rozijnen. Vervolgens zouden ze de container verzegelen, het pakhuis afsluiten, Aloony de sleutel geven en afspreken er de volgende ochtend weer samen heen te gaan. Dan zou de container op een vrachtwagen worden geladen en naar het schip worden gebracht voor de reis naar Beiroet.

Na Aloony naar zijn appartement te hebben teruggebracht zou de Mossad naar het pakhuis gaan, het slot en het nummer van de deur halen en bevestigen op de deur van het identiek uitziende pakhuis ernaast. Daar zouden ze een andere container helemaal vullen met minderwaardige rozijnen, die Aloony dan naar Arafat zou sturen.

Stoler (Aitan) zei dat Aloony het geld meteen moest meenemen omdat hij een paar uur wilde hebben om weg te komen. 'Geen probleem,' zei Aloony. 'Ik zal het meenemen. Maar ik slaap bij de rozijnen in het pakhuis.'

'Goed,' zei Stoler, zijn hart stond even stil. 'Ik kom je morgenmiddag om zes uur ophalen.'

'Maar je zei 's morgens,' zei Aloony.

'Dat is zo, maar het is niet zo slim daar overdag met wapens rond te lopen. Te veel mensen.'

Aitan en alle anderen bogen zich in het safe house over het probleem. Hoe konden ze de containers verwisselen wanneer Aloony in het pakhuis sliep?

Ondertussen werd een kleine eengezinswoning buiten Wenen volgestouwd met de wapens die Hussein had besteld. De katsa liet Hussein weten dat zijn assistent de transactie zou afhandelen en vroeg hem $3,7 miljoen mee te nemen naar een afgesproken plaats, waar hij het adres en de sleutel van het huis zou krijgen. Het was de bedoeling een van Husseins mannen op te halen en hem geblinddoekt mee te nemen naar het huis, waar hij de uitrusting kon controleren. Hij zou een telefoontje mogen plegen met Hussein (daarna zou de telefoon worden afgesneden), om hem te zeggen dat alles er was. Dan zou hij in het huis worden opgesloten, het geld zou worden overgedragen en Hussein zou het adres en de sleutel krijgen. Hussein slikte het verhaal.

Het was 27 juli 1981 en in Hamburg zaten ze nog met het probleem-Aloony. De wapens die in een container moesten worden geladen lagen in het pakhuis. Een identieke container was omhoog getakeld en hing tegen het plafond, aan een kraan op rails waarmee zware lasten en kratten kunnen worden verplaatst. In Genève had Ganud al ongeveer $5 miljoen voorgeschoten voor de Hamburgse deal en 3,7 miljoen voor de deal in Wenen.

Op 28 juli werd Aloony om zes uur 's middags opgepikt en naar het pakhuis gereden. Hij wilde steekproeven nemen met verschillende kisten. Toen hij tevreden was laadden ze de goederen in de container; bovenop kwamen de rozijnen, en de container werd verzegeld. Aloony stond op het punt het geld te overhandigen, maar Stoler zei: 'Niet hier, hier zijn te veel mensen. Laten we naar de auto gaan, daar zijn we alleen.'

In de auto deed Stoler een steekproef: met een elektronisch apparaat onderzocht hij een paar van de bundels om te zien of hij geen valse dollars kreeg. Terwijl zij daarmee bezig waren, werd binnen snel de container die tegen het plafond hing neergelaten. De container met de wapens werd opgehesen, weggevoerd naar het achterste gedeelte van het pakhuis en achter een paar andere containers gezet.

Die omwisseling duurde niet langer dan tien of vijftien minuten, en toen Aloony terugkwam meende hij dezelfde container te zien, met hetzelfde zegel. De nieuwe inhoud zag hij niet. De volgende dag vertrok Aloony met zijn veilig ingeladen rozijnen naar Beiroet.

Toen Aloony vertrokken was gingen de mensen van de Mossad het pakhuis binnen. Ze laadden de wapens uit de eerste container op een vrachtwagen en brachten ze terug naar de dealer. De rest van de rozijnen werd naar Israël gestuurd.

Dezelfde avond werd in Frankfurt de hasj geruild voor de raketten en de man van het Zwarte Blok kreeg te horen dat hij de volgende dag met zijn team moest komen om de wapens weg te halen. De hasj werd overhandigd aan een man van de Panamese F-7 (de speciale veiligheidseenheid die Harari had getraind). De hasj werd naar Panama gebracht en moest zo'n $7 miljoen opleveren. Het spul zou in de VS worden verkocht, waar het veel meer opbrengt dan in Europa. De Mossad zou zeven miljoen krijgen en als de Panamezen er meer voor ontvingen konden ze de rest van het bedrag zelf houden.

Toen de mensen van het Zwarte Blok de volgende dag hun nepraketten kwamen oppikken, stond de politie al klaar. Ongeveer twintig mensen werden gearresteerd.

Ook op 29 juli werden op het vliegveld van Wenen drie mensen gearresteerd, die een deel van de wapens uit het huis in de voorstad bij zich hadden. De plaatselijke politie had van de Mossad gehoord dat Hussein en zijn helpers zojuist met het vliegtuig uit Libanon waren aangekomen en wapens naar Wenen smokkelden, waar ze een aanslag wil-

271

den plegen op een joods object. Hussein werd later het land uitgezet. Zijn twee helpers belandden in de gevangenis. Het grootste deel van de wapens, dat zich nog in het huis bevond, werd door de Mossad in beslag genomen. Een paar wapens werden achtergelaten voor de politie, die waarschijnlijk het verhaal over Husseins opslag zou natrekken.

In totaal beurde de Mossad tussen de $15 en 20 miljoen. De Palestijnen waren daarentegen veel waardevols kwijtgeraakt: Khader was gedood en Hussein het land uitgezet, de twee helpers van de laatste en ongeveer twintig Zwarte-Blokterroristen waren gevangen gezet en de PLO was in een paar landen onmogelijk gemaakt.

Het succes was goed voor het Mossad-moreel. De PLO was niet alleen alles kwijt, maar had ook nog geweldige schulden bij de bankier. Force 17 had nog lange tijd te kampen met een tekort aan wapens en de PLO voelde zich behoorlijk klungelig. Wat er is gebeurd met de naar Israël verscheepte rozijnen is nog steeds een raadsel.

Een ander postscriptum bij dit verhaal betreft het lot van Arafats chauffeur/bodyguard, de Mossad-agent Durak Kasim. Hij raakte een been kwijt bij een Israëlische luchtaanval op een Palestijnse basis in Tunis. Vanuit het kamp voorzag hij de Mossad van inlichtingen, maar de Mossad had hem niet gewaarschuwd voor de aanval. Kasim was woedend, gaf beide baantjes op en verhuisde naar Zuid-Amerika.

Alleen in Amerika

Toen de 31-jarige Jonathan J. Pollard en zijn 25-jarige vrouw Anne Henderson-Pollard eind november 1985, na een mislukte poging bij de Israëlische ambassade in Washington asiel aan te vragen, werden gearresteerd, hield een pijnlijke vraag de politieke gemoederen bezig: is de Mossad actief in de Verenigde Staten?

Nee, nee, duizend keer nee, zegt de Mossad officieel. Absoluut niet. En inderdaad mogen Mossad-katsa's zelfs geen valse VS-paspoorten hebben of VS-dekmantels gebruiken, zo delicaat is de verhouding tussen de staat Israël en zijn invloedrijkste medestander.

Maar hoe zat het dan met Pollard? Dat is eenvoudig. Hij was niet van de Mossad. Sinds begin 1984 had hij op de loonlijst gestaan van een organisatie genaamd *Lishka le'Kishrei Mada* of LAKAM, Ivriet voor het Scientific Affairs Liaison Bureau van het Israëlische ministerie van Defensie. Maandelijks had hij $2500 ontvangen voor het smokkelen van geheime documenten naar het huis van Irit Erb, een secretaris van de Israëlische ambassade. LAKAM werd toen geleid door Rafael Eitan, die in het openbaar alle betrokkenheid ontkende maar in werkelijkheid katsa van de Mossad was geweest en in 1960 een rol had gespeeld bij de ontvoering van Adolf Eichmann uit Argentinië.

Pollard, een jood, werkte als onderzoeker bij het U.S. Intelligence Support Center in Suitland (Maryland), een onderdeel van de Naval Investigative Service. In 1984 werd hij overgeplaatst naar het Anti-Terrorism Alert Center in de Threat Analysis Division van het NISC – een vreemde overplaatsing gezien het feit dat hij enige tijd tevoren een waarschuwing had gekregen van veiligheidsambtenaren in verband met informatie die naar de Zuidafrikaanse militaire attaché was uitgelekt en deze nieuwe baan hem toegang gaf tot aanzienlijke hoeveelheden geheim materiaal.

Het duurde niet lang voordat men erachter kwam dat Pollard deze informatie doorspeelde aan de Israëli's. Toen hij hierover door mensen van de FBI aan de tand werd gevoeld, beloofde hij hun zijn Israëlische opdrachtgevers aan te wijzen. De FBI hield hem vierentwintig uur per dag in de gaten. Pollard raakte in paniek en vroeg om asiel. Bij het verlaten van de ambassade werden hij en zijn vrouw, die van medeplichtigheid werd verdacht, aangehouden.

Natuurlijk vroegen de Amerikanen om een verklaring. Op 1 december om half vier in de ochtend, Israëlische tijd, belde de Amerikaanse minister van Buitenlandse Zaken George Shultz vanuit Californie naar de Israëlische premier Shimon Peres. Peres, die LAKAM zelf had opgericht toen hij in de jaren zestig onderminister van Defensie was, bood officieel zijn excuses aan: 'Het bespioneren van de VS is volstrekt in strijd met ons beleid. Dergelijke activiteiten, voor zover ze inderdaad hebben plaatsgevonden, zijn onaanvaardbaar, en de Israëlische regering biedt hiervoor haar excuses aan.'

Peres zei verder dat als er regeringsambtenaren bij betrokken waren 'de verantwoordelijken ter verantwoording zullen worden geroepen, de betrokken eenheid... zal volledig en voorgoed worden ontbonden, en de noodzakelijke organisatorische stappen zullen worden ondernomen om ervoor te zorgen dat dergelijke activiteiten niet meer voorkomen.' (Het postadres werd gewijzigd en LAKAM werd ondergebracht bij het ministerie van Buitenlandse Zaken – dat was alles.)

Maar ook al meende Peres niet wat hij zei, zijn verklaring leek de regering van de VS gerust te stellen. De voormalige CIA-directeur Richard Helms zei dat het niet ongebruikelijk is dat bevriende naties elkaar bespioneren. 'Je doet alles wat je kunt doen. Je moet alleen niet worden gepakt,' zei hij.

Nadat de Pollards wegens spionage waren veroordeeld en naar de gevangenis afgevoerd – de Mossad beschouwt LAKAM als knullige amateurs – zei Shultz tegen de pers: 'We zijn tevreden met de verontschuldiging en verklaring van Israël.' Korte tijd regende het negatieve publiciteit voor Israël, maar de bui dreef snel over.

Men bleef zich natuurlijk afvragen hoe het nu precies met Pollard zat, maar zelfs de CIA lijkt te geloven dat de Mossad afgezien van deze merkwaardige actie en behalve voor verbindingsdoeleinden, niet actief opereert in de VS.

Ze vergissen zich.

Pollard was niet van de Mossad. Veel actief spionerende, wervende, organiserende en in het geheim – vooral in New York en Washington, hun 'speeltuin' – opererende lieden maken echter deel uit van een speciale, supergeheime afdeling van de Mossad die kortweg *Al* heet, Ivriet voor 'boven' of 'aan de top'.

De eenheid is zo gesloten en werkt zo zelfstandig dat het merendeel van de Mossad-medewerkers niet eens weet wat zij doet en geen toegang heeft tot haar computerbestanden.

Maar zij bestaat en beschikt over vierentwintig tot zevenentwintig veteranen voor het veldwerk, waarvan er drie actieve katsa's zijn. De unit opereert vooral, maar niet uitsluitend, binnen de grenzen van de VS. Zijn taak bestaat voornamelijk uit het verzamelen van informatie over de Arabische wereld en de PLO – niet over Amerikaanse activiteiten. Zoals we zullen zien is echter vaak nogal onduidelijk waar de grens ligt en in twijfelgevallen aarzelt Al niet de grens te overschrijden.

Want om nu te zeggen dat er geen informatie over de Amerikanen wordt ingewonnen... Het is zoiets als met mosterd: het is niet het hoofdgerecht, maar een likje ervan op je hotdog is nooit weg. Stel bijvoorbeeld dat de Mossad nieuwsgierig is naar een senator in de wapencommissie. Al maakt zelden gebruik van sayanim, maar alle documenten die door de handen van die senator gaan, alles wat er in zijn kantoor gebeurt, zou belangrijke informatie kunnen zijn: dan wordt er gezocht naar een helper. Als de helper joods is, wordt hij of zij benaderd als sayan. Anders wordt de persoon in kwestie geworven als agent of alleen maar als vriend aan wie veel aandacht wordt besteed.

Het Washingtonse receptiecircuit speelt hierbij een belangrijke rol. Vrij veel diplomaten nemen daar flink aan deel. Het is niet moeilijk iemand in dat circuit te introduceren en van een geloofwaardig verhaal te voorzien.

Veronderstel dat McDonnell Douglas vliegtuigen wil verkopen aan Saoedi-Arabië. Is dat een Amerikaanse of een Israëlische aangelegenheid? Wat het Instituut betreft gaat het Israël aan. Wanneer je op zoiets stuit, is het moeilijk je er niets van aan te trekken. Dat doet Al dus wèl. Een van de bekendere activiteiten was het ontvreemden van documenten bij belangrijke Amerikaanse vliegtuigfabrieken. Dankzij deze diefstallen kon Israël in januari 1986 een vijfjarig contract sluiten dat $25,8 miljoen zou opleveren. Israël zou Amerikaanse marineschepen en het korps mariniers voorzien van 21 Mazlat Pioneer 1 vliegtuigen, vijf meter lange radiografisch bestuurde onbemande toestellen, plus de bijbehorende controleapparatuur en een lanceer- en landingsinrichting. De vliegtuigen, die aan de onderkant voorzien zijn van een camera, worden gebruikt voor militair verkenningswerk. Mazlat, een dochtermaatschappij van het staatsbedrijf Israëli Aeronautical Industries and Tadiran, slaagde erin de order binnen te halen door in een offerte uit 1985 minder te vragen dan Amerikaanse bedrijven.

Al had de plannen dus gestolen. Israël werkte aan een dergelijk vlieg-

275

tuig, maar was nog lang niet zo ver dat het zou kunnen meedingen. Bovendien maakt het een heel verschil wanneer je geen researchkosten hoeft te verwerken in je prijsopgave.

Na de order te hebben bemachtigd verbond Mazlat zich voor de uitvoering met AAI Corp. in Baltimore, Maryland.

Al lijkt op de Tsomet, maar het ressorteert niet onder het hoofd van de Tsomet. De afdeling rapporteert rechtstreeks aan het hoofd van de Mossad. In tegenstelling tot de normale Mossad-bureaus opereert hij niet vanuit de Israëlische ambassade. De bureaus van Al zijn gevestigd in safe houses of appartementen.

Al is onderverdeeld in drie teams, die werken als bureaus. Stel dat morgen om de een of andere reden de relatie tussen Israël en Groot-Brittannië verslechtert en dat de Mossad het Verenigd Koninkrijk moet verlaten. Dan zou er snel een Al-team naar Londen kunnen worden gestuurd en de volgende dag zou alles volledig clandestien van opzet zijn. De Al-katsa's behoren tot de meest ervarenen binnen het Instituut.

Als het in de Verenigde Staten mis zou lopen, zouden de gevolgen niet te overzien zijn. Dat er niet via de ambassade kan worden gewerkt levert problemen op, vooral wat betreft de communicatie. Wanneer Al-mensen in de Verenigde Staten worden gepakt, worden ze als spionnen gevangen gezet. Ze genieten geen diplomatieke onschendbaarheid. Voor een katsa van een normaal bureau is, dankzij die politieke onschendbaarheid, uitzetting het ernstigste dat hem kan overkomen. Officieel heeft de Mossad een verbindingsbureau in Washington, dat is alles.

Een ander punt is dat opereren vanuit de Israëlische ambassade in Washington sowieso niet goed mogelijk is. De ambassade ligt achter een winkelcentrum, een eind heuvelopwaarts aan de International Drive. Er is daar vrij weinig in de buurt, behalve de Jordaanse ambassade, die nog verder heuvelopwaarts ligt en uitkijkt op de Israëlische – geen gunstige lokatie voor een uitvalsbasis van clandestiene activiteiten.

Overigens heeft de Mossad, ondanks geruchten die het tegendeel beweren, geen bureau in de Sovjetunie. Zo'n 99,99 procent van de informatie over het Oostblok wordt verkregen middels 'positieve ondervraging', het interviewen van joodse emigranten uit het Sovjetblok. De informatie die zij geven wordt geanalyseerd en verwerkt en zo ontstaat een beeld van wat er in de Sovjetunie gaande is. Dat beeld is zo goed dat het gemakkelijk kan worden aangezien voor werk van een ter plaatse actieve inlichtingendienst. Maar het was te gevaarlijk om daar te werken. De Mossad beperkte zich ertoe mensen het land uit te helpen, vluchtroutes uit te stippelen en dergelijke. Dat is de taak van een afzonderlijke organisatie, die werkt onder de auspicien van de Mossad: *nativ*, Ivriet voor 'pad' of 'doorgang'. De Oostblok-informatie heeft een grote ruilwaarde. In combinatie met in andere landen verzamelde gegevens - zoals de radarinformatie van de Denen – geeft het een aardig beeld.

De Amerikanen beseffen niet hoeveel informatie de Mossad binnenkrijgt via de NAVO, informatie waarmee kan worden gemanipuleerd zodat er een veel levendiger beeld ontstaat. In het pre-Gorbatsjovtijdperk waren de Russische nieuwsbronnen natuurlijk vrij sober, maar er kwamen altijd gegevens binnen, uit geruchten en mondelinge mededelingen. Zelfs over troepenverplaatsingen. Iemand kon bijvoorbeeld klagen dat zijn neef was gemobiliseerd en dat hij er sindsdien niets meer van had vernomen. Ook al kwamen er op een dag maar tien mensen uit het sovjetblok Israël binnen, dan kon dat nog een zeer aanzienlijke hoeveelheid informatie opleveren.

De bureaus van Al werken, hoewel ze buiten de ambassade vallen, voor het merendeel toch als gewone bureaus. Ze communiceren rechtstreeks met het hoofdkwartier in Tel Aviv, per telefoon, telex of computermodem, maar maken geen gebruik van communicatiesystemen die werken met radiopulsen. Dergelijke boodschappen zouden de Amerikanen niet kunnen ontcijferen, maar ze zouden dan in elk geval toch weten dat er iets clandestiens aan de hand was, en dat wil de Mossad natuurlijk vermijden. Ook de afstand speelt een rol.

Al-katsa's zijn de enigen in de hele organisatie die gebruik maken van Amerikaanse paspoorten. Zij nemen één basisregel niet in acht: als dekmantel gebruiken ze de nationaliteit van het land waarin ze opereren. De regel is dat je je in Engeland nooit uitgeeft voor een Engelsman, in Frankrijk nooit voor een Fransman. Dat maakt het te eenvoudig voor je 'landgenoten' je papieren te onderzoeken. Laat je bijvoorbeeld aan een Parijse politieman je Franse rijbewijs zien, dan is het voor hem een koud kunstje te controleren of het echt is.

Voor Al speelt dit probleem niet want de afdeling beschikt over papieren van uitzonderlijke kwaliteit. Dat moet ook wel. Op *vijandelijk* terrein moet je niet worden gepakt want dan ga je eraan. In de *Verenigde*

Staten, de trouwste vriend, moet je niet worden gepakt want dan gaat je hele land eraan. De FBI heeft waarschijnlijk af en toe vermoedens, maar weet niet echt iets.

Het volgende verhaal heb ik gehoord van Ury Dinure, de leider van het Al-bureau in New York, die ooit mijn NAKA-instructeur was. Dinure was actief betrokken bij een operatie die gevolgen heeft gehad voor de internationale politiek van de VS, een ernstig binnenlands probleem opleverde voor de toenmalige president Jimmy Carter en aanleiding was tot een onfris conflict tussen Amerikaanse joden en de leiders van de Amerikaanse zwarte gemeenschap. Waren de Amerikanen op de hoogte geweest van de omvang en de aard van de betrokkenheid van de Mossad, dan had dat gevaarlijk – misschien zelfs funest – kunnen zijn voor de vanouds goede betrekkingen tussen de twee landen.

De gewichtigste gebeurtenis in 1979 was de totstandkoming van het 'kader voor vrede', waarvan sprake was in de akkoorden die in september 1978 in Camp David waren ondertekend door Carter, de Egyptische president Anwar Sadat en de Israëlische premier Menahem Begin. Het grootste deel van de Arabische wereld had geschokt en kwaad gereageerd op Sadat. Begin kreeg vrijwel direct na zijn vertrek uit Camp David spijt.

De Amerikaanse minister van Buitenlandse Zaken Cyrus Vance had ter elfder ure met een pendeldiplomatieke benadering geprobeerd nog voor 17 december – de in het Camp-Davidakkoord genoemde uiterlijke datum – een vredesverdrag tussen Israël en Egypte tot stand te brengen. Dit mislukte op het allerlaatste moment omdat Begin weigerde serieus te onderhandelen, waarmee hij nogal wat wantrouwen tussen Washington en Jeruzalem veroorzaakte. In het voorjaar van 1979 stuurde Begin zijn legendarische minister van Buitenlandse Zaken Moshe Dayan naar Brussel voor een ontmoeting met Vance en Moustafa Khalil, de premier van Egypte, om te zoeken naar een manier om de vastgelopen onderhandelingen te hervatten. Maar Begin kondigde botweg aan dat Dayan alleen zou praten over 'hoe, wanneer en waar' de onderhandelingen zouden worden hervat en dat hij het niet zou hebben over de feitelijke inhoud van het Camp-Davidakkoord.

Eind december 1978 had de meestal verdeelde Knesset met zesenzestig tegen zes stemmen laten blijken het eens te zijn met Begins harde opstelling tegenover Washington en Caïro. Ter illustratie van die gemoedsgesteldheid staakte Israël het terughalen van militair materieel waartoe was beloten om de terugtrekking uit de Sinaï die zou volgen op een vredesverdrag sneller te kunnen laten verlopen. Israël verhevigde ook de aanvallen op Palestijnse kampen in Libanon, wat Richard Stone, democraat uit Florida en voorzitter van de senaatscommissie voor het Midden-Oosten en Zuid-Azie, ertoe bracht te zeggen dat de Israëliers 'de wagens in een cirkel leken te hebben gezet'.

Na de stemming in de Knesset belde Begin met joodse leiders in de VS, die pro-Israëlische groeperingen daar moesten aansporen brieven en telegrammen te sturen naar het Witte Huis en het Congres. Een groep van 33 joodse intellectuelen, onder wie de schrijvers Saul Bellow en Irving Howe, die eerder kritiek hadden gehad op Begins onbuigzaamheid, stuurde Carter een brief waarin Washingtons steun aan Caïro 'onaanvaardbaar' werd genoemd.

In de hoop de besprekingen weer op gang te krijgen vroegen de Verenigde Staten in februari 1979 zowel Israël als Egypte naar Camp David te komen voor een bespreking met Cyrus Vance. Beide partijen stemden toe, hoewel Israël verbolgen was over een door Vance' ministerie samengesteld en naar het Congres gestuurd rapport over mensenrechten dat verwees naar verslagen over 'systematische' mishandeling van Arabieren op de bezette westelijke Jordaanoever en in de Gazastrook.

Twee weken voordat de *Washington Post* het verslag publiceerde, waren Israëlische legertanks bij zonsopgang dorpen op de westelijke Jordaanoever binnengereden, waarbij ze vier huizen van Arabieren hadden verpletterd. Ook had de regering bij Nueima, ten noordoosten van Jericho, een nieuwe voorpost opgericht die moest uitgroeien tot een joodse nederzetting – de 51ste op de westelijke Jordaanoever, waar ongeveer 5000 joden wonen tussen 692 duizend Palestijnen.

In maart, midden in deze chaos, lanceerde Carter zijn eigen zesdaagse missie naar Cairo en Jeruzalem. Ondanks de magere vooruitzichten slaagde hij erin de beide kampen te laten instemmen met een door de VS opgesteld compromis, waardoor de twee vijandige naties dichter bij de vrede kwamen dan ze in meer dan dertig jaar waren geweest. De prijs die Carter hiervoor betaalde was een extra-hulp aan Egypte en Israël van meer dan $5 miljard, over een periode van drie jaar. De twee grootste struikelblokken waren de bezwaren van Israël – dat zelf geen oliebronnen bezit – tegen de teruggave aan Egypte van de olievelden in de Sinaï-woestijn en natuurlijk het nog steeds niet opgeloste vraagstuk van de Palestijnse autonomie.

In mei wees Carter de 60-jarige Texaan Robert S. Strauss, ex-voorzitter van het Democratic National Committee, aan als topbemiddelaar voor de tweede fase van de vredesonderhandelingen. Terwijl Israël formeel instemde met het compromis, bleef het aanvallen uitvoeren op PLO-bases in Libanon. Begins kabinet stemde met acht tegen vijf voor de bouw van weer een nieuwe joodse nederzetting, bij Elon Moreh op de bezette westelijke Jordaanoever. Hierop reageerden 59 prominente Amerikaanse joden met een open brief aan Begin waarin ze Israëls politiek met betrekking tot het stichten van joodse nederzettingen in de dichtbevolkte Arabische gebieden kritiseerden.

Alles werd nog ingewikkelder toen Begin een lichte hartaanval kreeg en Dayan ontdekte dat hij kanker had. De inflatie in Israël liep tegen de honderd procent. Het tekort op de betalingsbalans van het land naderde de $4 miljard en de totale buitenlandse schuld was in vijf jaar verdubbeld tot $13 miljard, wat een binnenlandse politieke crisis teweeg bracht. Dit werd verergerd door de verontwaardigde reactie van veel joden op Carters vergelijking van de strijd van de Palestijnen met die van de Amerikaanse burgerrechtenbeweging.

Zowel Sadat als Carter begonnen bij Israël aan te dringen op goedkeuring van een plan voor Palestijnse autonomie. De Arabische landen waren voor een onafhankelijke, soevereine staat op de westelijke Jordaanoever en de Gazastrook, als tehuis voor de Palestijnen die daar al woonden en voor de miljoenen daarbuiten. De Israëli's voelden niets voor het idee van een nieuwe vijandige staat aan hun eigen grens – en zeker niet voor een die werd geleid door PLO-leider Yasser Arafat. Israël was bang dat de Amerikaanse afhankelijkheid van Arabische olie de Verenigde Staten in de richting van Arabische belangen dreef.

Begin was nog steeds herstellende en Dayan probeerde de regering te leiden. In augustus adviseerde hij de Verenigde Staten de PLO niet te erkennen en niet aan te dringen op een geheel onafhankelijke Palestijnse staat op de westelijke Jordaanoever en de Gazastrook. Aan het einde van een stormachtig, vijf uur durend kabinetsberaad stemden de Israëliers voor een waarschuwing aan de Verenigde Staten zich aan hun eerder gedane toezeggingen te houden, vooral aan de belofte een veto uit te spreken tegen elke poging van Arabische staten veranderingen aan te brengen in VN-resolutie 242 uit 1967, die Israëls bestaansrecht erkent. Israël dreigde zich terug te trekken uit de vastgelopen onderhandelingen over 'autonomie' wanneer de Amerikanen te zeer bleven hameren op het aanknopen van relaties met de PLO.

Wat de Israëliers woedend had gemaakt was een machtsspel dat Saoedi-Arabië, Koeweit en de PLO eerder die zomer hadden gespeeld in een poging de zaken naar hun hand te zetten. De Saoediërs waren in juli begonnen en hadden voor drie maanden hun olieproduktie verhoogd met een miljoen vaten per dag, waarmee ze verlichting brachten in het tekort dat in mei en juni voor lange rijen had gezorgd bij de benzinepompen in de Verenigde Staten. De PLO had een verzoenende houding aangenomen, in het openbaar tenminste, waarmee zij haar in het westen nogal geschonden imago hoopte op te lappen. Koeweitse VN-diplomaten stelden een ontwerpresolutie voor waarin Israëls bestaansrecht (Resolutie 242) werd gecombineerd met internationale erkenning van het Palestijnse recht op zelfbeschikking.

Het plan was in juni ontstaan tijdens een vergadering in Ar-Riyad, waarvoor de Saoedische kroonprins Fahd Arafat had uitgenodigd om hem over te halen zijn relatie met de Verenigde Staten te verbeteren, om te beginnen door een, op zijn minst tijdelijke, beperking van terroristische activiteiten. Koeweit was erbij gehaald vanwege de alom gerespecteerde diplomatieke kwaliteiten van Abdalla Yaccoub Bishara, die toen namens Koeweit in de Veiligheidsraad van de VN zat.

Om Israël gunstig te stemmen waren de Amerikanen vierkant tegen elk ontwerp waarin sprake was van een onafhankelijke Palestijnse staat, maar ze sloten een eventuele mildere resolutie die de politieke rechten van de Palestijnen erkende en de tekst van Resolutie 242 op een lijn bracht met het akkoord van Camp David, niet uit.

In een op de haven van Haifa uitkijkend hotel op de Berg Carmel werden de onderhandelingen over autonomie gehouden. Toen de Egyptische premier Moustafa Khalil aankondigde dat zijn land een VN-resolutie over Palestijnse rechten zou steunen, beschuldigde Shmuel Tamir, de Israëlische minister van justitie, Egypte ervan 'het hele lopende vredesproces in gevaar te brengen.'

Natuurlijk was ook de Mossad ongerust over de gang van zaken, en in het bijzonder over de steeds groter wordende binnenlandse rol van Eizer Weizman, de Israëlische minister van defensie. De Mossad wantrouwde Weizman, een voormalige piloot die tijdens de Zesdaagse oorlog onderbevelhebber van de strijdkrachten was geweest, een heroïsche aanvoerder en vader van de legendarische Israëlische lucht-macht. De Mossad zag hem als een Arabierenvriend en geloofde zelfs dat hij een verrader was. Die vijandigheid jegens hem was belachelijk. Hoewel hij minister van Defensie was, kreeg hij geen topgeheimen te horen. Weizman had een soepele geest, hij was het soort man dat het op een bepaald punt helemaal met je eens kan zijn en op een ander punt absoluut oneens. Weizman stond zijn mannetje. Hij heeft nooit gedaan wat de partij hem voorschreef. Hij volgde zijn eigen inzichten. Derge-lijke mensen zijn gevaarlijk want ze zijn onvoorspelbaar.

In een land waar zo ongeveer iedereen in het leger dient, is het leger belangrijk. Zo kom je aan een regering die voor zeventig procent uit generaals bestaat. Men lijkt niet in te zien wat daar verkeerd aan is – aan mensen die opleven wanneer ze de geur van kruit opsnuiven.

Zelfs Begin en Dayan hadden hun meningsverschillen. Dayan, afkom-stig uit de Arbeiderspartij, had die partij verlaten om zich bij de charis-matische rechtse Begin te voegen. Maar in de manier waarop zij tegen de Palestijnen aankeken verschilden zij hemelsbreed van elkaar. Dayan zag hen, evenals de meeste Labour-mensen van zijn generatie, als tegenstanders, maar ook als mensen. Begin en zijn partij zagen wanneer ze naar de Palestijnen keken geen mensen; zij zagen een pro-bleem. Dayan zou zeggen: 'Ik zou liever in vrede leven met deze men-sen en ik herinner me de tijd dat het zo was.' Begin zou zeggen: 'Ik zou willen dat ze er niet waren, maar ze zijn er nu eenmaal.' Met zulke verschillende visies is het niet vreemd dat de wrijving tussen de twee steeds groter werd.

Ondertussen had de Mossad contact gelegd met opiumplanters in Thailand. De Amerikanen probeerden boeren te dwingen op te hou-den met de produktie van opium en over te stappen op koffie. De Mos-sad wilde erheen, om te helpen bij de koffieteelt, maar ook bij de ex-port van opium, wat geld kon opleveren voor Mossad-operaties.

Een van die operaties was de onophoudelijke strijd die Al in New York en Washington voerde ter ondermijning van de Arabische pogingen de VS om assistentie te vragen bij het streven de PLO – of de Palestijnen in het algemeen – via de VN een hogere status te bezorgen.

De Israëliers waren daar natuurlijk niet erg blij mee. Aan de lopende band waren er aanvallen op Israëlische dorpen en bloedbaden geweest, er dreigde voortdurend gevaar. Ook wanneer de beschietingen even ophielden, bleef de angst. In warenhuizen en bioscopen werden tassen gecontroleerd. Wanneer iemand in een bus een tas zonder eigenaar ontdekte, werd de chauffeur ingelicht, de bus gestopt en iedereen gesommeerd uit te stappen. Iemand die zijn attachékoffer per ongeluk ergens liet staan, kon er zeker van zijn dat die in beslag werd genomen en opgeblazen.

Vele Palestijnen van de westelijke Jordaanoever werkten in Israël. Veel Israëliers hadden op de westelijke Jordaanoever gepatrouilleerd en wisten dat ze werden gehaat door de Palestijnen. Ook als je links was en vond dat ze het recht hadden je te haten, dan nog wilde je er heelhuids vanaf komen.

Voor rechtse mensen was het normaal uiting te geven aan hun wantrouwen jegens Palestijnen; zij voelden dat ze in een vicieuze cirkel zaten. Een links iemand zou kunnen zeggen: 'Laat ze verkiezingen houden,' en de rechtse persoon zou zeggen: 'Geen sprake van. Ze zullen iemand kiezen met wie ik niet wil praten.' Dan zou de linkse persoon zeggen: 'Maar ze hebben een wapenstilstand afgekondigd.' De rechtse antwoordt: 'Hoezo wapenstilstand? Wij zien de Palestijnen niet als een groep die een wapenstilstand kan afkondigen.' De volgende dag zou er ergens iets ontploffen en rechts zou zeggen: 'Zie je, ik heb toch gezegd dat ze zich niet aan een wapenstilstand houden!'

Al opereerde ongeveer sinds 1978 in New York en probeerde inzicht te krijgen in de Arabische activiteiten rondom de vredesonderhandelingen waar Carter op aanstuurde. In september 1975 had minister van Buitenlandse Zaken Henry Kissinger officieel toegezegd dat de Verenigde Staten de PLO niet zouden erkennen en er niet mee zouden onderhandelen voordat de organisatie Israëls bestaansrecht had erkend. President Gerald Ford en na hem president Carter kondigden aan dat zij zich aan die toezegging zouden houden. Toch vertrouwden de Israëliers het niet helemaal.

In november 1978, na de Camp David-onderhandelingen, was Paul Findley, Republikeins Congreslid uit Illinois en lid van het Foreign Affairs Committee van het Huis van Afgevaardigden, met een boodschap van Carter voor Arafat naar Damascus gestuurd. Arafat antwoordde dat de PLO geen geweld meer zou gebruiken wanneer op de westelijke Jordaanoever en de Gazastrook, met daartussen een corridor, een onafhankelijke Palestijnse staat gevormd zou worden.

Carter had al in 1977 gevraagd om een Palestijns 'thuisland'. In het voorjaar van 1979 ontmoette de Amerikaanse ambassadeur in Oostenrijk, Milton Wolf, een prominente joodse leider, de plaatselijke PLO-vertegenwoordiger Issam Sartawi, eerst op een receptie van de Oostenrijkse regering en daarna op een cocktailparty van een of andere Arabische ambassade. Wolf had instructies van Washington om contact met Sartawi te leggen, maar niet over belangrijke zaken te spreken. Half juli, toen Arafat naar Wenen ging om een bezoek te brengen aan de Oostenrijkse bondskanselier Bruno Kreisky en de voormalige Westduitse bondskanselier Willy Brandt, hadden Wolf en Sartawi een serieuze ontmoeting en spraken ze over de onderhandelingen. Toen daar iets over uitlekte verklaarde het ministerie van Buitenlandse Zaken dat Wolf officieel was 'herinnerd' aan het VS-beleid, dat gericht was tegen onderhandelingen met de PLO, maar de Mossad wist dat Wolf rechtstreeks in opdracht van Washington had gehandeld.

In de Verenigde Staten begon men steeds meer te verlangen naar een of andere vredesregeling. Ook de Arabieren waren hiervan de voordelen gaan inzien en de Mossad kwam er dankzij het netwerk van afluisterapparatuur in de huizen en kantoren van verschillende Arabische ambassadeurs en leiders in New York en Washington achter, dat de PLO wel eens achter Kissingers standpunt uit 1975 zou kunnen gaan staan en Israëls bestaansrecht erkennen.

De VS-ambassadeur bij de VN was toen Andrew Young, een zwarte liberaal uit het Zuiden en een goede vriend en trouwe supporter van Carter. Hij werd beschouwd als de belangrijkste tussenpersoon tussen het Witte Huis en de zwarte gemeenschap.

Young, een openhartige en vaak controversiële ambassadeur, was een produkt van de Amerikaanse burgerrechtenbeweging en had de neiging het op te nemen voor de underdog, iets dat door Israël eerder als anti-Israëlisch dan pro-Palestijns werd uitgelegd. Young geloofde dat Carter streefde naar een oplossing, een regeling die enige verandering zou brengen in de uitzichtloze situatie van de Palestijnen en vrede zou brengen.

Young was tegen nieuwe nederzettingen op de westelijke Jordaanoever, maar wilde uitstel van de door de Arabieren geplande presentatie van een resolutie waarin de VN werden gevraagd de PLO te erkennen. Youngs argument was dat deze resolutie toch nergens toe zou leiden en dat het beter was een compromis-resolutie op te stellen, waarmee het beoogde doel weliswaar niet op korte termijn kon worden bereikt, maar die een grotere kans maakte te worden goedgekeurd.

De Koeweitse ambassadeur Bishara was de drijvende kracht achter de Arabische resolutie en stond natuurlijk voortdurend in contact met Zehdi Labib Terzi, de onofficiele vertegenwoordiger van de PLO bij de VN. Al had in heel New York en Washington appartementen gehuurd en tal van afluisterinstallaties aangebracht en op 15 juli werd een telefoongesprek tussen Bishara en Young opgevangen. Ze hadden het erover dat de Arabieren het debat van de Veiligheidsraad over de resolutie niet konden uitstellen en dat Young het moest bespreken met iemand van de PLO.

Young liet Bishara weten dat hij 'geen vertegenwoordigers van de PLO kon ontmoeten', maar hij voegde eraan toe: 'evenmin zou ik een uitnodiging van een lid van de Veiligheidsraad om bij hem thuis over zaken te komen praten kunnen afslaan.' Hiermee doelde hij natuurlijk op Bishara, die in de Veiligheidsraad zat. Young zei verder nog dat hij niet alleen niet in staat was zo'n uitnodiging af te slaan maar 'ik kan ook niet weten wie er allemaal in jouw huis zit.'

Op 25 juli 1979 kwam er bij het Mossad-hoofdkwartier in Tel Aviv een telegram uit New York binnen. Er stond in: 'VS-ambassadeur bij VN gaat onderhandelen met PLO-vertegenwoordiger bij VN.' Op het telegram stond: 'Urgent. Tiger. Black,' wat inhield dat het alleen bestemd was voor de premier en een paar van zijn topfunctionarissen – bij elkaar waarschijnlijk niet meer dan vijf mensen.

Het werd gecodeerd afgeleverd op het kantoor van het hoofd van de Mossad, Yitzhak Hofi. Hofi overhandigde de gedecodeerde boodschap persoonlijk aan Begin. De Israëlische topambtenaren schrokken geweldig toen ze lazen dat Young Terzi zou ontmoeten. In de boodschap stond ook vermeld dat de informatie afkomstig was uit opnamen van Bishara's privélijn in zijn VN-kantoor en dat Young bij Bishara thuis was uitgenodigd en de uitnodiging had aangenomen.

Toen was het de vraag of men de ontmoeting moest verhinderen of juist niet. Wanneer ze besloten het bezoek door te laten gaan, hadden ze het bewijs dat Israëls bange vermoedens klopten, dat er iets veranderde in de houding van de VS jegens Israël. Dit zou hun hooggeplaatste Amerikaanse vrienden de ogen openen en een verandering ten gunste van Israël kunnen teweegbrengen. Hiermee zou duidelijk worden dat het hele onderhandelingsproces Israëls veiligheid in gevaar bracht. Bovendien was het een kans om van Young af te komen, die vanwege zijn onbevangen benadering van en positieve houding tegenover de

PLO als een te grote bedreiging werd gezien. Hij stond Israël in de weg. Op 26 juli wandelde Young met zijn 6-jarige zoon Andrew Bishara's huis aan Beekman Place binnen. Terwijl de Al-microfoons elk woord oppikten, werd Young begroet door Bishara en de Syrische ambassadeur. Vijf minuten later arriveerde Terzi en terwijl Youngs zoon een kwartier in zijn eentje speelde, vergaderden de vier diplomaten en leken het met elkaar eens te zijn dat de vergadering van de Veiligheidsraad verschoven moest worden van 27 juli naar 23 augustus. (De vergadering werd inderdaad uitgesteld.)

Direct daarna vertrok Young met zijn zoon. Binnen een uur zat Alkatsa en bureauhoofd Ury Dinure met de volledige transcriptie van de vergadering in een El-Alvliegtuig van New York naar Tel Aviv. Hij werd op het vliegveld opgehaald door Yitzhak Hofi, die al een telegram had ontvangen: 'De spin heeft de vlieg verzwolgen.' De twee mannen brachten de transcriptie regelrecht naar Begin. Hofi las de tekst onderweg.

Dinure was zes uur in Israël, daarna vloog hij terug met een kopie van de transcriptie die bestemd was voor Israëls VN-ambassadeur Yehuda Blum, een in Tsjechoslowakije geboren expert op het gebied van internationaal recht.

Hofi wilde niet dat het nieuws over de bijeenkomst uitlekte naar de media. Hij wilde vooral het netwerk in New York niet verspelen. Hij redeneerde dat Begin meer kon bereiken door naar de Amerikaanse regering te stappen en die aan te spreken – zoals ze ook hadden gedaan na Milton Wolfs ontmoeting met de PLO in Wenen. Hofi zei dat het in de VS niet goed zou vallen wanneer ze iets ondernamen tegen Young, die populair was bij de zwarten. Ze zouden immers meer toezeggingen van de Amerikanen kunnen krijgen wanneer ze alles achter de schermen afhandelden.

Maar Begin was niet geïnteresseerd in diplomatie. Hij wilde bloed zien. 'Ik wil dat het bekend wordt,' zei hij. Ze waren het met elkaar eens dat het geen zin had alle informatie vrij te geven en het risico te lopen hun bron te verspelen. Vandaar dat *Newsweek* alleen te horen kreeg dat Young en Terzi elkaar hadden ontmoet. Dat riep natuurlijk vraagtekens op bij het ministerie van buitenlandse zaken en men vroeg Young om een verklaring. Zijn eerste versie luidde dat hij met zijn zoontje was gaan wandelen en had besloten even bij Bishara langs te gaan, waar hij tot zijn verbazing Terzi had getroffen. Hij zei dat er 'vijftien of twintig minuten luchtig was gebabbeld' en verder niets.

Minister Vance, die terug vloog uit Ecuador, kreeg per telegram Youngs verklaring te lezen. Opgelucht dat het maar een toevallige ontmoeting was, gaf Vance de woordvoerder van het ministerie van Buitenlandse Zaken Tom Reston opdracht Youngs versie op maandag 13 augustus om 12 uur bekend te maken.

Toen alles leek over te waaien, zorgde de Mossad voor geruchten die bij Young terecht kwamen: als hij dacht dat Israël het hierbij zou laten, had hij het mis.

Bezorgd vroeg Young om een gesprek met Yehuda Blum, en dat kreeg hij, twee uur lang. Blum had echter – en dat wist Young niet – de transcriptie van Youngs gesprek met Bishara en Terzi en wist dus alles. Hij was niet dol op Young en in het merendeel van zijn verslagen kwam Young er niet bijster goed vanaf. Maar Blum was een ervaren diplomaat en daarom slaagde hij erin het hele verhaal los te krijgen: Young vertelde hem veel meer dan hij Buitenlandse Zaken had verteld. Dat betekende dat ze konden doen alsof ze alles van Young zelf hadden gehoord; niemand hoefde erachter te komen dat ze alles al wisten.

Young, die nog steeds geloofde dat Israëls belangrijkste doel was de onderhandelingen op gang te krijgen, wist niet dat hij in de val was gelokt. Na de bespreking met Blum en Youngs bekentenis, belde Begin de Amerikaanse ambassadeur in Israël met een officiële klacht. Die klacht ging rond dezelfde tijd ook naar de media, zodat men er zeker van kon zijn dat hij niet onopgemerkt zou blijven.

Op 14 augustus lag er om 7 uur 's ochtends een spoedtelegram van de Amerikaanse ambassade in Israël op Vance' tafel in Washington. Er stond in wat Young volgens de Israëli's aan Blum had verteld, wat aanzienlijk afweek van wat Young het ministerie van Buitenlandse Zaken had voorgeschoteld – en het ministerie de dag tevoren aan de media. Vance ging naar het Witte Huis en zei Carter dat Young moest aftreden. Carter gaf zijn voorlopige toestemming maar zei dat hij er nog een nacht 'over moest slapen'.

Young arriveerde de volgende dag, 15 augustus 1979, om 10 uur 's ochtends in het privégedeelte van het Witte Huis, met de brief waarin hij zijn aftreden aankondigde. Na een anderhalf uur durend gesprek met Carter ging hij een poosje weg, waarna hij weer terugkwam. De twee gingen naar Hamilton Jordans kantoor, waar stafleden van het Witte Huis zich hadden verzameld. Terwijl Carter een arm om zijn schouder hield geslagen, vertelde Young zijn vrienden dat hij was afgetreden. Twee uur later kondigde Jody Powell, de woordvoerder van het Witte Huis, die zich maar nauwelijks goed kon houden, aan dat Young, helaas, aftrad.

De Amerikaanse vredesonderhandelaar Strauss zei in het vliegtuig naar het Midden-Oosten: 'De Young-affaire... versterkt de onbevestigde vermoedens dat de Verenigde Staten in het geheim praten met de PLO.'

Young probeerde zijn daad achteraf te verdedigen en zei: 'Ik heb niet gelogen, ik heb alleen niet de hele waarheid gezegd. Ik ben mijn verklaring (aan het ministerie van Buitenlandse Zaken) begonnen met de mededeling: "Ik zal jullie een officiële lezing geven," en ik gaf een officiële lezing, waarvan geen enkel woord gelogen is.'

Maar het kwaad was geschied. Young was weg en het zou een tijd duren voordat er weer een Amerikaan was die met de PLO wilde praten. En zo was Al er dankzij zijn uitgebreide netwerk van clandestiene activiteiten in geslaagd een einde te maken aan de carrière van een van Carters beste vrienden – die niet werd gezien als een vriend van Israël.

De krantekoppen over de geschiedenis begonnen iets kleiner te worden, toen Ury Dinure meldde dat de grond hem te heet onder de voeten werd en dat hij overgeplaatst wilde worden. Alle Mossad-safe houses werden gesloten, de hele operatie in New York verhuisde naar andere appartementen. De Mossad rekende op een tegenzet, maar die kwam niet. Het was als het luisteren naar een bom die fluitend omlaag komt. Je zit te wachten tot hij valt, te wachten op de knal, maar het is een blindganger.

De politieke neerslag van deze gebeurtenis bleek al snel een van de zwartste hoofdstukken uit de geschiedenis van de relaties tussen joden en zwarten in de Verenigde Staten.

Amerikaanse zwarte leiders waren ontzet over Youngs vertrek. Burgemeester Richard Hatcher van Gary in Indiana, vertelde het weekblad *Time* dat het een 'gedwongen aftreden' was en 'een belediging voor zwarte mensen'. Benjamin Hooks, directeur van de National Association for the Advancement of Coloured People (NAACP), zei dat Young gemaakt was tot 'offerlam voor omstandigheden buiten zijn schuld'. Hij zei dat Young in plaats van zijn baan te verliezen 'een presidentiële medaille had moeten krijgen' voor zijn 'briljante diplomatieke zet'.

Dominee Jesse Jackson, de latere presidentskandidaat, zei: 'Er hangt door het gedwongen aftreden overal in het land een enorme spanning.' Hij beschreef de relaties tussen joden en zwarten als 'meer gespannen dan ze in vijfentwintig jaar zijn geweest.'

Young zelf zei dat er geen polarisatie zou optreden tussen zwarte en joodse leiders, maar hij voorspelde dat er 'iets als een confrontatie tussen vrienden' zou ontstaan. Hij zei dat de hieruit voortvloeiende houding van de zwarte gemeenschap jegens het Midden-Oosten 'geenszins moest worden gezien als anti-joods. De nieuwe houding is pro-Palestijns, en het is de taak van de joodse gemeenschap een manier te vinden om daarmee om te gaan.'

Andere zwarte leiders wilden weten waarom Young werd weggestuurd na overleg met de PLO terwijl ambassadeur Wolf, een prominente joodse leider, niet was ontslagen nadat hij verschillende besprekingen met de PLO had gevoerd. Het belangrijkste verschil was natuurlijk dat Wolf er niet over had gelogen.

Inderdaad leek de PLO, en niet Israël, de partij die het meest had gewonnen bij dit gekonkel. Meer en meer zwarte Amerikaanse organisaties betuigden Young hun steun, en de PLO-zaak, waarover de media tevoren voornamelijk hadden gezwegen, kreeg plotseling meer aandacht en er werd positiever over bericht. Eind augustus stond dominee Joseph Lowery, voorzitter van de Southern Christian Leadership Conference, aan het hoofd van een delegatie die in New York aan Terzi onvoorwaardelijke steun voor de 'mensenrechten van alle Palestijnen, inclusief het recht op zelfbeschikking met betrekking tot hun geboorteland' kwam toezeggen. De volgende dag zei de groep tijdens een bespreking met ambassadeur Blum zich 'niet te verontschuldigden voor onze steun aan de Palestijnse mensenrechten, net zomin als we ons bij de PLO verontschuldigen voor onze voortdurende steun aan de staat Israël.' Blum zou hebben geantwoord: 'Het is belachelijk ons gelijk te stellen met de PLO. Dat is zoiets als criminelen vergelijken met de politie.'

Een week later kwamen in het hoofdkwartier van de NAACP in New York tweehonderd Amerikaanse zwarte leiders bij elkaar. Ze verklaarden: 'Sommige joodse organisaties en intellectuelen die voorheen hetzelfde nastreefden als zwarte Amerikanen... zijn pleitbezorgers geworden voor de raciale status quo... Joden moeten meer begrip tonen en zich goed beraden voordat ze posities innemen die strijdig zijn met de belangen van de zwarte gemeenschap.'

Een groep van elf joodse organisaties antwoordde dat ze: 'met bezorgdheid en boosheid had kennis genomen van deze mededelingen. Wij kunnen niet werken met mensen die hun toevlucht nemen tot halve waarheden, leugens en kwezelarij, in welke gedaante of van welke oorsprong ook... We kunnen niet werken met mensen die bezwijken voor Arabische chantage.'

Op 8 oktober verscheen in *Time* een foto van Jesse Jackson die Yasser Arafat omarmde tijdens een bezoek aan het Midden-Oosten. Jackson had deze ontmoeting georganiseerd nadat Begin te kennen had gegeven hem vanwege zijn sympathie voor de PLO niet te willen ontvangen. Jackson noemde Begins weigering 'een afwijzing van de zwarten in Amerika, van hun steun en hun geld.' Lowery, die er ook bij was, zong samen met Arafat *We Shall Overcome*.

Later die maand probeerde Vernon E. Jordan Jr., president van de National Urban League, in een redevoering die hij hield in Kansas City de gemoederen wat tot bedaren te brengen met de woorden: 'De relatie tussen zwarten en joden moeten niet in gevaar worden gebracht door onbezonnen geflirt met terroristische groeperingen die de uitroeiing van Israël tot doel hebben. De zwarte burgerrechtenbeweging heeft niets gemeen met groeperingen die zelf door koelbloedige moorden op onschuldige burgers en schoolkinderen afbreuk doen aan hun aanspraken op erkenning.'

Jackson, die de PLO een 'regering in ballingschap' noemde, overlegde in Chicago met Jordan, waarna de laatste verklaarde: *We agreed to disagree without being disagreeable* ('We zijn overeengekomen het op een niet onaangename manier met elkaar oneens te zijn').

Zo niet echter Moshe Dayan. Op een zondagochtend in oktober 1979 kondigde Dayan, die Begins harde lijn tegenover de Palestijnen beu was, tijdens een kabinetsvergadering zijn aftreden aan. Begin moest zelf maar minister van Buitenlandse Zaken worden. In een interview dat hij vervolgens gaf aan Dean Fischer, de bureauchef van *Time* in Jeruzalem, en aan correspondent David Halevy, zei Dayan: 'De Palestijnen willen vrede en ze zijn toe aan een of andere schikking. Ik ben ervan overtuigd dat het kan lukken.'

Misschien. Maar hij leefde niet lang genoeg om het mee te maken.

Op dit gebeuren volgde een aantal andere operaties waarbij informatie over senatoren en Congresleden werd verzameld – het leek wel of men er toestemming voor had gekregen. De Amerikanen moeten iets hebben geweten van de betrokkenheid van de Mossad, maar er gebeurde niets. Niemand zei iets. Bij het inlichtingenspel gaat het zo: wanneer je iemand ziet opereren en je kijkt de andere kant op, dan zal hij vervolgens iets gewaagders uithalen, totdat je hem op de vingers tikt of een draai om de oren geeft, net hoe het uitkomt.

Al zal verschillende huizen hebben afgeluisterd, informatie hebben ingewonnen over de Senaat en het Congres, mensen hebben benaderd en geworven. Er zal geïnfiltreerd zijn, er zullen kopieën van documenten zijn bemachtigd, hele diplomatenkoffers zullen zijn omgekeerd – alle gewone bezigheden van een bureau. Katsa's bezochten party's in Washington en New York. Iedereen had zijn eigen onderneminkjes. Een van hen runde een escortservice die nog bestaat.

De Mossad ontkent nog steeds het bestaan van Al. Binnen het Instituut zegt men dat de Mossad niet opereert in de Verenigde Staten. Maar de meesten weten dat Al bestaat, ook al weten ze niet precies wat Al doet.

De grootste grap was, toen de LAKAM plots uit zijn rol viel bij de Pollard-affaire, de mensen van de Mossad bleven zeggen: 'Eén ding staat vast. In de Verenigde Staten werken wij niet.'

Wat alleen maar bewijst dat je een spion niet altijd op zijn woord moet geloven.

Operatie Mozes

Ze waren er allemaal: buitenlandse diplomaten die de drukkende hitte van Khartoum ontvluchtten, toeristen uit Europa die in de Rode Zee wilden gaan duiken of een georganiseerde trip door de Nubische Woestijn maken, Soedanese topambtenaren – allemaal zochten ze ontspanning in het nieuw aangelegde toeristenoord 120 km ten noorden van Port Soedan, ter hoogte van Mekka maar dan aan de andere kant van de zee.

Hoe moesten ze weten dat het oord een dekmantel van de Mossad was? Toen begin januari 1985 de ongeveer 50 gasten op een ochtend ontdekten dat het personeel was verdwenen, op een paar autochtonen die het ontbijt serveerden na, wisten ze niet wat er aan de hand was. Ook nu zijn er nog maar weinig mensen die het weten. Voor de toeristen waren de Europese eigenaars van het oord failliet gegaan, zoals uit achtergelaten briefjes viel op te maken, waarin overigens ook werd beloofd dat ze schadeloos zouden worden gesteld (wat inderdaad gebeurde). Het personeel, mensen van de Mossad en van de Israëlische marine, was 's nachts stilletjes vertrokken, sommigen over zee, anderen per vliegtuig. Ze hadden een grote voorraad voedsel achtergelaten alsmede vier trucks, waarmee de toeristen konden worden teruggebracht naar Port Soedan.

Wat in dit kamp had plaatsgevonden was in feite een van de grootste massaontsnappingen uit de geschiedenis. De wereld kent het verhaal maar ten dele. Onder de naam Operatie Mozes werden duizenden zwarte Ethiopische joden, of Falasha's uit het met droogte kampende en door oorlog verscheurde Ethiopië gered en naar Israël gebracht.

Veel verhalen, hele boeken zelfs, zijn gewijd aan de gewaagde luchtbrug die Israël opzette om de Falasha's heimelijk weg te voeren uit vluchtelingenkampen in Soedan en Ethiopië. Een door de Belgische maatschappij Trans European Airways gecharterde Boeing 707 was gebruikt om ze vanuit Khartoum en Addis Abeba met een omweg via Athene, Brussel, Rome of Bazel naar Tel Aviv te vliegen.

De verhalen, die allemaal zijn verspreid door Mossad-experts in misleidende informatie, willen dat 12.000 zwarte Ethiopische joden werden gered tijdens deze korte, spectaculaire operatie. In werkelijkheid waren het er zo'n 18.000, van wie er maar 5000 door dat beroemde Belgische vliegtuig zijn vervoerd. De rest volgde via het 'toeristenoord' aan de Rode Zee.

Rond de eeuwwisseling woonden enige honderdduizenden Falasha's in Ethiopië, maar aan het begin van de jaren tachtig waren er nog maar hooguit 25.000 over. Ze woonden verspreid, maar voornamelijk in de afgelegen noordwestelijke provincie Begemder. Twee eeuwen lang hadden de Falasha's verlangd naar het beloofde land, maar pas in 1972 werden zij officieel door Israël erkend als joden. De sefardische opperrabbijn Ovadia Yosef verklaarde dat de Falasha's 'zonder enige twijfel afstammelingen waren van de stam van Dan', wat ze tot de bewoners van het bijbelse land Chawila maakte, het zuidelijke deel van wat nu het Arabisch schiereiland heet. De Falasha's geloven in de thora, de Mozaïsche Wet, ze zijn besneden, vieren de sabbath en houden zich aan de spijswetten. Opvallend is dat juist het feit dat de Falasha's het Chanoekafeest niet vieren een van de gegevens was waarop het rabbinaat zijn conclusie baseerde dat zij inderdaad joden zijn. Met dit feest viert men de overwinning van Judas Maccabaeus op Antiochus IV, in 165 v. C., waarna de tempel werd gereinigd en de joodse eredienst hersteld. Maar dit maakte geen deel uit van de geschiedenis van de Falasha's want zij waren lang tevoren, tijdens de regering van Salomo, met de koningin van Sheba uit Israël vertrokken.

Op de bevindingen van de Chief Rabbinical Council besloot een regeringscommissie dat deze Ethiopiërs onder Israëls Wet op de Terugkeer vielen, een wet die alle joden burgerrecht geeft op het moment dat ze in Israël komen wonen.

Toen hij in 1977 premier werd, zwoer Menahem Begin de Falasha's te helpen naar het beloofde land te komen. De Ethiopische leider Mengistu Haile Mariam, die aan het begin van de jaren zeventig in een bittere burgeroorlog was verwikkeld, had strenge straffen in het vooruitzicht gesteld voor elke Ethiopiër die probeerde te ontsnappen, dus stelde Begin voor het land in het geheim wapens te geven in ruil voor heimelijke Falasha-transporten uit zowel Ethiopië als Soedan. Er waren pas 122 zwarte joden vanuit Addis Abeba overgevlogen toen de Israëlische minister van Buitenlandse Zaken Moshe Dayan op 6 februari 1978 aan een radioverslaggever in Zürich meedeelde dat Israël wapens verkocht aan Ethiopië. Mariam, die had gevraagd de deal geheim te houden, weigerde onmiddellijk verder nog mee te werken.

Toen Begin en Anwar Sadat van Egypte in 1979 de Camp-Davidak-koorden ondertekenden, haalde Begin Sadat over met de Soedanese president Jafar al-Numeiri te praten over toestemming voor de Falasha's om vanuit vluchtelingenkampen in Soedan naar Israël te vliegen. De volgende paar jaar bleven er gestaag Falasha's Israël binnenstromen, misschien in totaal 4000, maar hieraan kwam een einde toen Sadat in 1981 werd vermoord en al-Numeiri fundamentalist werd.

Rond 1984 was de toestand echter kritiek geworden. De Falasha's hadden evenals talloze andere Ethiopiërs zwaar te lijden onder droogte en hongersnood. Ze stroomden Soedan binnen, op zoek naar voedsel. In september 1984 had Israëls vice-premier Yitzhak Shamir in Washington een bespreking met de Amerikaanse minister van Buitenlandse Zaken George Shultz. Shamir vroeg de Amerikanen hun invloed op zowel de Egyptenaren als de Saoediërs aan te wenden om al-Numeiri over te halen toestemming te geven voor een reddingsoperatie, waarvoor International Food Aid als dekmantel werd gebruikt. Soedan, dat zelf ook met droogte te kampen had en met een burgeroorlog in het zuiden, was wel blij met het vooruitzicht een paar duizend hongerige monden minder te hoeven voeden. Maar weer vroegen zowel de Soedanese als de Ethiopische functionarissen om absolute geheimhouding.

Van november 1984 tot januari 1985 werd de operatie inderdaad geheim gehouden. Al-Numeiri gaf zijn toestemming en de toenmalige Amerikaanse vice-president George Bush stuurde de eerste week van 1985 een Amerikaanse Hercules naar Khartoum. Daar pikte het vliegtuig vijfhonderd Falasha's op, die rechtstreeks naar Israël werden gevlogen.

Dit deel van de operatie werd later uitgebreid besproken in krantartikelen en boeken. Velen wisten ervan: Amerikanen, Britten, Egyptenaren, Soedanezen, de Ethiopiërs zelf en ook veel werknemers van Europese luchtvaartmaatschappijen. Maar ze hielden het allemaal geheim, totdat Yehuda Dominitz, een topambtenaar van het Joodse Agentschap, tegen een reporter van *Nekuda*, een kleine krant voor joodse kolonisten op de Westelijke Jordaanoever, vertelde dat de reddingsoperatie aan de gang was. En daarmee kwam niet alleen een einde aan de operatie waarover hij het had, maar ook aan de geheime operatie die de Mossad aan de kust van de Rode Zee had georganiseerd.

Zoals bij deze zaken gebruikelijk is, waren de Israëlische journalisten al die tijd al op de hoogte van de operatie – in elk geval wisten ze datgene wat ze van de Mossad en het bureau van de premier mochten weten – maar ze hadden toegezegd het verhaal voor zich te houden totdat ze toestemming kregen het af te drukken. De commissie van redacteuren van de belangrijkste media in Israël, de *Vaadat Orchim*, heeft regelmatig bijeenkomsten met regeringsfunctionarissen, die dan achtergrondinformatie geven over actuele zaken. De Israëlische televisie wordt gecontroleerd door de regering, evenals alle radiozenders – op één piraat na – dus de ether kan altijd goed in de gaten worden gehouden.

Journalisten krijgen verhalen te horen die de regering eerst helemaal heeft doorgelicht, maar er wordt wel voor gezorgd dat ze het idee krijgen dat ze er zelf iets mee te maken hebben. Soms worden ze zelfs meegenomen op reportage – waarbij dan altijd de afspraak geldt dat ze alle informatie die ze nodig hebben pas krijgen wanneer publikatie Israël het beste uitkomt. Sommigen zijn van mening dat dit een beter systeem is dan censuur (hoewel Israël daar ook aan doet).

Toen het nieuws over de geheime operatie bekend werd, was de reactie van Arabische zijde snel en voorspelbaar. Libië vroeg om een speciale bijeenkomst van de Arabische Liga en in veel Arabische landen veroordeelden de kranten Soedans samenwerking met Israël. De Soedanese regering zelf ontkende elke betrokkenheid bij de luchtbrug en minister van Buitenlandse Zaken Hashem Osman riep Arabische, Afrikaanse en Aziatische diplomaten te hulp om Ethiopië ervan te beschuldigen in ruil voor geld en wapens van Israël 'de ogen gesloten' te hebben gehouden tijdens de Falasha-exodus. De Ethiopische minister van Buitenlandse Zaken Goshu Wolde antwoordde dat Soedan 'een groot aantal Ethiopische joden' steekpenningen had gegeven 'om uit Ethiopië te vluchten'. De Koeweitse krant *Al rai al A'am* schreef in een kernachtig redactioneel: 'Het via Soedan wegsmokkelen van Ethiopische joden kan worden gezien als een incident, maar ook als een nieuwe nederlaag voor de Arabische natie.'

Hoe kwaad zouden ze zijn geweest als ze het hele verhaal hadden gekend.

Premier Shimon Peres verklaarde in het openbaar: 'We zullen niet rusten voordat al onze broeders en zusters uit Ethiopië veilig thuis zijn.' In het voorjaar van 1984, toen de toestand van de hongerende Falasha's verergerde, was Peres voorbereidingen gaan treffen om zijn droom

werkelijkheid te laten worden. Terwijl er nog altijd met andere rege-
ıgen werd onderhandeld over een met behulp van de Brusselse connectie op te zetten luchtbrug, schakelde hij het toenmalige hoofd van
de Mossad in, Nahum Admony, codenaam 'ROM'. Hij vroeg hem of
hij een manier kon bedenken om meer Falasha's naar Israël te krijgen.
Admony, die het urgente van de situatie inzag, kreeg van Peres permis-
sie zo nodig gebruik te maken van middelen buiten de Mossad, zowel
civiele als militaire.

Na dit gesprek nam Admony contact op met David Arbel, die toen
hoofd was van *Tsafririm*, letterlijk 'ochtendbries', de afdeling die alleen tot doel heeft joden die bedreigd worden te helpen. Arbel kennen
we al van het Lillehammer-debâcle.

Arbels afdeling was verantwoordelijk voor de vorming van joodse ver-
dedigingsgroepen over de hele wereld, de zogeheten 'frames' of *misgerot*. Tegenwoordig zitten ze ook in de Verenigde Staten, in gebieden
waar het antisemitisme als een bedreiging wordt gevoeld. Vaak hebben ze mensen met bijzondere kennis achter de hand, artsen bijvoorbeeld, die kunnen worden ingeschakeld om tijdelijk te helpen. Normaal gesproken zijn de hoofden van de frames in de verschillende landen veteranen van de Mossad. De baan wordt alom gezien als een soort
bonus voor trouwe dienst, een *tshupar*, en de achterliggende gedachte
is dat die mensen beschikken over grote deskundigheid – en waarom
zou je die niet gebruiken?

De belangrijkste taak is leiders van joodse gemeenschappen buiten Israël te helpen voor hun eigen veiligheid te zorgen. *Chets wa'keshet*,
'pijl en boog', Israëls paramilitaire jeugdbrigade, neemt een deel van
deze taak op zich. Terwijl alle Israëlische jongens en meisjes deel uitmaken van de *eduday noar ivry* of 'bataljon van Hebreeuwse jeugd',
worden veel jongeren uit andere landen in de zomer naar Israël gestuurd voor onderricht in veiligheid. Sport en kamperen maken deel
uit van het trainingsprogramma, maar ook sluipschutterstechnieken
en het omgaan met uzi's. Sommigen krijgen bovendien lessen in hogere
veiligheidstechnieken. Zij leren hoe ze een 'slick' voor het verbergen
van wapens of documenten moeten opzetten en wanneer en hoe ze veiligheidscontroles moeten uitvoeren en ook de beginselen van onderzoek en informatieverzameling komen aan bod.

Gebruik van de frames anders dan voor zelfbescherming is nooit door
enige regeringsfunctionaris goedgekeurd, maar alle Mossad-ambtena-

ren weten dat het gebeurt. Yitzhak Shamir wist het dus, maar Peres, die nooit voor de Mossad heeft gewerkt, vermoedelijk niet, ook al was hij premier. Israël verkoopt niet rechtstreeks wapens aan de frames in het buitenland. Het land levert wel indirect wapens, via allerlei omwegen en bekende wapenhandelaars.

De Mossad ziet de frames niet als informatieverzamelaars, hoewel de hoofden van de frame-bureaus uit ervaring weten dat het leveren van nuttige informatie de eenvoudigste manier is om een pluim te krijgen. Veel van de in de Israëlische zomerkampen getrainde jongeren worden later sayan en zij vormen een degelijke groep bereidwillige, goed getrainde helpers, die niet afgeschrikt worden door het jargon en al hebben bewezen risico's te durven nemen. Met uitzondering van die in Canada en het grootste deel van de Verenigde Staten, beschikken alle joodse gemeenschappen buiten Israël over frames die getraind en bewapend zijn en zichzelf zo nodig kunnen verdedigen.

Voor deze operatie zou de Mossad echter helpers moeten werven. Na het gesprek met Admony ontbood Arbel al zijn topambtenaren van de Tsafririm.

'Ik wil een eigen Entebbe,' zei hij. 'Ik wil dat mijn naam in de geschiedenisboeken komt.'

Arbel maakte zijn ambtenaren duidelijk dat hij zo veel mogelijk Falasha's uit Soedan wilde halen: 'Ik wil ze allemaal.' Daarna gaf hij ze opdracht een plan de campagne op te stellen.

Arbels afdeling werkte normaal gesproken met een budget van niks, maar dit keer was duidelijk dat ze alles konden krijgen wat ze nodig hadden. Hayem Eliaze, die aan het hoofd stond van de afdeling die gespecialiseerd was in clandestiene operaties om joden uit vijandelijk gebied te halen, kreeg de directe leiding over het project en de opdracht zo snel mogelijk met een uitvoerbaar plan te komen.

Eliaze riep zijn team bij elkaar en binnen drie dagen vond er een langdurige brainstorming plaats in hun kantoor buiten het Mossad-hoofdkwartier, aan Ibn Gevirolavenue, een verdieping boven de Zuidafrikaanse ambassade in Tel Aviv.

Met gedetailleerde reliëfkaarten aan de muur en de informatie die ze inmiddels over Soedan hadden verzameld voor zich, vertelde achtereenvolgens elk van de aanwezigen hoe hij de situatie zag en wat volgens hem de beste benadering was. Het merendeel van de Falasha's zat in kampen in de omgeving van Kassala en Alatarch, ten westen van Khartoum, in de richting van de Ethiopische grens. Op enige hulp van de Soedanese rebellen in het zuiden, die al jaren tegen de centrale regering vochten, hoefde niet te worden gerekend.

Tijdens een van de bijeenkomsten zei een van de mannen terwijl hij het gebied op de kaart bestudeerde dat hij moest denken aan een incident bij Magna, aan de noordoostelijke uitloper van de Rode Zee. Een Israëlisch marinevaartuig dat op weg was naar het Suezkanaal had technische problemen gekregen met de radar omdat het gyrokompas was komen vast te zitten. De boot was uit de koers geraakt en midden in de nacht op een Saoedisch strand terechtgekomen, wat bijna tot een internationaal incident had geleid.

Wonderbaarlijk genoeg was de boot, die met een kloeke dertig knopen voer, door een opening in de koraalriffen gevaren alvorens te stranden. Binnen enkele uren waren Israëlische marinecommando's, die radioberichten van de boot hadden opgevangen, ter plaatse om het over te nemen. Alle documenten werden van boord gehaald en de bemanning werd naar een ander schip gebracht, de commando's zetten op het strand een bruggehoofd op om zich zo nodig te verdedigen, en toen de zon opkwam, was het bizarre schouwspel te zien van een Israëlisch oorlogsschip, bewaakt door commando's in de Saoedische woestijn.

Omdat de twee landen geen betrekkingen met elkaar onderhielden, vroegen Israëlische functionarissen de Amerikanen of zij de Saoediërs wilden uitleggen dat dit geen invasie was maar een ongelukje en of ze hen ook wilden waarschuwen dat er niets zou overblijven van degenen die het schip te dicht naderden. Normaal gesproken vertoonde zich in een omtrek van honderden kilometer niemand in dit afgelegen deel van de woestijn, maar toevallig was er net een bedoeïenenstam die anderhalve kilometer verderop een feest vierde. Gelukkig kwamen ze niet dichterbij. De Saoediërs stuurden een paar waarnemers en er werd afgesproken dat de Israëli's rustig met het schip konden wegvaren als ze hun versterkingen op het strand verlieten.

In eerste instantie was men van plan geweest het schip op te blazen, maar de marine wilde daar niets van weten (verschillende van deze boten zijn overigens later verkocht aan de Zuidafrikaanse marine, die ze nog steeds gebruikt). In plaats daarvan werd een helikopter gestuurd die een lading schuim over de hele buitenkant van het schip spoot. Ze bevestigden kabels aan de neus van twee andere boten, sleurden de gestrande boot van het zand en sleepten hem helemaal terug naar de haven van Elat.

Tijdens het verhaal zei iemand: 'Wacht even, we mogen vlak langs de kust van Soedan varen. Met onze boten kunnen we heel dicht bij de kust komen. Waarom halen we de Falasha's niet per schip op?'

Er werd een tijdje met het idee gespeeld maar uiteindelijk werd het om allerlei redenen verworpen. Het zou te veel tijd kosten de mensen in te schepen en het zou nooit ongemerkt kunnen gebeuren. 'Nou, we zouden daar op zijn minst een soort basis kunnen vestigen,' zei de man die het idee had geopperd.

'En dan? Een bordje erop met "Mossad-basis. Verboden toegang"?' antwoordde een van de anderen.

'Nee,' zei hij. 'We maken er een duikclub van. De Rode Zee is populair bij duikers.'

Eerst was de groep tegen, maar gaandeweg, nadat allerlei andere ideeën waren geopperd en verworpen, leek het idee van een duikschool en -club toch zo gek nog niet. Ze kenden iemand aan dat strand die iets als een club dreef, hoewel hij meer tijd doorbracht met duiken en op het strand liggen dan met lesgeven of de verhuur van duikeruitrustingen. In elk geval zat hij daar al een tijdje. Met de juiste planning en een paar vergunningen uit Khartoum zou zijn stek kunnen worden omgebouwd tot een compleet vakantieoord.

Yehuda Gil, die Arabisch sprak en een van de meest ervaren katsa's van de groep was, werd naar Khartoum gestuurd, waar hij zich moest voordoen als vertegenwoordiger van een Belgische reisorganisatie die het duiken in de Rode Zee en sight-seeing in de Nubische woestijn wilde promoten. Katsa's worden over het algemeen niet naar Arabische landen gestuurd. Ze weten veel en zouden de vijand dus veel kunnen vertellen wanneer die ze daartoe dwingt. Maar omdat dit een spoedgeval was, werd besloten dit keer het risico te nemen.

Gil had als taak door middel van omkoping van verschillende ambtenaren de vergunningen te bemachtigen die nodig waren om de toeristische plannen van zijn organisatie ten uitvoer te brengen. Hij huurde een huis in het sjieke noordelijke deel van Khartoum en ging aan de slag.

Rond dezelfde tijd vloog iemand anders van de Tsafririm via Khartoum naar Port Soedan, vanwaar hij het strand in noordelijke richting afreed om de man met het duikclubje te zoeken. Hij vond hem en het toeval wilde dat de man juist genoeg begon te krijgen van zijn toko. Na uitgebreid gepingel werd besloten dat hij naar Panama zou worden gestuurd (waar hij nog altijd op het strand de bink uithangt) en dat hij zijn club onmiddellijk zou verkopen.

De Mossad begon deze operatie te zien als een nieuw 'Vliegend Tapijt' (een beroemde operatie uit het begin van de jaren vijftig, waarbij Jemenitische joden per Hercules naar Israël waren gebracht). Er was al besloten gebruik te maken van de betrouwbare Hercules voor de Falasha-luchtbrug, maar het toeristenoord zou drastisch moeten worden uitgebreid om als dekmantel voor de operatie te kunnen dienen. Gil had ondertussen gezorgd voor de registratie van de nieuwe organisatie en was al reizen vanuit Europa aan het organiseren. Ongeveer honderd meter uit de kust ontdekten ze op zo'n twintig meter diepte een gezonken schip: heel geschikt voor beginnende duikers en een leuke toeristische attractie.

In het dorp gingen ze op zoek naar bouwvakkers. In Tel Aviv wierven Tsafririm-ambtenaren koks, duikinstructeurs en anderen die nodig waren om het vakantieoord te laten draaien. Ze wilden mensen die Frans of Engels spraken. Arabisch was een pre want dan zouden de gesprekken tussen Arabische diplomaten en functionarissen kunnen worden gevolgd.

Men wierf mensen die al eerder door de Tsafririm betrokken waren bij operaties, en bij de inlichtingendienst van de marine werd gezocht naar duikers die lessen konden geven.

Een team van rond de vijfendertig Israëli's moest het oord inrichten. Alle arbeidskrachten, ook die uit de plaatselijke bevolking, werden ingedeeld in ploegen. De plaatselijke arbeiders vormden vier teams, die elk eens in de vier dagen werkten. 's Nachts werkten de Israëli's. Omdat de gewone arbeidskrachten steeds een paar dagen niet werkten, viel het ze niet op wanneer er ineens een bepaald deel van het gebouw af was. Het werk vorderde snel en niemands argwaan werd gewekt.

De Israëlische arbeidskrachten werden regelmatig vervangen. Voor de nieuwe arbeidskrachten waren geen nieuwe introductiebrieven nodig – het zou te veel tijd hebben gekost om die te verkrijgen. Er waren zoveel documenten vervaardigd als er mensen in een team zaten. De mensen uit het aflossende team kregen dezelfde namen als de mensen uit het vertrokken team.

Ze kregen toestemming drie voertuigen in te voeren – een Landrover en twee trucks – maar ze hadden negen trucks. Ze gebruikten gewoon dubbele nummerplaten en autopapieren en verborgen de extra voertuigen.

Door een stomme fout liep de hele operatie bijna in het honderd. Iemand kwam op het idee 's nachts met een landingsvaartuig een lading graszoden te brengen, en toen het team van plaatselijke arbeidskrachten de volgende ochtend verscheen lag er plotseling een groot groen grasveld op een plek waar eeuwenlang niets anders had gelegen dan zand. Hoe kweek je in een nacht gras? En zelfs wanneer je uitlegde dat het zoden waren – waar haalde je die in Soedan vandaan? Gelukkig gingen de arbeiders na een paar vragende blikken gewoon weer aan het werk.

In Khartoum had Gil brochures laten maken voor de club en hij was ze al aan het verspreiden over rcisbureau's in heel Europa. In de folder werden speciale individuele tarieven aangeboden. Het was niet de bedoeling dat de toeristen in groepen kwamen – de gedachte hierachter was dat leden van een groep hun medetoeristen vaak al kennen en dus nieuwsgieriger zijn naar wat er om hen heen gebeurt.

In ongeveer een maand was het vakantieoord af. Afgezien van de hoofdgebouwen met de keukens, slaapkamers enzovoort, waren er verschillende schuren, waarin de communicatieapparatuur en de wapens waren ondergebracht. (De Mossad zou nooit zonder wapens in zo'n gebied gaan zitten.) Ook alles wat nodig was voor de verlichting van geïmproviseerde vliegvelden in de woestijn werd het land binnengesmokkeld: bakens, allerlei soorten lichten, bedieningsapparatuur, windwijzers en laserapparatuur voor afstandsbepaling.

Voedsel en ander noodzakelijks werd gebracht door Israëlische boten, die ongeveer een kilometer verderop het strand tot op een paar meter naderden. Omdat er mensen uit de plaatselijke bevolking werkten, moest voordat er weer een zending kon binnenkomen telkens worden onderzocht waar zij zich bevonden, zodat ze niet zouden stuiten op een lossend Israëlisch schip.

Terwijl dit allemaal aan de gang was, werd ook aan die andere operatie gewerkt: het Belgische chartervliegtuig, waarvoor Mossad-ambtenaren geweldige bedragen aan steekpenningen aan Soedanese ambtenaren betaalden. Een van hen, generaal Omer Mohammed al-Tayeb, een voormalige vice-president, die onder president al-Numeiri hoofd van de Soedanese veiligheidsdienst werd, zou vanwege zijn hulp bij de ontsnapping van de Falasha's in april 1986 twee keer levenslang krijgen en een geldboete van 24 miljoen Soedanese ponden.

Rond deze tijd kreeg het hoofdkwartier van de Mossad te horen dat een van de Soedanese topambtenaren een fiets met tien versnellingen wilde in ruil voor zijn hulp bij het sneller verkrijgen van papieren voor de Falasha's. In dit wereldje worden de dingen meestal niet bij hun naam genoemd. De Mossad-ambtenaren begrepen niets van deze wens en stuurden de contactpersoon een boodschap waarin om meer duidelijkheid werd gevraagd. Weer kwam het bericht dat de ambtenaar een fiets met tien versnellingen wilde. Mossad-ambtenaren probeerden erachter te komen wat dit betekende. Wilde hij het gewicht van de fiets in goud? Was dit een code die ze niet begrepen? Nog altijd in het onzekere stuurden ze een nieuw verzoek om opheldering en weer kregen ze te horen dat hij een fiets met tien versnellingen wilde hebben, punt.

Ten slotte beseften ze dat hij echt een fiets wilde, en toen stuurden ze hem een Raleigh – wel het minste dat ze konden doen.

In het toeristenoord bestudeerden de Israëli's het Soedanese radarsysteem. Uiteindelijk vonden ze een klein gaatje: in de buurt van Ra's al-Hadaribah, een bergachtig terrein op de grens tussen Egypte en Soedan, dat maar gedeeltelijk werd gedekt door de Egyptische en de Soedanese radar. Een vliegtuig zou daar laag over kunnen vliegen zonder te worden ontdekt.

Er werd besloten dat de Hercules zou opstijgen van Uvda, de militaire basis bij Elat. Dan zou het toestel over de Golf van Aqaba en de Rode Zee vliegen en via de opening in de vijandelijke dekking naar de landingsstroken in de woestijn gaan. Vier Israëlische piloten moesten een geschikte plek voor de landingsstroken aanwijzen. Ze deden zich voor als woestijngidsen. Op die manier konden ze rustig door de woestijn rijden en hun bevindingen aangeven op een kaart. Ze legden ander personeel van het vakantieoord uit hoe ze de landingsstroken moesten aanleggen en gaven aanwijzingen over afmetingen, verlichting en communicatie.

Zelfs spionnen hebben soms gevoel voor humor. Op een bepaald moment nam iemand van de Tsafririm een van de Israëlische piloten voor zaken mee naar Khartoum. Ze belandden in de villa van een plaatselijke zakenman, waar Gil toevallig ook was. Gil en de Tsafririm-man wisten van elkaar met wat voor zaken ze zich bezighielden, maar de piloot dacht dat Gil een echte zakenman was. Toen de gastheer even weg was vroeg de Tsafririm-ambtenaar aan Gil in wat voor zaken hij zat. Vervolgens vroeg Gil hem: 'Wat doe jij?'

'Oh, ik ben een Israëlische spion,' was het antwoord.
De piloot werd bleek, maar de andere twee lachten. De piloot zei niets
meer totdat ze op de terugweg waren. Een paar kilometer buiten Khartoum schreeuwde hij opeens tegen zijn metgezel: 'Idioot! Zoiets kun je
toch niet doen, zelfs niet voor de grap!' De Tsafririm-ambtenaar had
een kwartier nodig om de piloot te kalmeren en hem uit te leggen hoe
de vork in de steel zat.

Het zou voor de organisatoren van de operatie nog een klus worden de
Falasha's uit de kampen te krijgen. Er waren toen honderdduizenden
Ethiopiërs die de oorlog en de honger in hun eigen land ontvluchtten en
naar de Soedanese vluchtelingenkampen stroomden, en het zou niet
eenvoudig zijn de joden eruit te pikken.

Een paar dappere Falasha's die al veilig in Israël zaten – en gedood
zouden worden wanneer ze werden gepakt – waren bereid terug te
gaan naar de kampen om hun mensen in te delen in groepen. Heel snel
verspreidden zich onder de Falasha's geruchten over het plan, maar
alles bleef binnen de Falasha-gemeenschap. Binnen korte tijd was ook
deze fase van de operatie afgerond.

Rond maart 1984 arriveerden de eerste Europese toeristen, en in diplomatieke en regeringskringen in Khartoum was het fraaie oord een onderwerp van gesprek. Vanaf de openingsdag tot de nacht van de over-
haaste vlucht zat het oord helemaal volgeboekt, een geweldig commer-
cieel succes. Op zeker moment speelden de Israëliers zelfs met de gedachte de PLO te verleiden daar een conferentie te houden. De nietsvermoedende PLO-leiding zou zich absoluut veilig hebben gevoeld in
Soedan, aan de Rode Zee, recht tegenover Mekka. Op een nacht zouden dan Israëlische commando's zijn gekomen, en de PLO-ers zouden
per schip als gevangenen naar Israël zijn gevoerd. Misschien was het
gelukt.

Nu waren ze klaar voor de laatste fase. De landingsstrook werd aangelegd. Er werd een punt in de woestijn bepaald waar trucks de vluchte-
lingen zouden ophalen. Na een slopende rit van zes uur zouden de Falasha's bij de Hercules worden afgeleverd. Het was de bedoeling dat er
per keer honderd zouden meegaan, maar vaak kropen er twee keer zoveel op de trucks: zwakke, uitgemergelde mensen die onder een dekzeil
geprop een lange, ruwe tocht moesten maken. Honderden door honger en ziekte gesloopte Falasha's zouden tijdens dit gedeelte van de reis

omkomen, en nog eens honderden aan boord van de overladen Hercules onderweg naar Israël. Omdat ze joods waren werden de doden zoveel mogelijk meegenomen naar Israël voor een passende begrafenis. Voor elke trip stelden hoog vliegende Israëlische verkenningsvliegtuigen vast waar zich Soedanese wegversperringen bevonden (die meestal 's middags werden opgeworpen). Ze gaven de plaatsen door middel van pulsgewijs verzonden digitale radioberichten door aan het communicatiecentrum in het vakantieoord.

De eerste nacht leek alles goed te gaan. De mensen werden op de afgesproken plek in de woestijn opgehaald. Alle wegversperringen werden omzeild. En ruim voordat de Hercules tussen de twee lichtstrepen op het woestijnzand landde, arriveerden de trucks bij de startbaan. De Hercules kwam door de nacht aangevlogen en de Falasha's, die zoiets nog nooit van dichtbij hadden gezien, keken toe hoe de gigantische vogel tegen de wind in neerstreek, keerde en met brullende motoren en in een wolk van zand en stof op hen af kwam.

Doodsbang vluchtten de tweehonderd Falasha's de diepe duisternis in en ze verstopten zich waar ze maar konden voor de angstaanjagende machine. De Israëliers vonden er maar een stuk of twintig terug. Nadat er nog een tijdje was gezocht, werd besloten de Hercules te laten vertrekken. De rest van de Falasha's moest de volgende nacht dan maar mee.

's Ochtends hadden ze alle Falasha's gevonden, op een na – een oude vrouw die op wonderbaarlijke wijze een driedaagse voettocht naar haar kamp overleefde. Zij ging later met een andere groep naar Israël. De Israëliers besloten dat de Falasha's in het vervolg in de trucks moesten blijven totdat de Hercules stilstond en de deuren aan de achterkant open waren. Dan zou de truck naar het vliegtuig rijden en moesten de mensen rechtstreeks in het vliegtuig stappen.

Totdat het nieuws van de andere Mozes-operatie bekend werd, leverde deze geheime luchtbrug vanuit de woestijn weinig problemen op. Meestal werd er 's nachts gevlogen en vaak werden twee of drie vliegtuigen tegelijk ingezet, om zo snel mogelijk zo veel mogelijk Falasha's weg te krijgen.

Natuurlijk verliep alles niet helemaal vlekkeloos. Een lege truck stuitte op de terugweg op een wegversperring. Omdat de chauffeur en zijn bijrijder geen goede legitimatie hadden, werden ze gearresteerd door de twee dienstdoende Soedanese soldaten. Vastgebonden werden ze in een tent bij de versperring gelegd. De wegversperringen, die voornamelijk bedoeld waren om activiteiten van de zuidelijke rebellen te onderscheppen, werden bemand door twee soldaten. Communicatieapparatuur hadden ze niet en ze werden om de paar dagen afgelost.

Toen de twee mannen niet terugkeerden in het vakantieoord werd een team uitgezonden om ze te zoeken. De truck werd al snel ontdekt en de reddingsactie kon beginnen. De bevrijders reden in een andere truck met grote snelheid op de blokkade af en de chauffeur schreeuwde tegen de twee gevangenen in de tent dat ze moesten gaan liggen. De Soedanese soldaten kwamen aangelopen, de achterkant van de truck ging open en met machinepistolen werden de twee mannen weggemaaid. De Israëli's staken de tent in brand, legden een rotsblok op de gaspedaal van de eerste truck en stuurden hem de woestijn in – dit alles om het te laten lijken alsof er een guerrilla-aanval had plaatsgevonden. Er is nauwelijks aandacht besteed aan het incident.

Aan Israëlische zijde viel tijdens de hele operatie maar één dode: de bijrijder in een truck die op weg was naar Khartoum. Ook die truck stuitte op een wegversperring. De chauffeur reed door, de Soedanese soldaten openden het vuur en de bijrijder werd gedood. De twee soldaten, die geen communicatieapparatuur of transportmiddelen hadden, konden niets anders doen dan blijven schieten totdat de truck buiten hun bereik was.

Maar begin januari 1985 kwam op een avond uit Israël het bevel alles onmiddellijk stop te zetten. In Khartoum zocht Yehuda Gil snel een paar persoonlijke bezittingen en al zijn papieren bij elkaar. Hij nam het volgende vliegtuig naar Europa en vloog daarvandaan terug naar Israël. Terwijl de toeristen in het oord aan de Rode Zee lagen te slapen, laadden de Israëliers al hun uitrusting op schepen; een Land Rover en twee trucks laadden ze in een Hercules en stilletjes en onopgemerkt glipten ze het land uit. Hayem Eliaze, de man die de leiding had over het vakantieoord, viel van een truck toen die in het vliegtuig werd geladen en brak zijn been.

Tweeëneenhalf uur later was Eliaze terug in Israël, blij met de lof van zijn kameraden maar teleurgesteld over het feit dat een praatgrage ambtenaar en een journalist plotseling een einde hadden gemaakt aan wat misschien de geslaagdste geheime reddingsactie aller tijden was.

Helaas bleven enkele duizenden Falasha's achter, buiten bereik van Operatie Mozes. Falasha-activist Baruch Tanga zei: 'Al die jaren was het moeilijk om weg te komen... Nu, terwijl de helft van onze gezinnen daar nog zit, publiceren ze alles. Hoe hebben ze zoiets kunnen doen?' Hij was niet de enige die zich dat afvroeg.

Havenverzekering

Tegen de zomer van 1985 was de president van Libië, Muammar al-Gaddafi, voor het grootste deel van de westerse wereld de duivel in eigen persoon. Reagan was de enige die gevechtsvliegtuigen opdracht gaf hem aan te vallen. De Israëliers zagen in Gaddafi degene die veel van de wapenleveranties aan de Palestijnen en de andere Arabische vijanden mogelijk maakte.

Het is moeilijk om Libiërs te werven. Niemand mag ze, wat op zichzelf al een probleem is. Ze moeten in Europa worden geworven, maar ze reizen niet veel.

Libië heeft twee grote havens: een bij Tripoli, de hoofdstad, en een bij Benghazi, in het noordwesten, aan de Golf van Syrte. De Israëlische marine hield de Libiërs al lang in de gaten, vooral met routinepatrouilles op de hele Middellandse Zee. Israël ziet de weg van Israël naar Gibraltar als zijn 'luchtpijp'. Via die route staat het land in verbinding met Amerika en het grootste deel van Europa, zowel voor in- als uitvoer.

In 1985 had Israël een betrekkelijk goede relatie met de andere landen langs de zuidkant van de Middellandse Zee: met Egypte, Marokko, Tunesië en Algerije, maar niet met Libië.

Libië had een vrij grote marine maar mankracht en onderhoud vormden een probleem. De schepen vielen bijna uit elkaar. De Libiërs hadden grote Russische onderzeeërs gekocht maar wisten niet hoe ze ze onder water moesten krijgen, of ze durfden het niet te proberen. Ten minste twee keer stuitten Israëlische patrouilleboten op Libische onderzeeërs. Normaal gesproken doet een onderzeeër dan 'ding, ding, ding, ding' en verdwijnt onder water. Maar deze onderzeeërs stoomden als een haas terug naar de haven.

De Israëliers hebben een luisterpost op Sicilië, dankzij hun goede band met de Italianen, die daar ook een luisterstation hebben. Dat is echter niet voldoende, want de Libiërs vormen met hun steun aan de PLO en andere subversieve organisaties een bedreiging voor de Israëlische kustlijn. Israël ziet zijn kustlijn als zijn zwakke plek, de kwetsbaarste grens bij een aanval. Het grootste deel van de bevolking woont langs de kust en het leeuwedeel van de industrie is er gevestigd.

Een aanzienlijk deel van de wapens en munitie voor de PLO komt per schip uit Tripoli in Libië en gaat, vaak via Cyprus, naar Tripoli in Libanon – de zogenaamde TCT-route. De Israëliers verzamelden in die tijd via de Centraal Afrikaanse Republiek en via Tsjaad, dat ernstige grensconflicten had met Gaddafi's troepen, *enige* informatie over Libische activiteiten.

De Mossad had een paar 'scheepsobserveerders', doorgaans burgers die door de bureaus in Europa waren geworven en alleen maar foto's hoefden te maken van schepen die de haven binnenkwamen. Dat leverde niet veel gevaar op en het gaf wat visuele informatie over wat zich binnen de havens afspeelde. Hoewel er af en toe een schip met wapens werd opgemerkt – meer bij toeval dan op een andere manier – was er echter duidelijk behoefte aan specifieke informatie over wat er Tripoli en Benghazi in- en uitging.

Tijdens een vergadering van de PLO-researchafdeling van de Mossad en het hoofd van de Tsomet-afdeling die zich bezighield met Frankrijk, het Verenigd Koninkrijk en België, werd besloten pogingen te ondernemen iemand van de douane te werven of iemand die in het havenkantoor in Tripoli werkte en toegang had tot meer specifieke informatie over de namen en activiteiten van schepen. Hoewel de Mossad de namen kende van de PLO-schepen, was nooit bekend waar die schepen zich bevonden.

Als je ze tot zinken wilt brengen of wilt overmeesteren, moet je ze eerst weten te vinden. En dat is moeilijk bij een schip waarvan je route, vertrek en aankomstdatum niet weet. Veel van de schepen blijven dicht bij de kust – de Mossad noemde ze 'kustkrabbers' – en vermijden de volle zee, waar de radar ze opmerkt. Een schip dat vlak langs de kust vaart is moeilijk te zien op de radar want het beeld kan worden overstemd door de ruis van de bergen, en een schip dat zich in een van de vele havens achter de bergen bevindt kan gewoonweg niet worden gezien. Wanneer het dan opduikt kan de identiteit onduidelijk zijn. Er varen talloze schepen op de Middellandse Zee: de zesde vloot van de VS, de Russische vloot, vrachtschepen uit de hele wereld en allerlei andere vaartuigen. De Mossad kan er niet naar hartelust opereren. Alle landen aan de Middellandse Zee hebben hun eigen radar, dus voorzichtigheid is geboden.

Maar het verkrijgen van specifieke informatie vanuit Libië zelf was niet zo gemakkelijk. Het was te gevaarlijk er iemand heen te sturen voor de werving, dus de hele Mossad piekerde zich suf. Maar tijdens de vergadering suggereerde iemand die in Tunis en Algiers had gewerkt als 'verslaggever' voor *Afrique-Asie**, een Franstalige krant over Arabische aangelegenheden, dat men zou kunnen beginnen met een telefoontje naar de haven van Tripoli, om uit te zoeken wie de informatie bezat die ze wilden hebben. Op die manier zouden ze in elk geval weten in welke richting ze moesten zoeken.

Het was zo'n ingeving die te simpel is voor mensen die zich bezighouden met intriges en gecompliceerde operationele details. Er werd een telefoonlijn in gereedheid gebracht: men kon bellen vanuit Tel Aviv maar de lijn liep via een appartement in Parijs, voor het geval dat iemand natrok waar het telefoontje vandaan kwam. De aansluiting stond op naam van een verzekeringsmaatschappij in Frankrijk die het eigendom was van een sayan.

Voordat hij belde had de katsa een compleet verhaal laten verzinnen waarin hij optrad als verzekeringsdeskundige. Hij had een kantoor met een secretaresse, een *bat leveyha*, een 'gezellin' (zonder seksuele bijbedoelingen). Een bat leveyha is iemand uit het land, niet per se joods, die is geworven als assistent-agent en iets te doen krijgt wanneer er een vrouw nodig is. Via de plaatselijke ambassade zou ze erachter kunnen komen dat ze voor de Israëlische inlichtingendienst werkt.

Het idee van de telefoonlijn was gebaseerd op het concept van *mikvrim we tguvot*, Ivriet voor 'acties en reacties'. De actie was bekend maar men moest kunnen anticiperen op de reactie. Voor elke mogelijke reactie wordt weer een actie bedacht. Het heeft iets van een reusachtig schaakspel, behalve dat er niet verder dan twee reacties vooruit wordt gedacht omdat het anders te gecompliceerd zou worden. Het hoort allemaal bij de gewone planning van een operatie waarbij over elke mogelijke zet is nagedacht.

Bij de katsa in de kamer zaten, voorzien van koptelefoons, Menahem Dorf, hoofd van de afdeling PLO van de Mossad, en Gidon Naftaly, de belangrijkste psychiater van de Mossad, die als taak had te luisteren en onmiddellijk de persoon aan de andere kant van de lijn te analyseren. De man die de telefoon opnam verstond geen Frans en riep iemand anders, die de naam gaf van de baas, meedeelde dat die er over een half uur weer zou zijn en ophing.

* Zie Hoofdstuk 3: GROENTJES

Toen de katsa terugbelde vroeg hij naar de havenmeester, wiens naam hij nu kende. Hij kreeg hem te spreken en maakte zich bekend als verzekeringsagent van een Frans scheepsassurantiekantoor. Dit was hun enige kruit, dat niet mocht worden verschoten. Niet alleen het verhaal moet geloofwaardig klinken, maar ook de verteller. De katsa vertelde zijn gesprekspartner wat voor zaken hij deed, dat zijn bedrijf behoefte had aan de mogelijkheid gedetailleerde informatie te krijgen over bepaalde schepen in de havens en dat hij graag wilde weten bij wie hij dan moest zijn.

'Bij mij,' zei de man. 'Waarmee kan ik u van dienst zijn?'

'We weten dat er van tijd tot tijd schepen bij u binnenlopen die volgens hun eigenaar kwijt of beschadigd zijn. Wij zijn de verzekeraar, maar we kunnen deze claims niet altijd persoonlijk checken, dus we hebben informatie nodig.'

'Wat wilt u weten?'

'Nu, we willen bijvoorbeeld weten of ze worden gerepareerd en of ze laden of lossen. Zoals u weet hebben we daar geen vertegenwoordiger, maar we zouden graag iemand hebben die onze belangen kan behartigen. Als u ons iemand kunt aanbevelen... Wij zijn zeker bereid een ruime vergoeding te geven.'

'Ik denk dat ik u van dienst kan zijn,' zei de man. 'Ik beschik over dergelijke informatie en ik heb er niets op tegen, zo lang als het over de burgerscheepvaart gaat en niet over militaire schepen.'

'Wij zijn niet geïnteresseerd in uw marine,' zei de katsa. 'Die verzekeren we niet.'

Het gesprek duurde nog een minuut of tien, vijftien, en de katsa vroeg naar vijf of zes schepen. Slechts een daarvan, een schip van de PLO, was daar in reparatie. Hij vroeg om een adres waar hij de vergoeding heen kon sturen, gaf de havenmeester zijn eigen adres en telefoonnummer en zei hem dat hij altijd kon bellen wanneer hij dacht informatie te hebben die van nut zou kunnen zijn.

Alles ging zo goed en het doelwit klonk zo tevreden, dat de katsa het erop waagde de man te vragen of hij naast zijn gewone werk in de haven een andere baan zou kunnen aanvaarden, als agent voor de verzekeringsmaatschappij.

'Ik zou iets aan verkoop kunnen doen,' antwoordde de havenmeester, 'maar alleen op part-time basis. In elk geval totdat ik weet hoe alles gaat.'

'Goed. Ik stuur u een handboek en wat adreskaartjes. Wanneer u dat hebt doorgekeken, spreken we elkaar weer.'
Hiermee was het gesprek afgelopen. Ze hadden nu een betaalde agent in de haven, die zelf niet wist dat hij was geworven.
De businessafdeling van de Metsada kreeg opdracht een verzekeringshandboek te maken. Het moest overtuigend zijn en tevens de mogelijkheid bieden alle vragen te stellen die nodig waren om de gewenste informatie te bemachtigen. Binnen een paar dagen was het handboek onderweg naar Tripoli. Het is de regel dat adressen en telefoonnummers die aan pasgeworven agenten worden verstrekt op zijn minst drie jaar blijven bestaan, ook al komt men niet verder dan de eerste fase van de werving – tenzij er iets gebeurt dat de katsa in gevaar brengt: in dat geval wordt alles direct afgesloten.
Een maand of twee bracht de nieuwe aanwinst regelmatig verslag uit, maar tijdens een van de telefoongesprekken zei hij dat hij het handboek had gelezen maar nog steeds niet goed wist wat het inhield een agent van de maatschappij te zijn.
'Ik begrijp het,' zei de katsa. 'Ik herinner me de eerste keer dat ik het boek zag, ik snapte er toen ook weinig van. Luister, wanneer is uw vakantie?'
'Over drie weken.'
'Prachtig. Waarom komt u niet op onze kosten naar Frankrijk? Dat is gemakkelijker dan het telefonisch uit te leggen. Ik zal u de tickets sturen. U bent al zo nuttig voor ons geweest dat wij u graag een verblijf in Zuid-Frankrijk aanbieden: dan kunnen we het nuttige met het aangename combineren. En ik zal eerlijk tegen u zijn, voor ons is het belastingtechnisch gezien prettiger wanneer u hierheen komt.'
De aanwinst was enthousiast. De Mossad betaalde hem niet meer dan $1000 per maand en gedurende de tijd dat hij agent was vloog hij op zijn minst drie keer naar Frankrijk. Hij was nuttig, hij was op de hoogte van de schepen in de haven. Maar omdat hij verder geen connecties had, werd besloten hem niet in gevaar te brengen. Nadat ze hem persoonlijk hadden ontmoet, leek het het beste er van af te zien hem andere dingen te laten doen. Hij zou alleen worden gebruikt voor informatie over PLO-schepen.
Aanvankelijk hadden ze de havenmeester alleen gevraagd naar een paar van de schepen die de haven binnenvoeren, onder het voorwendsel dat die schepen bij hun maatschappij verzekerd waren. Toen kwa-

men ze met het voorstel dat hij lijsten zou leveren van alle schepen die afmeerden. Ze beloofden hem evenredig te belonen. Op die manier, zeiden ze, konden ze de informatie doorgeven aan andere assuradeurs, die maar al te graag voor de informatie zouden betalen; de opbrengst zouden ze weer met hem delen.

Hij ging welgemoed terug naar Tripoli, vanwaar hij hen verder voorzag van informatie over alles wat de haven inkwam en uitging. Op zeker moment werd in de haven een schip van Abu Nidal, het gehate hoofd van de PFLP-GC-factie van de PLO, geladen met wapentuig – luchtdoelbazooka's en veel andere wapens die de Israëliers niet graag in de handen van Palestijnse strijders aan hun grenzen wilden zien belanden.

Ze wisten van Abu Nidals schip dankzij hun aftapping van de PLO-communicatie en een slordigheidje in Nidals gewoonlijk voorzichtige taalgebruik, en verder hoefden ze alleen maar aan hun opgetogen havenmeester te vragen waar het schip precies lag en hoe lang het daar zou blijven. Hij meldde de lokatie van het vaartuig en die van een ander dat ook werd geladen met voor Cyprus bestemd materieel.

Op een warme zomernacht in 1985 leken twee Israëlische marinevaartuigen, type SAAR-4, gewoon op patrouille te zijn, maar ergens hielden ze even stil – lang genoeg om zes commando's over te laten stappen op een kleine duikboot met een luik aan de bovenkant, die uiterlijk overeenkomst vertoont met een gevechtsvliegtuig uit de Tweede Wereldoorlog zonder vleugels of een lange torpedo met een propellor aan het achtereind. Het was een zogenaamde dwergonderzeeër, en de commando's zaten onder het luik, klaar voor de actie, in duikerspakken en met zuurstofflessen.

Nadat ze van de patrouilleboten waren gegaan, gingen ze snel naar een schip dat de haven binnenliep; ze bevestigden zich met behulp van magneten aan de romp en liftten zo mee de haven binnen.

Het luik van de duikboot diende als een beschermend schild, en dat was nodig, want de Mossad had van de havenmeester gehoord dat de Libische veiligheidsdienst eens in de vijf uur de haven doorkruiste om handgranaten in het water te strooien, die zo'n druk veroorzaakten dat een rondzwemmende kikvorsman het niet zou overleven. Deze veiligheidsmaatregel hadden ze ontdekt toen de katsa tijdens een telefoongesprek op de achtergrond ontploffingen hoorde en zonder omhaal aan de havenmeester had gevraagd wat dat voor geluid was. Overigens hanteren de meeste landen wanneer ze in oorlog zijn in hun havens deze routineveiligheidsmaatregel. Ook Syrië en Libanon.

De Israëli's wachtten rustig in hun dwergonderzeeër totdat de veiligheidsdienst zijn ronde had gedaan. Daarna lieten ze zich met hun kleefmijnen in het water glijden. Toen ze de mijnen aan de twee geladen PLO-schepen hadden bevestigd, gingen ze terug naar hun duikboot. Het had in totaal hooguit twee uur geduurd. Omdat ze ook wisten welke schepen die nacht de haven zouden verlaten, gingen ze in de richting van een tanker die bij de ingang van de haven lag. Ze besloten echter zich niet vast te maken, want het zou te moeilijk zijn het vaartuigje weer los te krijgen wanneer de tanker op volle snelheid was.

Helaas raakte in de duikboot de zuurstof op en de accu leeg. Het zou onmogelijk zijn de duikboot mee te slepen wanneer ze in open water waren, dus ze bevestigden hem aan een boei, waar hij later zou kunnen worden weggehaald. Ze maakten zich met touwen aan elkaar vast en vormden een zogeheten 'zonnebloem': ze lieten hun duikerspakken volstromen met lucht, waardoor die bol kwamen te staan als ballonnen. Zo bleven ze drijven zonder er iets voor te hoeven doen. Ze sliepen zelfs, terwijl er om de beurt iemand wakker bleef om op te letten. Een paar uur later kwam er een Israëlische patrouilleboot voorbij die de signalen van hun piepers had opgevangen. Ze werden opgepikt en snel in veiligheid gebracht.

Die ochtend waren er rond zes uur vier krachtige explosies in de haven te horen. Twee PLO-schepen zonken, met voor miljoenen dollars aan wapens en munitie.

De katsa dacht dat de havenmeester er nu wel genoeg van zou hebben. De explosies zouden hem ongetwijfeld aan het denken hebben gezet. Maar dezelfde dag nog belde de man, en hij was geweldig opgewonden.

'Je zult niet geloven wat er is gebeurd!' zei hij. 'Ze hebben twee schepen opgeblazen, midden in de haven!'

'Wie?'

'De Israëli's natuurlijk,' zei hij. 'Ik snap niet hoe ze de schepen hebben gevonden, maar het is ze gelukt. Gelukkig waren het geen schepen van jullie, dus jullie hoeven je geen zorgen te maken.'

De havenmeester bleef nog zo'n anderhalf jaar werken voor de Mos-

313

sad. Hij verdiende veel geld. Maar op een dag was hij gewoon verdwenen, met achterlating van een hele reeks verwoeste en buitgemaakte PLO-schepen.

Beiroet

Het waren geen rooskleurige tijden voor Israël. Halverwege september 1982 waren over de hele wereld op de tv, in kranten en tijdschriften beelden te zien van het bloedbad. Overal lagen lijken. Mannen, vrouwen, kinderen. Zelfs paarden waren afgemaakt. Sommige slachtoffers waren van dichtbij door het hoofd geschoten, bij anderen was de keel doorgesneden, sommigen waren gecastreerd; jonge mannen waren in groepen van tien of twintig bijeengedreven en vervolgens en masse doodgeschoten. Vrijwel alle 800 Palestijnen die omkwamen in Sabra en Shatila, twee vluchtelingenkampen in Beiroet, waren ongewapende, onschuldige burgers, die ten prooi vielen aan de moorddadige wraakzucht van de Libanese christelijke falangisten.

Het was een onbeschrijfelijke daad, die de Israëlische bezettingstroepen niet alleen oogluikend hadden toegestaan, maar waaraan ze zelfs hun medewerking hadden verleend. Ronald Reagan, toen president van de VS en Israëls trouwste internationale bondgenoot, zei het te betreuren dat Israël voor het oog van de wereld was veranderd van de David in de Goliath van het Midden-Oosten. Twee dagen later stuurde hij zijn marineschepen terug naar Beiroet, waar ze deel zouden uitmaken van een Amerikaans-Frans-Italiaanse vredesmacht.

De reactie was onverdeeld. In Italië weigerden havenarbeiders Israëlische schepen te lossen. Engeland veroordeelde Israël officieel en Egypte riep zijn ambassadeur terug.

In Israël zelf werd massaal geprotesteerd.

Sinds de stichting van de staat Israël hebben veel Israëli's ervan gedroomd in samenwerking met de Arabische landen te leven en deel uit te maken van een wereld waarin iedereen alle grenzen kan overschrijden en overal wordt begroet als een vriend. Toch is het idee van een open grens, zoals de veelbejubelde grens tussen de VS en Canada, voor Israëli's nog altijd vrijwel een wensdroom.

Aan het eind van de jaren zeventig bouwde Admony, die toen hoofd van de verbindingsdienst van de Mossad was, via de CIA en zijn Europese connecties een solide contact op met de Libanees-christelijke falangist Bashir Gemayel. Gemayel, een wreed en machtig man, slaagde erin de Mossad ervan te overtuigen dat Libanon hulp nodig had. De Mossad ging vervolgens naar de Israëlische regering om die ervan te overtuigen dat Gemayel – een goede vriend van Salameh, de Rode Prins – oprecht was. Dat beeld werd jarenlang in stand gehouden doordat de regering alleen zorgvuldig geselecteerde informatie kreeg. Gemayel werkte in die tijd ook voor de CIA, maar de Mossad was erg blij een 'vriend' te hebben binnen een Arabisch land – hoe dubbelhartig die ook mocht zijn. Bovendien was Israël nooit bang geweest voor Libanon. Als Libanon een oorlog begon, zou Israël er de militaire kapel op afsturen, zeiden de Israëli's.

Hoe dan ook, de Libanezen hadden het in die tijd te druk met onderling geruzie om tegen een ander tekeer te gaan. De verschillende groepen moslims en christenen streden om de macht, zoals ze nog steeds doen, en Gemayel, die in het nauw zat, besloot zich tot Israël te wenden om hulp. De Mossad zag hierin een buitenkans om van Israëls aartsvijand nummer een, de PLO, af te komen. Al die tijd en ook nog lang nadat Israëls hulpacties op een fiasco waren uitgelopen, bleef de Libanese connectie van groot belang voor de Mossad. Admony, het hoofd, was degene die het contact tot stand had gebracht en hij beschouwde dit als zijn grootste wapenfeit.

In veel opzichten is Libanon nu wat Chicago en New York waren in de jaren twintig en dertig, toen de verschillende bendes, of mafiaclans, openlijk streden om de macht. Zowel geweld als machtsvertoon waren normaal, en een tijd lang leken regeringsfunctionarissen niet in staat, of niet van plan, er iets aan te doen.

Ook Libanon heeft clans, die allemaal hun eigen legermacht of militie hebben die trouw is aan de 'don' – hoewel trouw aan religie en clan lange tijd minder belangrijk is geweest dan de macht en het geld die te verkrijgen zijn met drugshandel en tal van mafia-achtige activiteiten die de motor van de Libanese corruptie draaiende en de heersende anarchie in stand houden.

Allereerst zijn er druzen, de op drie na grootste van meer dan twaalf Libanese sekten en een zijtak van de Ismaëlieten (in Libanon wonen er zo'n 250.000, in Syrië, dat ze steunt, 260.000 en in Israël 40.000) die worden aangevoerd door Walid Jumblatt.

Het regeringssysteem berust op de laatste volkstelling, gehouden in 1932, toen de christenen nog in de meerderheid waren. De grondwet schrijft voor dat de president een christen is, ook al wordt algemeen aangenomen dat nu ongeveer 60 procent van de 3,5 miljoen inwoners van het land moslim is. De grootste groep binnen de moslims, zo'n 40 procent van hen, vormen de shi'ieten, en zij worden geleid door Nabih Berri. Een andere belangrijke strijdmacht werd in het begin van de jaren tachtig gevormd door de sunnitische moslims, aangevoerd door Rashid Karami.

De christelijke bewoners zijn verdeeld in twee grote clans, de Gemayel-clan en de Franjieh-clan. Pierre Gemayel richtte de falangisten op en Suleiman Franjieh werd president. Toen Bashir Gemayel besloot president te worden, elimineerde hij zijn belangrijkste rivaal, Tony Franjieh, door in juni 1978 zijn soldaten op het Franjieh-zomerverblijf in Eden af te sturen.

De falangisten vermoordden Tony, diens vrouw, hun tweejarige dochter en een aantal lijfwachten. Gemayel, de door jezuïeten opgevoede crimineel die dankzij de inspanningen van de Mossad Israëls 'vriend' zou worden, noemde de aanslag een 'sociale opstand tegen het feodalisme'. In februari 1980 werden Gemayels anderhalf jaar oude dochter en drie lijfwachten gedood door een autobom. In juli 1980 lieten Gemayels troepen vrijwel niets over van de christelijke militie van ex-president Camille Chamouns Nationale Bevrijdingspartij.

Gemayel regeerde vanaf zijn driehonderd jaar oude familielandgoed bij Bikfaya, in de bergen ten noordoosten van Beiroet. De familie had ettelijke miljoenen verdiend met een zwendel over een contract voor de aanleg van een weg door het bergachtige terrein. In het langlopende contract was ook sprake van vergoedingen voor onderhoud en reparatie. De familie spaarde al het geld voor de aanleg van de weg vlijtig op en later ook het geld dat binnenkwam voor het onderhoud. Een klein probleem was dat die weg nooit is aangelegd. De Gemayels redeneerden dat ze het geld voor het onderhoud wel moesten aannemen omdat er anders iemand zou komen kijken – en ontdekken dat er helemaal geen weg was.

Gemayel was pas vijfendertig jaar toen het parlement hem eind augustus 1982 voor zes jaar tot president koos. Hij was op dat moment de enige kandidaat, maar zou niet lang genoeg leven om zijn ambt te aanvaarden. Bij de speciale bijeenkomst waarop hij zou worden gekozen waren slechts 56 afgevaardigden komen opdagen – zes minder dan het quorum. Gemayels militie trommelde snel zes onwillige afgevaardigden op en de uitslag van de stemming was toen 57 voor, nul tegen en

317

vijf onthoudingen. Begin stuurde hem een felicitatietelegram met de aanhef: 'Beste vriend'.

Afgezien van de machtige families was er in die tijd een menigte uiteenlopende gangs, die werden geleid door kleurrijke maar wrede lieden als Electroman, Toaster, Cowboy, Fireball en the King. Electroman kreeg zijn naam nadat hij een Syrische kogel door zijn nek had gekregen. Hij was voor behandeling naar Israël gestuurd, waar een elektronisch strottehoofd in zijn keel was geplaatst. Wanneer Toaster iemand te pakken kreeg die hij niet mocht, zette hij hem zodanig onder stroom dat het slachtoffer letterlijk werd geroosterd. Ook Fireball deed zijn naam eer aan. Hij was een pyromaan en keek graag naar brandende gebouwen. Cowboy leek afkomstig uit een Hollywood-western, droeg een cowboyhoed en had twee holsters met wapens aan zijn riem hangen. The King dacht dat hij Elvis Presley was; hij had een Elviskapsel, probeerde Engels te praten met Elvis' nasale stemgeluid en onthaalde zijn trawanten op vals gezongen Elvis-songs.

De gangleden reden rond in Mercedessen en BMW's. Natuurlijk droegen ze de fijnste zijden pakken uit Parijs. Ze aten goed. Al werden ze een half jaar belegerd, dan nog zouden ze oesters hebben bij het ontbijt. Op het hoogtepunt van de blokkade van Beiroet in 1982 probeerde een Libanese restauranthouder een afgedankte Duitse onderzeeër te kopen – niet om mee te vechten maar om voor zijn restaurant vers voedsel en wijn uit Europa te kunnen halen.

De gangs verrichtten naast hun eigen activiteiten vaak karweitjes voor de grote clans – wegversperringen bemannen en dergelijke. Wanneer de president in die tijd naar het regeringspaleis ging, moest hij door twee versperringen heen en twee keer betalen.

In Beiroet is erg goed te leven, maar niemand weet hoe lang. Nergens is het einde naderbij dan in Beiroet, hetgeen verklaart waarom de mensen uit de clans en de gangs zoveel mogelijk uit hun leven proberen te halen. Zo'n 200.000 mensen leven op deze snelle manier. Ondertussen proberen meer dan een miljoen Libanezen in en om Beiroet onder onmogelijke omstandigheden zichzelf en hun gezin in stand te houden.

In 1978 had baby-face Bashir Gemayel aan zijn Mossad-connecties gevraagd om wapens voor zijn eindeloze strijd tegen de familie Franjieh. (Tony Franjieh was niet bevriend met de Mossad.) De Mossad leverde hem de wapens en de koop verliep op een manier die de Mossad nog niet kende.

Een groep falangisten was in 1980 in training op de militaire basis van Haifa. Ze oefenden met de kleine Dabur-kanonneerboten, die geproduceerd werden door een Israëlische wapenfabriek in, of all places, Beersheba, een stad omringd door woestijn halverwege de Middellandse en de Rode Zee. Toen de training was afgerond, arriveerde het hoofd van de Libanese christelijke marine in het gebruikelijke glanzende zijden pak per schip in Haifa, met drie lijfwachten en drie Mossad-ambtenaren en verschillende koffers. Gemayels troepen kochten vijf boten, voor ongeveer $6 miljoen per stuk en betaalden met contant Amerikaans geld – dat ze in de koffers hadden zitten. Ze namen de kanonneerboten mee terug naar Juniyah, de pittoreske havenstad aan de Middellandse Zee ten noorden van Beiroet.

Toen de koffers werden geopend vroeg de Libanese marine-officier de Mossad-ambtenaar of hij het geld wilde natellen. 'Nee, we geloven je,' zei hij. 'Maar als er iets mis is, ga je eraan.' Later telden ze het geld. Er ontbrak geen cent.

Over het algemeen gebruikten de falangisten hun 'oorlogsvloot' om met een snelheid van vijf knopen – ongeveer 1,5 km per uur – voor de kust van West-Beiroet op en neer te varen en hun machinegeweren leeg te schieten op de moslims: een oefening die honderden onschuldige burgers het leven kostte maar die weinig te maken had met de feitelijke militaire operaties.

Israël kreeg dankzij de goede band tussen de Mossad en sterke man Gemayel in 1979 toestemming een maritiem radarstation te bouwen in Juniyah. Er zou een dertigtal mensen aan Israëlisch marinepersoneel gaan werken en het was Israëls eerste tastbare object in Libanon. Dat ze daar zaten was natuurlijk gunstig voor de falangisten, want de moslims – en dus ook de Syriërs – zaten niet bepaald te springen om een conflict met Israël. Veel van de onderhandelingen over het radarstation vonden plaats op Gemayels familielandgoed ten noorden van Beiroet. In ruil voor de moeite die Gemayel zich getroostte, betaalde de Mossad hem $20.000 tot 30.000 per maand.

In die tijd hadden de Israëliers nog een vriend in Zuid-Libanon – majoor Sa'ad Haddad, een christen die aan het hoofd stond van een militie die hoofdzakelijk bestond uit shi'ieten. Haddad was er haast net zo op gebrand Yasser Arafats PLO-troepen uit Zuid-Libanon te verdrijven als de Israëliers. Ook hij zou meewerken wanneer de tijd rijp was om op te treden tegen Arafat.

Het Mossad-bureau in Beiroet, dat de naam *submarine* kreeg, werd gehuisvest in de kelder van een voormalig regeringsgebouw bij de grens tussen het christelijke Oost-Beiroet en het door moslims beheerste West-Beiroet. Constant waren er zo'n tien mensen in het bureau aan het werk. Zeven of acht van hen waren katsa's, waarvan een of twee afkomstig waren uit Unit 504, het militaire equivalent van de Mossad, waarmee vaker kantoorruimte werd gedeeld.

In het begin van de jaren tachtig bemoeide de Mossad zich flink met verschillende andere ruziënde Libanese clans. Afgezien van Gemayel stonden zowel de clans van Jumblatt als Berri op de loonlijst van de Mossad. Er werd informatie gekocht en vervolgens doorgegeven aan andere groepen – zelfs de gangs en een aantal Palestijnen in de vluchtelingenkampen kregen geld voor inlichtingen en diensten.

De situatie was wat de Israëliers *halemh* noemen, Arabisch voor 'herrie'. Rond deze tijd werd het allemaal nog rumoeriger, want men begon westerlingen te kidnappen. In juli 1982 werd David S. Dodge, achtenvijftig jaar oud en rector van de Amerikaanse Universiteit van Beiroet, door vier gewapende mannen ontvoerd toen hij na zijn werk op weg was naar zijn huis op de campus.

'Mummie-transport', dat was de benaming voor de manier waarop gevangen gewoonlijk werden vervoerd. Het slachtoffer werd van top tot teen stevig gewikkeld in bruin plastic plakband. Meestal werd alleen de neus vrijgehouden, zodat de gevangene kon ademen. Het 'pakket' werd in de achterbak of onder de stoelen van een auto gelegd. Wanneer de kidnappers op een wegversperring van een vijandelijke groepering stuitten, werd het slachtoffer vaak aan zijn lot overgelaten. Een aantal ontvoerden kwam zo om het leven. Maar iets is alleen vervelend wanneer het jezelf overkomt, zoals een toepasselijke Libanese uitdrukking zegt.

De Mossad hield zich bezig met de uiteenlopende Libanese connecties en minister van Defensie Ariel Sharon – die door de Amerikanen werd omschreven als een 'havik tussen haviken' – voelde wel wat voor een oorlog. Begin werd onder druk gezet: het was op zijn minst tijd de PLO uit Zuid-Libanon te verdrijven. De PLO gebruikte zijn positie daar om granaten af te schieten en aanvallen uit te voeren op Israëlische dorpen juist over de grens.

Sharon was door zijn soldaten na de Yom-Kippuroorlog in 1973 begroet als 'Arik, Arik, koning van Israël'. De een meter vijfenzestig lange, meer dan honderd kilo wegende Sharon, die om zijn uiterlijk en zijn stijl 'de bulldozer' werd genoemd, was pas 25 jaar oud toen hij een commando-aanval leidde waarbij massa's onschuldige Jordaniërs werden gedood en waarvoor Israëls premier David Ben-Goerion zich in het openbaar moest verontschuldigen. Later bracht Moshe Dayan hem bijna voor de krijgsraad omdat hij tijdens de Sinaï-campagne in 1956 op eigen houtje een manoeuvre had laten uitvoeren die tientallen Israëlische soldaten het leven kostte.

De PLO verwachtte al maanden een Israëlische invasie in Libanon, en Arafat had bevel gegeven de bombardementen op Israëlische dorpen te staken. In het voorjaar van 1982 stuurde Israël vier keer zijn invasietroepen naar de noordelijke grens: elke keer werd er, voornamelijk onder druk van de VS, op het laatste moment teruggetrokken. Begin verzekerde de Amerikanen dat zijn soldaten bij een aanval niet verder zouden gaan dan de rivier de Litani, ongeveer 30 km over de grens, zodat de nederzettingen in Noord-Israël niet meer binnen het bereik van de PLO zouden vallen. Hij hield zijn belofte niet en uit de korte tijd die de Israëlische troepen nodig hadden om Beiroet binnen te trekken kan men afleiden dat hij dat ook niet van plan was geweest.

Op 25 april 1982 trok Israël zich overeenkomstig de in 1978 tussen Egypte en Israël gesloten Camp-Davidakkoorden terug uit het laatste derde deel van de sinds de Zesdaagse Oorlog in 1967 bezette Sinaï.

Maar terwijl Israëlische bulldozers de laatste resten van joodse nederzettingen in de Sinaï opruimden, verbrak Israël een staakt-het-vuren aan de bijna 100 km lange grens met Libanon dat sinds juli 1981 van kracht was. In 1978 was Israël met 10.000 manschappen en 200 tanks Libanon binnengevallen, maar toen was het niet gelukt de PLO te verdrijven.

Op de zonnige zondagochtend van 6 juni 1982 gaf Begins kabinet Sharon in Galilea het startsein voor de invasie. Die dag wandelde de Ierse luitenantgeneraal William Callaghan, de commandant van de VN-vredesmacht in Libanon (UNIFIL), het vooruitgeschoven hoofdkwartier van Israëls Noordelijke Commando in Zefat binnen. Hij had een resolutie van de VN-veiligheidsraad bij zich waarin werd aangedrongen op een beëindiging van het versperringsvuur tussen de PLO en Israël aan de andere kant van de grens. In plaats van een bespreking van de resolutie kreeg hij van de Israëlische stafchef luitenant-generaal Rafael Eitan de mededeling dat Israël over 28 minuten Libanon zou binnenvallen. En ja, binnen korte tijd overspoelden 60.000 manschappen en meer dan vijfhonderd tanks Libanon: dit was het begin van de noodlottige veldtocht die zo'n elfduizend PLO-strijders dat land uit zou vegen, aan Israëlische zijde voor 462 doden en 2218 gewonden zou zorgen en bovendien Israëls imago danig zou aantasten.

Binnen achtenveertig uur was een groot gedeelte van de PLO-troepen weggevaagd, hoewel ze in Sidon, Tyrus en Damur krachtig weerstand boden. Begin had op twee dringende brieven van Reagan, die hem vroeg Libanon niet aan te vallen, geantwoord dat Israël alleen maar de PLO van zijn grens weg wilde sturen. 'De bloeddorstige aggressor staat op onze drempel,' schreef hij. 'Hebben we niet het recht onszelf te verdedigen?'

Terwijl in het zuiden de PLO werd aangevallen, voegden andere Israëlische troepen zich in de buitenwijken van Beiroet bij de christelijke falangisten van Gemayel. Aanvankelijk werden ze door de christelijke bevolking binnengehaald als bevrijders en bestrooid met rijst, bloemen en snoepgoed. Lange tijd hadden de christenen ingesloten gezeten tussen duizenden PLO-commando's en het half miljoen moslims uit West-Beiroet. Voor de Israëlische soldaten was het tijdens hun verblijf in Libanon niet alleen maar oorlog. Vlak buiten Beiroet lag een dorp dat zich onderscheidde door twee dingen: mooie vrouwen en afwezige echtgenoten.

Maar de dodelijke bombardementen hielden aan, en in augustus, toen er uit zowel binnen- als buitenland steeds meer kritiek kwam op het doden van burgers in plaats van soldaten, zei Begin: 'We doen wat we moeten doen. West-Beiroet is geen stad. Het is een militair doel omringd door burgers.'

Na een belegering van tien weken zwegen de wapens eindelijk en de PLO-commando's verlieten de stad, waarop de Libanese premier Chafik al Wazzan zei: 'Onze zorgen zijn voorbij.' Hij had te vroeg gejuicht.

Eind augustus arriveerde een kleine Amerikaans-Frans-Italiaanse vredesmacht in Beiroet, maar de Israëliers bleven hun greep op de gefortificeerde stad verstevigen.

Op dinsdag 14 september 1982 ontplofte om acht minuten over vier 's middags op de derde verdieping van het hoofdkwartier van de christelijke falangistische partij in Oost-Beiroet een honderd kilo zware bom. Op dat moment zat de pasgekozen maar nog niet beëdigde president Bashir Gemayel met ongeveer honderd partijleden hun de wekelijkse vergadering voor. Gemayel en 25 anderen werden gedood. Bashir werd opgevolgd door zijn 40-jarige broer Amin.

Men kwam erachter dat de bom was geplaatst en met behulp van afstandsbediening tot ontploffing was gebracht door de 26-jarige Habib Chartouny, een lid van de Syrische Socialistische Partij, rivalen van de falangisten. De operatie was op touw gezet door de Syrische inlichtingendienst in Libanon, die werd geleid door luitenant-kolonel Mohammed G'anen.

Sinds de CIA had geholpen Gemayel in contact te brengen met de Mossad, bestond er tussen de Amerikanen en de Israëli's een afspraak over het uitwisselen van informatie (wat uitermatige voordelig was voor de Mossad omdat de CIA nauwelijks met andere organisaties uitwisselt). De Mossad, die de CIA zag als 'spelers die het spel niet kennen', zal ongetwijfeld volledig op de hoogte zijn geweest van Syriës rol bij de moord op Gemayel.

Twee dagen na de bomexplosie kregen de Israëlische generaal-majoor Amir Drori, bevelvoerend officier van het Noordelijke Commando, en een paar andere hoge Israëlische officieren in hun commandopost in de haven van Beiroet bezoek van Fady Frem, de stafchef van de Libanese Strijdkrachten, en Elias Hobeika, het beruchte hoofd van de Libanese militaire inlichtingendienst. De laatste was een kleurrijke maar kwaadaardige man, die altijd een pistool, een mes en een handgranaat bij zich had en van alle falangisten de meest gevreesde was. Van de Syrische soldaten die hij doodde sneed hij de oren af, die hij vervolgens thuis aan een touw reeg. Hobeika werkte nauw samen met de christelijke generaal Samir Geagea, en later wisselden de twee elkaar vaak af als bevelhebber van het christelijke leger. Voor de Mossad was Hobeika een belangrijk contact. Hij had in Israël de staf en commando-training gevolgd. Hij was de aanvoerder van de troepen die in de vluchtelingenkampen burgers afslachtten.

Hobeika, die Amin Gemayel haatte en het hem graag moeilijk maakte, was verwikkeld in een verbeten interne machtsstrijd, en sommigen verweten hem Bashir Gemayel niet voldoende te hebben beschermd.

Op 16 september, om vijf uur 's middags, verzamelde Hobeika zijn troepen op de internationale luchthaven van Beiroet om het Palestijnenkamp Shatila binnen te vallen, ondersteund door tanks en mortiervuur van het Israëlische leger, de IDF. Het Israëlische kabinet had rond die tijd in een persverklaring gezegd dat de IDF 'posities in West-Beiroet had ingenomen om de kans op geweld, bloedvergieten en anarchie te verkleinen'.

De volgende dag kreeg Hobeika Israëlische toestemming om twee extra bataljons naar de kampen te dirigeren. Israël wist dat er een slachtpartij aan de gang was. Israëlische troepen hadden zelfs uitkijkposten ingericht boven op verschillende zeven verdiepingen tellende gebouwen aan de rotonde bij de Koeweitse ambassade, zodat ze vrij uitzicht hadden op het bloedbad.

De verontwaardiging over deze slachting en Israëls rol daarbij, zorgde voor een escalatie van de verbale oorlog tussen Reagan en Begin, en tegen het begin van oktober had Reagan 1200 VS-mariniers teruggestuurd naar Beiroet, amper negentien dagen nadat ze daar waren weggegaan. Samen met 1560 Franse para's en 1200 Italiaanse soldaten vormden ze de zoveelste vredesmacht.

Al die tijd ging het Mossad-bureau in Beiroet door met zijn eigen werk. Een van de informanten had contact met een plaatselijke garage die zich specialiseerde in het ombouwen van auto's voor smokkeldoeleinden. Veel Israëlische militairen smokkelden bijvoorbeeld belastingvrije video's en sigaretten uit Libanon en maakten een vette winst in Israël, waar de belasting op dergelijke artikelen zo'n honderd tot tweehonderd procent bedraagt. Maar de Mossad voorzag de Israëlische militaire politie vaak van gerichte informatie, zodat veel smokkelpogingen werden verijdeld.

In de zomer van 1983 vertelde de bewuste informant de Mossad over een grote Mercedestruck die door shi'itische moslims werd voorzien van ruimten waarin bommen konden worden verborgen. Hij zei dat de ruimten groter waren dan normaal en dat het doelwit dat men op het oog had dus ook groot moest zijn. Als het iets groots moest zijn, bedacht de Mossad, kwamen maar een paar objecten in aanmerking – het complex van de VS bijvoorbeeld. Toen was het de vraag of ze de Amerikanen wel of niet zouden waarschuwen uit te kijken voor een truck die voldeed aan de beschrijving die de informant had gegeven.

De beslissing was te belangrijk om in het bureau in Beiroet te worden genomen en men legde het probleem in Tel Aviv voor aan Admony, het toenmalige hoofd van de Mossad. Die besloot dat ze de Amerikanen de gebruikelijke algemene waarschuwing zouden geven, een vage mededeling dat er reden was om aan te nemen dat iemand van plan was iets tegen ze te ondernemen. De Amerikanen kregen iets te horen dat zo algemeen en gewoon klonk als een weerbericht, niets alarmerends had en geen aanleiding was tot een verscherping van de veiligheidsmaatregelen. Gedurende de zes maanden voorafgaande aan deze waarschuwing, kwamen er meer dan honderd algemene waarschuwingen voor autobommen binnen. Een meer of minder had geen invloed op de bezorgdheid of de waakzaamheid van de Amerikanen.

Admony wilde de Amerikanen geen specifieke informatie geven over de truck en zei: 'Wij zijn er niet om de Amerikanen te beschermen. Ze zijn een groot land. Stuur alleen de gebruikelijke informatie.'

Tegelijkertijd kregen alle Israëlische vestigingen echter wel de specifieke details te horen en werd ze gezegd op te passen voor een truck die overeenkwam met de beschrijving van de Mercedes.

Op 23 oktober 1983, om twintig over zes in de ochtend, naderde een grote Mercedestruck het vliegveld van Beiroet; hij reed door het blikveld van de schildwachten van de nabijgelegen Israëlische basis, passeerde een controlepost van het Libanese leger en ging linksaf, het parkeerterrein op. Een wacht van de Amerikaanse mariniersbasis meldde paniekerig dat de truck sneller ging rijden, maar het gevaarte raasde al op de ingang van het vier verdiepingen tellende versterkte betonnen Aviation Safety Building af, dat door het 8ste Mariniersbataljon werd gebruikt als hoofdkwartier. De truck brak door een smeedijzeren hek, raakte het met zandzakken omgeven wachthuis, denderde door een andere barrière van zandzakken heen en reed de hal binnen, waar hij met zo'n verschrikkelijke kracht ontplofte dat van het gebouw niets overbleef dan puin. Er kwamen 241 Amerikaanse mariniers, van wie het merendeel nog lag te slapen toen het zelfmoordcommando zijn werk deed, om het leven.

Een paar minuten later ramde een andere truck het hoofdkwartier van de Franse paratroepen in Bir Hason, een vrij sjieke buurt aan zee, op 3 km afstand van het Amerikaanse complex. Het hele gebouw schoof 10 m op en er kwamen 58 soldaten om het leven.

Behalve op 13 januari 1968, de eerste dag van het Tet-offensief in Vietnam, toen er 246 Amerikaanse soldaten omkwamen, verloren de Verenigde Staten nooit zoveel soldaten op één dag.

Binnen een paar dagen hadden de Israëliers de CIA voorzien van de namen van dertien mensen die volgens hen te maken hadden met de bomaanslagen op de Amerikaanse mariniers en de Franse paratroepen: mensen van de Syrische inlichtingendienst, Iraniërs in Damascus en de shi'iet Mohammed Hussein Fadlallah.

Op het hoofdkwartier van de Mossad slaakte men een zucht van verlichting dat anderen het doelwit waren geweest. Wat de Mossad betrof was het verder een klein incident – ze waren op de hoogte maar zouden dat tegen niemand zeggen. Het probleem was dat er misschien informatie was uitgelekt en als die werd nagetrokken zou de Mossad-informant worden gedood. Dan zouden ze niet weten als *zij* de volgende keer het doelwit waren.

De algemene mening over de Amerikanen was: 'Zij wilden hun neus in dit gedoe met Libanon steken, dus moeten ze er zelf maar voor betalen.'

In die tijd kreeg ik voor het eerst een ernstige berisping van mijn superieur, de verbindingsofficier Amy Yaar. Ik had gezegd dat de in Beiroet gedode Amerikaanse soldaten langer in ons geheugen zouden blijven dan onze eigen verliezen omdat de Amerikanen waren gekomen met goede bedoelingen, om ons uit de rotzooi te helpen waar we onszelf in hadden gewerkt. Ik kreeg te horen: 'Zwijg. Bij welke club hoor jij. Wij doen veel meer voor de Amerikanen dan zij voor ons.' Dat zeiden ze altijd, maar het is niet waar. Veel van het Israëlische materieel was Amerikaans, en de Mossad had van alles aan de VS te danken.

Al die tijd werden er verscheidene westerlingen vastgehouden en bleven de verschillende facties nieuwe mensen gijzelen. Het hoofd van het CIA-station William Buckley, die bij de Amerikaanse ambassade stond ingeschreven als beleidsmedewerker, werd eind maart 1984 bij het verlaten van zijn appartement in West-Beiroet ontvoerd door drie shi'itische soldaten die hem bedreigden met wapens. Hij werd achttien maanden lang vastgehouden, uitgebreid gemarteld en ten slotte op beestachtige wijze vermoord. Hij had gered kunnen worden.

De Mossad wist dankzij zijn uitgebreide netwerk van informanten waar veel van de gijzelaars werden vastgehouden, en door wie. Het is van groot belang te weten door wie iemand wordt vastgehouden, anders zou je aan het onderhandelen kunnen slaan met iemand die helemaal niemand gijzelt. Er bestaat een verhaal over een Libanees die zijn helper instructies gaf iemand te vinden waarmee hij kon onderhandelen over een gijzelaar. De helper zei: 'Uit welk land komt je gijzelaar?' Het antwoord: 'Noem een land en ik kom met een gijzelaar.'

Mannen op Buckley's niveau worden als zeer belangrijk beschouwd omdat ze zoveel weten. Wanneer hen informatie wordt afgedwongen kan dat voor mensen over de hele wereld de dood betekenen. Een groep die zichzelf de Islamitische Jihad noemt (islamitische heilige oorlog) eiste de verantwoordelijkheid op voor de ontvoering van Buckley. Bill Casey, directeur van de CIA, was er zo op gebrand Buckley vrij te krijgen dat hij een FBI-team dat speciaal was getraind in het opsporen van ontvoeringsslachtoffers naar Beiroet stuurde. Maar na een maand was het team nog niets opgeschoten. De officiele VS-politiek verbond toen onderhandelingen over losgeld voor gijzelaars, maar Casey had aanzienlijke bedragen beschikbaar gesteld voor het betalen van informanten en eventueel voor het vrijkopen van Buckley.

Het duurde niet lang of de CIA wendde zich tot de Mossad om hulp. Kort na Buckley's ontvoering vroeg de verbindingsofficier van de CIA in Tel Aviv de Mossad om zoveel mogelijk informatie over Buckley en een paar andere gijzelaars.

Op een ochtend werd het personeel om half twaalf via de intercom van het hoofdkwartier verzocht een uur lang niet op de bovenste verdieping te komen en geen gebruik te maken van de lift. Er waren gasten. De twee CIA-ambtenaren werden naar Admony's kantoor op de negende verdieping geleid. Het hoofd van de Mossad vertelde ze dat hij alle informatie zou geven die de Mossad had, maar als ze iets bijzonders wilden zouden ze het via de premier moeten spelen, 'want dat is onze baas'. Admony wilde een formeel verzoek, want dat zou later nog voordelen kunnen opleveren.

De Amerikanen formuleerden via hun ambassadeur een verzoek aan Shimon Peres, die toen premier was. Peres gaf Admony instructies de CIA alles te geven wat van nut zou kunnen zijn in verband met de Amerikaanse gijzelaars. Over het algemeen zitten er beperkingen vast aan dergelijke toezeggingen – restricties als 'We geven je alle informatie die we hebben, zolang ons personeel niet in gevaar komt' – maar in dit geval waren er geen beperkingen, wat duidelijk aangaf hoe belangrijk de gijzelaarskwestie was, niet alleen voor de Verenigde Staten maar ook voor Peres.

Politiek gezien kunnen zaken als deze zeer riskant zijn. De onherstelbare politieke schade en vernedering die Jimmy Carter opliep tijdens de gijzeling van Amerikanen in Iran na de val van de sjah, moet de regering Reagan zich maar al te goed hebben herinnerd.

Admony garandeerde Peres dat hij al het mogelijke zou doen om de Amerikanen te helpen. 'Ik denk dat het allemaal goed komt,' zei hij. 'Misschien hebben we wat informatie waar ze iets mee kunnen doen.' In werkelijkheid was hij absoluut niet van plan te helpen.

Twee CIA-ambtenaren werden ontboden voor een bespreking op de afdeling *Saifanim* ('goudvissen'), de PLO-specialisten. De ontmoeting vond plaats in de Midrasha, de Academie. Omdat Israël de PLO ziet als zijn grootste vijand, gaat de Mossad ervan uit dat er weer iets is bereikt wanneer de PLO ergens de schuld van krijgt. Dus men begon te bedenken hoe de PLO kon worden beschuldigd van de ontvoeringen, ook al stond vast dat veel ervan, onder andere die van Buckley, niets met de PLO te maken hadden.

Om de Amerikanen de indruk te geven dat ze alle medewerking kregen, hingen de mensen van de Saifanim een muur van de directiekamer vol kaarten, en ze verstrekten een aantal globale gegevens omtrent verblijfplaatsen van gijzelaars – hoewel ze voortdurend werden verplaatst, wist de Mossad over het algemeen wel waar ze zaten. De Mossad hield veel van de uit allerlei eigen bronnen vernomen details achter, maar zei de Amerikanen dat ze aan de hand van het globale overzicht zelf moesten beslissen of het de moeite waard was zich te verdiepen in details. Dit maakte allemaal deel uit van een onofficieel maar wezenlijk systeem van verplichting en aflossing, waarbij alvast werd betaald voor toekomstige diensten.

Tegen het einde van de bijeenkomst ging er een volledig verslag naar Admony. De Amerikanen gingen terug en bespraken de zaak met hun ambtenaren. Twee dagen later kwamen ze weer, om meer bijzonderheden te vragen omtrent een opmerking die tijdens de eerste ontmoeting was gemaakt. De CIA dacht dat dit een ruwe diamant kon zijn en wilde om meer informatie te kunnen krijgen in contact worden gebracht met de bron.

'Geen sprake van,' zei de man van de Mossad. 'Niemand krijgt bronnen te spreken.'

'Okay,' zei de CIA-er. 'Je hebt gelijk. Kunnen we dan de inlichtingenofficier te spreken krijgen?'

De Mossad doet alles om de identiteit van de katsa's verborgen te houden. Katsa's kunnen gewoonweg niet het risico lopen te worden gezien. Wie weet worden ze herkend. En een katsa die vandaag in Beiroet werkt kan morgen op een plek zitten waar hij de CIA-er toevallig tegenkomt, wat een hele operatie in duigen kan laten vallen. Toch zijn er veel manieren om gesprekken te voeren zonder dat de twee partijen elkaar werkelijk ontmoeten. Men kan praten met iemand die achter een scherm zit of een kap over het hoofd heeft getrokken en wiens stem onherkenbaar wordt gemaakt. Maar de Mossad was niet van plan zo behulpzaam te zijn. Ondanks rechtstreekse opdrachten van 'baas' Peres, zeiden de ambtenaren van de Saifanim dat ze het moesten bespreken met het hoofd van de Mossad.

In het hoofdkwartier zei men dat Admony een slechte dag had. Zijn maitresse, de dochter van het hoofd van de Tsomet, had ook een slechte dag. Ze was ongesteld – grapte men. Tijdens de lunch had iedereen in de cetzaal het over het gijzelingsgeval. Tegen dat het verhaal in de eetzaal was aangeland, was er wellicht al enige overdrijving in geslopen, maar Admony zou hebben gezegd: 'Die klootzakken van een Amerikanen. Straks willen ze nog dat wij de gijzelaars voor ze bevrijden. Zijn ze gek of zo?'

Hoe dan ook, het antwoord was nee. De CIA zou geen katsa te spreken krijgen. Verder kregen de Amerikanen te horen dat de informatie die ze hadden gekregen verouderd was en bij een heel ander geval hoorde, dat ze er in verband met Buckley dus niets aan hadden – wat niet waar was. De Mossad deed er nog een schepje bovenop door de Amerikanen te vragen verder geen aandacht te besteden aan de informatie, om de levens van andere gijzelaars niet in gevaar te brengen en beloofde vervolgens zich twee keer zo hard te zullen inspannen om de Amerikanen te helpen.

Veel mensen in het kantoor zeiden dat de Mossad er op een dag spijt van zou krijgen. Maar het merendeel was tevreden over de gang van zaken en dacht: 'We hebben het ze laten voelen. Wij rennen niet voor de Amerikanen. Wij zijn de Mossad. Wij zijn de besten.'

Zijn bezorgdheid om Buckley en de andere gijzelaars bracht Casey ertoe buiten het Amerikaanse Congres om te werken, en zo raakte hij betrokken bij het plan om in weerwil van het wapenembargo Iran in ruil voor de veiligheid van Amerikaanse gijzelaars wapens te leveren, wat uiteindelijk zou culmineren in de Iran-contra's affaire. Als de Mossad aanvankelijk behulpzamer was geweest, dan waren Buckley en een aantal anderen er wellicht heelhuids afgekomen en zou bovendien dat enorme politieke schandaal misschien niet hebben plaatsgevonden. Peres had wel gezien dat het in Israëls belang was om mee te werken, maar de Mossad – en in het bijzonder Admony – had andere belangen, waarvoor alles moest wijken.

Het definitieve einde van Israëls door de Mossad geleide bemoeienis met Libanon kwam toen het Mossad-bureau 'submarine' werd opgedoekt. Een groot aantal agenten werd achtergelaten en het hele netwerk zakte in elkaar. Veel agenten werden gedood. Anderen werden het land uitgesmokkeld.

Israël was de oorlog niet begonnen en had hem evenmin beëindigd. Je zou het kunnen vergelijken met blackjack in het casino: jij bent niet degene die het spel begint of beëindigt. Je doet gewoon mee. Israël won geen enkele keer de jackpot.

In die tijd was Amiram Nir adviseur van Peres 'op het gebied van terrorisme'. Toen Peres begon te vermoeden dat de Mossad de Amerikanen minder behulpzaam was dan zou kunnen, besloot hij Nir te gebruiken als zijn persoonlijke verbindingsman met Amerika, een beslissing die Nir in contact bracht met de Amerikaanse luitenant-kolonel Oliver North, later een centrale figuur in het Iran-contra's schandaal. Nirs positie was van dien aard dat hij de beroemde bijbel met de handtekening van Ronald Reagan bij zich had toen North en de voormalige Amerikaanse veiligheidsadviseur Robert McFarlane – met valse Ierse paspoorten – in mei 1986 een geheim bezoek brachten aan Iran om wapens te verkopen, waarvan de opbrengst werd gebruikt om wapens te kopen voor de door de VS gesteunde contra's in Nicaragua.

Nir was ontegenzeglijk een man met connecties en kennis van zaken. Hij had in 1985 een grote rol gespeeld bij de overmeestering van de kapers van het cruise-schip *Achille Lauro*, en hij informeerde de toenmalige Amerikaanse vice-president (en voormalig CIA-directeur) George Bush over de wapenonderhandelingen met Iran.

Nir schijnt te hebben gezegd dat hij en North in 1985 en 1986 de supervisie hadden over verschillende anti-terroristische operaties, waarvoor in een geheime overeenkomst tussen de VS en Israël toestemming was gegeven. In november 1985 zei North dat Nir was gekomen met het idee wapens te verkopen aan Iran om aan geld te komen voor andere geheime operaties.

Nirs betrokkenheid bij dit alles wordt nog intrigerender door zijn relatie met een schimmige in Iran gevestigde zakenman, Manucher Ghorbanifar. CIA-hoofd Bill Casey vertelde North dat Ghorbanifar hoogstwaarschijnlijk een agent van de Israëlische inlichtingendienst was. Toch had Ghorbanifar samen met Nir gezorgd voor Iraanse bemiddeling die leidde tot de bevrijding, op 29 juli 1986, van dominee Lawrence Jenco, een Amerikaan die door Libanese extremisten was gegijzeld. Binnen een paar dagen na Jenco's bevrijding, stelde Nir George Bush op de hoogte van de noodzaak als antwoord wapens naar Iran te sturen.

In 1974 was Ghorbanifar als agent voor de CIA gaan werken. Hij was degene die in 1981 het gerucht had verspreid dat Libische teams naar de Verenigde Staten werden gestuurd om Reagan te doden. Twee jaar later, toen was ontdekt dat de geruchten verzinsels waren, wilde de CIA hem niet langer als bron, en in 1984 was er een officiele 'brandbrief' rondgestuurd waarin werd gewaarschuwd voor Ghorbanifar, die een 'getalenteerde fantast' was.

Toch was het Ghorbanifar die bij de Saoedische miljardair Adnan Khashoggi een lening van $5 miljoen wist los te krijgen. Khashoggi was al jaren tevoren door de Mossad geworven als agent. Zijn spectaculaire privé-jet, waarover veel is geschreven, was in Israël omgebouwd. Khashoggi kreeg van de Mossad niet het gebruikelijke basissalaris voor agenten, maar bij veel van zijn bezigheden maakte hij gebruik van Mossad-geld. Hij kreeg leningen wanneer hij even geld nodig had, en aanzienlijke hoeveelheden Mossad-geld werden via Khashoggi's bedrijven het land uitgesluisd – geld dat veelal afkomstig was van Ovadia Gaon, een in Frankrijk wonende joodse multimiljonair van Marokkaanse origine die vaak te hulp werd geroepen wanneer er grote bedragen nodig waren.

De vijf miljoen die Khashoggi Ghorbanifar bezorgde was nodig om het wantrouwen dat bij de wapendeal tussen Iran en Israël bestond weg te nemen. Iran wilde niet betalen voordat het de wapens in handen had en Israël wilde de 508 TOW-raketten niet leveren voordat het geld binnen was. Khashoggi's lening was dus essentieel voor de afronding van de transactie. Kort na die deal werd de Amerikaanse dominee Benjamin Weir losgelaten, wat de VS er helemaal van overtuigde dat Ghorbanifar ondanks zijn leugenaarstalent via zijn contacten in Iran gijzelaars wist vrij te krijgen. In totaal verkocht Israël in het geheim voor ongeveer $500 miljoen wapens aan ayatollah Khomeini van Iran, en het is niet onwaarschijnlijk dat Ghorbanifar en zijn compagnon Nir deze hefboom gebruikten om deals met betrekking tot Amerikaanse gijzelaars te regelen.

Op 29 juli 1986 vond er een gesprek plaats tussen Nir en Bush in het King David-hotel in Jeruzalem. Details van de bespreking werden vastgelegd in een strikt geheime, drie pagina's tellende memo, geschreven door Craig Fuller, de stafchef van Bush. Volgens dit memo stelde Nir Bush op de hoogte van de Israëlische betrokkenheid bij de wapenzendingen. 'We doen zaken met extremistische elementen in Iran, want we hebben begrepen dat zij mensen vrij kunnen krijgen en de gematigden niet.' Reagan had voortdurend beweerd dat hij zaken deed met 'gematigde' Iraniërs. Nir vertelde Bush dat de Israëliers 'de weg hadden geopend. Wij hebben de operatie van een dekmantel voorzien, van een degelijke basis, en voor vliegtuigen gezorgd.'

Nir zou in 1989 tijdens het Iran-contra's schandaal een belangrijke getuige zijn in de rechtszaak tegen North, vooral omdat hij had beweerd dat voor de anti-terroristische activiteiten uit 1985 en 1986 waarover North en hij de supervisie hadden, toestemming was verleend in een geheime overeenkomst tussen de VS en Israël. Zijn getuigenis zou de regering-Reagan in grote verlegenheid kunnen brengen en bovendien kunnen aangeven hoe groot het aandeel van Israël was geweest in de affaire.

Maar opeens kwam er het bericht dat Nir op 30 november 1988 was omgekomen, in een Cessna T210, boven een ranch 175 km ten westen van Mexico-City. Ook de piloot van het vliegtuig kwam om. Een van de drie andere inzittenden, die slechts lichtgewond raakten, was de Canadese, 25-jarige Adriana Stanton uit Toronto, die beweerde niets met Nir te maken te hebben. Maar de Mexicanen omschreven haar als zijn 'secretaresse' en zijn 'gids', en zij werkte voor een firma waarmee Nir connecties had. Zij weigerde verder commentaar te leveren.

Nir was in Mexico geweest voor zakelijke gesprekken. Op 29 november had hij een bezoek gebracht aan een avocadoverpakkingsbedrijf in de staat Michoacan, in het westen van Mexico. Hij had grote financiële belangen in dat bedrijf. De volgende dag had hij onder de naam Pat Weber een vliegtuigje gecharterd voor een vlucht naar Mexico City, en volgens functionarissen kwam hij om toen het vliegtuig neerstortte. Zijn 'lichaam' werd geïdentificeerd door een mysterieuze Argentijn, Pedro Cruchet, die voor Nir werkte en illegaal in Mexico verbleef. Hij zei tegen de politie dat hij zijn papieren was kwijtgeraakt bij een stieregevecht. Dat verhaal werd geloofd en Nirs stoffelijk overschot werd aan hem toevertrouwd.

Officiële rapporten van het bureau van de officier van justitie verklaarden dat zowel Nir als Stanton, die verder vermoedelijk niets illegaals deden, onder valse namen reisden. Dit is later ontkend door een inspecteur die het op het vliegveld van vertrek had nagetrokken. Een verklaring voor de vergissing is nooit afgegeven.

Meer dan duizend mensen waren bij Nirs begrafenis in Israël en minister van Defensie Yitzhak Rabin sprak over Nirs 'missie naar tot nog toe onbekende bestemmingen, naar geheime bestemmingen en met geheime opdrachten, die hij in zijn hart opgesloten hield.'

In de *Toronto Star* werd een anonieme inlichtingenambtenaar aangehaald die zou hebben gezegd dat hij niet geloofde dat Nir dood was. Hij vond het waarschijnlijker dat Nir zich door middel van plastische chirurgie van een nieuw gezicht had laten voorzien, in Genève, 'waar de klinieken erg goed, erg besloten en erg discreet zijn'.

Wat er ook gebeurd is met Nir, het is niet te zeggen hoeveel schade zijn getuigenis de regeringen van Reagan en Israël had kunnen toebrengen tijdens de verhoren en strafzaken in de Iran-contra's affaire.

Tijdens het onderzoek van de parlementaire commissie van de Amerikaanse Senaat was in juli 1987 gebleken dat North op 15 september 1986 een om veiligheidsredenen gecensureerde memo had geschreven dat bestemd was voor vice-admiraal John Poindexter, de voormalige veiligheidsadviseur. Daarin raadde North Poindexter aan de wapendeal eerst te bespreken met Casey en vervolgens president Reagan in te lichten.

Van de zeven veroordeelden was Poindexter de enige die naar de gevangenis moest. Op 11 juni 1990 kreeg hij een straf van zes maanden opgelegd en een strenge toespraak van arrondissementsrechter Harold Greene, die zei dat Poindexter opsluiting verdiende omdat hij 'degene was die de beslissingen had genomen tijdens de Iran-contra's operatie'.

Op 3 maart 1989 was Robert McFarlane veroordeeld tot een geldboete van $20.000 en een proeftijd van twee jaar, nadat hij had bekend zich schuldig te hebben gemaakt aan vier strafbare feiten, die betrekking hadden op het onthouden van informatie aan het Congres. Oliver North werd op 6 juli 1989 aan het einde van de sensationele rechtszaak in Washington veroordeeld tot een boete van $150.000 en 1200 uur werk in dienst van de gemeenschap. Op 4 mei was hij door een jury schuldig bevonden aan drie van de twaalf onderdelen van de tenlastelegging. Verder kreeg hij een voorwaardelijke straf van drie jaar met een proeftijd van twee jaar.

In een passage van Norths memo aan Poindexter wordt Nirs rol in het schandaal onderstreept: 'Amiram Nir, de speciale assistent van premier (Shimon) Peres op het gebied van anti-terrorisme, heeft aangegeven dat Peres tijdens het vijftien minuten durende gesprek onder vier ogen met de president vermoedelijk verschillende gevoelige onderwerpen zal aansnijden.'

In verband met de wapenverkoop waren ondertussen drie Amerikaanse gijzelaars losgelaten: Jenco, Weir en David Jacobson.

Onder het kopje 'gijzelaars' stond in de memo: 'Enige weken geleden heeft Peres laten weten te vrezen dat de Verenigde Staten erover denken hun overleg met Iran stop te zetten. De Israëli's zien de gijzelaarskwestie als een horde die moet worden genomen op de weg naar verbreding van de relatie met de regering van Iran.

Het is waarschijnlijk dat Peres de verzekering wil dat de Verenigde Staten het huidige "gezamenlijke initiatief" handhaven aangezien zonder Israëlische hulp noch Weir noch Jenco zouden zijn vrijgekomen... het zou nuttig zijn als de president Peres eenvoudigweg bedankte voor Israëls discrete assistentie.'

Blijkbaar heeft Reagan dat gedaan. En het is zeer waarschijnlijk dat Peres daarvoor op zijn beurt weer heeft bedankt, op zijn minst gedeeltelijk, door te zorgen voor de 'dood' van Nir, die te veel zou kunnen vertellen.

Het is niet met zekerheid te zeggen, maar gezien de vele vraagtekens – en het feit dat Israëlische wapenhandelaars in die tijd over de Caribische Zee wapens naar Colombiaanse drugbaronnen smokkelden – is het onwaarschijnlijk dat Nir dood is.

Uitsluitsel hierover zullen we misschien nooit krijgen. Wat we echter gerust kunnen aannemen is dat de hele Iran-contra's affaire waarschijnlijk nooit had plaatsgevonden als de Mossad scheutiger was geweest met inlichtingen over de Amerikaanse en andere westerse gijzelaars.

Epiloog

Op 8 december 1987 kwam een Israëlische legertruck in de Gazastrook in botsing met een paar busjes, waarbij vier Arabieren omkwamen en nog eens zeventien gewond raakten. Het incident was aanleiding tot uitgebreide protesten de volgende dag, vooral toen het gerucht ging dat het ongeluk een weloverwogen represaille was voor het doodsteken van een Israëlische politicus in Gaza, op 6 december.

De volgende dag blokkeerden demonstranten in Gaza straten met barricades van brandende autobanden. Ze gooiden stenen, Molotovcocktails en ijzeren staven naar Israëlische troepen. Op 10 december sloegen de rellen over naar het vluchtelingenkamp Balata bij de stad Nabloes op de Westelijke Jordaanoever.

Op 16 december gebruikten speciale ordebewakingstroepen voor het eerst waterkanonnen tegen demonstranten, en grote aantallen Israëlische soldaten werden naar de Gazastrook gestuurd in een poging een einde te maken aan de groeiende onrust.

Twee dagen later renden in Gaza Palestijnse jongeren na de vrijdagse gebedsdienst uit de moskeeën de straat op, waar ze heftige confrontaties aangingen met Israëlische troepen. Nog drie Arabieren werden doodgeschoten. Daarna bestormden Israëlische troepen het Shifa-hospitaal in Gaza, waar ze tientallen gewonde Arabieren arresteerden en dokters en verpleegsters die hun patienten probeerden te verdedigen, mishandelden.

De *intifadah* was begonnen.

Op 16 mei 1990 beschuldigde een duizend pagina's tellend rapport dat was gesponsord door de Zweedse tak van het Save the Children Fund en gefinancierd door de Ford Foundation, Israël van 'ernstig, blind en herhaaldelijk' geweld tegen Palestijnse kinderen. De schatting was dat tussen de 50 en 63.000 kinderen waren behandeld voor verwondingen, waarvan minstens 6.500 voor kogelwonden. Het rapport meldde dat de omgekomen kinderen in de meeste gevallen niet met stenen gooiden op het moment dat ze werden doodgeschoten en dat in een vijfde van de onderzochte gevallen de kinderen thuis of op nog geen tien meter afstand van huis waren gedood.

De intifadah woedt nog steeds, en het einde is nog niet in zicht. Tot juli

1990 zijn volgens de Associated Press 722 Palestijnen gedood door Israëliers en nog eens 230 door Palestijnse radicalen; ten minste 45 Israëliers zijn omgekomen.

In 1989 stuurde Israël een recordaantal van 10.000 soldaten naar de Gazastrook en de Westelijke Jordaanoever om daar orde op zaken te stellen. In april 1990 was hun aantal teruggebracht tot 5000.

Op 13 februari 1990 meldde de *Wall Street Journal* dat de eerste twee jaren van de opstand de economische groei en de produktie van Israël volgens een onderzoek van Israëlische banken voor $1 miljard hadden geschaad. Bovendien had het leger dat de intifadah moest onderdrukken het land $600 miljoen gekost.

Op de 378 km² van de Gazastrook leven meer dan 600.000 Palestijnen boven op elkaar. Ongeveer 60.00 van hen reizen dagelijks naar Israël voor hun werk, voornamelijk zware slechtbetaalde slavenbanen. Elke avond moeten ze terug naar huis omdat ze niet in Israël mogen overnachten.

Op 16 maart 1990 stemde de Israëlische Knesset met 60 tegen 55 stemmen de regering van premier Yitzhak Shamir weg – de eerste keer dat een Israëlische regering viel door een motie van wantrouwen. De motie was ingediend nadat Shamir had geweigerd een Amerikaans plan voor een begin van Israëlisch-Palestijnse vredesbesprekingen te aanvaarden.

Op 7 juni gingen Shamir en zijn rechtse Likudpartij een coalitie aan met een paar splinterpartijen, die twee zetels kregen in de Knesset. Volgens velen was dit de meest rechtse regering uit de geschiedenis van Israël, die Shamir in staat stelde zijn politiek van het stichten van nederzettingen in de omstreden gebieden en het weigeren van onderhandelingen met de Palestijnen voort te zetten.

Op 15 november 1988 had de Palestijnse Nationale Raad, die door de PLO wordt gezien als zijn parlement in ballingschap, tijdens een vierdaagse bespreking in Algiers de stichting van een onafhankelijke Palestijnse staat geproclameerd en voor de eerste keer gestemd voor de aanvaarding van VN-resoluties die impliciet Israëls bestaansrecht erkennen.

Israëls imago heeft onder deze voortdurende periode van onrust flink geleden. Ondanks steeds sterker wordende pogingen van Israëlische ambtenaren de verslaggeving over de onlusten op de Westelijke Jordaanoever en de Gazastrook te beperken, zijn ook sommige van Israëls trouwste bondgenoten geschokt geraakt door de beelden van gewapende troepen die ongewapende Palestijnse jongeren aftuigen en beschieten.

Drie dagen na de motie van wantrouwen zei de voormalige Amerikaanse president Jimmy Carter tijdens een reis door het Midden-Oosten dat de hardnekkigheid van de opstand gedeeltelijk te wijten was aan het wangedrag van de Israëlische soldaten tegenover de Palestijnen, aan het willekeurig doden van mensen, het verwoesten van huizen en het gevangenhouden zonder berechting.

'Er is op de Westelijke Jordaanoever nauwelijks een familie waarvan niet een van de mannelijke leden door militaire autoriteiten wordt vastgehouden,' zei Carter.

Israëlische legerstatistieken laten zien dat er tussen de 15 en 20.000 Palestijnen gewond zijn geraakt en dat er rond de 50.000 zijn gearresteerd, van wie er nog zo'n 13.000 vastzitten.

In wat een weloverwogen poging leek de christelijke gemeenschap te provoceren, trok op 12 april 1990, tijdens de Paasweek, een groep van 150 joodse nationalisten in het *St John's Hospice*, een leegstaand, vier gebouwen en 72 vertrekken omvattend complex in het hart van de christelijke wijk van Jeruzalem. Het complex bevindt zich op enige meters afstand van de kerk van het Heilige Graf, die door de christenen wordt vereerd als de plek waar Jezus Christus werd begraven.

Tien dagen lang ontkende de Israëlische regering iets met deze actie te maken te hebben. Uiteindelijk gaf zij toe in het geheim $1,8 miljoen aan de groep te hebben gegeven, 40 procent van de huur van het complex.

De Amerikaanse senator Robert Dole suggereerde in een interview dat hij tijdens een rondreis door Israël gaf, dat de Verenigde Staten moesten overwegen hun omvangrijke hulpprogramma voor Israël te verkleinen om fondsen vrij te maken voor nieuwe democratieën in Oost-Europa en Latijns-Amerika.

Op 1 maart 1990 zei de Amerikaanse minister van Buitenlandse Zaken James Baker dat de regering-Bush bereid was te overwegen wat 'af te schaven' van de buitenlandse hulp aan Israël en andere landen om jonge democratieën te helpen. Shamir was verontwaardigd toen Baker een Israëlisch verzoek om borg te staan voor een lening van $400 miljoen waagde te koppelen aan een bevriezing van het aantal nederzettingen in de bezette gebieden.

De zaak-Levinger is illustratief voor de houding van de rechtervleugel in Israël. In juni 1990 werd rabbijn Moshe Levinger, leider van de zeer rechtse *Jewish Settlers' Movement*, wegens nalatigheid veroordeeld tot een gevangenisstraf van zes maanden. Hij had een Arabier doodgeschoten.

Op 7 oktober 1988 reed Levinger door Hebron toen iemand een steen naar zijn auto gooide. Hij sprong naar buiten en begon zijn wapen leeg te schieten, waarbij hij een Arabier doodde die in zijn kapperszaak stond. Tijdens een van de zittingen zwaaide Levinger zijn wapen boven zijn hoofd heen en weer en zei hij dat hij het 'voorrecht' had gehad een Arabier dood te schieten. Na de uitspraak werd hij op de schouders van een juichende menigte naar de gevangenis gedragen.

Rabbijn Moshe Tsvy Neriah, het hoofd van de beroemde *B'Nai Akiva Jeshiva* (een school voor godsdienstonderricht), zei tijdens een college namens Levinger: 'Het is geen tijd om te denken, het is tijd om links en rechts te schieten.'

Heim Cohen, een gepensioneerde rechter van Israëls Hooggerechtshof, zei: 'Ik heb nog nooit gehoord dat iemand die in koelen bloede iemand anders heeft doodgeschoten, moest terechtstaan wegens nalatigheid. Misschien word ik oud.'

De intifadah en de daaropvolgende neergang van de moraal en de menselijkheid zijn een direct gevolg van het soort grootheidswaanzin dat de werkwijze van de Mossad karakteriseert. Daar liggen de wortels. Het gevoel dat je kunt doen wat je maar wilt tegen wie je maar wilt en zo lang je maar wilt, alleen omdat je daartoe de mogelijkheid hebt.

Israël wordt ernstiger bedreigd dan ooit. Dit is niet onder controle te houden. In Israël mishandelt men nog steeds Palestijnen, en Shamir zegt: 'Zij maken ons wreed. Zij dwingen ons kinderen te slaan. Zijn ze niet verschrikkelijk?' Dit is wat er gebeurt na jaren en jaren van geheimhouding, van 'wij hebben gelijk, we moeten gelijk hebben, hoe dan ook', van het weloverwogen verkeerd inlichten van ambtenaren, van het door middel van listen rechtvaardigen van geweld en onmenselijkheid, of, zoals het Mossad-logo zegt: 'Met arglist...'.

Het is een ziekte die is begonnen bij de Mossad en zich heeft verspreid over de regering, die vervolgens een groot gedeelte van de Israëlische samenleving heeft aangestoken. Er zijn grote groepen in Israël die zich verzetten tegen deze verwording, maar hun stem wordt niet gehoord.

Iedere stap achteruit maakt de volgende gemakkelijker èn moeilijker tegen te houden.

De krachtigste verwensing die de ene katsa de andere kan toevoegen luidt: 'Ik hoop dat ik over je in de krant lees.'

Misschien is dat de enige manier om een kentering op gang te krijgen.

Appendix I

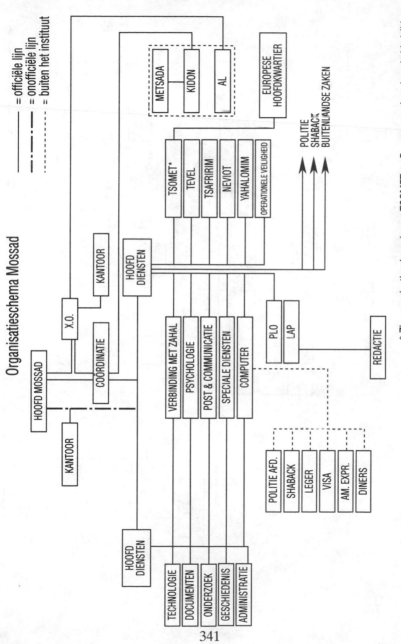

Organisatieschema Mossad

= officiële lijn
= onofficiële lijn
= buiten het instituut

HOOFD MOSSAD

KANTOOR

COORDINATIE

X.O.

KANTOOR

HOOFD DIENSTEN

VERBINDING MET ZAHAL
PSYCHOLOGIE
POST & COMMUNICATIE
SPECIALE DIENSTEN
COMPUTER

HOOFD DIENSTEN

TECHNOLOGIE
DOCUMENTEN
ONDERZOEK
GESCHIEDENIS
ADMINISTRATIE

TSOMET*
TEVEL
TSAFRIRIM
NEVIOT
YAHALOMIM
OPERATIONELE VEILIGHEID

METSADA
KIDON
AL

EUROPESE HOOFDKWARTIER

POLITIE
SHABACK
BUITENLANDSE ZAKEN

PLO
LAP

REDACTIE

POLITIE AFD.
SHABACK
LEGER
VISA
AM. EXPR.
DINERS

* Zie organisatieschema's van TSOMET en Bureaus op de volgende bladzijden

341

Organisatieschema TSOMET

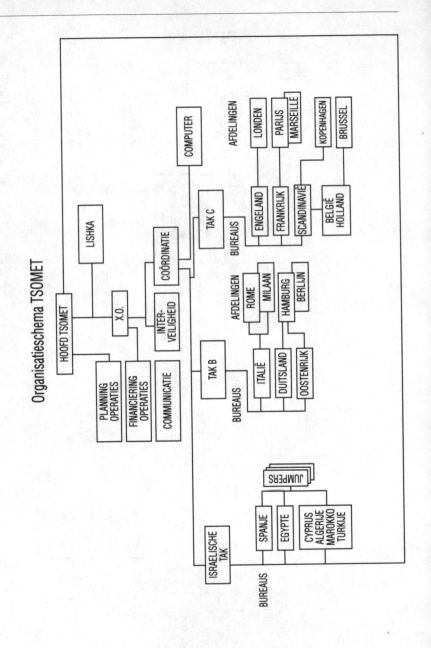

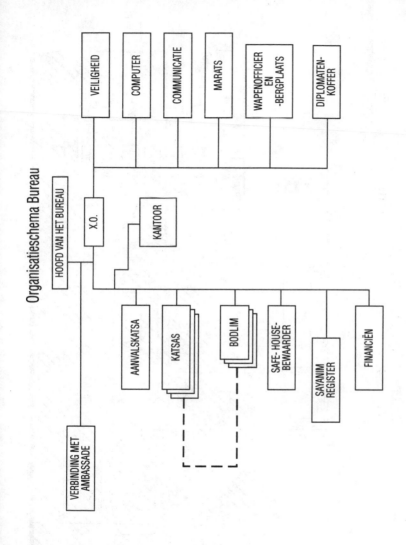

Organisatieschema Bureau

Officiële Inlichtingenstroom

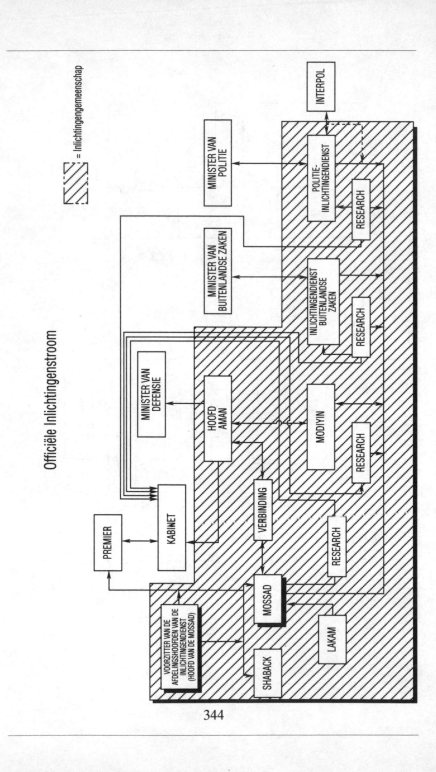

🔲 = Inlichtingengemeenschap

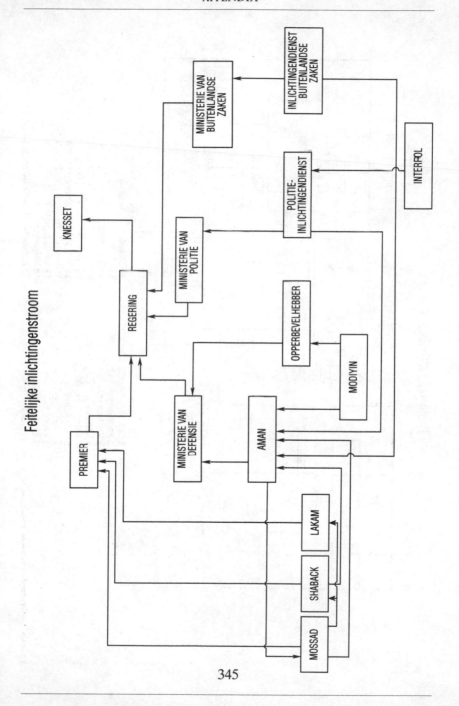

Feitelijke inlichtingenstroom

Plattegrond MOSSAD-academie

Begane grond

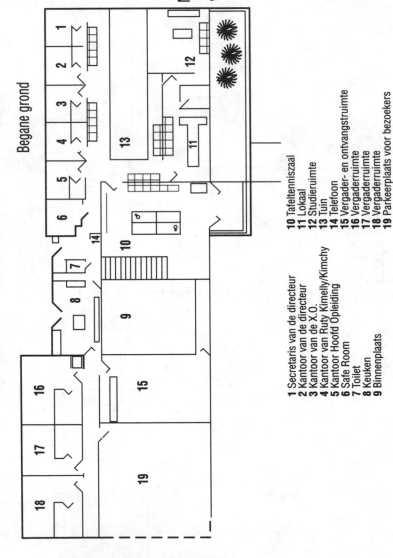

1 Secretaris van de directeur
2 Kantoor van de directeur
3 Kantoor van de X.O.
4 Kantoor van Ruty Kimelly/Kimchy
5 Kantoor Hoofd Opleiding
6 Safe Room
7 Toilet
8 Keuken
9 Binnenplaats

10 Tafeltenniszaal
11 Lokaal
12 Studieruimte
13 Tuin
14 Telefoon
15 Vergader- en ontvangstruimte
16 Vergaderruimte
17 Vergaderruimte
18 Vergaderruimte
19 Parkeerplaats voor bezoekers

Eerste verdieping

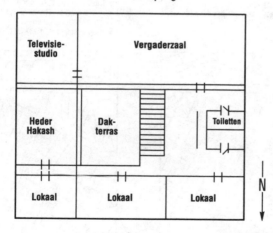

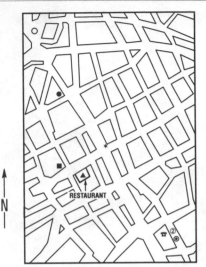

Het team dat de Katsa beschermt.
Tijdens de eerste fase neemt iedereen zijn positie in.

Methoden om om te gaan met gevaarlijke agenten.

Het team dat de Katsa beschermt

- ● Teamhoofd
- ▲ Nr. 2
- ■ Nr. 3
- ＊ Nr. 4
- ✖ Nr. 5
- ◉ Katsa
- ⊗ Agent
- ① Auto nr. 1
- ② Auto nr. 2
- ☎ Telefoon

1. #2 wacht in het restaurant. (Restaurant is al 'clean' bevonden: het werd al in de gaten gehouden voordat de agent het adres te horen kreeg, dus hij kan er niemand hebben heengestuurd.)
2. #3 staat aan de overkant van de straat, houdt de ingang in het oog, is klaar om de agent te volgen.
3. #4 staat klaar om te kijken en te volgen.
4. Auto #1 staat op zijn post.
5. Katsa zit in auto #2 een eindje uit de buurt te wachten. Auto staat naast een telefooncel zodat de katsa kan bellen om instructies te geven.
6. #5 zit in auto #1, volgt taxi van agent.

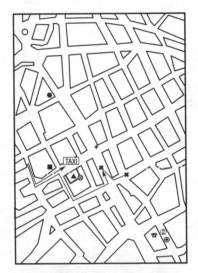

1. Iedereen is op zijn post wanneer taxi met agent verschijnt.
2. #5stapt uit auto #1 en geeft katsa in auto #2 teken agent in het reataurant te bellen.
3. Na het telefoontje knippert auto #2 met zijn lichten naar auto #1, die signalen geeft aan #4 (enz) om duidelijk te maken dat agent instructies heeft gekregen.

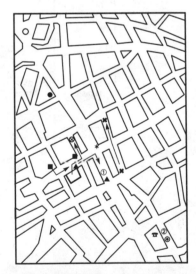

4. Agent verlaat restaurant.
5. #3 volgt agent en krijgt teken van #2 dat agent niet heeft getelefoneerd terwijl hij in het restaurant zat (had hij dat we gedaan, dan was de operatie meteen beëindigd, dan was iedereen direct in de auto's vertrokken).
6. #2 loopt naar auto #1 en wacht (omdat hij tegelijk met d agent in het restaurant zat zal hij zich verder niet meer later
7. #5 loopt naar de ontmoetingsplek.

348

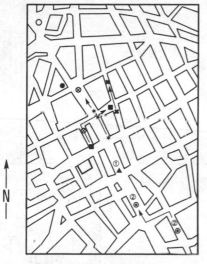

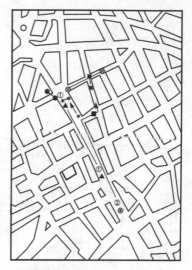

N

N

8. Agent loopt verder, volgens zijn instructies.
9. #3 laat agent over aan #4 en geeft aan dat hij clean is.
10. #4 neemt de agent over.
11. Auto #2 met katsa neemt positie 2 in.
12. #5 neemt positie in en komt naderbij.

13. Agent loopt door.
14. #5 neemt agent over.
15. #4 loopt naar de hoek en geeft teamhoofd en #4 teken.
16. Auto #1 komt aangereden en pikt teamhoofd en #4 op.
17. Auto #2 komt aangereden en pikt #3 op.

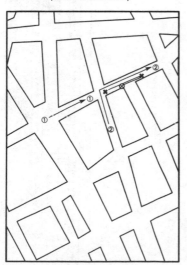

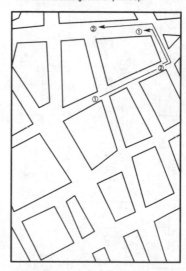

N

N

18. Nu loopt #5 in de richting van de agent.
19. Auto #2 rijdt op de agent af.
20. De katsa opent de achterdeur. #5 duwt de agent
naar binnen en fouilleert hem snel.
21. Auto #2 komt dichterbij om te volgen en te beschermen.

22. Ze rijden weg...

MOSSAD-Loonstrook met specificatie van maandsalaris van Victor Ostrovsky
(aan het formulier is te zien dat het afkomstig is van het bureau van de premier)

350

Apendix II

Mossad-rapporten over de structuur van de Deense Veiligheidsdiensten

(Vertaling van een uitdraai van de Mossad computer waarin Deense inlichtingendiensten wordt beschreven.)

Land 4647 1985
reprint
kopie voor land

Standaard – 1536 13 juni 1985
Aan: Mashove
Van: Land
GEHEIM – 4647
Purple A – Deense Civiele Veiligheidsdienst (DCSS)

1. De Deense Civiele Veiligheidsdienst is onderdeel van de politie. De dienst valt onder het ministerie van Justitie.

2. De politie voorziet de dienst van mankracht en logistieke middelen, het ministerie van Justitie heeft de supervisie over de activiteiten van de dienst. De supervisie omvat het geven van toestemming voor operationele activiteiten; elk daarvan wordt beoordeeld met het oog op het doel in kwestie.

3. Onder het hoofd van de dienst en het adjuncthoofd werken drie officiële adviseurs, die als verbindingsmensen fungeren tussen de leiding en de veldwerkers. Elk van de drie werkt met verschillende eenheden.

4. De belangrijkste aandachtspunten van de dienst zijn contraspionage en anti-terrorisme. De dienst is ook verantwoordelijk voor de bescherming van Deense vestigingen en ambassades van andere landen. Voor Israël observeert de dienst de Palestijnse gemeenschap in Denemarken, die uit ongeveer 500 personen bestaat.

5. Elke operationele activiteit van de DCSS wordt met argwaan en vijandigheid gadegeslagen. Dit beperkt de dienst in zijn mogelijkheden.

De dienst wordt ook gecontroleerd door de rechterlijke macht, wat zijn activiteiten beperkt. De dienst is verplicht elke actie die hij wil ondernemen te verklaren, analyseren en rechtvaardigen, vooral wanneer individuele vrijheden in het geding zijn.

De dienst is vrijwel machteloos omdat hij wordt geleid door officieel aangestelde personen.

6. Er vinden vaak ontmoetingen met Purple plaats. Wanneer we behoefte hebben aan uitleg over operationele onderwerpen, is binnen enkele uren een ontmoeting te regelen.

Eens in de drie jaar wordt er een PAHA-seminar gehouden. Het laatste heeft vorige maand plaatsgevonden.

7. Er wordt nauw samengewerkt met Purple A. De relatie is goed en diepgaand.

Een van onze afluisteraars (marats) zit op de afluisterafdeling van Purple; hij treedt tijdens PAHA op als hun adviseur.

De mensen van Purple vragen ons om advies over doelen voor mayanot (codenaam voor afluisterlokaties; letterlijk 'bron').

Hoogtepunt van de samenwerking is de operatie 'vriendschap' (de ondervraging van een Palestijnse piloot in een Deens ziekenhuis door iemand van het hoofdkwartier in Tel Aviv. De code voor het hoofdkwartier is HA-Y-HAL of 'paleis'). Bij deze operatie, die was opgezet om een Iraakse piloot te werven, hebben de mensen van Purple grote risisco's genomen en de hele operatie is alleen voor ons van belang.

Ooit hebben we een operatie met 'Shosanimo' en 'Abu el Phida' opgezet die in Denemarken moest worden uitgevoerd. De operatie is na een operationele beslissing onzerzijds niet doorgegaan.

8. De informatie die we ontvangen van de mayanot geeft ons een volledig en inzichtelijk overzicht van de Palestijnse gemeenschap in Denemarken en enig materiaal over politieke activiteiten van de PLO.

9. De dialoog over bovengenoemde activiteiten is levendig.

10. Op het gebied van mahol (letterlijk 'dans', hetgeen verwijst naar wederzijdse wervingsoperaties) wordt alle medewerking verleend zodra we erom vragen.

11. Belangrijke personen
    A. Henning Fode. Hoofd van de dienst. Benoemd in november 1984.

B. Michael Lyngbo. Adjuncthoofd sinds augustus 1983. Heeft geen ervaring op het gebied van inlichtingenwerk en is toch belast met de contraspionage.

C. Paul Moza Hanson. Officieel adviseur van het hoofd van de dienst en onze contactpersoon binnen Purple. Houdt zich hoofdzakelijk bezig met contra-terrorisme. Bijna aan het einde van zijn ambtstermijn. Hanson heeft deelgenomen aan het laatste PAHA-seminar in Israël.

D. Halburt Winter Hinagay. Hoofd van de afdeling anti-terrorisme en -subversie; heeft deelgenomen aan het laatste PAHA-seminar in Israel.

Land 4648

reprint
kopie voor land

Standaard – 1024 14 juni 1985
Aan: Mashove
Van: Land
GEHEIM – 4648
Purple B – Deense 'Mossad' (Deense Militaire Inlichtingendienst, DDIS)

1. Algemeen
   De Deense 'Mossad' is de inlichtingendienst van het Deense leger. De dienst valt rechtstreeks onder de bevelhebber van het leger en de minister van Defensie. Het hoofd van de DDIS is een afdelings-hoofd binnen het leger.

2. 'Mossad'-structuur
   De DDIS bestaat uit vier eenheden.
   A. Adminstratie.
   B. Afluisterafdeling (8200).
   C. Researchafdeling.
   D. Afdeling Informatieverzameling.

3. DDIS-verantwoordelijkheden
   A. Voor de NAVO:
      (1) Polen en Oost-Duitsland observeren.
      (2) Bewegingen van schepen uit het Oostblok in de Oostzee

controleren, wat wordt gedaan door een zeer daadkrachtige eenheid met zeer geavanceerde uitrusting.

B. Intern:
(1) Politieke en militaire research.
(2) Positieve informatieverzameling binnen Denemarken.
(3) Verbindingen met de buitenlandse diensten.
(4) De regering voorzien van nationale beoordelingen. (Over het algemeen ligt de nadruk van de DDIS op het Oostblok.)

C. Er wordt een nieuwe functie gecreëerd die het Midden-Oosten zal beslaan. Voorlopig zal er een persoon zijn die zich er één dag per week mee bezighoudt. Het doel is informatie te verzamelen van Deense handelaars en zakenlieden die contact hebben met het Midden-Oosten, zoals we hebben voorgesteld tijdens de PAHA-conferentie.

4. De gegevens die we ontvangen van DDIS gaan voornamelijk over het Oostblok: over Sovjet-activiteiten op het land, op zee en in de lucht. DDIS is gespecialiseerd in het fotograferen van Sovjet-vliegtuigen.
DDIS legt zich de laatste tijd vooral toe op het toepassen van nieuwe systemen om het luchtruim te observeren.
Purple is onze belangrijkste bron voor foto's van het SSC-3-systeem.

5. Met het bezoek aan Israël van het hoofd van hun afdeling luchtresearch en het bezoek aan Haifa van het hoofd van hun marineresearchafdeling, is de band met DDIS versterkt.
In augustus zal er in Israël een gecombineerde militaire bijeenkomst plaatsvinden.

6. Belangrijke personen
A. Mogens Telling. Sinds 1976 hoofd van de dienst; heeft in 1980 Israël bezocht.
B. Ib Bangsbore. Sinds 1982 hoofd van de afdeling voor humantinformatieverzameling. Is van plan er in 1986 mee op te houden.

Appendix III

AMAN-vragenlijst over de Syrische militaire paraatheid

(Dit is een vertaling van een document dat is overhandigd aan een hooggeplaatste Syrische agent vlak voordat hij van Europa terugging naar Syrië.)

Dit document bevat richtlijnen omtrent militaire informatie die moet worden ingewonnen en is bestemd voor een persoon die naar een vijandelijk land gaat. U dient zelf te beoordelen of uw bron over bepaalde onderwerpen wel of geen inlichtingen zal kunnen verschaffen of dat u bepaalde vragen beter kunt overslaan.

STAAT VAN PARAATHEID EN WAARSCHUWINGEN

1. Hoe zijn de diverse staten van paraatheid gedefinieerd bij de Syrische grondtroepen en welke is die staat op dit moment wat betreft:
   a) De aanwezigheid van soldaten in de bases
   b) Trainingsroutines
   c) Directe inzetbaarheid van het krijgsmaterieel
   d) Hoeveelheid geschut en munitie
2. In hoeverre is het Syrische leger momenteel voorbereid op oorlog, afgaande op:
   a) Status van de strijdkrachten in de eenheden
   b) Het niveau van de inzetbaarheid van het krijgsmaterieel
   c) Peil van de voorraad, munitie, overige uitrusting (intendant)
   d) Trainingsniveau dat de verschillende eenheden hebben bereikt
   e) Peil van de strategische voorraden in Syrië – voedsel, benzine
3. Uit hoeveel regimenten bestaan de volgende brigades:
   a) De 60ste Tankbrigade
   b) De 67ste Tankbrigade
   c) De 87ste Brigade van de 11de Tankdivisie
   d) De 14de Divisie van de 'Special Forces'

TRAININGSPROGRAMMA VOOR 1985

4. Wat wil Syrië bereiken binnen het kader van de training in 1985?

5. Welke eenheden op brigade- of divisieniveau zullen dit jaar oefenen voor een volledige mobilisatie en wanneer?
6. Welke oefeningen worden er verwacht binnen de commandostaf, het commandokorps en de commandodivisie en wat is de tijdsplanning?
7. Wat heeft het Syrische leger geleerd van het trainingsjaar 1984?
8. Welke eenheden zijn er dit trainingsjaar speciaal uitgesprongen en welke doelen werden bereikt?

SPECIAAL TE CONTROLEREN GEGEVENS
9. Welke technieken zijn er tijdens de aanvallende oefeningen uitgeprobeerd?
10. Hoe lang duurt het gevechtsoverleg op de verschillende trainingsniveaus?
11. Welk deel van deze training vindt 's nachts plaats?
12. Welke oefeningen hebben de 11de Tankdivisie en zijn verschillende eenheden gehouden?
13. Zijn er dit jaar oefeningen gehouden waarbij SSM-eenheden (surface-to-surface missiles; grond-grondraketten) betrokken waren?
14. Welke eenheden van de stoottroepen hebben in 1984 getraind en op welke niveaus?
15. Wat zijn de lessen die Syrië getrokken heeft uit de operatie 'Vrede voor Galilea' ten aanzien van:
    a) Tankeenheden
    b) Stoottroep-eenheden
    c) Artillerie- en luchtafweereenheden
    d) Commando en leiding
    e) Wat hebben de Syriërs opgestoken van die lessen?

STRATEGIE
16. Over de Syrische strategieën met betrekking tot het nemen van versterkte gebieden zoals de Golan-hoogvlakte:
    a) Wat vinden de Syriërs van de Israëlische versterkingen en hoe denken ze over de toegepaste technieken?
    b) Over welk materieel beschikken de Syriërs om dergelijke obstakels te nemen?
    c) Hebben de Syriërs schema's van de Israëlische versterkingen?

d) Welke strategieën hebben de Syriërs ontwikkeld met betrekking tot het nemen van de Israëlische versterkingen?

e) Welke eenheden zouden voor een doorbraak moeten zorgen? Welke middelen zullen hen ter beschikking worden gesteld om die taak tijdens de oorlog te volbrengen en over welke middelen beschikken ze nu?

f) Hoe goed zijn de eenheden getraind en in hoeverre kunnen ze hun taak volbrengen?

SYRISCHE STOOTTROEPEN

17. Hoe kan, zoals de 'bron' zegt, de 14de Divisie van de 'Special Forces' opereren als een luchtlandingsdivisie, als (eveneens volgens de 'bron') de Syriërs een beperkte helikoptertransportcapaciteit hebben?

18. Zijn stoottroepen uitgerust met vervoermiddelen voor de pantsertroepen of zullen ze dat in de toekomst zijn? Zo ja, met welk doel?

19. Zullen er meer 'Special Forces'-divisies worden gecreëerd? Zo ja, op welke termijn?

20. a) Zijn de Syriërs van plan stoottroepen te sturen naar de versterkingen in de frontlinie?

b) Zijn de Syriërs van plan stoottroepen te sturen naar Tel Abu Nida?

c) Zijn de Syriërs van plan stoottroepen te sturen naar Tel El Hantsir?

d) Zijn de Syriërs van plan stoottroepen te sturen naar Tiel Pars?

e) Zijn de Syriërs van plan stoottroepen te sturen naar de Bukatabergen?

f) Gaat men stoottroepen sturen naar kruisingen van wegen?

g) Gaat men stoottroepen sturen om commandoposten in te nemen?

21. Welke techniek zullen de Syriërs precies gebruiken om stoottroepen ter plaatse te krijgen?

BASISGEGEVENS

22. Hoeveel kracht denken de Syriërs nodig te hebben om een strategisch evenwicht met Israël te bereiken?

a) Hoeveel divisies en korpsen denken de Syriërs nodig te hebben om dit doel te bereiken?

b) Hoeveel tanks, gepantserde vervoermiddelen en artillerie denkt men nodig te hebben om dit doel te bereiken?
c) Hoeveel speciale middelen (zie specificatie hieronder) heeft men nodig om dit doel te bereiken?
   1. Middelen om bruggen en mijnenvelden te nemen.
   2. SSM's.
   3. Middelen voor chemische oorlogvoering.
d) Naar welke capaciteit voor het troepenvervoer per helikopter streeft het Syrische leger?
e) Aan hoeveel anti-tankhelikopters heeft het Syrische leger in dit verband behoefte?

23. Wat is de essentie van het meerjarengroeiplan? (Zie specificatie.)
   a) Is de in 1984 geplande groei bereikt? Zo ja:
      1) Wat wilde men bereiken?
      2) Wat is er bereikt?
      3) Denken de Syriërs dat ze voldoende hebben bereikt en dat wat ze bereikt hebben het gewenste resultaat zal opleveren?
   b) Wat wil men in het huidige groeiprogramma bereiken?
      1) Hoeveel eenheden/regimenten zullen worden gevormd of omgevormd?
      2) Naar hoeveel tanks, ATC, artillerie, luchtafweergeschut en techniek wordt gestreefd?
      3) Wat moet er volgens het plan met het leger gebeuren?
      4) Wat is de tijdsplanning voor elke fase van het plan? Wanneer verwacht men het hele plan te hebben uitgevoerd?

24. De structuur van de huidige verdedigingscompagnie.
   a) Welke units omvat de 'Defensiegroep'?
   b) Wat is de hiërarchie binnen de Defensiegroep?
   c) Welke eenheden zijn van de defensiegroep overgeplaatst naar Siroko?
   d) Waren er tekenen van verzet naar aanleiding van de overplaatsing van soldaten van de Defensiegroep naar andere eenheden?
   e) Welke zijn nu de operationele doelstellingen van de Defensiegroep?

25. De 14de Divisie van de 'Special Forces'.
   a) Welke eenheden vallen nu onder deze divisie?
   b) Zijn er plannen om meer logistieke ondersteuningseenheden te creëren binnen deze divisie?

26. De 'Bewaker van de Republiek'.
    a) Welke secundaire eenheden omvat de 'Bewaker' en hoe zijn ze bewapend?
    b) Zijn er plannen voor uitbreiding van deze eenheid?
27. Reserve-eenheden in het Syrische leger.
    a) Zijn er, afgezien van reserves die in geval van oorlog kunnen worden opgeroepen, organieke reserves voorhanden?
    b) Welke eenheden vormen ze en waar worden ze ingezet?
    c) Welke training krijgen ze en hoe staat het met hun paraatheid?

DE 11DE TANKDIVISIE

28. Nadere specificatie van alles wat te maken heeft met de onderdelen binnen de divisie (feitelijke regimenten binnen de brigades, regimenten artillerie, regimenten die direct onder de commandant van de divisie vallen). Wapens en andere benodigdheden voor de verschillende eenheden; officieren en troepen in de 11de Tankdivisie; huidige standplaats, training en staat van paraatheid van de divisie.
29. De taken en doelen van de 11de Divisie. Zal de divisie fungeren als algemene reserve die in de achterhoede kan worden ingezet of zal hij deel uitmaken van een nieuw korps?
30. Welk type tanks worden er in de afzonderlijke brigades van de 11de Divisie gebruikt? En hoeveel bedroeg na november 1984 het totale aantal tanks per brigade?
31. De 87ste Brigade en de 60ste Brigade. Specificeer hun onderdelen, omvang, wapens en uitrusting, mankracht en aantallen officieren, huidige standplaats, training en paraatheid.

DE 120STE BERGBRIGADE

32. a) Onder wiens commando staat de 120ste Brigade op dit moment?
    b) Waar is hij nu gestationeerd?
    c) Waar bevinden zich zijn permanente bases?
33. Specificeer de eenheden die onder de 120ste Brigade vallen, hun wapens en uitrusting, mankracht en aantallen officieren.
34. Doelen en oogmerken van de brigade. Waar zal hij eventueel worden ingezet en onder wiens commando valt hij dan?

TERRITORIALE COMMANDO'S VAN HET SYRISCHE LEGER

35. Specificeer de verschillende territoriale commando's en de operationele eenheden die onder die commando's vallen.
36. Aantallen officieren en mankracht binnen de verschillende commando's.
37. De plichten van de verschillende commando's, in oorlogs- en vredestijd.
38. Militaire kampen en installaties van de verschillende commando's.

KORPSEN BINNEN HET SYRISCHE LEGER

39. Zijn er plannen voor de vorming van meer korpsen binnen het Syrische leger? Zo ja: specificeer en geef een tijdsschema.
40. Als er nieuwe korpsen worden gevormd, zullen er dan nog algemene reserves zijn?

ALGEMEEN COMMANDO VELDLEGER

41. Hoever is men gevorderd met de vorming van het algemeen commando veldleger?
42. Welke eenheden zullen onder dit commando vallen?
43. Aantallen officieren en mankracht in het commando?
44. Stationering van de eenheden en commandoposten bij oorlogsdreiging en in vredestijd?
45. Bedoelingen van dit commando?

GENERALE STAF ANTI-TANKTROEPEN

46. Geef een lijst van de anti-tankeenheden van de generale staf, de mankracht en de aantallen stafofficieren.
47. Hun huidige standplaats.
48. Doelen en oogmerken.
49. De standaarduitrusting van een eenheid.

AANSCHAF MATERIEEL

50. Specificeer de contracten voor Russische leveranties die gesloten zijn na het bezoek van Assad aan Moskou in oktober 1984, vooral die waarin sprake is van geavanceerde wapensystemen (type, hoeveelheid, leveringsdatum, wijze van betalen).
51. Welke eenheden zullen als eerste de geavanceerde wapensystemen

ontvangen (verbeterde T-72-tanks, BMP.1-vervoermiddelen voor pantsertroepen, anti-tanksystemen, tank-ondersteunende systemen en artillerie) die dit jaar moeten aankomen?

52. Contacten en contracten met Westeuropese landen, het afgelopen jaar en in de nabije toekomst, met de nadruk op geavanceerde wapensystemen (tanks, ATC, mobiele artillerie, ondersteunende uitrusting).

OPSLAGFACILITEITEN

53. Specificeer de opslagfaciliteiten binnen het Syrische leger, voor het nieuwe en het oude materieel. Capaciteit, verantwoordelijkheid, doel.
54. Geef een overzicht van de inhoud van elke opslagplaats.

NACHTZICHT-UITRUSTING

55. Heeft het Syrische leger belangstelling voor dergelijke uitrusting, en zo ja, met welk doel? Waar wordt dergelijke uitrusting aangeschaft? Het is vreemd dat de 'bron' niet weet of het Syrische leger dergelijke apparatuur gebruikt.

ANTI-TANK

56. Waarop baseert de bron zijn overtuiging dat de antitankfodges niet zullen worden omgevormd tot anti-tankbrigades? (Een 'fodge' is een eenheid die kleiner is dan een brigade, speciaal in Arabische legers.)
57. Wat is het verschil tussen een anti-tankfodge en een antitankbrigade?

SPECIAL FORCES

58. Waarop baseert de bron zijn overtuiging dat de stoottroepenfodges niet zullen worden omgevormd tot stoottroepenregimenten?
59. Wat is het verschil tussen een stoottroepenfodge en een stoottroepenregiment?

OFFICIEREN EN MANSCHAPPEN

60. Geef een lijst van de aanstellingen en ontslagen zoals die in januari 1985 bekend zullen worden gemaakt.
61. De veranderingen in de legerstaf na de terugkeer van Rifaat Assad en na de Baath-conventie die binnenkort zal plaatsvinden.

62. Waarom neemt Halmat Shaby niet deel aan militaire formaliteiten waarbij normaal gesproken de stafchef aanwezig is? Worden er wijzigingen verwacht in zijn positie van stafchef?
63. Kloppen de geruchten dat Ebrahm Tsafi van de 1ste Divisie wordt aangesteld als tweede man na de stafchef nadat Ali Atslan als opvolger van stafchef Shaby zal zijn benoemd?
64. Worden er wijzigingen verwacht in de functies van Ali Duba en zijn onderbevelhebber Magid Said? Zo ja, wat zal hun nieuwe functie zijn en door wie zullen zij worden vervangen?
65. Worden er wijzigingen verwacht in de verantwoordelijkheden en doelstellingen van het onderdeel dat onder het bevel van Rifaat Assad zal komen te staan? Volgens de 'bron' zal Rifaat de plaats innemen van Ahmed Diab, het huidige hoofd van het bureau voor de nationale veiligheid.
66. Nieuwe aanstellingen in de 569ste Divisie.
67. De structuur van het Syrische ministerie van Defensie.
68. Specificeer de trainingsprogramma's voor cadetten van de militaire academie te Homs.
69. Hoe groot is de lichting cadetten die in 1985 zal beginnen met de opleiding van de militaire academie in Timz?
70. Volgens welk systeem worden de rangnummers van de cadetten van de militaire academie in Homs uitgedeeld? Details graag.
71. Omvang mankracht in het Syrische leger, in verhouding tot de organieke sterkte, met name in de divisies.
72. Lijsten van de namen van officieren van zoveel mogelijk eenheden van het Syrische leger.
73. De codes van de reservetroepen, naar beroepsgroep of per afzonderlijke eenheid.
74. Bergplaatsen van het hierboven genoemde?
75. Hoe vaak worden die codes veranderd?
76. Specificeer de voor 1984-85 verwachte lichting rekruten, afgaande op de aantallen leerlingen op scholen.

Verklarende woordenlijst

ACADEMIE – (Of: *Midrasha*.) Officieel het zomerverblijf van de premier, in werkelijkheid het opleidingscentrum van de Mossad ten noorden van Tel Aviv.

AGENT – Een alom verkeerd gebruikte term. Een agent is iemand die 'geworven' is en niet iemand die een vast dienstverband heeft bij een inlichtingendienst. De Mossad 'runt' over de hele wereld agenten, in totaal zo'n 35.000, van wie er 20.000 operationeel en 15.000 oproepbaar zijn. 'Zwarte' agenten zijn Arabieren en 'witte' agenten niet-Arabieren. 'Waarschuwers' zijn agenten die op strategische plaatsen zijn gestationeerd en voornamelijk tot taak hebben oorlogsvoorbereidingen te signaleren en erover te berichten. Zo kan een arts in een Syrisch ziekenhuis melden dat er plotseling een grote hoeveelheid medicijnen is aangekomen en een havenarbeider opmerken dat er plotseling sprake is van verhoogde activiteit op oorlogsschepen.

AL – Een zeer geheime eenheid die uit ervaren katsa's bestaat en opereert in de Verenigde Staten.

AMAN – Militaire inlichtingendienst.

APAM – (Afkorting van: *Avtahat Paylut Modi'enit*). Operationele veiligheidsafdeling van de inlichtingendienst.

BABLAT – (Ook: *bilbul beitsim*.) Onzin praten.

BALDAR – Koerier.

BAT LEVEYA – Vrouwelijke escort, niet voor seks. Een als assistent-agent ingehuurde, niet per se joodse vrouw, meestal uit de plaatselijke bevolking afkomstig.

BODEL – (Meervoud: *bodlim*; ook: *le'havdil*.) Koerier, die boodschappen overbrengt tussen *safe houses* en ambassades of tussen *safe houses* onderling.

CHETS WA'KESHET – (Betekent: 'Pijl en boog'.) Embleem en zomertrainingskamp van de Gadna.

DARDASIM – Personen die verbindingen onderhouden in China, Afrika en het Verre Oosten; ze vallen onder de *Kaisarut*.

DEVELOPMENT – De aan militaire eenheid 8520 verbonden afdeling die zorgt voor speciale sloten, koffers met dubbele bodems, enzovoort.

DIAMANTEN – (Of: *yahalomim*.) Leden van een eenheid binnen de Mossad waaronder de communicatie met agenten valt.

DUVSHANIM – Gewoonlijk manschappen van VN-vredescorpsen die worden betaald om boodschappen en pakketjes over de grenzen tussen Israël en Arabische landen te brengen.

FALACH – Arabische boeren in Libanon, die vaak door het Israëlische leger worden geworven als kleine agenten.

FRAMES – (Of: *misgerot*.) Joodse zelfverdedigingsgroepen, die overal ter wereld zijn opgezet.

GADNA – Israelische paramilitaire jeugdbrigades.

HUMANT – Het verzamelen van informatie uit menselijke bron, dat wil zeggen via allerlei typen agenten.

INSTITUUT – Letterlijke betekenis van het woord Mossad. In het Ivriet luidt de volledige naam: *Ha Mossad, le'Modiyin we'le'Tafkidim Mayuhadim* (Instituut voor Inlichtingen en Speciale Operaties).

JUMBO – Persoonlijke informatie die verder gaat dan de informatie die wordt ingewonnen door de officiële inlichtingendiensten. Wordt via buitenlandse verbindingsmensen van bijvoorbeeld de CIA verzameld door verbindingsofficieren van de Mossad.

JUMPERS – In Israel gestationeerde katsa's die steeds voor korte tijd naar andere landen gaan, in tegenstelling tot katsa's die een vaste standplaats in het buitenland hebben.

KAISARUT – (Vroeger: *Tevel*.) Afdeling van de Mossad waaronder de verbindingsmensen op Israëlische ambassades vallen. De plaatselijke autoriteiten weten dat ze officieren van de inlichtingendienst zijn.

KATSA – Officier van de inlichtingendienst. De Mossad heeft er maar een stuk of vijfendertig in dienst. Ze houden zich in de hele wereld bezig met het werven van agenten uit het vijandelijke kamp (ter vergelijking: bij de KGB en de CIA werken er duizenden).

KESHET – (Later: *neviot*; betekent: 'boog'.) Afdeling bestaande uit drie teams die zijn belast met het verzamelen van informatie uit niet-levende objecten door middel van inbraken en het plaatsen van afluisterapparatuur.

KIDON – (Betekent: 'bajonet'.) Operationele arm van de Metsada die verantwoordelijk is voor liquidaties en ontvoeringen.

KOMEMIUT – Zie: *Metsada*.

K'SHARIM – (Betekent: 'knopen'.) In de computer opgeslagen gegevens over wie connecties heeft met wie.

LAKAM – (Afkorting van: *Lishka le'Kishrei Mada.*) Verbindingsbureau wetenschappelijke zaken van het Israëlische ministerie van Defensie.

LAP – (Afkorting van: *Lochama Psichloghit.*) Psychologische oorlogvoering.

LEAD – Het werven van een persoon om vervolgens een ander te kunnen werven.

MABUAH – Iemand die geen rechtstreekse informatie levert maar informatie uit de tweede hand.

MALAT – Tak van de verbindingsafdeling die zich bezighoudt met Zuid-Amerika.

MARATS – Afluisteraar.

MASLUL – (Betekent: 'route'.) Een methode om erachter te komen of men wordt gevolgd.

MAULTER – (Betekent: 'ongepland'.) Niet-geplande of geïmproviseerde veiligheidsroute.

MELUCHA – (Vroeger: *Tsomet.*) Wervingsafdeling; verantwoordelijk voor het optreden van de katsa's.

METSADA – (Later: *Komemiut.*) Zeer geheime afdeling, een soort mini-Mossad binnen de Mossad, waaronder de 'echte' spionnen vallen, dat wil zeggen Israëli die onder een dekmantel in Arabische landen werken.

MIDRASHA – Zie: Academie.

MISGEROT – Zie: Frames.

MISHLASHIM – Brieven of pakjes die door de geadresseerde worden opgehaald op de plek waar ze zijn afgegeven of 'gedropt'.

MOLICH – Iemand die niet om zichzelf is geworven, maar om een *lead* naar iemand anders mogelijk te maken; soort blindengeleidehond.

NAKA – Uniform rapportagesysteem binnen de Mossad, waaraan men zich dient te houden bij het opstellen van operatie- en informatierapporten.

NATIV – Informant die gegevens verzamelt in de Sovjetunie; organiseert ontsnappingsroutes voor joden uit Oost-Europa.

NEVIOT – Zie: *keshet.*

OTER – Een uit een Arabisch land afkomstige medewerker die door de Mossad wordt betaald om contacten te leggen met andere Arabieren, die bijvoorbeeld moeten worden geworven. Ontvangt gewoonlijk $3000 tot $5000 per maand plus onkostenvergoeding.

PAHA – (Afkorting van: *Paylut Hablanit Oyenet.*) Vijandelijke sabotage-activiteiten.

SAFE HOUSE – Door de Mossad 'operationeel appartement' genoemd. Een aangekocht of gehuurd appartement of huis dat wordt gebruikt voor geheime ontmoetingen en als basis voor operaties.

SAIFANIM – (Betekent: 'goudvissen'.) Leden van de afdeling binnen de Mossad die zich bezighouden met de PLO.

SAYAN – (Meervoud: *sayanim*). Joodse vrijwilligers buiten Israël.

SEVEN STAR – Kleine agenda met een leren omslag die katsa's bij zich dragen en waarin – in code – telefoonnummers en contactpersonen staan genoteerd.

SHABAK – De Israëlische binnenlandse veiligheidsdienst.

SHIKLUT – Afluisterafdeling; afluisteraars worden *maratsim* genoemd.

SHIN BET – Vroegere benaming voor Shabak.

SLICK – Bergplaats voor documenten, wapens enzovoort.

TACHLESS – Ter zake komen.

TAYESET – Codenaam voor het trainingscentrum.

TE'UD – (Betekent: 'documentatie'.) Het maken van documenten zoals paspoorten.

TEVEL – Zie *Kaisarut*.

TSAFRIRIM – (Betekent: 'ochtendbries'.) Organiseren de joodse gemeenschappen buiten Israël en helpen bij het opzetten van *frames*.

TSIACH – (*Tsorech Yediot Hasuvot*). Jaarlijkse vergadering van de hoofden der Israëlische militaire en civiele inlichtingendiensten. Het is ook de naam van het document waarin, in volgorde van belangrijkheid, de informatie staat opgesomd die het komende jaar moet worden bemachtigd.

TSOMET – Zie *Melucha*.

UNIT 504 – Een mini-Mossad; eenheid van het leger die buiten Israël informatie verzamelt.

UNIT 8200 – Eenheid van het leger die voor de Israëlische inlichtingendienst informatie onderschept.

UNIT 8513 – Tak van de militaire inlichtingendienst die zich bezighoudt met het maken van foto's.

YAHALOMIM – Zie: Diamanten.

YARID – (Betekent: 'plattelandskermis'.) Afdeling, bestaande uit drie teams die zijn belast met veiligheidsoperaties in Europa.